westermann

Leistungskurs

unterwegs sein – Lyrik
H. v. Kleist: Der zerbrochne Krug
J. Erpenbeck: Heimsuchung
Kommunikation

schroedel **Abitur**

Arbeitsbuch für Schülerinnen und Schüler

ABITUR 2026 • DEUTSCH

NORDRHEIN-WESTFALEN

Jan Janssen Bakker
Klaus-Michael Guse
Sascha Spolders
Dieter Stüttgen

unter Beratung von: Sascha Spolders

In diesem Arbeitsbuch wird an einigen Stellen ergänzend zu den QR-Codes auf sogenannte **Webcodes** verwiesen. Über diese können Sie Zusatzmaterialien bequem online abrufen.
Zur Nutzung des jeweiligen Webcodes geben Sie diesen (z. B. WES-169088-001) in der Suchleiste auf **www.westermann.de/webcode** ein.

Druck A [1]/ Jahr 2024
Alle Drucke der Serie A sind im Unterricht parallel verwendbar.

Redaktion: Lena Höing
Umschlaggestaltung: LIO Design GmbH, Braunschweig
Layout: Yvonne Konstanze Behnke, Berlin
Druck und Bindung: Westermann Druck Zwickau GmbH

ISBN 978-3-14-**169088**-0

Das erwartet Sie ...

Liebe Schülerinnen und Schüler,

die Qualifikationsphase hat nun endgültig die letzten beiden Jahre bis zum Abitur eingeläutet. Eine Zeit, in der Sie zunehmend mehr Verantwortung für Ihren eigenen Lernprozess übernehmen müssen. Auf diesem Weg zum Abschluss will Sie **Schroedel Abitur** begleiten und Sie dabei unterstützen, aufbauend alle Kompetenzen zu erlangen, die Sie für ein erfolgreiches Absolvieren der Prüfungen zur Allgemeinen Hochschulreife im Fach Deutsch benötigen.

Für Ihre abschließenden Abiturprüfungen gibt es in Nordrhein-Westfalen zwei Grundlagen:

- zum einen den Kernlehrplan für die gymnasiale Oberstufe und
- zum anderen die spezifizierten Vorgaben für das Abitur, die konkretisieren, anhand welcher Inhalte die Kompetenzerwartungen des Lehrplans umgesetzt werden sollen. Über diese Vorgaben manifestieren sich zentrale Aspekte, die unbedingt den Kern der Vorbereitung auf das Zentralabitur darstellen müssen, nämlich die Fokussierungen auf:
  - Heinrich von Kleists Lustspiel **„Der zerbrochne Krug"** als zentrales Vergleichswerk für „strukturell unterschiedliche Dramen aus unterschiedlichen historischen Kontexten",
  - die lyrische Verarbeitung des Motivs **„unterwegs sein"** vom Barock bis zur Gegenwart
  - den Roman **„Heimsuchung"** als zu fokussierender Text der Untersuchungen zu „strukturell unterschiedlichen Erzähltexten aus unterschiedlichen historischen Kontexten" sowie
  - das Inhaltsfeld **Kommunikation** mit dem Augenmerk auf „Rhetorisch ausgestaltete Kommunikation in funktionalen Zusammenhängen" (**Sprache in politisch-gesellschaftlichen Verwendungszusammenhängen**).

Dieses Arbeitsbuch behandelt dementsprechend die zentralen Inhaltsfelder und konkretisierten Erwartungen der Vorgaben für das Zentralabitur Ihres Jahrgangs 2026 an den genannten inhaltlichen Beispielen, um Ihnen so einen Überblick über die Vielzahl der erwarteten Leistungen, Kompetenzen und deren Vernetzung zu ermöglichen.

Die Aufgaben zu den einzelnen Kapiteln sind den Anforderungsbereichen entsprechend aufgebaut und orientieren sich an den Operatoren des Landes NRW (vgl. hierzu die vordere Umschlaginnenseite), um gewährleisten zu können, dass Sie den Anforderungen, die Sie in der Abiturprüfung zu erwarten haben, gelassen entgegensehen.

Zu jedem einzelnen inhaltlichen Kapitel wird ein ausführliches **Klausurtraining** angeboten, das Sie schrittweise an die eigene Produktion verschiedener Textsorten heranführt.

In dem Kapitel **Auf einen Blick** finden Sie dann noch einmal eine Zusammenfassung dieser hilfreichen Tipps

- zum **Klausurwissen**,
- zur generellen **Methodik** und zu **Fachbegriffen**.
- Ebenfalls findet sich hier ein Überblick zur **Literaturgeschichte**, gut geeignet, um sich schnell einen Überblick über die zentralen Inhalte der einzelnen Epochen und Perioden der deutschen Literatur zu verschaffen.

Der Ansatz dieses Arbeitsbuches ist es, den „Kern" der zu behandelnden Komplexe darzustellen, Sie nicht zu überfrachten mit Randnotizen und Querverweisen, Ihnen gleichzeitig aber auch zu zeigen, worin das Spannende, Aufregende und Begeisternde der Inhalte, Themen, Kompetenzen und Aspekte, mit denen Sie sich in den nächsten zwei Jahren auseinandersetzen werden, besteht.

In diesem Sinne wünschen wir Ihnen nun viel Erfolg und Spaß im Deutschunterricht der Qualifikationsphase!

Rhetorisch ausgestaltete Kommunikation in funktionalen Zusammenhängen

„unterwegs sein“

Lyrik vom Barock bis zur Gegenwart

Sprache

Sprache, Denken und Wirklichkeit: Verhältnis von sprachlichem Zeichen, Vorstellung und Gegenstand

Sprachvarietäten und ihre gesellschaftliche Bedeutung: Dialekte, Soziolekte

Texte

Lyrische Texte aus unterschiedlichen historischen Kontexten: Inhalt und Aufbau, Sprechsituation, formale und sprachliche Gestaltung; poetologische Konzepte

Komplexe pragmatische Texte: Textsorte, Inhalt und gedanklicher Aufbau/Argumentationsgang, Leserlenkung, sprachliche Gestaltung und Intention

Kommunikation

Kommunikationssituation und -verlauf: Verhältnis von Öffentlichkeit und Privatheit; literarisch und rhetorisch gestaltete Kommunikation

Medien

Information: Darbietungsformen, Verbreitungsweisen, Prüfung von Geltungsansprüchen

ästhetische Gestaltung

Klausurtraining

I B Vergleichende Interpretation literarischer Texte

Kompetenzen

Im Rahmen Ihrer Erarbeitungen werden Sie folgende Kompetenzen erwerben:

- sprachlich-stilistische Mittel in schriftlichen und mündlichen Texten im Hinblick auf deren Bedeutung für die Textaussage und Wirkung, auch unter Berücksichtigung des jeweiligen gesellschaftlichen und historischen Kontextes erläutern;
- lyrische Texte im historischen Längsschnitt, auch unter Berücksichtigung der Formen des lyrischen Sprechens und poetologischer Konzepte, interpretieren;
- synchrone Zusammenhänge aus der Zusammenschau literarischer Texte unter Einbezug weiterer Kontexte erschließen;
- literarische Texte in grundlegende literaturhistorische und historisch-gesellschaftliche Entwicklungen einordnen;
- die Problematik literaturwissenschaftlicher Kategorisierungen erläutern;
- begründet ihren Schreibprozess selbstständig unter Berücksichtigung von Aufgabenstellung und Schreibziel planen und steuern;
- symmetrische und asymmetrische Kommunikation in literarischen Texten, auch unter Berücksichtigung gesellschaftlicher Rollen und Positionen, untersuchen.

„unterwegs sein“

Sich einem Motiv nähern

1 Betrachten Sie die Abbildungen auf dieser Seite und tauschen Sie sich im Plenum darüber aus, in welchem Zusammenhang diese mit dem Begriff des „Unterwegs sein“ stehen. Gehen Sie dabei nach der Methode der Redekette vor.

2 ***Lernarrangement***
Bilden Sie in Ihrem Kurs Gruppen von 3 bis 5 Schülerinnen und Schülern und systematisieren Sie in Form einer Mindmap Ihre Ergebnisse.

Die sprachliche Analyse des Begriffs „unterwegs“

Die Bezeichnung „Duden“ geht auf den Namen des Gymnasiallehrers **Konrad Duden** (1829–1911) zurück, der 1880 das „Vollständige Orthographische Wörterbuch der deutschen Sprache“ verfasste. Es umfasste damals 27.000 Stichwörter. Die Auflage aus dem Jahr 2020 verzeichnet inzwischen ca. 148.000 Stichwörter.

Der Dudenverlag, dessen Sitz in Berlin ist, verlegt den „Duden“ – nach eigenem Bekunden das „Standardwerk zur deutschen Sprache“ – welcher vom Wissenschaftlichen Rat der Dudenredaktion herausgegeben wird.

Auf seiner Homepage finden sich die folgenden Begriffsbestimmungen für das Wort „unterwegs“:

1. sich auf dem Weg irgendwohin befindend
2. auf der Reise, auf Reisen
3. draußen [auf der Straße]

Das Wort stammt von dem Mittel- und Althochdeutschen „under wegen“ ab. Wissenswert ist des Weiteren, dass das Wort Bestandteil der Erlangung des Goethe-Zertifikats B1 ist.

1 Benennen Sie die Wortart des Begriffs „unterwegs“.

---

2 Erklären Sie, weshalb die Kenntnis des Wortes „unterwegs“ Voraussetzung für den Erwerb eines Zertifikates in der deutschen Sprache sein könnte.

3 Untersuchen Sie, ob bzw. inwieweit die Definitionen der Dudenredaktion ausreichen, die auf der Vorseite dargestellten Situationen abzudecken.

4 Beschriften Sie die einzelnen Richtungsschilder des Wegweisers mit entsprechenden Fragewörtern, die Ihnen notwendig erscheinen, Informationen zu erhalten, die dazu beitragen können, den Begriff „unterwegs sein” genauer zu bestimmen.

5 Setzen Sie sich im Plenum Ihres Kurses gemeinsam damit auseinander, in welchen literarischen Texten Ihnen das Motiv des Unterwegsseins bereits begegnet ist. Erstellen Sie dazu eine Liste mit dem Namen des jeweiligen Autors bzw. der jeweiligen Autorin, dem Titel des Textes, der Entstehungszeit, Textsorte sowie Art und Weise des Unterwegsseins.

6 Nehmen Sie im Plenum Ihres Kurses Stellung zu der Frage, wie das Motiv des Unterwegsseins lyrisch umgesetzt werden könnte, und formulieren Sie entsprechende Hypothesen.

Unterwegs mit viel Gefühl – und Ahnung

Gedichte der Romantik zwischen Sehnsucht nach Ferne und Rückkehr erschließen

Auch wenn die Anfänge der neueren deutschen Literatur allgemeinhin mit dem Beginn der Epoche des Barocks datiert werden, so wird der Literatur im Mittelalter sowie der Barockliteratur dennoch keine Eigenständigkeit zugesprochen, da sie in einer deutlichen Abhängigkeit von den klassischen Epochen der italienischen, französischen oder spanischen Literatur gesehen werden. Dementsprechend wird erst den deutschen Werken, die ab der Mitte des 18. Jahrhunderts entstehen, das Prädikat Weltliteratur zugewiesen.

Dieser Einschätzung folgend, erscheint es sinnvoll, den historischen Längsschnitt durch die deutsche Lyrik vom Barock bis in die Gegenwart nicht streng längsschnittartig anzulegen, sondern mit einer „Verspätung" zu beginnen. So wird im Folgenden die chronologische Ordnung der Epochen insofern aufgebrochen, dass zunächst der „geglückte Anfang" der deutschen Literaturgeschichte, also die Zeit ab der zweiten Hälfte des 18. Jahrhunderts, hinsichtlich des Motivs „unterwegs sein" thematisiert wird, bevor die Lyrik des Barocks diesbezüglich untersucht wird. Folgend kann dann die epochalgeschichtliche Reihung wieder aufgenommen werden.

Diese literaturhistorische Position wird u. a. von dem Stuttgarter Germanisten **Heinz Schlaffer** vertreten, der demgemäß seinem Standardwerk den Titel „Die kurze Geschichte der deutschen Literatur" (2002) gegeben hat (vgl. hierzu auch S. 24).

Des Weiteren kommt der Zeit der Wende vom 18. zum 19. Jahrhundert bis etwa hin zu dessen Mitte – gemessen an dem Motiv des Unterwegsseins – eine besondere Bedeutung zu. Sie ist wie keine andere mit der ursprünglichsten Form des menschlichen Unterwegsseins verbunden: dem Wandern. Dieses bestimmt als Motiv und Thema zugleich in hohem Maße die Lyrik dieses Zeitraums. Diesen Umständen Rechnung tragend beginnt die folgende Lyrikreihe inhaltlich mit der Epoche der Romantik.

Romantik

Literarische Epoche zwischen 1798 und 1835, die in Früh-, Hoch- und Spätromantik eingeteilt wird. Sie versteht sich als Ergänzung und Gegenbewegung zu der Epoche der Aufklärung, die in Deutschland in der Philosophie Kants und in den literarischen Werken der Weimarer Klassik ihren Höhepunkt erreicht. Neben Bewusstsein und Reflexion gelten für die Romantiker die Abgründe des Seelischen, der Traum, die Sehnsucht, das Unbewusste und Dämonische im Menschen als entscheidend. Den historischen Rahmen für die Entwicklung dieser Epoche bildet der Umbruch von der feudalen hin zur bürgerlichen Gesellschaft mit einem sich langsam aufbauenden bürgerlichen Selbstverständnis.

Besonders die Vertreter der Hochromantik (1804–1835) verarbeiten in ihren Texten typisch romantische Motive wie Sehnsucht, Liebe, Schmerz, Natur und Wanderschaft. Dennoch sind ihre Gedichte kein Ausdruck einer naiv-emotionalen Erlebnislyrik, auch wenn in ihnen häufig Naturmetaphern zur Anwendung kommen. So spiegelt etwa die Sehnsucht ein Hin- und Hergerissensein zwischen Fern- und Heimweh. Der vielfach thematisierten Naturverbundenheit liegt nicht zwangsläufig eine konkrete Landschaftvorstellung zugrunde. Sie ist vielmehr Ausdruck des Sehnens nach einer idealisierten Welt. Insofern erfährt die unberührte Natur etwas Märchenhaftes. Mit dieser Vielfalt an Motiven korrespondiert letztlich eine Vielfalt des lyrischen Sprechens, die sich nicht zuletzt auch in der Vielfältigkeit vorzufindender Gedichtarten dieser Epoche – z. B. Sonett, Ballade, Lied – widerspiegelt.

Justinus Kerner

Wanderung (1834)

Wohlauf und frisch gewandert
Ins unbekannte Land!
Zerrissen, ach! zerissen
Ist manches teure Band.

Ihr heimatlichen Kreuze,
wo ich oft betend lag,
Ihr Bäume, ach! ihr Hügel,
O blickt mir segnend nach!

Noch schläft die weite Erde,
Kein Vogel weckt den Hain,
Doch bin ich nicht verlassen,
Doch bin ich nicht allein:

Denn, ach! auf meinem Herzen
Trag ich ihr teures Pfand,
Ich fühl's, und Erd' und Himmel
Sind innig mir verwand.

Justinus Andreas Christian Kerner (1786–1862), deutscher Arzt und Dichter

Joseph von Eichendorff (1788–1857), bedeutender Dichter der Hochromantik

Joseph von Eichendorff

Heimweh (1826)

Wer in die Fremde will wandern,
Der muss mit der Liebsten gehn,
Es jubeln und lassen die andern
Den Fremden alleine stehn.

Was wisset ihr, dunkle Wipfel,
Von der alten schönen Zeit?
Ach, die Heimat hinter den Gipfeln,
Wie liegt sie von hier so weit!

Am liebsten betracht' ich die Sterne,
Die schienen, wie ging ich zu ihr,
Die Nachtigall hör ich so gerne,
Sie sang vor der Liebsten Tür.

Der Morgen, das ist meine Freude!
Da steig' ich in stiller Stund'
Auf den höchsten Berg in die Weite,
Grüß dich, Deutschland, aus Herzensgrund!

1 Beziehen Sie sich zunächst noch einmal auf Ihre zu Beginn des Kapitels angestellten Überlegungen hinsichtlich der lyrischen Umsetzung des Motivs des Unterwegsseins (vgl. Aufgabe 6, S. 12). Formulieren Sie nach dem ersten Lesen der beiden Gedichte in einem Satz Ihr Verständnis davon, wie das Motiv des Unterwegsseins hier jeweils umgesetzt worden ist.

2 Erläutern Sie die jeweilige Umsetzung des Motivs des Unterwegsseins in den beiden Gedichten von J. Kerner und J. von Eichendorff. Orientieren Sie sich dabei an den zu Beginn des Kapitels erarbeiteten Fragestellungen.

3 Begründen Sie die Zugehörigkeit der Gedichte zur Epoche der Romantik auf der Grundlage Ihrer bisherigen Kenntnisse dieser Zeit. Sie können sich hierbei auch an den Hinweisen im Informationskasten zu dieser Epoche orientieren (s. S. 13).

Johann Ludwig Wilhelm Müller (1794–1827) war der Sohn eines Dessauer Schneiders. Nach Abschluss der Schule studierte er klassische Philologie und Geschichte in Berlin. Sein Studium beendete er 1817, nachdem er zwischenzeitlich an den Befreiungskriegen gegen Napoleon teilgenommen hatte. In Berlin unterhielt er Kontakte zu bekannten Schriftstellern seiner Zeit, u.a. Achim von Arnim, Clemens Brentano und Ludwig Tieck, die ihn in seinen literarischen Ambitionen unterstützten. 1817 brach er zu einer Reise nach Ägypten auf, die er allerdings in Italien abbrach und dort Venedig, Florenz, Neapel und besonders Rom besuchte, bevor er 1819 nach Dessau zurückkehrte. In der Folgezeit arbeitete er als Gymnasiallehrer, heiratete eine Enkelin des Pädagogen J. Basedow und erhielt 1824 den Titel eines Hofrates. Drei Jahre später starb der gesundheitlich angeschlagene Dichter. Seine Gedichtzyklen „Die schöne Müllerin" (1824) sowie „Die Winterreise" (1824) wurden von Franz Schubert vertont. Hierzu gehören die bis heute bekannten Gedichte „Der Lindenbaum" und „Das Wandern ist des Müllers Lust". Darüber hinaus verfasste er auch Erzählungen und Essays.

Johann Ludwig Wilhelm Müller

Der Wegweiser (1824)

Was vermeid ich denn die Wege,
Wo die andern Wandrer gehen,
Suche mir versteckte Stege
Durch verschneite Felsenhöhn?

Habe ja doch nichts begangen,
Dass ich Menschen sollte scheun –
Welch ein törichtes Verlangen
Treibt mich in die Wüstenein?

Weiser stehen auf den Straßen,
Weisen auf die Städte zu,
Und ich wandre sonder Maßen,
Ohne Ruh, und suche Ruh.

Einen Weiser seh ich stehen
Unverrückt vor meinem Blick;
Eine Straße muss ich gehen,
Die noch keiner ging zurück.

1 Untersuchen Sie die dem Gedicht zugrunde liegende Sprechsituation (Wer spricht mit wem worüber?).

2 Analysieren Sie Müllers Gedicht im Hinblick auf darin enthaltene sprachlich-rhetorische Mittel und deren Wirkung.

3 Erläutern Sie die Bedeutung der letzten beiden Verse des Gedichts.

4 Vergleichen Sie abschließend das Gedicht Müllers mit denen Kerners sowie von Eichendorffs hinsichtlich ihres zugrunde liegenden Verständnisses von Unterwegssein.

Tipp
Die Aufgaben 1 bis 3 zusammen ergeben die Interpretation.

Vom Gedicht zum Wanderlied

Zahlreiche Gedichte – vor allem während der Epoche der Romantik – wurden vertont. Die Bemühungen der Dichter gerade dieser Zeit um eine musikalische Sprache legte die Vertonung ihrer Gedichte nahe. Über Wilhelm Müllers Gedichtzyklen hinaus gilt von Eichendorff als einer der am häufigsten vertonten Poeten, da seine lyrischen Texte eine ungewöhnliche Musikalität aufweisen. So wurde sein Gedicht „Mondnacht“ (1837) bereits im 19. Jahrhundert schon einundvierzigmal auf unterschiedliche Art musikalisch umgesetzt. Einer der bekanntesten Komponisten ist wohl Robert Schumann (1810–1856), der insgesamt 21 von von Eichendorffs Gedichten musikalisch verarbeitet hat, die „Mondnacht“ 1840 in seinem populären „Liederkreis“. Nach Aussage des Dichters habe Schumann seinen Texten „erst Leben gegeben“.

Von Eichendorffs Gedichte wurden aufgrund ihrer Vertonung zu Wanderliedern erhoben und erhielten nicht selten Volksliedstatus.

Zu den bekanntesten literarischen Werken dieser Art zählt Joseph von Eichendorffs Novelle „Aus dem Leben eines Taugenichts“. Hierin kombiniert der Autor den Erzähltext mit lyrischen Teilen zu einer geradezu organisch-symbiotischen Beziehung, in der das Eingangsgedicht prototypisch den Volksliedcharakter spiegelt. Das Lied „Wem Gott will rechte Gunst erweisen“ war – in der Vertonung Friedrich Theodor Fröhlichs – verpflichtender Unterrichtsgegenstand vor dem Ersten Weltkrieg in den sechsten Schulklassen in Preußen.

Joseph von Eichendorff

Aus dem Leben eines Taugenichts (1826)

Erstes Kapitel

Das Rad an meines Vaters Mühle brauste und rauschte schon wieder recht lustig, der Schnee tröpfelte emsig vom Dache, die Sperlinge zwitscherten und tummelten sich dazwischen; ich saß auf der Türschwelle und wischte mir den Schlaf aus den Augen; mir war so recht wohl in dem warmen Sonnenscheine. Da trat der Vater aus dem Hause; er hatte schon seit Tagesanbruch in der Mühle rumort und die Schlafmütze schief auf dem Kopfe, der sagte zu mir: „Du Taugenichts! Da sonnst du dich schon wieder und dehnst und reckst dir die Knochen müde und lässt mich alle Arbeit allein tun. Ich kann dich hier nicht länger füttern. Der Frühling ist vor der Tür, geh auch einmal hinaus in die Welt und erwirb dir selber dein Brot." – „Nun", sagte ich, „wenn ich ein Taugenichts bin, so ist's gut, so will ich in die Welt gehen und mein Glück machen." Und eigentlich war mir das recht lieb, denn es war mir kurz vorher selber eingefallen, auf Reisen zu gehen, da ich die Goldammer, welche im Herbst und Winter immer betrübt an unserm Fenster sang: „Bauer, miet mich, Bauer, miet mich!" nun in der schönen Frühlingszeit wieder ganz stolz und lustig vom Baume rufen hörte: „Bauer, behalt deinen Dienst!"

Ich ging also in das Haus hinein und holte meine Geige, die ich recht artig spielte, von der Wand, mein Vater gab mir noch einige Groschen Geld mit auf den Weg, und so schlenderte ich durch das lange Dorf hinaus. Ich hatte recht meine heimliche Freude, als ich da alle meine alten Bekannten und Kameraden rechts und links, wie gestern und vorgestern und immerdar, zur Arbeit hinausziehen, graben und pflügen sah, während ich so in die freie Welt hinausstrich. Ich rief den armen Leuten nach allen Seiten stolz und zufrieden Adjes zu, aber es kümmerte sich eben keiner sehr darum. Mir war es wie ein ewiger Sonntag im Gemüte. Und als ich endlich ins freie Feld hinauskam, da nahm ich meine liebe Geige vor und spielte und sang, auf der Landstraße fortgehend:

Wem Gott will rechte Gunst erweisen,
Den schickt er in die weite Welt,
Dem will er seine Wunder weisen
In Berg und Wald und Strom und Feld.

Die Trägen, die zu Hause liegen,
Erquicket nicht das Morgenrot,
Sie wissen nur vom Kinderwiegen,
Von Sorgen, Last und Not um Brot.

Die Bächlein von den Bergen springen,
Die Lerchen schwirren hoch vor Lust,
Was sollt ich nicht mit ihnen singen
Aus voller Kehl und frischer Brust?

Den lieben Gott lass ich nur walten;
Der Bächlein, Lerchen, Wald und Feld
Und Erd und Himmel will erhalten,
Hat auch mein Sach aufs Best bestellt!

Zeichnung zur Novelle, 1842

1 Fassen Sie die zu Beginn der Novelle dargestellte Situation in wenigen Sätzen zusammen.

2 Erläutern Sie die jeweilige Lebensauffassung des Taugenichts sowie die seines Vaters.

3 Wenden Sie sich nun dem Liedtext zu, indem Sie kurz den Inhalt der Strophen wiedergeben sowie deren formale Gestaltung und die darin zugrunde liegende Sprechsituation erschließen.

4 Erklären Sie nun den Zusammenhang von erzählendem und lyrischem Text. Gehen Sie hierbei besonders auf das Verständnis und die Bedeutung des Unterwegsseins für den Taugenichts ein.

Der tanzende Taugenichts wird von Musikanten begleitet, Lithografie von Adolf Schrödter (1805–1875)

Der gute Hirte

1 Ein Psalm Davids. Der HERR ist mein Hirte; mir wird nichts mangeln.

2 Er weidet mich auf grüner Aue und führet mich zum frischen Wasser.

3 Er erquicket meine Seele; er führet mich auf rechter Straße um seines Namens willen.

4 Und ob ich schon wanderte im finstern Tal, fürchte ich kein Unglück, denn du bist bei mir, dein Stecken und dein Stab trösten mich.

5 Du bereitest vor mir einen Tisch im Angesicht meiner Feinde.
Du salbest mein Haupt mit Öl und schenkest mir voll ein.

6 Gutes und Barmherzigkeit werden mir folgen mein Leben lang, und ich werde bleiben im Hause des HERRN immerdar.

Psalm 23, auch als „Hirtenpsalm“ bezeichnet, aus der Lutherbibel 1912

Buchmalerei, Frankreich, 13. Jahrhundert – Psalm 1: Wohl dem Mann, der nicht wandelt im Rat der Gottlosen – mit König David als Psalmist

5 Erklären Sie möglichst treffend die Bedeutung des Begriffs „Psalm“.

6 Erklären Sie die Sprechsituation im Psalm und untersuchen Sie das Verhältnis zwischen dem guten Hirten und dem lyrischen Ich.

7 Vergleichen Sie den Psalm sowie den Liedtext hinsichtlich des jeweiligen Verständnisses von Unterwegssein. Berücksichtigen Sie dabei auch den Zielaspekt.

„Nur wer die Sehnsucht kennt ...“

Italien als Sehnsuchtsort der Klassik

Johann Wolfgang von Goethe bricht im Herbst 1786 von einer Kur in Karlsbad nahezu fluchtartig und heimlich Richtung Süden auf und lässt sein Ministeramt in Weimar für fast zwei Jahre ruhen. Diese Bildungsreise nach und den Aufenthalt in Italien verarbeitet er literarisch in seinem Reisebericht „Die italienische Reise“, deren erster Band 1816 erscheint. Ursprünglich ist diesem das Motto vorangestellt: „Auch ich in Arkadien!“, wobei Arkadien eine eher karge griechische Landschaft im Zentrum des Peloponnes bezeichnet. Mit dieser Bezeichnung bringt Goethe die zu seiner Zeit vor allem in Künstlerkreisen grundsätzlich ausgeprägte Sehnsucht nach dem Süden zum Ausdruck. Diese konzentrierte sich schon deshalb insbesondere auf Italien, da es wesentlich einfacher zu erreichen war als das unter osmanischer Herrschaft stehende Griechenland.

Über das geografische Ziel Italien hinaus entwirft die Sehnsucht nach arkadischen Landschaften das Bild einer idealisierten Traumwelt, die dem Reisenden zur Vervollkommnung seiner Selbstbildung dient, seine Sinnesempfindung intensiviert und ihn zugleich der Sorgen eines profanen Alltags entbindet. Insofern wird es im 19. Jahrhundert für das gehobene Bürgertum erstrebenswert, einmal im Leben es Goethe gleichzutun und auf seinen Spuren nach Italien zu reisen. Somit löste Goethe mit seinem Aufbruch nach Italien geradezu eine Reisewelle Richtung Süden aus.

1 Recherchieren Sie genauere Informationen darüber, warum ausgerechnet Italien und Griechenland für Goethe und weitere Vertreter der Weimarer Klassik sowie der Romantik eine so hohe Attraktivität als (Reise-)Ziele besaßen.

2 Untersuchen Sie, inwiefern die Literatur in anderen europäischen Ländern – wie etwa Frankreich, Italien, Spanien – von einem eigenen Klassik-Begriff und -Verständnis geprägt worden ist.

a) Bilden Sie arbeitsteilige Arbeitsgruppen und recherchieren Sie hierzu entsprechende Informationen.

b) Untersuchen Sie anschließend Ihre Informationen zunächst innerhalb Ihrer Gruppe hinsichtlich eines darin enthaltenen Klassikverständnisses.

c) Stellen Sie Ihre Ergebnisse z. B. im Rahmen einer Wandzeitung zusammen.

3 Präsentieren Sie Ihr Produkt abschließend im Plenum.

Johann Heinrich Wilhelm Tischbein (1751 – 1829), dt. Maler, hielt sich von 1779 bis 1799 mit kurzer Unterbrechung in Italien auf. Hier auch Freundschaft mit Goethe, u. a. gemeinsame Reise nach Neapel (1787). Das Gemälde befindet sich heute im Städel Museum in Frankfurt/M. Es gilt als Inbegriff der Sehnsucht nach Arkadien und brachte dem Künstler den Beinamen „Goethe-Tischbein“ ein.

J. H. W. Tischbein: Goethe in der Campagna bei Rom (1786/87)

Zu einem speziellen Kunstempfinden in Rom sowie zur damaligen Zeit äußert sich Johann Wolfgang von Goethe in seinem Reisebericht „Die Italienische Reise“ selbst folgendermaßen:

Zeichnung J. H. W. Tischbeins: Goethe aus dem zweiten Stock seiner Wohnung am Corso hinausblickend (1787), Frankfurt/M., Freies Deutsches Hochstift

Dieselbigen Fenster, aus welchen man so viel Anmut beim klarsten Himmel ungestört betrachtete, gaben auch ein vortreffliches Licht zu Beschauung malerischer Kunstwerke. [...]

Das Geheimnis einer günstigen oder ungünstigen, direkten oder indirekten atmosphärischen Beleuchtung war damals noch nicht entdeckt, sie selbst aber durchaus gefühlt, angestaunt und als nur zufällig und unerklärbar betrachtet.

Diese neue Wohnung gab nun Gelegenheit, eine Anzahl von Gipsabgüssen, die sich nach und nach um uns gesammelt hatten, in freundlicher Ordnung und gutem Lichte aufzustellen, und man genoss jetzt erst eines höchst würdigen Besitzes. Wenn man, wie in Rom der Fall ist, sich immerfort in Gegenwart plastischer Kunstwerke der Alten befindet, so fühlt man sich wie in Gegenwart der Natur vor einem Unendlichen, Unerforschlichen. Der Eindruck des Erhabenen, des Schönen, so wohltätig er auch sein mag, beunruhigt uns, wir wünschen unsre Gefühle, unsre Anschauung in Worte zu fassen: dazu müssten wir aber erst erkennen, einsehen, begreifen; wir fangen an zu sondern, zu unterscheiden, zu ordnen, und auch dieses finden wir, wo nicht unmöglich, doch höchst schwierig, und so kehren wir endlich zu einer schauenden und genießenden Bewunderung zurück. Überhaupt aber ist dies die entschiedenste Wirkung aller Kunstwerke, dass sie uns in den Zustand der Zeit und der Individuen versetzen, die sie hervorbrachten. Umgeben von antiken Statuen, empfindet man sich in einem bewegten Naturleben, man wird die Mannigfaltigkeit der Menschengestaltung gewahr und durchaus auf den Menschen in seinem reinsten Zustande zurückgeführt, wodurch denn der Beschauer selbst lebendig und rein menschlich wird. Selbst die Bekleidung, der Natur angemessen, die Gestalt gewissermaßen noch hervorhebend, tut im allgemeinen Sinne wohl. Kann man dergleichen Umgebung in Rom tagtäglich genießen, so wird man zugleich habsüchtig danach; man verlangt, solche Gebilde neben sich aufzustellen, und gute Gipsabgüsse als die eigentlichsten Faksimiles geben hierzu die beste Gelegenheit. Wenn man des Morgens die Augen aufschlägt, fühlt man sich von dem Vortrefflichsten gerührt; alles unser Denken und Sinnen ist von solchen Gestalten begleitet, und es wird dadurch unmöglich, in Barbarei zurückzufallen.

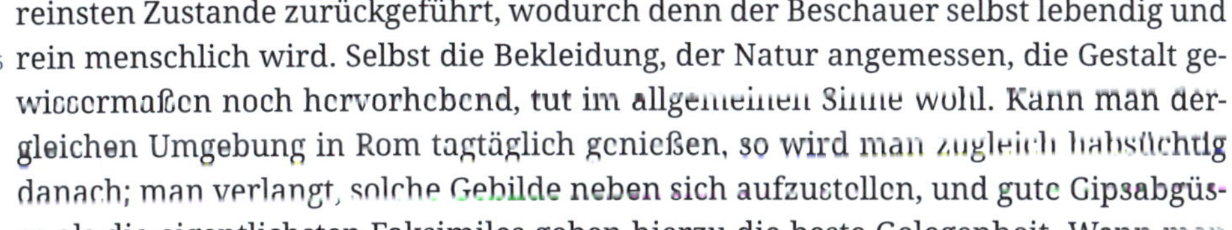

Bericht April, 1788

Faksimile (lat., „mache es ähnlich“) originalgetreue Nachbildung

1 Geben Sie das Thema sowie die zentralen Aussagen Goethes in dem Textauszug wieder.

2 Stellen Sie mit eigenen Worten dar, welche Bedeutung der Autor in Rom der Begegnung und Auseinandersetzung mit der Kunst beimisst.

3 Erörtern Sie, inwiefern die „Kunstwerke der Alten“ (Z. 16) immer noch diese Wirkung auf die heutige Betrachterin/den heutigen Betrachter haben und ob dies ebenso für die Begegnung mit moderner bzw. aktueller Kunst gilt.

Goethes Roman „Wilhelm Meisters Lehrjahre“ kennenlernen

Das Verlangen nach Selbstbildung, verbunden mit der Sehnsucht nach dem Süden, findet sich in besonderer Form in Goethes Roman „Wilhelm Meisters Lehrjahre“ (1795/96), in dem er die Entwicklung seines Protagonisten Wilhelm Meister auf dem Weg zur Bildung einer individuellen Persönlichkeit schildert. Der Sohn eines vermögenden Kaufmanns entschließt sich, die Enge seines Elternhauses zu verlassen, um nach Entfaltungsmöglickeiten seiner selbst in der Welt des Theaters zu suchen. Auf diesem Weg macht er in seinen Begegnungen mit zahlreichen Repräsentanten unterschiedlicher Lebensauffassungen und -bestimmungen eine Vielzahl von Erfahrungen, die ihn schließlich zu der Erkenntnis führen, „mich selbst, ganz wie ich da bin, auszubilden“.

Im Verlauf der Handlung von Goethes Bildungsroman trifft Wilhelm auf Mignon, die Tochter eines Harfners, die aus der inzestuösen Beziehung zu dessen Schwester stammt. Wilhelm kauft Mignon aus einer Gauklertruppe frei. Beide Figuren, das Mädchen sowie der Harfner, stehen für eine ursprünglich poetische Welt. Bedingt durch ihre einseitige Gefühlsbetonung scheitern sie an den gesellschaftlichen Erwartungen. Die märchenhaft anmutende Mignon kann nicht richtig sprechen. Ihre Sprache besteht aus einer Mischung aus Italienisch, Französisch sowie Deutsch. Allein im Gesang ist es ihr möglich, sich verständlich zu machen. Aufgrund ihrer südländischen Herkunft sind ihre Lieder geprägt von ihrer ursprüglichen Heimat und der Sehnsucht nach dieser. Die beiden folgenden Gedichte bilden die Textgrundlage für zwei der Lieder, die Mignon im Verlauf der Romanhandlung singt. Beide Gedichte haben sich in ihrer Liedfunktion schon lange aus dem Romankontext entfernt und im Rahmen der Idealisierung des Südens eine Eigenbedeutung erhalten. Das „Sehnsucht-Lied“ wird von Mignon zum Harfenspiel ihres Vaters gesungen und spiegelt die augenblickliche Gemütsverfassung Wilhelm Meisters wider, der sehnsuchtsvoll an die Gräfin denkt, die ihn verlassen hat. Darüber hinaus kann das lyrische Ich auf jeden übertragen werden, der von Sehnsucht befallen ist. Insofern trifft diese innere Verfassung auch auf Mignon selbst zu, deren Gefühle nicht nur sehnsüchtig Richtung Süden gerichtet sind, sondern die auch Wilhelm in besonderer Weise zugeneigt ist.

Nur wer die Sehnsucht kennt,
Weiß, was ich leide!
Allein und abgetrennt
Von aller Freude,
Seh ich ans Firmament
Nach jener Seite.
Ach! Der mich liebt und kennt,
Ist in der Weite.
Es schwindelt mir, es brennt
Mein Eingeweide.
Nur wer die Sehnsucht kennt,
Weiß, was ich leide!

1 Stellen Sie dar, in welcher Form das lyrische Ich unter seiner Sehnsucht leidet.

2 Erläutern Sie, wer in Goethes Gedicht die Rolle des sehnsüchtigen lyrischen Ichs einnehmen könnte. Entwerfen Sie mögliche Alternativen und nehmen Sie begründet Stellung zu Ihrer Auswahl. Beziehen Sie in Ihre Überlegungen ggf. auch die im einleitenden Text zu diesem Gedicht genannten Möglichkeiten mit ein.

In einem Zustand größter Gefühlsverwirrung bezeichnet die naive Mignon Wilhelm als ihren Vater, dessen Kind sie sein möchte, worauf dieser ihr zusichert, sie nicht zu verlassen. Am folgenden Tag stimmt Mignon ein Lied an, dessen unverständliche Passagen sich der Protagonist von ihr erklären lässt, um sie dann ins Deutsche übertragen zu können:

Johann Wolfgang von Goethe

Mignons Lied

Kennst du das Land, wo die Zitronen blühn,
Im dunkeln Laub die Gold-Orangen glühn,
Ein sanfter Wind vom blauen Himmel weht,
Die Myrte still und hoch der Lorbeer steht,
Kennst du es wohl?
Dahin! Dahin
Möcht ich mit dir, o mein Geliebter, ziehn.

Kennst du das Haus? Auf Säulen ruht sein Dach,
Es glänzt der Saal, es schimmert das Gemach,
Und Marmorbilder stehn und sehn mich an:
Was hat man dir, du armes Kind, getan?
Kennst du es wohl?
Dahin! Dahin
Möcht ich mit dir, o mein Beschützer, ziehn

Kennst du den Berg und seinen Wolkensteg?
Das Maultier sucht im Nebel seinen Weg,
In Höhlen wohnt der Drachen alte Brut,
Es stürzt der Fels und über ihn die Flut;
Kennst du ihn wohl?
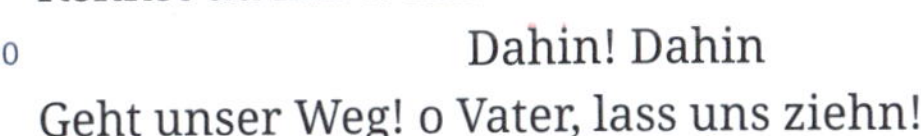
Dahin! Dahin
Geht unser Weg! o Vater, lass uns ziehn!

3 Geben Sie den Inhalt der drei Strophen im Kontext der Sehnsucht nach Italien wieder. Gehen Sie dabei auch besonders auf den Standort des lyrischen Ichs ein.

4 Untersuchen Sie, inwiefern sich die sprachliche Ausgestaltung des Ziels von der des Unterwegsseins dorthin unterscheidet.

5 Erläutern Sie die Funktion der häufigen Wortwiederholungen sowie die Wirkung des Refrains am Ende jeder Strophe.

Unterwegs auf alternativen Lebensreisen

Eine exemplarische Gedichtinterpretation erarbeiten

Illustration von Ludwig Richter (1803–1884)

Joseph von Eichendorff

Die zwei Gesellen (1818)

Es zogen zwei rüst'ge Gesellen
zum erstenmal von Haus,
so jubelnd recht in die hellen,
klingenden, singenden Wellen
des vollen Frühlings hinaus.

Die strebten nach hohen Dingen,
die wollten, trotz Lust und Schmerz,
was Recht's in der Welt vollbringen,
und wem sie vorübergingen,
dem lachten Sinnen und Herz. -

Der erste, der fand ein Liebchen,
die Schwieger kauft' Hof und Haus;
der wiegte gar bald ein Bübchen,
und sah aus heimlichem Stübchen
behaglich ins Feld hinaus.

Dem zweiten sangen und logen
die tausend Stimmen im Grund,
verlockend' Sirenen, und zogen
ihn in der buhlenden Wogen
farbig klingenden Schlund.

Und wie er auftaucht' vom Schlunde,
da war er müde und alt,
sein Schifflein, das lag im Grunde,
so still war's rings in die Runde,
und über die Wasser weht's kalt.

Es singen und klingen die Wellen
des Frühlings wohl über mir;
und seh ich so kecke Gesellen,
die Tränen im Auge mir schwellen –
ach Gott, führ uns liebreich zu Dir!

Zur Wiederholung und Vertiefung des in der Einführungsphase schon gelernten Umgangs mit lyrischen Texten soll an dieser Stelle eine komplette Interpretation am Gedicht „Die zwei Gesellen" von Joseph von Eichendorff exemplarisch durchgeführt werden. Sehen Sie sich dazu auch den Kasten auf S. 24 an.

Die verwendeten Fachbegriffe finden Sie unter „Auf einen Blick – Fachbegriffe Lyrik" (S. 327 f.). Die **Vorarbeit** zum Interpretationsaufsatz besteht in der Sammlung von Material zu den gebräuchlichen Analyseaspekten für die Interpretation eines Gedichts. Sie umfasst den gesamten **Arbeitsprozess** im engeren Sinn.

Sammeln erster Eindrücke und Fragen zum Gedicht:
Formulieren Sie auf dieser Grundlage eine erste und vorläufige Arbeitshypothese, die Sie im Verlauf des Arbeitsprozesses noch modifizieren können.

Stichworte zur Form des Gedichts:
- sechs Strophen zu je fünf Versen
- Beschreiben und benennen Sie das Reimschema: mit Buchstaben in alphabetischer Folge
- Untersuchen Sie das Metrum:
  xx I xx I xx I xx I xx
- Führen Sie die Silbenzählung weiter durch und setzen Sie die Betonungszeichen.
  Welches Metrum ergibt sich hieraus? – Beachten Sie mögliche Unregelmäßigkeiten und bestimmen Sie die Kadenzen (männlich/weiblich) im gesamten Gedicht.
  Enjambements sorgen für eine Verbindung der Verse und stehen damit im Gegensatz zu Zäsuren (Einschnitt).
- Aus den bisher ermittelten Ergebnissen zur Form des Gedichts ergibt sich ein Rhythmus. Versuchen Sie ihn zu beschreiben. Begründen Sie Ihren Eindruck.

Stichworte zum Inhalt:
- Thema: ?
- Entfaltung des Themas im Verlauf der Strophen (Inhalt/Aufbau)

Strophe I (und folgende): ______________________________

____

____

____

____

Wer ist der Sprecher bzw. das lyrische Ich?

____

Stichworte zu den besonderen sprachlichen Mitteln und speziellen rhetorischen Figuren, Satzarten, Satzbau und Satzlänge, Ellipsen, Wortarten und ihrem Gebrauch:

____

____

____

Metaphern, Vergleiche, Personifikationen, Alliterationen (kann auch bei Klang- und Lautgestaltung abgehandelt werden) und ihre Wirkung – Stichworte zum Zusammenwirken von formalen, sprachlichen und inhaltlichen Aspekten:

____

____

____

Einbettung des Textes in den historischen und literaturhistorischen Zusammenhang:

____

____

Eine begründete Deutung zu dem Gedicht formulieren:

____

____

1 Formulieren Sie auf der Grundlage Ihrer Stichwortsammlung eine Interpretation zu Joseph von Eichendorffs Gedicht „Die zwei Gesellen“.

Gedichtanalyse und -interpretation (Schreibprozess)

In die **Einleitung** gehören wie üblich Textart, Titel, Autor/-in, Entstehungszeit und das Thema des Gedichts. Eine knappe Information über den Autor kann ebenfalls hier, falls vorhanden, gegeben werden.

Den **Hauptteil** beginnen Sie sinnvollerweise mit Ihren Analyseergebnissen zur Form, da sie bei dieser Textgattung unmittelbar ins Auge fällt und den Inhalt strukturiert. Dabei können Sie von der Gedichtform und vom Strophenbau – also von den erkennbaren größeren Einheiten – zum Metrum und Reimschema usw., den kleineren Einheiten, übergehen.
Da die inhaltliche Aussage des Gedichts meistens in Strophenform vermittelt wird, können Sie bei der Darstellung der Ergebnisse zu diesem Aspekt strophenweise vorgehen.
Dabei bietet sich besonders bei kurzen Gedichten die Verknüpfung von Inhalt und Sprache an. Hier ist es besonders wichtig, jeweils auf die Wirkung der sprachlichen Mittel und rhetorischen Figuren einzugehen.
Unbedingt sollten Sie am Schluss des Hauptteils überlegen, inwieweit der spezielle Inhalt und die besondere Form dieses Gedichts sich gegenseitig bedingen und die Form die Wirkung des Inhalts unterstützt.

In den **Schlussteil** gehört eine auf den Ergebnissen des Hauptteils beruhende Gesamtdeutung des Gedichts. Ihre Kenntnis des historisch-biografischen Kontextes können Sie hier sinnvoll einbeziehen.
Eine kritische Bewertung des Textes kann auf der Grundlage von Argumenten vorgetragen werden.

Gedichte – „leicht zu erkennen, aber schwer zu begreifen"

Die Spezifik einer poetischen Gattung erfassen

Heinz Schlaffer (* 1939), Germanist und emeritierter Professor für Literaturwissenschaft an der Universität Stuttgart, 2008 Heinrich-Mann-Preis für Essayistik der Berliner Akademie der Künste, 2012 Johann-Heinrich-Merck-Preis für literarische Kritik

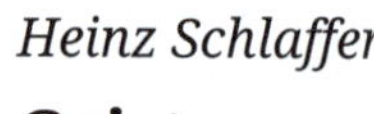

Heinz Schlaffer

Geistersprache (2002)

Gedichte sind leicht zu erkennen, aber schwer zu begreifen. Ob sie gesungen, gesprochen oder gelesen werden, es fehlt ihnen nicht an auffälligen Merkmalen, die den Hörer oder Leser sogleich davon überzeugen, dass er es mit einem Exemplar der Lyrik zu tun hat, auch wenn er den Begriff „Lyrik" nicht kennt und stattdessen „Lied", „Reime", „Verse" sagt. Ohr und Auge täuschen sich fast nie: Was sich zu einer Melodie singen lässt, was Rhythmen und Klänge auffällig wiederholt, was in abgesetzten Zeilen geschrieben ist, dabei eine überschaubare Länge hat – das muss ein Gedicht sein.
Schwer jedoch ist zu begreifen, weshalb und wozu es diese apart geformte Ausnahme von der üblichen Art zu reden und zu schreiben gibt. Der gewöhnlichen Form, den ausgefallenen Wörtern und Wortfügungen eines Gedichts begegnen die Bildungsinstitutionen, Deutschunterricht und literaturwissenschaftliche Seminare, mit dem Vorsatz, durch Interpretieren jenen unvernünftigen Aufwand poetischer Mittel auf eine vernünftige Aussage zurückzuführen. Anders verhalten sich Laien; sie begnügen sich damit, ein Gedicht zu lesen oder herzusagen, wie man ein Lied singt, manchmal sogar in einer fremden Sprache, ohne sich viel um die Bedeutung der Worte zu sorgen. Aber auch die Interpretation eines Gedichts, die ja die Existenz einer so merkwürdigen Art von Texten als gegeben hinnimmt, beantwortet nicht die Frage, wozu es Lyrik, eine der ältesten Erfindungen der Menschheit, einst gebraucht hat und noch immer braucht.
Auf die Frage nach Herkunft und Aufgabe der Lyrik gibt es seit dem 18. Jahrhundert eine Antwort, die ebenso falsch wie erfolgreich ist. In einer rational konzipierten Welt nahm sich die lyrische Redeweise so irrational aus, dass ihre Entstehung und Fortdauer nur aus einem irrationalen Motiv, aus dem Seelenzustand des Dich-

ters, zu erklären war. Eigenschaften der Poesie, die den praktischen Verstand wie die theoretische Vernunft in Verlegenheit brachten – Verliebtheit in Klänge und Bilder, die Neigung zu Übertreibung und Dunkelheit – versuchten die psychologisierenden Poetiken der Aufklärung aus dem Überschwang der Gefühle bei den Dichtern herzuleiten. Ein Gedicht sei, wie es damals hieß und wie es in anderen Worten noch heute eine verbreitete Meinung ist, „empfindungsvolles Selbstgespräch“ und „ausgedrückte Empfindung“. Einwände gegen diese Annahme liegen nahe. Für den Ausdruck von Gefühlen, für die Darstellung von Erlebnissen würden sich Tagebuch, Brief und andere prosaische Bekenntnisschriften mit geringem Formzwang besser eignen als ein Gedicht. Dessen Verfasser muss Rücksicht auf das gefühllose Reglement von Metrum, Reim, Strophe nehmen, sich an der überpersönlichen Tradition der lyrischen Motive orientieren und auf Mitteilungen verzichten, die auf dem beschränkten Raum weniger Verse nicht Platz haben. Was das private Subjekt über seine inneren Zustände in so knapper Form sagen könnte, sei es Liebesschmerz oder Frühlingslust, haben zudem andere Gedichte schon oft gesagt. Dem Versuch eines wahren Ausdrucks ist das konventionelle Schema längst zuvorgekommen.
Da also Erlebnis und Gefühl nicht hinreichen, die Existenz von Lyrik zu erklären, bevorzugt die neuere Literaturwissenschaft eine emotionslose Bestimmung, die sich an die sichtbare und hörbare Form des Gedichts hält. Doch schafft der Hinweis auf die Anordnung von Verszeilen und die Abweichung von der Normalsprache nicht alle Vorbehalte aus der Welt, wie sie das aufgeklärte Bewusstsein gegenüber der Lyrik vorbringen müsste. Was hat die Menschen dazu gebracht, Formen zu erfinden und zu bewahren, die einen derart großen Aufwand an Geboten und Verboten bei der Auswahl von Rhythmen, Klängen, Wörtern, Ausführungspraktiken verlangen? Warum sprechen diese mechanischen oder auch spielerischen Formen mit Vorliebe von den ernstesten Dingen des Lebens, von Not, Glück, Vergänglichkeit und Ewigkeit?

Lernarrangement

Bilden Sie Kleingruppen von maximal vier Schülerinnen und Schülern und gehen Sie wie folgt vor:

1 Lesen Sie zunächst in Einzelarbeit den Textauszug von Schlaffer und machen Sie sich Notizen zu den zentralen Aussagen des Autors.

2 Tauschen Sie sich in der Gruppe über Ihr Verständnis des Textes aus und fassen Sie gemeinsam auf dieser Grundlage möglichst prägnant die Position Schlaffers zum Zweck der Lyrik zusammen.

3 Schlaffer kennzeichnet die Diskussion über das Verhältnis von Herz vs. Vernunft, die als literarhistorische seit dem 18. Jahrhundert geführt wird, durch die Aussage, die Poesie habe „den praktischen Verstand wie die theoretische Vernunft in Verlegenheit“ gebracht. Deshalb habe man damals versucht, die Lyrik auf den „Überschwang der Gefühle bei den Dichtern“ zurückzuführen (s. Z. 28/29).
Erörtern Sie vor diesem Hintergrund in Ihrer Gruppe die hier angedeutete Unvereinbarkeit von Rationalem und Irrationalem.

4 Nehmen Sie abschließend in Ihrer Gruppe Stellung zu den von Schlaffer am Ende seines Textauszuges gestellten Fragen hinsichtlich der Existenz lyrischer Texte. Verfassen Sie anschließend ein gemeinsames Statement.

Unterwegs in Raum und Zeit

Das Reisen als eine zentrale Kategorie von Unterwegssein anhand eines Sachtextes erschließen

Das Unterwegssein ist fest in der Natur des Menschen verankert, es bildet eine anthropologische Konstante, die in der frühesten Zeit der Menschheitsgeschichte verankert ist. Als Jäger und Sammler war der Mensch auf die Suche nach einträglichen Jagdrevieren und ihm gemäßen Lebensbedingungen existenziell angewiesen. Auch mit der Sesshaftigkeit ändert sich dies nicht. Als man sich durch Viehzucht und Ackerbau stärker örtlich zu binden begann, entwickelte sich durch die allmähliche Etablierung des Handwerks auch die Notwendigkeit des Handels. Der Fund der Gletschermumie Ötzi 1991 in den Südtiroler Alpen, dessen Todeszeitpunkt im 4. Jahrtausend v. Chr. (späte Jungsteinzeit bzw. Kupferzeit) datiert werden konnte, unterstreicht dies eindrucksvoll. Die Erfindung des Rades und seine Verwendung als Transportmittel beschleunigt das Unterwegssein im wortwörtlichen Sinn. Erste Nachweise reichen bis ins 4.-5. Jahrtausend zurück.

Erste Reiseberichte finden sich in Sagen und Geschichten. Ein herausragendes Beispiel bildet etwa das Gilgamesch-Epos, das vermutlich um 3000 v. Chr. entstanden ist und von König Gilgamesch in Mesopotamien erzählt. Es handelt von der beschwerlichen Suche des Helden nach letzter Erkenntnis, nach Bildung und dem Drang, fremde Gebiete zu erkunden. Ein weiteres Beispiel in dieser Hinsicht bildet etwa Homers Odyssee (vgl. hierzu auch im Kapitel zur strukturellen Entwicklung erzählerischer Texte „Die frühen Erzählungen“, S. 152f.). Letztlich sind Ursache und Ziel des Reisens wesenhaft mit dem Menschen verbunden, nicht nur in frühester, sondern und gerade auch in der heutigen Zeit.

Winfried Löschburg

Von Reiselust und Reiseleid (1977)

„Reisen! – Es ist wohl die schönste und unschuldigste aller Leidenschaften, die Reiselust“, notierte der österreichische Dichter Moritz Hartmann 1851 in seinem Südfrankreich-Tagebuch. Das dumpfe Tuten der Dampfersirene, der schrille Pfiff der Lokomotive, der letzte Aufruf auf dem Flugplatz – wer verbindet mit ihnen nicht Welt und Weite, ferne Länder und fremde Menschen, Abenteuer und Erlebnisse? Sie üben eine ganz besondere Anziehungskraft aus, wecken Assoziationen, Ferienvorahnung, hoffnungsvolle Erwartungen, die Erfüllung einer uralten Sehnsucht des Menschen.

Alle Welt reist. Immer und überall wird gereist. Einst einmaliges und wichtiges Ereignis im Leben des Menschen ist es heute zur Gewohnheit geworden und Teil des Lebensablaufes. Das Reisen ist nicht nur eine Angelegenheit des Urlaubes und der Ferien, immerfort streben die Menschen irgendwohin. In allen Jahreszeiten, das ganze Jahr hindurch wird gereist. Es sind Geschäfts- und Dienstreisen, Fahrten zu kulturellen und sportlichen Veranstaltungen oder zu Familienereignissen, Erholungs- und Urlaubsreisen, Studienreisen – vielfältige Reiseziele und Anlässe. Und doch gibt es sie kaum noch: die großen Reisenden. Einst reiste man um des Reisens willen, überquerte Länder, Berge, Wüsten und Meere mit keinem anderen Ziel als dem zu reisen und erlebte dabei fremde Landschaften, Orte, Menschen, Sitten und Bräuche. Der Araber Ibn Battuta brauchte für seine Reise nach Indien und China samt Aufenthalt noch 24 Jahre. Reisen war ein Teil der Bildung, das Wort Erfahren kommt von Fahren. Man wollte die Welt im doppelten Sinne des Wortes „erfahren“, wollte reisen ohne anzukommen. Die Sehnsucht nach der Ferne und der Drang, das Unbekannte kennenzulernen, führten zu immer größeren Reisen und zu dickbändigen „Reyßbüchern“, Landkarten und Ansichten, insbesondere aber zu den zahllosen Reiseerinnerungen von Schriftstellern, Künstlern, Forschern, gelehrten Vielschreibern und Allerweltsreisenden, von denen uns manche heute noch auf eine Reise begleiten können. Die Berichte von Reisen sind so alt wie die Literatur selbst, einer erzählt von der Reise – und viele reisen mit!

ICE

Verschieden und vielfältig waren die Motive, die den Menschen trotz aller Gefahren und Beschwernisse zum Reisen veranlassten, und sie wechselten im Wandel der Jahrhunderte: Neugier nach der engeren und weiteren Umgebung und ihre Erkundung, Erkenntnisdrang und Streben nach Erweiterung des Weltbildes sowie Lust am Abenteuer trafen sich mit Freiheitsdurst und Fernweh, dem Wunsch nach Ortsveränderung, Aufbruch aus der Sesshaftigkeit, dem Alltag mit seinen Gewohnheiten und der Flucht aus dem Gebundensein, dem Rebellieren gegen Enge und Dumpfheit, verstaubte Traditionen und überholte gesellschaftliche Zustände, dem Reisen als Suche nach der gewünschten Ordnung, nach Gemeinschaft und Freundschaft. Zwecke des Erwerbes und Gewinnstrebens, der Unterhaltung und Vergnügung, der Heilung von Krankheiten und Leiden standen neben Erholung und Entspannung. Reisen war Leben, war Besitznahme und Bereicherung, galt als „Buch der Bücher“ und verjüngender Medeatrunk. Wer glücklich heimkehrte, war als welterfahrener und wohlgebildeter Mann überall willkommen. Die Reisenden brachten Anregungen sowie neue befruchtende Ideen mit und weckten Weltoffenheit. Impulse gingen von fremden Kontinenten aus, das Reisen baute gegenseitige Hindernisse und Vorurteile ab und machte Menschen und Völker miteinander bekannt. Es ließ die Welt durchschaubar werden und menschlich.

Medeatrunk nach der grch. Mythologie Trunk mit verjüngender Wirkung

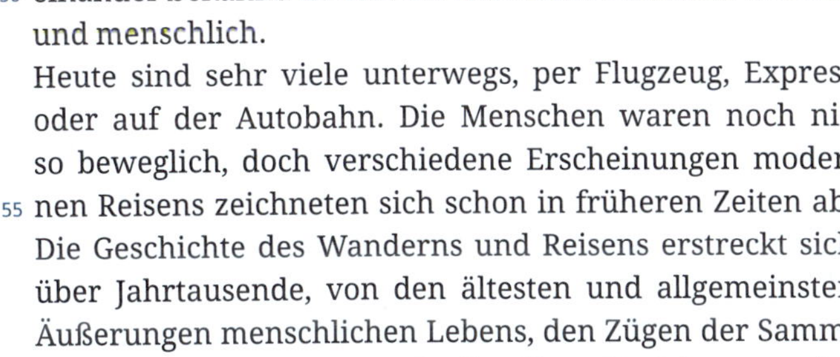

Wiener Kalesche 1775: Goethes Reisewagen

Heute sind sehr viele unterwegs, per Flugzeug, Express oder auf der Autobahn. Die Menschen waren noch nie so beweglich, doch verschiedene Erscheinungen modernen Reisens zeichneten sich schon in früheren Zeiten ab. Die Geschichte des Wanderns und Reisens erstreckt sich über Jahrtausende, von den ältesten und allgemeinsten Äußerungen menschlichen Lebens, den Zügen der Sammler und Jäger, der ersten Händler über Einrichtungen des Fremdenverkehrs im alten Rom – wie Reiseauskunftsstellen, Reisegesellschaften, Fremdenführer, Souvenirs und hotelartige Unterkünfte –, die mittelalterlichen Wallfahrten und Pilgerzüge, fahrende Scholaren, Gaukler und Handwerksburschen, die Studienreisen der Gelehrten und Kavalierstouren bis zu den Reisenden der Aufklärung und Italienromantik und von Thomas Cook und Karl Baedeker bis zum Tourismus unserer Tage, dem Reisen im Zeichen des Turbinenliners und Düsenjets. Eine detaillierte Behandlung aller dieser Reisen würde Bände füllen, und doch können zum Beispiel die Fahrten, die mit Auftrag und Ziel unternommen wurden, nicht unberücksichtigt bleiben, folgten doch auch Entdecker und Konquistadoren handfesten Antrieben von Politik und Ökonomie. Lebensweise und Kultur der verschiedenen Zeiten wie Klassen und Schichten konnten auf dem zur Verfügung stehenden Raum nur angedeutet werden, obwohl das Reisen eng verknüpft ist mit den jeweiligen gesellschaftlichen Verhältnissen und von ihnen entscheidend bestimmt wird. Gern hätten wir auch die Geschichte der Verkehrstechnik ausführlicher dargestellt, nahm das Reisen doch dadurch eine so breite Entwicklung oder hat unseren Blick über ferne Reisegebiete hinausschweifen lassen. Die Geschichte des Reisens ist die Geschichte des Menschen, der menschlichen Gesellschaft, ist ein Stück Weltgeschichte, und ihre schriftlichen Zeugnisse sind unermesslich, vom sagenhaften Odysseus, von dem berühmten Pilger Hsüantsang und den Erzählungen Sindbads des Seefahrers über Kolumbus, [...] Alexander von Humboldt, Goethe, Seume zu Jules Verne oder Thor Heyerdahl.

Thomas Cook (1808–1892), Begründer der Tourismusbranche, entwickelte das System der **Pauschalreise**

Karl Baedeker (1801–1859), dt. Verleger und Autor der gleichnamigen Reiseführer

1 Fassen Sie die zentralen Aussagen des Textes auf S. 27 strukturiert und prägnant zusammen.

2 Erläutern Sie auf der Grundlage Ihrer Texterschließung die anthropologische Bedeutung des Reisens für den Menschen.

3 a) Prüfen Sie mögliche Veränderungen in Bezug auf das Reisen, die sich seit dem Erscheinen des vorliegenden Textes vor gut 40 Jahren ergeben haben.
b) Fassen Sie Ihre Überlegungen in einem Bericht zusammen.

Endstation Vanitas

Das zentrale Motiv des Barocks in der Lyrik des 17. Jahrhunderts erfassen

Die besondere Spezifik des Reisens, so wie sie im vorangegangen Kapitel vorgestellt und in der Zeit von 1790 – 1850 literarisch aufgegriffen und verarbeitet worden ist, unterliegt im Zeitalter des Barocks anderen Prämissen. Dies hängt wesentlich mit dem damals gültigen Welt- und Menschenbild zusammen. Zwar finden sich im 17. und frühen 18. Jahrhundert neben Entdeckungs- auch schon Bildungs- und Badereisen. Dennoch ist am Beginn der Neuzeit noch ein weiterer Reisezweck von besonderer Bedeutung: die Pilgerreise.

1 Recherchieren Sie Anlässe und Formen der Pilgerreise im 17. Jahrhundert.

Barock (1600 – 1750)

Die deutsche Literatur schloss in dieser Zeit allmählich zum Niveau der englischen und italienischen Dichtkunst auf. Bis dahin fungierten die Autoren aus diesen Ländern als Vorbilder. Die Fürstenhöfe und die Städte waren Zentren des literarischen Lebens. Die große kulturelle Leistung dieser Zeit bestand darin, die neuhochdeutsche Literatursprache zu schaffen und zu verfeinern. Formen und Themen wurden in sogenannten Poetiken festgelegt. Das waren in Regeln gefasste Anleitungen. Zum Beispiel sollte die Epik sich im Schäferroman mit dem Liebesreigen zwischen Schäfer und Schäferin im Rahmen einer idealisierten ländlichen Idylle beschäftigen und die Dramatik mit der Standhaftigkeit christlicher Märtyrer.

Die Lyrik sollte dagegen an dem Leitgedanken „Vanitas“ (leerer Schein, Nichtigkeit des Irdischen, Eitelkeit, Vergänglichkeit, denn nur das Jenseitige ist von Dauer, da es sich im Diesseitigen immer wieder aufs Neue zeigt) ausgerichtet werden. Kennzeichen der Polarität zwischen Diesseits und Jenseits ist die Spannung zwischen Lebensfreude („carpe diem“ – Nutze den Tag!) und Todessehnsucht („memento mori“– Bedenke, dass du sterblich bist!). Hierbei ist auch zu berücksichtigen, dass die Lebenserwartung damals bei ca. vierzig Jahren lag.

Die Dichtkunst wird als erlernbares Handwerk verstanden: Es geht um die gekonnte Variation festgelegter Schemata (wie z. B. das Sonett). Dieser Drang zu Systematik und Regelhaftigkeit durchzieht alle Lebensbereiche der barocken Welt (Wissenschaft, Bildung, Architektur, bis hin zur Latinisierung der Namen gebildeter Menschen, z. B. Nikolaus Kopernikus, eigentlich Niklas Koppernigk).

2 Lesen Sie den Infotext zum Barock und formulieren Sie den Zusammenhang zwischen dem Vanitas-Motiv und der Pilgerreise.

3 Untersuchen Sie, ob sich darüber hinaus noch weitere Reiseanlässe aus den Informationen zur Epoche des Barocks ableiten lassen.

Martin Opitz

Ach Liebste, lass uns eilen (1624)

Ach Liebste, lass uns eilen,
Wir haben Zeit,
Es schadet das Verweilen
Uns beiderseit.

Der edlen Schönheit Gaben
Fliehn Fuß für Fuß,
Dass alles, was wir haben,
Verschwinden muss.

Der Wangen Zier verbleichet,
Das Haar wird greis,
Der Augen Feuer weichet,
Die Brunst wird Eis.

MARTINI
OPITII
Buch von der Deutschen
Poeterey.
In welchem alle jhre eigenschafft vnd zugehör gründtlich erzehlet/vnd mit exempeln außgeführet wird.
Gedruckt in der Fürstlichen
Stadt Brieg/bey Augustino
Gründern.
In Verlegung David Müllers Buchhändlers in Breßlaw. 1624.

Martin Opitz (1597 – 1639), bekannter Dichter des Barocks. In seinem „Buch von der deutschen Poeterey“ legt er Konventionen für den Umgang mit Lyrik fest.

Das Mündlein von Korallen
Wird ungestalt,
Die Händ' als Schnee verfallen
Und du wirst alt.

Drum lass uns jetzt genießen
Der Jugend Frucht,
Eh' wir folgen müssen
Der Jahre Flucht.

Wo du dich selber liebest,
So liebe mich,
Gib mir, dass, wann du gibest,
Verlier auch ich.

4 Interpretieren Sie das Gedicht von Opitz nach Form und Inhalt. Beachten Sie dabei besonders die Merkmale, anhand derer die Zugehörigkeit zur entsprechenden Epoche aufgezeigt werden kann.

Andreas Gryphius (1616 – 1664), bedeutender dt. Dichter und Dramatiker des Barocks

Port Allegorie in der Barocklyrik für die Heimkehr zu Gott

Andreas Gryphius

Abend (1650)

Der schnelle Tag ist hin; die Nacht schwingt ihre Fahn
Und führt die Sternen auf. Der Menschen müde Scharen
Verlassen Feld und Werk; wo Tier und Vögel waren
Traurt itzt die Einsamkeit. Wie ist die Zeit vertan!

Der Port naht mehr und mehr sich zu der Glieder Kahn.
Gleich wie dies Licht verfiel, so wird in wenig Jahren
Ich, du und was man hat und was man sieht, hinfahren.
Dies Leben kommt mir vor als eine Rennebahn.

Lass, höchster Gott! mich doch nicht auf dem Laufplatz gleiten!
Lass mich nicht Ach, nicht Pracht, nicht Lust, nicht Angst verleiten!
Dein ewigheller Glanz sei vor und neben mir!

Lass, wenn der müde Leib entschläft, die Seele wachen,
Und wenn der letzte Tag wird mit mir Abend machen,
So reiß mich aus dem Tal der Finsternis zu dir!

5 ***Lernarrangement***

Interpretieren Sie das Gedicht von Andreas Gryphius unter Berücksichtigung der Hinweise zur Epoche des Barocks und zur Form des Sonetts.

a) Inwiefern finden sich die jeweiligen Merkmale darin wieder?
b) Erschließen Sie in Kleingruppen, inwieweit das Motiv des Unterwegsseins in dem Gedicht „Abend" ebenfalls vertreten ist. Orientieren Sie sich dabei an den Wegweiser-Fragen von S. 12. (Hierzu können Sie die einzelnen Aspekte auf die Gruppenmitglieder verteilen.)
c) Benennen Sie die Einzelergebnisse in Ihrer Gruppe und halten sie diese stichpunktartig fest.
d) Fassen Sie die Ergebnisse der Kleingruppen im Plenum zusammen und formulieren Sie vor diesem Hintergrund abschließend das Thema des Gedichts.

6 Erläutern Sie mögliche Unterschiede hinsichtlich der Umsetzung des zentralen Motivs des Unterwegsseins gegenüber dem Gedicht „Ach Liebste, lass uns eilen" von Martin Opitz.

Sonett

Ein Sonett ist ein kunstvolles Gedicht mit strenger Form. Es entstand in der zweiten Hälfte des 13. Jahrhunderts in Italien. Aus dem englischsprachigen Raum wurden die Sonette William Shakespeares (1564–1616) berühmt. In Deutschland nahm sich vor allem Andreas Gryphius (1616–1664) der Form des Sonetts an. Das klassische italienische Sonett besteht aus vier Strophen. Die ersten beiden Strophen setzen sich aus vier Versen zusammen, die letzten beiden Strophen aus nur je drei Versen. Die ersten beiden Strophen nennt man daher Quartette, die letzten beiden Terzette. Somit besteht schon rein optisch im Druckbild eines Sonetts ein Bruch zwischen den ersten beiden Strophen einerseits und den letzten beiden Strophen andererseits. Im Idealfall setzt sich ein Sonett mit einem Thema auseinander, indem es zunächst eine Aussage darlegt, um diese anschließend im antithetischen Verfahren zu einem Ergebnis zu führen. Die erste Strophe stellt also eine These auf, die zweite eine Antithese, d. h., sie beleuchtet das Thema von einem anderen, vielleicht ergänzenden oder sogar gegensätzlichen Standpunkt aus. Die dritte und vierte Strophe, also die Terzette, führen das angesprochene Thema dann zu einem Ergebnis bzw. zu einer endgültigen Aussage (Synthese). Formal zeigt sich diese unterschiedliche Funktion der einzelnen Strophen in ihrem Reimschema.

Martin Opitz

Sta viator! (1630)

Ihr blinden Sterblichen, was zieht ihr und verreist
Nach beiden Indien? Was wagt ihr Seel und Geist
Für ihren Knecht, den Leib? Ihr holet Krieg und Streit,
Bringt aus der neuen Welt euch eine Welt voll Leid.
Ihr pflügt die wilde See, vergesset euer Land,
Sucht Gold, das eisern macht, und habt es bei der Hand.
Hierher, Mensch! Die Natur, die Erde rufet dir:
Wohin? Nach Gute. Bleib! Warum? Du hast es hier!

7 Klären Sie das Verständnis der Aussage „[n]ach beiden Indien“ (V. 2) vor dem Hintergrund des in der damaligen Zeit geltenden Weltbildes.

8 Stellen Sie dar, inwieweit sich hier das Motiv des Unterwegsseins nachweisen lässt. Berücksichtigen Sie dabei auch die Bedeutung des Titels.

9 Interpretieren Sie auf dieser Grundlage das Gedicht von Opitz nach Inhalt, Form und Thema. Berücksichtigen Sie dabei auch die besondere Funktion des lyrischen Ichs.

10 Erläutern Sie im Rückgriff auf die drei bisher untersuchten Gedichte, inwieweit die Umsetzung des Vanitas-Motivs im Zusammenhang mit dem besonderen Ziel des Reisens erfolgt.

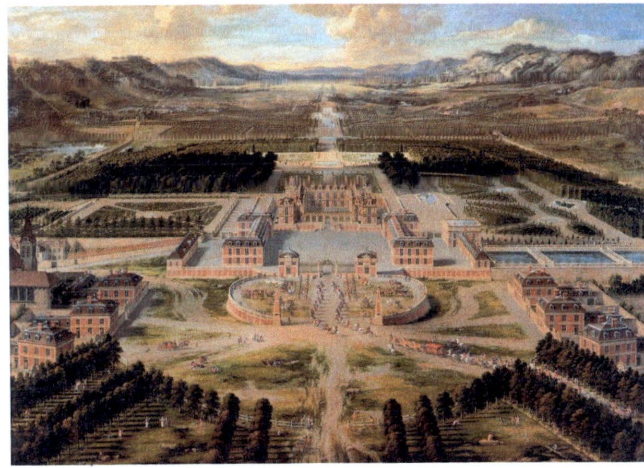

Die Gärten von Versailles, entstanden zwischen 1662 und 1689

Die Eroberung Magdeburgs 1631

Darstellung des Vanitas-Symbols, Harmen Steenwijck (ca. 1612 bis nach 1656), niederl. Maler des Goldenen Zeitalters, Stillleben im Museum DeLakenhal, Leiden

11 Untersuchen Sie die drei Bilder (S. 31/32) sowie das Titelblatt zu Opitz' „Buch der deutschen Poeterey" (S. 29) von 1624 daraufhin, inwieweit diese den Zeitgeist der Epoche des Barocks spiegeln. Berücksichtigen Sie dabei auch den Infokasten auf Seite 29.

Rainer Therstappen (* 1953), Philologe und Pädagoge, Verfasser und Herausgeber mehrerer Lyrikbände

Rainer Therstappen

Carpe diem (2017)

Blick nicht zurück
in ewigem Zorn

Schaue nicht ständig
sorgend nach vorn

Heute ist heute
Lebe den Tag

Nimm einfach an,
was er bringen mag

12 Nehmen Sie Stellung zu der Frage, inwieweit auch heute noch dem Leitgedanken des Carpe diem aus dem Barock eine Bedeutung beigemessen werden kann.

Können Frauen „tichten“?

Frühe Ansätze zur Gleichstellung von Mann und Frau in der Lyrik des Barocks erschließen

Bereits in der literarischen Epoche des Barocks finden sich frühe Ansätze eines allmählich steigenden Selbstbewusstseins der Frauen, also zu einer der Aufklärung vorgängigen Zeit. Dieses neue Bewusstsein auf Seiten der Frauen lässt sich beispielhaft an zwei Vertreterinnen dieser Zeit deutlich machen, in deren Werke sich einzelne aufklärerische Grundideen und Forderungen ankündigen: die Dichterinnen Sybille Schwarz (1621 – 1638), die bereits als Zehnjährige damit begonnen hatte, Gedichte zu verfassen, sowie Susanna Elisabeth Zeidler (1657 – ca. 1706).
S. Schwarz setzt sich in ihren Gedichten insbesondere mit der harten Realität des Dreißigjährigen Krieges auseinander, behandelt aber auch die Themen Freundschaft und Liebe, während das dichterische Werk S. E. Zeidlers vor allem durch zahlreiche Gelegenheitsgedichte gekennzeichnet ist. Zum Genre der Gelegenheitspoesie zählen vorrangig politische wie gesellschaftliche Anlässe: also sowohl militärische Schlachten, Siege und Inthronisationen als auch persönliche Feste wie Geburtstage, Taufen, Vermählungen oder Begräbnisse. Zeidler wurde nicht nur von ihrem Vater wegen ihres „Poetengeistes“ gerühmt, sondern vor allem auch wegen ihrer Tugendhaftigkeit, die sie bei ihrem lyrischen Schaffen nicht davon abgehalten habe, ihren häuslichen Pflichten nachzukommen.

Elisabeth Susanna Zeidler (1657 – ca. 1706)

Die spätere Dichterin wuchs als drittes Kind des Fienstedter Pfarrers Gottfried Zeidler und seiner Frau Margarethe in einem Pfarrhaus auf. Ihr älterer Bruder Johann Gottfried veröffentlichte 1686 eine Anthologie ihrer Gedichte, die sie bereits früh zu schreiben begonnen hatte. Über die Auswahl der Gedichte hinaus verfasste sie überdies eine Einführung, die sie mit der Anrede „Tugendliebender Leser“ adressierte.

Die literarische Unterweisung erhielt Zeidler von ihrem Vater, der ihr auch weiterführende Kenntnisse zur Religion, Geschichte und der französischen Sprache vermittelte. Schon frühzeitig prägte sich bei ihr ein besonderes Interesse für die Poetik aus, das sie sich weitgehend autodidaktisch erarbeitete.

Da ihr lange Zeit die Anerkennung für ihr lyrisches Schaffen versagt blieb und sie sich der Vorwürfe erwehren musste, sie habe die Gedichte nicht selbsttätig verfasst, willigte sie letztlich in die Veröffentlichung dieser Anthologie durch ihren Bruder ein.

1684 heiratet sie den Pfarrer Andreas Haldensleben. Heutzutage gilt sie als eine der wichtigsten Lyrikerinnen des 17. Jahrhunderts.

In ihrem Gedicht „Beglaubigung der Jungfer Poeterey“, das sie im Rahmen ihrer Anthologie veröffentlicht, verarbeitet S. E. Zeidler die an ihre Person gerichteten Vorwürfe, sie könne als Frau nicht die Urheberin dieser Verse sein. Sie geht dabei mit ihren Zweiflern ins Gericht.

Susanna Elisabeth Zeidler

Beglaubigung der Jungfer Poeterey (um 1686)

Rhapsodius glaubt nicht das Jungfern Verse machen:
Wie solte man nu nicht der falschen Meynung lachen?
Wie/ wenn man sagte / das hochzeitliche Gedicht/
Das Rhapsodus gemacht/ ist seine Arbeit nicht.
Ist dieses müglich/ so kan jenes auch geschehen.
Hat denn Herr Rhapsodus dergleichen nie gesehen?
Ihr Musen Söhne denckt/ ihr seid es gar allein/
Bey denen Phoebus zeucht mit seinen Künsten ein.
O nein/ ihr irret euch: Die Pallas pflegt desgleichen
Künst/ Weißheit und Verstand uns Nimphen darzureichen.
Sind wir gleich nicht an Kunst und Gaben gar zu reich/
Noch euch/ ihr Phoebus Volck in allen Stücken gleich.

Beglaubigung etwas glaubhaft machen, beglaubigen
Rhapsodius einst ein fahrender Sänger, Rhapsode
Phoebus Beiname Appolons, grch. Gott der Weissagung
einzeuchen einziehen
Nimphen weibl. Naturgeist in der antiken Mythologie

Apollo grch. Gott der Weissagung, der Künste und des Lichts

Parnassus Hügel Berg Parnass der grch. Mythologie; galt als Heimat der Musen und Inbegriff der Lyrik; im 17. Jh. trafen sich dort Studenten, um Gedichte zu rezitieren

(Denn dieses ist gewiß/ das läßt man wol passiren/
Das euch die freye Kunst vortrefflich kan bezieren/
Dazu euch euer Fürst Apollo Anlaß giebt/
Wenn ihr von Jugend auf Parnassus Hügel liebt)
So werdet ihr doch diß nicht gäntzlich leugnen können/
Das GOtt und die Natur uns ebenmäßig gönnen
Was euch gegeben ist/ und das uns offtmahls nicht
Das Tichten/ sondern nur die Zeit dazu gebricht.
Es fehlt uns nicht an Witz/ und andern guten Gaben/
Nur das man nicht dazu Gelegenheit kan haben.
Wenn man uns so wie euch/ die Künste gösse ein/
So wolten wir euch auch hierinnen gleicher seyn.

Lernarrangement

1 Übertragen Sie jede einzelne Aussage des Gedichts in ein heute übliches Deutsch. Gehen Sie dabei beispielsweise nach folgendem Muster vor:

1. Strophe	V. 1	Der Wandersänger Rhapsodius ist der Meinung, dass junge Mädchen und Frauen nicht dichten können.
	V 2.	Es macht sich über diese Aussage lustig und hält sie für falsch.
	V. 3/4	...
2. Strophe	...	...

2 Erläutern Sie das Menschenbild, das sich auf der Grundlage der Aussagen des lyrischen Ich ergibt.

3 Stellen Sie dar, welche Dichterinnen Ihnen aus Ihrem bisherigen Deutschunterricht bekannt sind und welche Gedichte diese verfasst haben.

4 Nehmen Sie begründet Stellung zu der Aussage des Wandersängers Rhapsodius, dass es jungen Mädchen bzw. Frauen nicht möglich sei, Gedichte zu schreiben. Berücksichtigen Sie dabei auch die Zeitumstände während der Epoche des Barocks.

5 Beschreiben Sie Besonderheiten der unten links abgebildeten Titelseite.

6 Diskutieren Sie im Plenum, ob zwischen einer typisch männlichen sowie weiblichen Lyrik unterschieden werden kann. Halten Sie die Ergebnisse thesenartig fest.

Jungferlicher Zeitvertreiber
Das ist
Allerhand
Deudsche
Gedichte/
Bey
Häußlicher Arbeit/ und stiller Einsamkeit verfertiget und zusammen getragen
Von
Susannen Elisabeth Zeidlerin.

Gedruckt im Jahr Christi
1686.

Titelblatt der Gedichtsammlung Zeidlers

ein in der Gedichtsammlung abgedrucktes Bild, das in der Bildmitte zwei Frauen zeigt, von denen eine vermutlich die Dichterin ist

Das Wandern – eine akademische Wiederentdeckung zünftiger Traditionen

Den Zusammenhang von gesellschaftlichen Impulsen und poetischen Innovationen verstehen

Heinz Schlaffer

Kurze Geschichte der deutschen Literatur (2002)

Die deutsche Literatur beginnt mit der intellektuellen Revolte der akademischen Jugend. Sämtliche poetischen Innovationen werden im 18. Jahrhundert von studentischen Freundschaftsgruppen eingeleitet: von den Anakreontikern in Halle, dem Klopstock verpflichteten „Hain“ in Göttingen, den Stürmern und Drängern in Straßburg, der romantischen Generation von Jena, danach der von Heidelberg und Berlin. Der plötzliche Eintritt Württembergs in die deutsche Literatur ist das Werk dreier einander ablösender Freundschaftsgruppen unter Tübinger Studenten: zuerst Hölderlin, Hegel, Schelling, danach Kerner und Uhland, schließlich Mörike, Waiblinger, Friedrich Theodor Vischer. [...]

Fast bis in die Gegenwart dauert eine Erfindung der Studenten vom Ende des 18. Jahrhunderts, die für die deutsche Poesie und Lebensweise folgenreich war: das Wandern. In anderen Ländern war es nie üblich; in Deutschland stirbt es zur Zeit aus. Studien Heinrich Bosses haben auf die merkwürdige Erscheinung aufmerksam gemacht, dass um 1770 das traditionelle Wandern der Handwerksgesellen durch Polizeiverordnungen unterdrückt wurde, dafür aber bei den Intellektuellen in Mode kam. Der praktische Zweck der einen wandelt sich zum ästhetischen Vergnügen der anderen.

Der Wanderer erschließt sich eine neue Landschaftserfahrung, die in der augenblicklichen Wahrnehmung – in Regen und Sturm auf dem „Schlammpfad“ – wie im Ganzen – der gottgleichen Natur – die literarischen Konventionen der idyllischen und der heroischen Topografie hinter sich lässt. Von den wandernden Handwerkern übernehmen ihre Imitatoren, die Studenten, den Brauch, Lieder zu singen oder Lieder zu dichten, als wären sie beim Wandern entstanden. Goethe erinnert sich seiner jugendlichen Gewaltmärsche: „Mehr als jemals war ich gegen offene Welt und freie Natur gerichtet. Unterwegs sang ich mir seltsame Hymnen und Dithyramben, wovon noch eine, unter dem Titel ‚Wanderers Sturmlied‘, übrig ist.“ Viele deutsche Gedichte, von denen einige populäre Lieder geworden sind, bekunden bereits in der Überschrift oder in der ersten Zeile das Wandern als Anlass und Hintergrund.

Gemeint ist das Phänomen, dass das Wandern, bislang Notwendigkeit für die unteren Schichten, als Privileg von der akademischen Jugend übernommen wird.

Dithyrambe (grch.-lat.) Loblied

1 Verfassen Sie arbeitsteilig Kurz- bzw. Minutenreferate zu den im Text genannten Personen sowie Bezeichnungen von literarischen Gruppierungen (Z. 3 – 9) und tragen Sie diese im Plenum vor.

2 Recherchieren Sie die Bedeutung des Wanderns in der Handwerkerausbildung der Zünfte.

3 Geben Sie das von Schlaffer angesprochene Verhältnis von Theorie und Praxis des Wanderns mit eigenen Worten wieder.

Unterwegs im finsteren Wald

Themen- und inhaltsverwandte Gedichte des ausgehenden 18. Jahrhunderts untersuchen und miteinander vergleichen

Im Erstdruck von 1815 stehen beide Gedichte untereinander, das zweite trägt hier den Titel „Ein gleiches".

Johann Wolfgang von Goethe

Wandrers Nachtlied I (1776)

Der du von dem Himmel bist,
Alles Leid und Schmerzen stillest,
Den, der doppelt elend ist,
Doppelt mit Erquickung füllest,
Ach, ich bin des Treibens müde!
Was soll all der Schmerz und Lust?
Süßer Friede,
Komm, ach komm in meine Brust!

Johann Wolfgang von Goethe

Wandrers Nachtlied II (1780)

Über allen Gipfeln
Ist Ruh,
In allen Wipfeln
Spürest du
Kaum einen Hauch;
Die Vögelein schweigen im Walde.
Warte nur, balde
Ruhest du auch.

Tipp
Die Aufgaben 1 bis 3 zusammen ergeben eine Interpretation.

1 Untersuchen Sie zunächst Goethes Gedicht I im Hinblick auf seine thematische Gliederung.

2 Analysieren Sie die sprachliche Gestaltung des Gedichts und leiten Sie daraus die innere Verfassung des lyrischen Ichs ab.

3 Erläutern Sie, welches Verständnis von Unterwegssein den Äußerungen des lyrischen Ichs zugrunde liegt.

4 Übertragen Sie die Ergebnisse Ihrer an Gedicht I gewonnenen Analyseergebnisse auf Goethes Gedicht II. Erläutern Sie Gemeinsamkeiten und Unterschiede zwischen beiden Gedichten hinsichtlich des Aufbaus, der sprachlichen Gestaltung, deren Wirkung und der Bedeutung des Motivs des Unterwegssein.

Goethes Gedicht „Willkommen und Abschied“ wurde in der Urfassung 1771 von ihm während seiner Straßburger Zeit verfasst. Es spiegelt die tiefgreifenden Erfahrungen seiner eineinhalbjährigen intensiven Liebschaft mit der Sessenheimer Pfarrerstochter Friederike Brion.

Johann Wolfgang von Goethe

Willkommen und Abschied (1771)

Es schlug mein Herz. Geschwind, zu Pferde!
Und fort, wild wie ein Held zur Schlacht.
Der Abend wiegte schon die Erde,
Und an den Bergen hing die Nacht.
Schon stund im Nebelkleid die Eiche
Wie ein getürmter Riese da,
Wo Finsternis aus dem Gesträuche
Mit hundert schwarzen Augen sah.

Der Mond von einem Wolkenhügel
Sah schläfrig aus dem Duft hervor,
Die Winde schwangen leise Flügel,
Umsausten schauerlich mein Ohr.
Die Nacht schuf tausend Ungeheuer,
Doch tausendfacher war mein Mut,
Mein Geist war ein verzehrend Feuer,
Mein ganzes Herz zerfloss in Glut.

Ich sah dich, und die milde Freude
Floss aus dem süßen Blick auf mich.
Ganz war mein Herz an deiner Seite,
Und jeder Atemzug für dich.
Ein rosenfarbes Frühlingswetter
Lag auf dem lieblichen Gesicht
Und Zärtlichkeit für mich, ihr Götter,
Ich hofft' es, ich verdient' es nicht.

Der Abschied, wie bedrängt, wie trübe!
Aus deinen Blicken sprach dein Herz.
In deinen Küssen welche Liebe,
O welche Wonne, welcher Schmerz!
Du gingst, ich stund und sah zur Erden
Und sah dir nach mit nassen Blick.
Und doch, welch Glück, geliebt zu werden,
Und lieben, Götter, welch ein Glück!

Johann Wolfgang von Goethe

Willkommen und Abschied (1785)

Es schlug mein Herz, geschwind zu Pferde!
Es war getan fast eh gedacht.
Der Abend wiegte schon die Erde,
Und an den Bergen hing die Nacht;
Schon stand im Nebelkleid die Eiche,
Ein aufgetürmter Riese, da,
Wo Finsternis aus dem Gesträuche
Mit hundert schwarzen Augen sah.

Der Mond von einem Wolkenhügel
Sah kläglich aus dem Duft hervor,
Die Winde schwangen leise Flügel,
Umsausten schauerlich mein Ohr;
Die Nacht schuf tausend Ungeheuer,
Doch frisch und fröhlich war mein Mut:
In meinen Adern welches Feuer!
In meinem Herzen welche Glut!

Dich sah ich, und die milde Freude
Floss von dem süßen Blick auf mich;
Ganz war mein Herz an deiner Seite,
Und jeder Atemzug für dich.
Ein rosenfarbnes Frühlingswetter
Umgab das liebliche Gesicht,
Und Zärtlichkeit für mich – ihr Götter!
Ich hofft' es, ich verdient' es nicht!

Doch ach, schon mit der Morgensonne
Verengt der Abschied mir das Herz:
In deinen Küssen welche Wonne!
In deinem Auge welcher Schmerz!
Ich ging, du standst und sahst zur Erden
Und sahst mir nach mit nassen Blick:
Und doch, welch Glück, geliebt zu werden!
Und lieben, Götter, welch ein Glück!

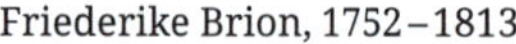

Friederike Brion, 1752–1813

Goethe nimmt Abschied von Friederiken, Holzstich um 1880 nach Eugen Klimsch

1 Untersuchen Sie zunächst die beiden Gedichte hinsichtlich der Frage, inwieweit in ihnen das Motiv des Unterwegsseins berücksichtigt ist.

2 Markieren Sie nun die Verse, die sich in den beiden Gedichten unterscheiden.

3 Vergleichen Sie anhand dieser Verse die beiden Versionen des Gedichts „Willkommen und Abschied" hinsichtlich der drei zentralen Aspekte einer Interpretation (Form, Inhalt und sprachliche Gestaltung, z. B. Wortwahl, Text, Interpunktion) und halten Sie Ihre Ergebnisse in schriftlicher Form (stichwortartig) fest.

4 Interpretieren Sie nun jedes der beiden Gedichte bezüglich seiner Wirkung auf die Leserschaft und halten Sie entsprechende Unterschiede fest.

5 Erörtern Sie, welche der beiden Versionen sich eher der Epoche des Sturm und Drang bzw. der Klassik zuordnen lässt. Begründen Sie Ihre Entscheidung am jeweiligen Text.

Die Ballade – das sich bewegende Gedicht

Die Ballade

Der Begriff stammt etymologisch vom lateinischen *ballare* (tanzen) und griechischen *ballein* (werfen, sich bewegen) ab und wurde ab dem 14./15. Jahrhundert in Frankreich ursprünglich zur Bezeichnung eines zum Tanzen gesungenen Liedes verwendet. Sie wurde im 18. Jahrhundert ins Deutsche als Erzählgedicht übernommen. Sie vereint sowohl lyrische als auch dramatische sowie epische Elemente. Die Stoffauswahl der Ballade ist meist von einem geheimnisvollen, häufig tragischen Geschehen bestimmt. In ihrer Form als knapp und andeutend dem Gedicht verwandt, ist sie inhaltlich oft dramatisch aufgebaut. Balladen sind häufig auch vertont worden, so etwa Goethes „Der Erlkönig" von Carl Loewe und Franz Schubert.

Johann Wolfgang von Goethe

Erlkönig (1782)

Wer reitet so spät durch Nacht und Wind?
Es ist der Vater mit seinem Kind;
Er hat den Knaben wohl in dem Arm,
Er fasst ihn sicher, er hält ihn warm. –

Mein Sohn, was birgst du so bang dein Gesicht? –
Siehst, Vater, du den Erlkönig nicht?
Den Erlenkönig mit Kron' und Schweif –
Mein Sohn, es ist ein Nebelstreif. –

„Du liebes Kind, komm, geh mit mir!
Gar schöne Spiele spiel' ich mit dir;
Manch' bunte Blumen sind an dem Strand;
Meine Mutter hat manch' gülden Gewand.“

Mein Vater, mein Vater, und hörest du nicht,
Was Erlenkönig mir leise verspricht? –
Sei ruhig, bleibe ruhig, mein Kind!
In dürren Blättern säuselt der Wind. –

„Willst, feiner Knabe, du mit mir gehn?
Meine Töchter sollen dich warten schön;
Meine Töchter führen den nächtlichen Reihn
Und wiegen und tanzen und singen dich ein.“

Mein Vater, mein Vater, und siehst du nicht dort
Erlkönigs Töchter am düstern Ort? –
Mein Sohn, mein Sohn, ich seh' es genau;
Es scheinen die alten Weiden so grau. –

„Ich liebe dich, mich reizt deine schöne Gestalt;
Und bist du nicht willig, so brauch' ich Gewalt.“ –
Mein Vater, mein Vater, jetzt fasst er mich an!
Erlkönig hat mir ein Leids getan! –

Dem Vater grauset's, er reitet geschwind,
Er hält in Armen das ächzende Kind,
Erreicht den Hof mit Mühe und Not;
In seinen Armen das Kind war tot.

Illustration von Albert Sterner

1 Lesen Sie den Text der Ballade mindestens zweimal laut vor. Betrachten Sie anschließend die Illustration A. Sterners und nehmen Sie begründet Stellung, ob diese Ihrem Leseeindruck gerecht wird.

2 Geben Sie den Inhalt des Geschehens mit eigenen Worten wieder.

3 Überprüfen Sie, inwiefern Goethes Ballade „Der Erlkönig“ den im Infokasten genannten Gattungsmerkmalen entspricht.

4 Vergleichen Sie die nächtliche Reitszene in Goethes Ballade mit der frühen Fassung seines Gedichts „Willkommen und Abschied“ aus dem Jahr 1771 im Hinblick auf die Darstellung des Rittes.

Mit Volldampf durch das 19. Jahrhundert

Die Auswirkungen des technischen Fortschritts auf Leben und Literatur nachvollziehen

Bereits 1705 wird in England die erste Kolbendampfmaschine von Thomas Newcomen zum Patent angemeldet, mit deren Weiterentwicklung James Watt 1769 der entscheidende technische Durchbruch gelingt. Zu Beginn des 19. Jahrhunderts werden Dampfmaschinen erstmals zum Antrieb von Schiffen und Schienenfahrzeugen eingesetzt. Dadurch kommt es in den folgenden Jahren und Jahrzehnten zu einem rasanten Anstieg der Zahl der Reisenden. Ein neuer Wirtschaftszweig entwickelt sich analog zur technischen Revolution: die Reisebranche. Der Massentourismus beginnt sich zu entwickeln. Diese Entwicklung mit ihren neuen zeit- und kraftsparenden Möglichkeiten der Fortbewegung findet zügig auch Aufnahme in der Literatur, sei es in Bewunderung gegenüber dem technischen Fortschritt und seinen Annehmlichkeiten oder in einer eher skeptisch-ablehnenden Haltung gegenüber einer Entwicklung, deren Folgen man noch nicht abschätzen kann.

Friedrich Theodor Vischer (1807–1887), dt. Literaturwissenschaftler, Dichter, Philosoph u. Politiker, arbeitete auch unter dem Pseudonym Deutobold Symbolizetti Allegoriowitsch Mystifizinsky

Friedrich Theodor Vischer

Auf der Eisenbahn (1882)

Jetzt schnaube nur, Dampf, und brause!
Jetzt rolle nur, Rad, und sause!
Es geht nach Hause, nach Hause!

Du kannst nicht jagen, o Wagen,
Wie meine Pulse mir schlagen!
Zur Geliebten sollst du mich tragen.

Vorüber, ihr ragenden Stangen!
Verschwindet, ihr Meilen, ihr langen!
Wer ahnt mein Verlangen und Bangen!

Auf den Bänken wie sie sich dehnen!
Wie sie schwatzen und gaffen und gähnen!
Es ist nichts, wonach sie sich sehnen.

Dort raset der Sturm durch die Tannen.
Zum Dampfe noch möchte ich ihn spannen,
Dass er rascher mich reiße von dannen!

Hinweg aus dem plappernden Schwarme,
O, hin an die Brust, an die warme,
In die offnen, die liebenden Arme!

1 Lesen Sie das Gedicht mehrfach laut vor.

2 Überprüfen Sie den dabei entstandenen Eindruck über den Sprech-Rhythmus, indem Sie das Metrum an zwei verschiedenen Strophen bestimmen.

3 Untersuchen Sie die Funktion des Metrums im Hinblick auf Titel und Thema des Gedichts sowie den Zweck der Eisenbahnfahrt.

4 Erläutern Sie die Einstellung des lyrischen Ichs zum neuen Verkehrsmittel.

Rhythmus

Der Begriff „Rhythmus" wird nicht primär auf Gedichte angewendet. Rhythmische Phänomene kann man sowohl in der Natur beobachten, etwa den Wechsel von Tag und Nacht oder der Jahreszeiten, als auch im Organismus, z. B. der Herzschlag oder die Atmungsfrequenz. Gleichermaßen findet er sich aber auch im Bereich der Technik und Maschinen.

Eine wiedererkennbare Melodie und ein spezifischer Rhythmus bilden das Grundgerüst einer musikalischen Komposition und finden sich etwa in Tanz- und Marschrhythmen.

Ebenso weisen für den Vortrag gedachte Gedichte auf der Grundlage eines Metrums, ihres Sprachtempos (schnell – langsam), ihrer Pausen (lang – kurz) und ihrer Betonung (laut – leise) einen eigenständigen Rhythmus auf.

Justinus Kerner

Im Eisenbahnhofe (1851)

Hört ihr den Pfiff, den wilden, grellen,
Es schnaubt, es rüstet sich das Tier,
Das eiserne, zum Zug, zum schnellen,
Her braust's wie ein Gewitter schier.

In seinem Bauche schafft ein Feuer,
Das schwarzen Qualm zum Himmel treibt;
Ein Bild scheint's von dem Ungeheuer,
Von dem die Offenbarung schreibt.

Jetzt welch ein Rennen, welch Getümmel,
Bis sich gefüllt der Wagen Raum!
Drauf „Fertig!" schreit's, und Erd und Himmel
Hinfliegen, ein dämonscher Traum.

Dampfschnaubend Tier! Seit du geboren,
Die Poesie des Reisens flieht;
Zu Ross mit Mantelsack und Sporen
Kein Kaufherr mehr zur Messe zieht.

Kein Handwerksbursche bald die Straße
Mehr wandert froh in Regen, Wind,
Legt müd sich hin und träumt im Grase
Von seiner Heimat schönem Kind.

Kein Postzug nimmt mit lustgem Knallen
Bald durch die Stadt mehr seinen Lauf
Und wecket mit des Posthorns Schallen
Zum Mondenschein den Städter auf.

Auch bald kein trautes Paar die Straße
Gemütlich fährt im Wagen mehr,
Aus dem der Mann steigt und vom Grase
Der Frau holt eine Blume her.

Kein Wandrer bald auf hoher Stelle,
Zu schauen Gottes Welt, mehr weilt,
Bald alles mit des Blitzes Schnelle
An der Natur vorübereilt.

Ich klage: Mensch, mit deinen Künsten
Wie machst du Erd und Himmel kalt!
Wär ich, eh du gespielt mit Dünsten,
Geboren doch im wildsten Wald!

Wo keine Axt mehr schallt, geboren,
Könnt's sein, in Meeres stillem Grund,
Dass nie geworden meinen Ohren
Je was von deinen Wundern kund.

Fahr zu, o Mensch! Treib's auf die Spitze,
Vom Dampfschiff bis zum Schiff der Luft!
Flieg mit dem Aar, flieg mit dem Blitze!
Kommst weiter nicht als bis zur Gruft.

Justinus Andreas Christian Kerner (1786–1862), dt. Arzt, medizinischer Schriftsteller und Dichter

Offenbarung Offenbarung des Johannes, das letzte Buch der Bibel

1 Geben Sie den Inhalt des Gedichts mit eigenen Worten wieder und benennen Sie das Thema.

2 Interpretieren Sie das Gedicht. Gehen Sie dabei insbesondere auf die sprachlich-rhetorische Gestaltung und die Haltung des lyrischen Ichs gegenüber dem damals noch neuen Verkehrsmittel ein.

Eisenbahner vor einer Lokomotive, 1875

Die erste deutsche von einer Dampflok, dem „Adler", angetriebene Eisenbahn fährt am 07.12.1835 von Nürnberg nach Fürth.

Sicherheitskleidung für Eisenbahn-Reisende, 1847: Mit den Verlockungen der Geschwindigkeit steigt auch das Sicherheitsbedürfnis der Reisenden.

Die romantische Verklärung des Rheins als Tourismusmagnet

Im Zuge der rasant fortschreitenden technischen Entwicklung gewinnt auch das Rheintal als Reiseziel an Attraktivität. Anfang des 19. Jahrhunderts kommen in- und ausländische Besucher/-innen in großer Anzahl hierher, angelockt von den umgebenden Berggipfeln und bewaldeten Höhen, die der Gegend eine malerische Ausstrahlung verleihen, zugleich aber auch eine mystische Anziehungskraft besitzen. Bereits 1856 werden mehr als eine Million Fahrkarten von der Preußisch-Rheinischen Dampfschifffahrts-Gesellschaft verkauft. Weiterhin bestand die Notwendigkeit, die vielen Arbeitskräfte, die im Zuge der Industrialisierung benötigt wurden, zur Arbeit zu befördern, die damaligen „Berufspendler".

Als erstes Dampfschiff fuhr die **„Caledonia"** des James Watt 1817 bis Koblenz.

Heinrich Heine

Das Loreleylied (1823)

Ich weiß nicht was soll es bedeuten,
Dass ich so traurig bin;
Ein Märchen aus uralten Zeiten,
Das kommt mir nicht aus dem Sinn.

Die Luft ist kühl und es dunkelt,
Und ruhig fließt der Rhein;
Der Gipfel des Berges funkelt
Im Abendsonnenschein.

Die schönste Jungfrau sitzet
Dort oben wunderbar,
Ihr goldenes Geschmeide blitzet,
Sie kämmt ihr goldenes Haar.

Sie kämmt es mit goldenem Kamme
Und singt ein Lied dabei;
Das hat eine wundersame,
Gewaltige Melodei.

Den Schiffer, im kleinen Schiffe,
Ergreift es mit wildem Weh;
Er schaut nicht die Felsenriffe,
Er schaut nur hinauf in die Höh'.

Ich glaube, die Wellen verschlingen
Am Ende Schiffer und Kahn;
Und das hat mit ihrem Singen
Die Loreley getan.

Lernarrangement

1 Geben Sie den Inhalt des Gedichts strukturiert wieder.

2 Untersuchen Sie die formalen Aspekte sowie die sprachlich-rhetorische Gestaltung und setzen Sie diese in Beziehung zueinander.

3 Erläutern Sie die Beziehung zwischen dem lyrischen Ich und dem Schiffer.

4 Erörtern Sie, inwiefern das Gedicht der Epoche der Romantik zugeordnet werden kann/muss.

5 Bilden Sie Gruppen und recherchieren Sie zu den beiden technischen Jahrhundertleistungen hinsichtlich des Eisenbahnverkehrs sowie der Rheinschifffahrt weiterführende Informationen. Verarbeiten Sie diese in einem informativen Bericht, den Sie mit Ihrer Gruppe gemeinsam dem Plenum in angemessener Form präsentieren.

Tipp
Alle Aufgaben ergeben zusammen die Interpretation.

Der Felsen der Loreley im oberen Mittelrheintal bei Sankt Goarshausen, Rheinland-Pfalz, 132 m hoch

Heinrich Heine als Grenzgänger: ein europäisches Ereignis und ein deutscher Skandal

Die literarische Bedeutung Heines exemplarisch erschließen

Heinrich Heine

wird am 13.12.1797 in Düsseldorf als Sohn eines jüdischen Kaufmanns geboren. Nach Schulbesuch und einer kaufmännischen Lehre beginnt er ein Jurastudium in Bonn, das er nach mehrfachem Studienortwechsel 1825 in Göttingen abschließt. Im selben Jahr tritt der gebürtige Jude zum protestantischen Glauben über, nicht aus innerer Überzeugung, sondern weil er durch die Taufe die Voraussetzung schaffen möchte, eine berufliche Karriere als Universitätsprofessor zu realisieren. Dies ist seit 1815 für nicht getaufte Juden gesetzlich nicht mehr möglich. Nach einer Fußreise durch den Harz (1824) kommt es 1825 auch zu einem Besuch bei Goethe. 1828 folgt eine Reise nach Italien, 1831 nach Paris, wo er endgültig bleibt. Heine wird Korrespondent der Augsburger „Allgemeinen Zeitung". Er verkehrt mit den führenden französischen Literaten dieser Zeit, u.a. Hugo, Dumas und Balzac. Er bemüht sich als Mittler zwischen Frankreich und Deutschland. 1835 werden seine Schriften in Deutschland verboten. Ab 1848 ist Heine – bedingt durch eine tödlich verlaufende Rückenmarksstarre – bettlägrig („Matratzengruft"). Er stirbt am 17.2.1856 in Paris.

Der Journalist Heine gilt als der Schöpfer des modernen subjektiven Feuilletons. Literarisch ist er insbesondere durch seine Lyrik bekannt geworden, in der er es versteht, romantisches Empfinden mit desillusionierender pointierter Ironie zu verbinden, und hat den Ruf eines politischen, scharfzüngigen Lyrikers erworben.

Hans Mayer

Die literarische Bedeutung Heinrich Heines (1968)

Heinrich Heine war ein europäisches Ereignis und ein deutscher Skandal. Er wurde nach der französischen Julirevolution von 1830 zum Inbegriff eines Zeitgeistes, der die Welt der Restauration wegzufegen bemüht war. Heine – das bedeutete damals Bekämpfung von Vorurteilen, Überwindung nationaler Begrenzungen, Skepsis und Ironie gegen Herzensträgheit und Denkfaulheit. So wirkte er bis nach Russland hin; noch der junge Dostojewski erlag seinem Einfluss. Wir finden in der zweiten Hälfte des 19. Jahrhunderts die Wirksamkeit Heines in Skandinavien, in Ungarn, bei den Südslawen und den Bulgaren. Für Frankreich vollends wurde Heinrich Heine schlechthin zum Begriff des deutschen Dichters, auf den man hörte, den man als sich gemäß empfand. [...] Neben E.T.A. Hoffmann wurde er gleichsam zu einem Bestandteil der französischen Literatur; erst Rilke sollte viel später wieder einen ähnlich bevorzugten Platz in Frankreich einnehmen.

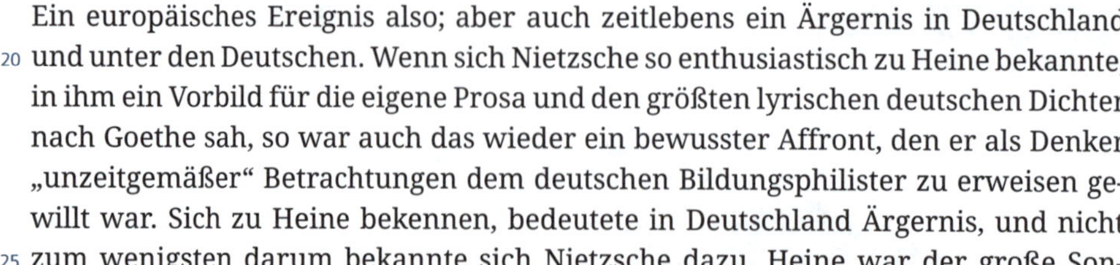

Ein europäisches Ereignis also; aber auch zeitlebens ein Ärgernis in Deutschland und unter den Deutschen. Wenn sich Nietzsche so enthusiastisch zu Heine bekannte, in ihm ein Vorbild für die eigene Prosa und den größten lyrischen deutschen Dichter nach Goethe sah, so war auch das wieder ein bewusster Affront, den er als Denker „unzeitgemäßer" Betrachtungen dem deutschen Bildungsphilister zu erweisen gewillt war. Sich zu Heine bekennen, bedeutete in Deutschland Ärgernis, und nicht zum wenigsten darum bekannte sich Nietzsche dazu. Heine war der große Sonderfall unter den Deutschen, auch unter den deutschen Schriftstellern seiner Zeit. Gegen ihn standen nicht bloß die Romantiker, die in ihm gleichsam einen Renegat sahen, einen entlaufenen Romantiker –, wie ein Franzose zu Heine selbst bemerkte – zum großen Behagen des Dichters. Auch das sogenannte „Junge Deutschland"

vermochte niemals eine einheitliche, selbst rein literarische Front mit dem Dichter der Reisebilder zu bilden. Heines Laufbahn als Schriftsteller berührte den Weg fast aller bemerkenswerten Deutschen in jenen Jahren des Biedermeier und des Vormärz: aber es blieben stets getrennte Bahnen. Heinrich Heine wurde zum Ärgernis auch für jene, die eigentlich und insgeheim der gleichen Richtung dienten wie er. August von Platen litt nicht weniger unter seinem Vaterlande als Heinrich Heine; dennoch gab es nur Missverständnis und Ärgernis, Polemiken und Beleidigungen, an denen Platen wohl schließlich gestorben ist. Wie nahe musste sich Ludwig Börne, der Jude, Weltbürger und deutsche Patriot, jenem anderen Juden, Weltbürger und Patrioten aus Düsseldorf verbunden fühlen. [...]
Er hat wohl als erster unter den großen Zeitgenossen die Bedeutung des jungen Dr. Karl Marx erkannt, der in der Pariser Emigration zu ihm stieß; dennoch wurde Heine niemals ein Kommunist. Er war nicht festzulegen oder einzuordnen. Sein Schreiben war in der Richtung fast unberechenbar. Immer wieder wurde er zum Ärgernis. Zumal Heine nicht gewillt war, Sache und Person säuberlich zu trennen. Er besaß eine ungeheure, überbordende Sinnlichkeit der Anschauung: die Sache verschmolz ihm unmittelbar mit der Person seiner Gegner, mit Wuchs und Kleidung, ihren natürlichen Mängeln und Sorgen; indem er die Sache bekämpfte, traf er zugleich schonungslos diese intimsten Seiten des Höchstpersönlichen. So blieb – als Ergebnis – der öffentlich oder insgeheim brodelnde Hass, der bis heute nachwirkt.
[...]
Die zweideutige Wirkung dieses Dichters und Schriftstellers seit seinen Anfängen hat aber noch andere Ursachen. Heinrich Heine ist als Schriftsteller, vor allem am Beginn seiner Laufbahn, ganz ohne Tradition. Er hat seine Sache wahrhaft „auf nichts gestellt“, es sei denn auf seine strahlende Intelligenz, eine äußerst reizempfindliche Fantasie, die Fähigkeit zu kühnsten Assoziationen – und auf eine unheimliche Meisterschaft des sprachlichen Ausdrucks. Fülle der Naturgaben, aber kaum Erzeugnis und Erbe langer geistiger Tradition. [...] So wird Heine zum einzigartigen Fall des Menschen ganz ohne Tradition, zunächst aber auch fast ohne Ressentiment. Er ist am Beginn seiner Laufbahn gleichsam Kaspar Hauser, der die Welt um sich her ganz neu, zum ersten Male erlebt, alle Dinge und Beziehungen von außen betrachtet, als einer, der sich nirgends verbunden fühlt.

Geburtshaus Heines in Düsseldorf (Bolkerstr. 53)

1 Fassen Sie die zentralen Aussagen Mayers zu H. Heine zusammen. Legen Sie dazu eine Tabelle an, in die Sie positive und Ihnen negativ erscheinende Merkmale Heines einander gegenüberstellen.

eher positive Merkmale Heines	eher negative Merkmale Heines
– Bekämpfung von Vorurteilen	– ist polemisch

2 Erläutern Sie die Ambivalenzen seines Charakters, wie Mayer sie sieht.

3 Die jüdische Gemeinde in Düsseldorf hat sich 2018 mit einem Mottowagen am dortigen Rosenmontagszug beteiligt. Sie vertritt die Auffassung, man könne auch im Karneval gegen Antisemitismus kämpfen – mit Humor. Nehmen Sie auf der Grundlage Ihrer biografischen Kenntnisse zu Heine sowie dem von Mayer vorgestellten Menschen begründet Stellung, inwieweit Sie die Aktion der jüdischen Gemeinde für angemessen halten.

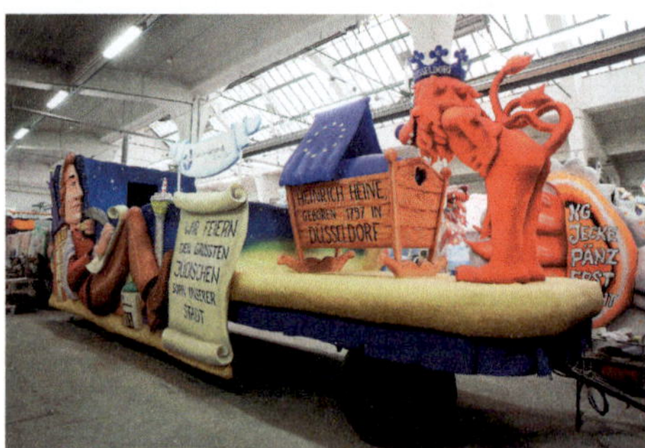

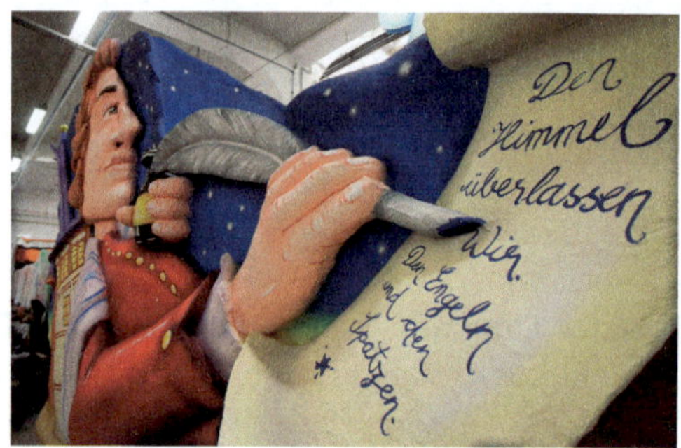

Heimatlos – zum Unterwegssein verdammt

Die Abbildungen rechts zeigen die seitlichen Platten der Einfassung von **Heines Grab** auf dem Friedhof Montmartre in Paris.

Heinrich Heine

Wo? (aus dem Nachlass)

Wo wird einst des Wandermüden
Letzte Ruhestätte sein?
Unter Palmen in dem Süden?
Unter Linden an dem Rhein?

Werd ich wo in einer Wüste
Eingescharrt von fremder Hand?
Oder ruh ich an der Küste
Eines Meeres in dem Sand?

Immerhin! Mich wird umgeben
Gotteshimmel, dort wie hier,
Und als Totenlampen schweben
Nachts die Sterne über mir.

1 Interpretieren Sie das Gedicht. Gehen Sie dabei vor allem auf Heines Lebensauffassung ein und deuten Sie diese vor dem Hintergrund seiner biografischen Erfahrungen.

Heinrich Heine

Lebensgruß (junge Leiden, Romanze Nr. XIX – 1816–1821) / (Stammbuchblatt)

Eine große Landstraß ist unsere Erd,
Wir Menschen sind Passagiere;
Man rennet und jaget, zu Fuß und zu Pferd,
Wie Läufer oder Kuriere.

Man fährt sich vorüber, man nicket, man grüßt
Mit dem Taschentuch aus der Karosse;
Man hätte sich gerne geherzt und geküsst,
Doch jagen von hinnen die Rosse.

Kaum trafen wir uns auf derselben Station,
Herzliebster Prinz Alexander,
Da bläst schon zur Abfahrt der Postillion,
Und bläst uns schon auseinander.

Alexander Prinz von Wittgenstein war 1820 Kommilitone Heines in Bonn. Das Gedicht hat Heine ihm als Stammbucheintrag gewidmet, eine damals übliche Form der Zueignung.

1 Beschreiben Sie das spezifische Verständnis von Unterwegssein in Heines Gedicht.

2 Erörtern Sie die sozialkritische Haltung des lyrischen Ichs gegenüber dieser Form des Unterwegsseins.

Die Philisterkritik Heines

Heinz Schlaffer

Kurze Geschichte der deutschen Literatur (2002)

Aus der damaligen Studentensprache sind „Philister“ und „Spießer“ als Schimpfwörter für Bürger, die der Kunst, der Reflexion, der Jugend gleichgültig oder ablehnend gegenüberstehen, in die Alltagssprache eingegangen. „Spießer“ hießen die Mitglieder der Scharwache, die studentische Exzesse im Zaum zu halten hatte. Nach den „Philistern“, den Feinden des „auserwählten Volkes“ der Juden im Alten Testament, benannten die auserwählten Musensöhne abschätzig die nicht akademischen Einwohner der Universitätsstädte. Brentanos Abhandlung *Der Philister vor, in und nach der Geschichte* (1811) definiert und verallgemeinert den Ausdruck: „Philister also wurden alle genannt, die keine Studenten waren, und nehmen wir das Wort Student im weitern Sinne eines Studierenden, eines Erkenntnisbegierigen, eines Menschen, der das Haus seines Lebens noch nicht wie eine Schnecke, welche die wahren Hausphilister sind, zugeklebt, eines Menschen, der in der Erforschung des Ewigen, der Wissenschaft oder Gottes, begriffen, der alle Strahlen des Lichtes in seiner Seele freudig spiegeln lässt, eines Anbetenden der Idee, so stehen die Philister ihm gegenüber, und alle sind Philister, welche keine Studenten in diesem weitern Sinne des Wortes sind.“ Noch heute verfolgt die Angst, als Spießer und Philister angesehen zu werden, die Bürger in Deutschland und treibt sie der Kunst in die Arme. Die Pose kultureller Jugendlichkeit behebt das deutsche Dilemma, dass man nur ein paar Jahre lang Student ist, danach aber als Pfarrer, Bibliothekar oder Regierungsrat selbst ein Philister.

Der ewige Philister.

Jetzt hab' ich heut 4 Adressen unterzeichnet, die erste von dene rothe Republikaner, die zweite von dene Demokraten, die dritte von dene Ultramontanen, die vierte von dene Constitutionell-Monarchischen — jetzt geh' ich und trink' meine Schale Kaffee in Ruh, da ich mir gewiß nichts vorzuwerfen habe!

Heinrich Heine

Philister in Sonntagsröcklein (Lyrisches Intermezzo, XXXII – 1921/22)

Philister in Sonntagsröcklein
Spazieren durch Wald und Flur,
Sie jauchzen, sie hüpfen wie Böcklein,
Begrüßen die schöne Natur.

Betrachten mit blinzelnden Augen,
Wie alles romantisch blüht,
Mit langen Ohren saugen
Sie ein der Spatzen Lied.

Ich aber verhänge die Fenster
Des Zimmers mit schwarzem Tuch;
Es machen mir meine Gespenster
Sogar einen Tagesbesuch.

Die alte Liebe erscheinet,
Sie stieg aus dem Totenreich.
Sie setzt sich zu mir und weinet,
Und macht das Herz mir weich.

1 Geben Sie die inhaltliche Struktur des Gedichtes wieder.

2 Interpretieren Sie das Gedicht unter Bezug auf Schlaffers Textauszug und unter Berücksichtigung der Epochenmerkmale (s. dazu den Infokasten unten).

3 Setzen Sie Heines Philister-Kritik in Beziehung zum Verhalten des Vaters im 1. Kapitel von v. Eichendorffs Novelle „Aus dem Leben eines Taugenichts“ (S. 16).

Vormärz und Biedermeier

Den Dichtern der jungdeutschen Bewegung (Vormärz), zu denen auch H. Heine gehörte – war gemeinsam die Ablehnung der restaurativen und reaktionären Politik Metternichs sowie der Fürsten, die sich im Deutschen Bund zusammengeschlossen hatten. Sie forderten die Einführung und Einhaltung demokratischer Rechte sowie sozialer Gleichberechtigung und wandten sich gegen das Festhalten an tradierten religiösen sowie moralischen Grundsätzen. Ihre politische Vision galt der Beseitigung der feudalistischen Verhältnisse sowie der Gründung einer Republik mit einem vereinten Deutschland.

Auch geistesgeschichtlich sahen sie sich in einer Linie mit der Aufklärung, die idealistisch ausgerichtete Klassik und die Romantik wurden als unpolitisch und nicht mehr zeitgemäß betrachtet, die Literatur dieser Epochen galt ihnen als welt- und wirklichkeitsfremd. Sie maßen der Literatur die Funktion bei, soziale und politische Missstände zu thematisieren. Literarisch haben sie damit den Weg für die dann allerdings scheiternde bürgerliche Märzrevolution von 1848/49 vorbereitet.

Parallel zur Bildung dieser außerparlamentarischen und teils aufständischen Opposition des Vormärz entwickelte sich ab etwa 1815 eine zweite geistig-literarische Strömung, nämlich die des Biedermeier. Diese war allerdings nicht dahingehend politisch motiviert, die Volkssouveränität als Gegenprinzip zum monarchischen System zu stärken, sie suchte vielmehr – ganz entgegengesetzt – den Weg aus dem öffentlichen Bereich ins Private. Die Themen und Motive des Biedermeier sind z. B. das stille Glück, die heile Welt, die Natur. Insgesamt wird diese Epoche getragen von einer Rückbesinnung auf Tradition. Beide literarischen Strömungen – Vormärz und Biedermeier – gehen in der Mitte des 19. Jahrhunderts dann auf in der Epoche des Realismus.

Die Reise durch das 19. Jahrhundert

Zentrale Epochen im Überblick erfassen: Naturalismus, Impressionismus

Hatte sich zu Beginn des 19. Jahrhunderts parallel zur Romantik ab etwa 1815 die Epoche des Vormärz entwickelt, die als das Junge Deutschland wiederum die Weiterentwicklung der Literatur vorantreibt, ähnlich der bereits thematisierten durch die Vertreter des Sturm und Drang, so tritt dieses Phänomen wiederum gegen Ende des 19. Jahrhunderts auf. Hier sind es die Naturalisten, das Junge Wien und vor allem die Expressionisten im beginnenden 20. Jahrhundert. Neben diesen literarischen Gruppierungen ist unter kultur- und zeitkritischem Aspekt noch der Wandervogel zu nennen. Somit ist es historisch betrachtet in den zurückliegenden 250 Jahren immer wieder zu Versuchen gekommen – etwa auch in der Studentenbewegung von 1968 – diese erste jugendliche Revolte zu wiederholen. Das Unterwegssein, ganz gleich ob als physisches Reisen oder eher als metaphysische Lebensreise, bleibt – im Sinne einer anthropologischen Grundkonstante – erhalten. Gleichermaßen wie im 19. Jahrhundert der technische Fortschritt sich rasant auf den Wogen der industriellen Revolution entwickelt und dadurch die Möglichkeiten des Reisens in bis dahin ungeahnte Sphären vordringen, so kommt es dadurch auch – insbesondere nach dem Wechsel ins 20. Jahrhundert – zu krisenhaften Erscheinungen bei den Menschen, die diesem Fortschritt mit Angst und Verzweiflung gegenüberstehen.

Naturalismus (1880 – 1900)

Eine spezielle Ausprägung des Realismus zwischen ca. 1880 und 1900, die von dem Wunsch getragen ist, die Wirklichkeit wie in der Naturwissenschaft so auch in der Literatur nach objektiv überprüfbaren Gesetzen darzustellen. Inhaltlich wendet sich der Naturalismus den untersten Schichten und Randgruppen der Gesellschaft zu und in seiner Darstellungsweise unterwirft er sich dem Primat der wirklichkeitsgetreuen Wiedergabe von Sprechweise, Geräuschen, Tönen usw. Die Formel seiner Vertreter lautet: Kunst = Natur – x.

Die Naturalisten wollen auch in den Stoffen ihrer Lyrik zeitgemäß sein. Die Großstadt, die Industrialisierung und ihre sozialen Folgen, die Auseinandersetzungen zwischen der Bourgeoisie und dem neuen Proletariat sind ihre Hauptthemen.

Karl Henckell

Straßenbild (um 1903)

Sieh dort die Zwei! Er spielt die Flöte,
und woll'ne Strümpfe strickt sein Weib,
im Korbe ruh'n zwei Dreierbröte
zur Nahrung für den siechen Leib.
Flütüh, flütüh! – „Wer gibt 'nen Groschen?“
Die Flöte lockt so flehend süß.
„Ihr steckt ja in den Glücksgaloschen,
euch ist die Welt ein Paradies.“
Flütüh, flütüh – schon humpelt weiter
das eheliche Bettlerpaar,
ein Einziger ist ihr Begleiter,
treu bis zum Tode, Jahr für Jahr.
Sein Blick ist hohl, sein Gang gebrochen,
von Schwären sein Gesicht entstellt,
er nagt an einem kahlen Knochen
und heißt – das Elend dieser Welt.

Karl Henckell (1864 – 1929), dt. Lyriker und Schriftsteller

Emilie Friant (1863 – 1932): La Toussaint, 1888

1 Erläutern Sie Gegenstand, Sprechsituation und besondere naturalistische gestalterische Mittel des Gedichts „Straßenbild" (S. 49).

2 Interpretieren Sie das Gedicht vor dem Hintergrund Ihrer Ergebnisse. Gehen Sie insbesondere auf die Gestaltung des Motivs des Unterwegsseins ein.

Impressionismus (1890 – 1920)

Der Begriff dient ursprünglich zur Kennzeichnung einer bestimmten Stilepoche der französischen Malerei. Ihre bekanntesten Vertreter sind u.a. Monet, Manet, Degas und Cézanne. Ihr Anliegen war es, in ihren Bildern die Wirkung von Licht, Farbe und Luft auf die Umgebung künstlerisch darzustellen. Somit steht der subjektive Eindruck im Vordergrund. Auf die Literatur übertragen sind die impressionistischen Werke zunehmend von Subjektivismus und Individualismus geprägt. Lyrische Texte werden formal möglichst exakt gestaltet und mit lautmalerischer Sprache sowie Sprachbildern ausgeschmückt.

Stefan Zweig (1881 – 1942), österr. Schriftsteller zahlreicher Erzählungen und Gedichte

Stefan Zweig

Sonnenaufgang in Venedig (1922)

Erwachende Glocken. – In allen Kanälen
Flackt erst ein Schimmer, noch zitternd und matt,
Und aus dem träumenden Dunkel schälen
Sich schleiernd die Linien der ewigen Stadt.

Sanft füllt sich der Himmel mit Farben und Klängen,
Fernsilbern sind die Lagunen erhellt. —
Die Glöckner läuten mit brennenden Strängen,
Als rissen sie selbst den Tag in die Welt.

Und nun das erste flutende Dämmern!
Wie Flaum von schwebenden Wolken rollt,
Spannt sich von Turm zu Türmen das Hämmern
Der Glocken, ein Netz von bebendem Gold.

Und schneller und heller. Ganz ungeheuer
Bläht sich das Dämmern. – Da bauscht es und birst,
Und Sonne stürzt wie fressendes Feuer
Gierig sich weiter von First zu First.

Der Morgen taut nieder in goldenen Flocken
Und alle Dächer sind Glorie und Glast.
Und nun erst halten die ruhlosen Glocken
Auf ihren strahlenden Türmen Rast.

Tipp
Alle Aufgaben zusammen ergeben die Interpretation.

1 Analysieren Sie das Gedicht von Stefan Zweig im Hinblick auf seinen Inhalt und Aufbau sowie die sprachliche Gestaltung.

2 Untersuchen Sie anschließend die Farb- und Lichtmetaphorik im Gedicht, indem Sie zunächst alle optischen Eindrücke markieren. Ordnen Sie diese anschließend in ihrer zeitlichen Entwicklung an und bestimmen Sie die davon ausgehende Wirkung.

3 Deuten Sie abschließend das Gedicht vor dem Hintergrund Ihrer Kenntnisse über die Epoche des Impressionismus (s. Infokasten).

Expressionismus

Jugend im Aufbruch

Ernst Wilhelm Lotz

Er wird im Jahre 1890 in Kulm an der Weichsel geboren und absolviert von 1900–1910 militärische Erziehungsanstalten für den Offiziersnachwuchs in Plön und Groß-Lichterfelde – sein Vater ist Kadettenhauslehrer. Nach dem Besuch der Kriegsschule wird er für anderthalb Jahre Leutnant in einem Hamburger Infanterieregiment, nimmt danach seinen Abschied vom Militär, wird vorübergehend Kaufmann, interessiert sich aber vor allem für Literatur. Er fällt 1914 als Kompanieführer bei einem Sturmangriff in Nordfrankreich. Nach Walther Killy, dem Herausgeber eines Literaturlexikons, zählt sein Gedicht „Aufbruch der Jugend“ „zu jenen Schlüsseltexten, die Grundpositionen u. -erfahrungen des Expressionismus formulieren“.

Ernst Wilhelm Lotz

Aufbruch der Jugend (1913)

Die flammenden Gärten des Sommers, Winde, tief und voll Samen,
Wolken, dunkel gebogen, und Häuser, zerschnitten vom Licht.
Müdigkeiten, die aus verwüsteten Nächten über uns kamen,
Köstlich gepflegte, verwelkten wie Blumen, die man sich bricht.

Also zu neuen Tagen erstarkt wir spannen die Arme,
Unbegreiflichen Lachens erschüttert, wie Kraft, die sich staut,
Wie Truppenkolonnen, unruhig nach Ruf der Alarme,
Wenn hoch und erwartet der Tag überm Osten blaut.

Grell wehen die Fahnen, wir haben uns heftig entschlossen,
Ein Stoß ging durch uns, Not schrie, wir rollen geschwellt,
Wie Sturmflut haben wir uns in die Straßen der Städte ergossen
Und spülen vorüber die Trümmer zerborstener Welt.

Wir fegen die Macht und stürzen die Throne der Alten,
Vermoderte Kronen bieten wir lachend zu Kauf.
Wir haben die Türen zu wimmernden Kasematten zerspalten
Und stoßen die Tore verruchter Gefängnisse auf.

Kasematten stark gesicherter Raum in Festungen

Nun kommen die Scharen Verbannter, sie strammen die Rücken,
Wir pflanzen Waffen in ihre Hand, die sich fürchterlich krampft,
Von roten Tribünen lodert erzürntes Entzücken,
Und türmt Barrikaden, von glühenden Rufen umdampft.

Beglänzt von Morgen, wir sind die verheißnen Erhellten,
Von jungen Messiaskronen das Haupthaar umzackt,
Aus unsern Stirnen springen leuchtende, neue Welten,
Erfüllung und Künftiges, Tage, sturmüberflaggt!

1 Stellen Sie die im Gedicht enthaltenen Bildfelder bzw. Metaphern dar.

2 Charakterisieren Sie die Befindlichkeit des lyrischen Ichs mit fünf treffenden Adjektiven.

3 Untersuchen Sie die sprachliche Gestaltung Lotzes des Sich-auf-den-Weg-Machens der Jugend und kontrastieren Sie diese mit dem von Heine in seiner Philisterkritik dargestellten Form des Unterwegsseins. Berücksichtigen Sie dabei auch die entsprechenden Epochenmerkmale (s. hierzu den Infokasten auf S. 53).

Ludwig Meidner: Barrikadenkampf (1913)

4 Setzen Sie das Gedicht von S. 51 in Beziehung zu dem Gemälde von Ludwig Meidner und halten Sie die Gemeinsamkeiten fest.

5 Benennen Sie inhaltliche Aussagen des Gedichts, die auf dem Gemälde nicht erfasst sind.

Ein Zitat aus der Gedichtsammlung „Menschheitsdämmerung" von Kurt Pinthus soll Ihnen helfen, einen Ansatz zum Verständnis des vorliegenden Gedichts von Ernst Wilhelm Lotz zu finden. Pinthus erklärt an dieser Stelle das Prinzip der Anordnung der für die Sammlung ausgewählten Gedichte. Demnach fügten sie sich „nach wenigen großen Motiven" zusammen:

„Alle Gedichte dieses Buches entquellen der Klage um die Menschheit, der Sehnsucht nach der Menschheit. Der Mensch schlechthin, nicht seine privaten Angelegenheiten und Gefühle, sondern die Menschheit, ist das eigentliche unendliche Thema. Diese Dichter fühlten zeitig, wie der Mensch in die Dämmerung versank [...], sank in die Nacht des Untergangs [...], um wieder aufzutauchen in die sich klärende Dämmerung neuen Tags. In diesem Buch wendet sich bewusst der Mensch aus der Dämmerung der ihm aufgedrängten, ihn umschlingenden, verschlingenden Vergangenheit und Gegenwart in die erlösende Dämmerung einer Zukunft, die er selbst sich schafft.

Die Dichter dieses Buches wissen wie ich: Es birgt unsere Jugend; freudig beginnendes, früh verschüttetes, zerstörtes Leben. Was in den letzten Jahren der Menschheit gar nicht oder nur dumpf bewusst war, was nicht in Zeitungen und Abhandlungen zu lesen stand: Das ward in dieser Generation mit unbewusster Sicherheit Wort und Form. Das wissenschaftlich nicht Feststellbare im Menschen – hier trat es prophetisch wahr und klar ans Licht."

6 Unterstreichen Sie die Schlüsselstellen in diesem Zitat.

7 Untersuchen Sie das Gedicht von Lotz im Hinblick auf Anklänge an Aussagen aus dem Zitat von Kurt Pinthus und ordnen Sie beide Seiten in einer Tabelle nach folgendem Muster einander zu.

Schlüsselstellen aus dem Zitat von Pinthus	Anklänge daran im Gedicht von Lotz
„Klage um die Menschheit" „Der Mensch [versank] in die Dämmerung"	„Müdigkeiten, die aus verwüsteten Nächten über uns kamen"

Merkmale expressionistischer Lyrik

- Beliebte Gedichtformen sind das **Sonett** und der **Hymnus** als ekstatische Feier neuen Menschentums.
- Sie äußert sich zunächst als Anklage des positivistischen, naturwissenschaftlich und technisch geprägten Weltbilds. Der Staat, der Bourgeois, die Technik werden als Gegner, da schuldig an der Verlogenheit, der Sinnlosigkeit und dem als chaotisch empfundenen modernen Leben angesehen.
- Das innere Erleben wird über das äußere gestellt.
- Das Wesen der Wirklichkeit soll erfasst werden, nicht ihr äußerer Schein.
- Die Sprache ist häufig pathetisch, geprägt von starkem Gefühlsüberschwang; sie betreibt Satzkürzungen ohne Beachtung der Regeln der Syntax (siehe August Stramm), ihre Metaphorik ist weniger sachbezogen als Ausfluss von Bildern, die aus dem Innern des Dichters strömen.
- Beliebte **thematische** Anknüpfungspunkte sind die moderne Großstadt, der erwartete Untergang der bürgerlichen und abendländischen Welt, die Ahnung und Erfahrung des Ersten Weltkriegs, die Kritik an der modernen kapitalistischen Arbeitswelt, die Gottesferne und das Fehlen einer transzendenten Instanz sowie der Zerfall einer festgefügten Ich-Instanz.

Gefahren in Großstadt und Krieg – Die Vielfalt des Gehens

Ernst Blass (1890–1939), frühexpressionistischer Lyriker, Kritiker und Schriftsteller

Ernst Blass

An Gladys (1912)

O du, mein holder Abendstern ... Richard Wagner

So seltsam bin ich, der die Nacht durchgeht
Den schwarzen Hut auf meinem Dichterhaupt.
Die Straßen komme ich entlang geweht.
Mit weichem Glücke bin ich ganz belaubt.

Es ist halb eins, das ist ja noch nicht spät ...
Laternen schlummern süß und schneebestaubt.
Ach, wenn jetzt nur kein Weib an mich gerät
Mit Worten, schnöde, roh und unerlaubt!

Die Straßen komme ich entlang geweht,
Die Lichter scheinen sanft aus mir zu saugen,
Was mich vorhin noch von den Menschen trennte;

So seltsam bin ich, der die Nacht durchgeht ...
Freundin, wenn ich jetzt dir begegnen könnte,
Ich bin so sanft, mit meinen blauen Augen!

Ernst Ludwig Kirchner, Zwei Frauen auf der Straße, Ölgemälde, 1914

1 Beschreiben Sie prägnant die dargestellte Szene.

2 Untersuchen Sie die innere Verfassung des lyrischen Ichs und wie sich diese in der Art und Weise des Unterwegsseins widerspiegelt.

Ernst Stadler (1883–1914), dt. Lyriker des Expressionismus

Ernst Stadler

Heimkehr (1914)

(Brüssel, Gare du Nord)

Die Letzten, die am Weg die Lust verschmäht; entleert aus allen
Gassen der Stadt. In Not und Frost gepaart. Da die Laternen schon in schmutzigem Licht verdämmern,
Geht stumm ihr Zug zum Norden, wo aus lichtdurchsungnen Hallen
Die Schienenstränge Welt und Schicksal über Winkelqueren hämmern.
Tag lässt die scharfen Morgenwinde los. Auffröstelnd raffen
Sie ihre Röcke enger. Regen fällt in Fäden. Kaltes graues Licht
Entblößt den Trug der Nacht. Geschminkte Wangen klaffen
Wie giftige Wunden über eingesunkenem Gesicht.
Kein Wort. Die Masken brechen. Lust und Gier sind tot. Nun schleppen
Sie ihren Leib wie eine ekle Last in arme Schenken
Und kauern regungslos im Kaffeedunst, der über Kellertreppen
Aufsteigt – wie Geister, die das Taglicht angefallen – auf den Bänken.

1 Beschreiben Sie prägnant die im Gedicht dargestellte Szene und bestimmen Sie den Standort des lyrischen Ichs.

2 Interpretieren Sie das Gedicht mit besonderer Berücksichtigung der sprachlichen Gestaltung.

3 Vergleichen Sie die Darstellung des Unterwegsseins in den Gedichten von Stadler und Henckell (S. 49).

Ernst Wilhelm Lotz

Da sind die Straßen … (1913)

Da sind die Straßen weit und Licht-durchschrien,
hoch wölkt der Staub und breitet aus den Schein,
durch den gehetzte Kolonnen Wagen fliehen
in violette Dunkelheit hinein.

Und Menschen, massenhaft und schwarz, durchstürmen
die Straßen, vorgebeugt und frongebannt.
Und Feierabend läutet von den Türmen
der Stadt, verloren, hoch und unerkannt.

Lärm stößt an Lärm. Schmerzhelle Klingeln schellen,
zersägend das Gehör. Wagen mit Eisen
erschüttern. Die Elektrische mit grellen
Schleiftönen nimmt die Kurve in den Gleisen.

Und meiner Nerven Netz, so fein besaitet,
drin Perlen hängen aus dem ewigen Meer:
es ist als Teppich in den Staub gebreitet,
und grässlich wälzt der Tag sich darüberher.

Ernst Wilhelm Lotz
(1890 – 1914),
dt. Lyriker und
Schriftsteller

1 Fertigen Sie eine vollständige Interpretation des Gedichts an.

2 Vergleichen Sie die im Gedicht thematisierte Form des Unterwegsseins mit dem Gedicht in v. Eichendorffs „Aus dem Leben eines Taugenichts“ (s. S. 16) unter dem epochenspezifischen Verständnis dieses Motivs.

August Stramm

Patrouille (1915)

Die Steine feinden
Fenster grinst Verrat
Äste würgen
Berge Sträucher blättern raschlig
Gellen
Tod.

August Stramm
(1874 – 1915),
dt. Lyriker und
Schriftsteller

1 Beschreiben Sie möglichst präzise die im Gedicht dargestellte Szenerie und bestimmen Sie den Standort des lyrischen Ichs.

2 Untersuchen Sie das Gedicht von Stramm inhaltlich und sprachlich.

3 Obwohl das Gedicht kein Verb der Bewegung enthält, findet sich hier eine eigene Form von Unterwegssein. Erklären Sie dieses Phänomen. Recherchieren Sie ggf. die genaue Bedeutung des Begriffs Patrouille.

4 Informieren Sie sich genauer zur Biografie August Stramms und deuten Sie das Gedicht unter Berücksichtigung des Umstandes, dass der Autor es kurz vor seinem Tod geschrieben hat.

Wo soll's langgehen? – Technikbegeisterung vs. Technikskepsis

1 Recherchieren Sie Ursachen für die Technikbegeisterung am Beginn des 20. Jahrhunderts.

René Karl Wilhelm Johann Josef Maria Rilke (1875–1926), bedeutender dt. Lyriker der ersten Hälfte des 20. Jahrhunderts. In seiner „Weltanschauungslyrik" greift er die Probleme der Menschen seiner Zeit auf.

Rainer Maria Rilke

Die Sonette an Orpheus XVIII (1922–1926)

Hörst du das Neue Herr,
dröhnen und beben?
Kommen Verkündiger,
die es erheben.

Zwar ist kein Hören heil
in dem Durchtobtsein,
doch der Maschinenteil
will jetzt gelobt sein.

Sieh, die Maschine:
wie sie sich wälzt und rächt
und uns entstellt und schwächt.

Hat sie aus uns auch Kraft,
sie, ohne Leidenschaft,
treibe und diene.

1 Untersuchen Sie Inhalt, Form und Sprache des vorliegenden Gedichts von Rilke.

2 Erklären Sie das Menschenbild, das dem Gedicht von Rilke zugrunde liegt.

3 Erörtern Sie auf der Grundlage des Gedichts die Position Rilkes innerhalb des Dilemmas von Technikbegeisterung und -skepsis.

4 Beurteilen Sie unsere aktuelle Situation im Hinblick auf diesen Richtungsstreit.

Die Krupp'schen Teufel, um 1914, Öl auf Leinwand, von Henrich Kley

5 Fertigen Sie eine Bildbeschreibung zu Kleys „Die Krupp'schen Teufel" an.

Karl Otten

Die Thronerhebung des Herzens. Für Martinet. V. (1918)

Ich habe nicht gezweifelt, dass du lebst,
Dass du dich ängstigst, Bruder, durch die Nacht.
Deine Gedanken summten goldne Bienen,
Schmetterlinge der Nacht um unsere geduldigen Stirnen
Und es wird Trostnacht, Mutterstille, Kinderblume.
Dein Gruß hat mich aus den Rädern der Maschine hervorgeklaubt.
(Die Maschine: wie wir dieses Vieh hassen, diese kalte Eisenmordschnauze.
Nieder mit der Technik, nieder mit der Maschine!
Wir wollen nichts mehr wissen von euren verdammten höllischen Erfindungen,
Euren Strömen, Gasen, Säuren, Pulvern, Rädern und Batterien!
Fluch auf euch ihr Erfinder, ihr eitlen, kindisch mordgierigen Konstrukteure!
Fluch dir Zeitalter, glorreich lächerliches, der Maschine – alles Fabrik, alles Maschine.)
Ich darf wieder auf meinen Beinen stehn, du öffnest mir die Augen, hebst meinen Kopf!
Du schüttelst mir die Hand, ich erkenne dich!
Ich habe allen von dir erzählt, dass du lebst und dass es keine Feindschaft mehr gibt.
Dass der Feind eine Erfindung (Maschine), dass der Mensch die einzige Wahrheit,
Dass die Wahrheit, Hoffnung, Glaube, Gerechtigkeit sind!
Maschine ist nicht! Technik ist nicht! Feind ist nicht! Hass ist nicht!
Er ist – ja – zu vernichten! zu vernichten! zu vernichten!
Rottet ihn aus, schmeißt ihn aus euren Augen, Herzen, Mägen, Därmen!
Gift, Gift! Lüge, Dreck! es gibt keinen Feind!
Nur Menschen!

Karl Otten (1889 – 1963), dt. Schriftsteller u. Journalist, Ende der 1930er-Jahre Flucht nach England, ab 1958 brit. Staatsbürger, lebte die letzten Jahre in der Schweiz

Marcel Martinet (1887 – 1944), frz. Schriftsteller und Pazifist

1 Interpretieren Sie mit einer Partnerin oder einem Partner (in Stichpunkten) das vorliegende Gedicht von Karl Otten unter besonderer Berücksichtigung der Wahrnehmungen und der Reaktion des lyrischen Ichs. Gehen Sie bei Ihren Ausführungen auch auf dessen Interaktion mit Mensch und Maschine ein.
Berücksichtigen Sie bei Ihrer Erarbeitung die Ihnen bekannten Schritte der Gedichtinterpretation.

2 Vergleichen Sie die beiden Gedichte von Rilke und Otten miteinander und ordnen Sie diese explizit in die Epoche des Expressionismus ein (vgl. hierzu auch die Merkmale dieser Epoche im Infokasten auf S. 53).

3 Setzen Sie Ihre Gesamtdeutung auch in Beziehung zu Elementen der beiden Gemälde.

Stahlarbeiter, 1895, von Maximilien Luce

Flucht und Exil

Der Begriff „Exil“ stammt von dem Lateinischen „exilium“ ab und bedeutet Verbannung, die durch eine mehr oder weniger frei gewählte Emigration oder aufgrund einer zwangsweisen Ausbürgerung zum Verlassen eines Landes führt. Im Nationalsozialismus betrug die Gesamtzahl der Emigrant/-innen ca. 400000, darunter waren etwa 2000 Literaten. Hatten bereits zu früheren Zeiten Schriftsteller aus politischen Gründen ihr Heimatland verlassen (müssen), so waren dies bis zur Machtübernahme durch die Nationalsozialisten eher Einzelfälle, wie im 19. Jahrhundert, etwa Heinrich Heine und Georg Büchner. Ab 1933 wurde die Emigration jedoch zu einer Massenerscheinung. Da viele Emigrant/-innen zunächst davon ausgingen, dass sich das NS-Regime nicht lange halten würde, wählten sie ihr Exil zunächst im europäischen Ausland (1. Emigrationswelle). Die politische Entwicklung entsprach bald aber nicht mehr dieser Hoffnung, sodass sich mit der Zeit die Exilant/-innen über die gesamte Welt verstreuten (2. Emigrationswelle ab 1939). In der neuen „Heimat“ litten viele von ihnen unter schwierigen wirtschaftlichen Verhältnissen, da es ihnen nicht gelang, eine adäquate Tätigkeit zu erlangen und auszuüben – schon allein deshalb, weil ihnen die Sprache des Gastlandes oft fremd blieb. Häufig blieben dann nur Aushilfstätigkeiten, wie Tellerwäscher, Platzanweiser im Kino o. Ä. Darüber hinaus drohten – je nach Land – auch Abschiebungen oder die Verfolgung durch Agenten des NS-Regimes. So kam zu dem Verlust der kulturellen Heimat und der wirtschaftlichen Not im Exil auch ein starker seelischer Druck, der sich nicht selten in psychischen Erkrankungen bemerkbar machte und in Einzelfällen im Suizid endete.

Mascha Kaléko (1907 – 1975)

Mascha Kaléko, geb. Golda Malka Aufen, wird als Kind jüdischer Eltern in Galizien (Österreich-Ungarn) geboren. Die Eltern übersiedeln nach Deutschland, um Pogromen zu entgehen. Kindheit und Jugend verbringt sie in Frankfurt/M., Marburg sowie später Berlin. Neben ihrer kaufmännischen Ausbildung besucht sie Kurse in Philosophie und Psychologie. 1928 heiratet sie den Hebräischlehrer Saul Aron Kaléko. Literarische Kontakte entstehen zu E. Lasker-Schüler und J. Ringelnatz, 1929 veröffentlicht sie ihre ersten Gedichte. Nach der Machtübernahme durch die Nationalsozialisten werden ihre Bücher als unerwünscht und sogar schädlich gebrandmarkt. 1938 erfolgt die Emigration in die USA, wo sie als Werbetexterin zum Unterhalt der Familie beiträgt. 1960 wandert sie auf Wunsch ihres zweiten Ehemannes nach Jerusalem aus. Auf einer Rückreise von Berlin dorthin stirbt sie bei einem Zwischenaufenthalt in Zürich.

Mascha Kaléko

Emigranten-Monolog (1945)

Ich hatte einst ein schönes Vaterland,
So sang schon der Flüchtling Heine.
Das seine stand am Rheine,
Das meine auf märkischem Sand.

Wir alle hatten einst ein (siehe oben!).
Das fraß die Pest, das ist im Sturm zerstoben.
O, Röslein auf der Heide,
Dich brach die KraftdurchFreude.

Die Nachtigallen wurden stumm,
Sahn sich nach sicherm Wohnsitz um,
Und nur die Geier schreien
Hoch über Gräberreihen.

Das wird nie wieder, wie es war,
Wenn es auch anders wird.
Auch wenn das liebe Glöcklein tönt,
Auch wenn kein Schwert mehr klirrt.

Mir ist zuweilen so, als ob
Das Herz in mir zerbrach.
Ich habe manchmal Heimweh.
Ich weiß nur nicht, wonach.

Röslein auf der Heide (Heideröslein) bekanntes volkstümliches Gedicht Goethes (1789)

Kraft durch Freude pol. Organisation im Nationalsozialismus, diente der Gleichschaltung und Überwachung der Freizeitaktivitäten der dt. Bevölkerung

1 Fassen Sie die im Gedicht genannten Gründe für den Heimatverlust zusammen.

2 Untersuchen Sie die Sprechhaltung des lyrischen Ichs und deren möglichen Wechsel sowohl formal wie inhaltlich.

3 Erläutern Sie die Funktion der Verweise des lyrischen Ichs auf einen weiteren Dichter („Heine“) bzw. ein weiteres Gedicht („Röslein auf der Heide“).

Bertolt Brecht (1898 – 1956)

Als Sohn eines Fabrikanten in Augsburg geboren, studiert er nach dem Abitur Naturwissenschaften und Medizin. 1920 nimmt er eine Stelle als Dramaturg in München an und widmet sich in der Folgezeit ganz der schriftstellerischen Tätigkeit. Er wechselt nach Berlin ans Deutsche Theater zu Max Reinhardt und besucht 1928/29 die „Marxistische-Arbeiter-Schule“.

1933 flieht er vor den Nationalsozialisten über Prag nach Wien, dann über die Schweiz und Frankreich bis nach Dänemark, wo er sich auch weiter literarisch und politisch betätigt. Seine Theaterstücke werden im Ausland mit Erfolg gespielt. 1940 flüchtet er weiter nach Schweden, Finnland bis nach Moskau und Wladiwostok, von wo er 1941 nach Kalifornien gelangt.

1947 kehrt er zurück, zunächst nach Zürich. Ein Jahr später entscheidet er sich, nach Ost-Berlin zu übersiedeln, wo er mit seiner Frau Helene Weigel das Theater „Berliner Ensemble“ gründet, in dem er als Regisseur seine eigenen Stücke aufführt.

Bertolt Brecht

Gedanken über die Dauer des Exils (1937)

I
Schlage keinen Nagel in die Wand
Wirf den Rock auf den Stuhl.
Warum vorsorgen für vier Tage?
Du kehrst morgen zurück.

Laß den kleinen Baum ohne Wasser.
Wozu noch einen Baum pflanzen?
Bevor er so hoch wie eine Stufe ist
Gehst du fort von hier.

Zieh die Mütze ins Gesicht, wenn Leute
 vorbeigehn!
Wozu in fremden Grammatiken blättern?
Die Nachricht, die dich heimruft
Ist in bekannter Sprache geschrieben.

So wie der Kalk vom Gebälk blättert
(Tue nichts dagegen!)
Wird der Zaun der Gewalt zermorschen
Der an der Grenze aufgerichtet ist
Gegen die Gerechtigkeit.

II
Sieh den Nagel in der Wand, den du
 eingeschlagen hast:
Wann, glaubst du, wirst du zurückkehren?
Willst du wissen, was du im Innersten glaubst?

Tag um Tag
Arbeitest du an der Befreiung
Sitzend in der Kammer schreibst du.
Willst du wissen, was du von deiner Arbeit
 hältst?
Sieh den kleinen Kastanienbaum im Eck des
 Hofes
Zu dem du die Kanne voll Wasser schlepptest!

1 Stellen Sie das zentrale Thema des Gedichts von Brecht dar.

2 Untersuchen Sie die Sprechhaltung des lyrischen Ichs im Gedicht.

3 Setzen Sie die Aussagen des lyrischen Ichs, die für die Annahme einer kurzen Dauer des Exils sprechen, in Beziehung zu denjenigen, die ein länger andauerndes Exil nahelegen.

4 Beurteilen Sie die Aussage des lyrischen Ichs „Wann glaubst du, wirst du zurückkehren,/Willst du wissen, was du im Inneren glaubst?" (V. 21 f.) im Hinblick auf die Einschätzung der Dauer des Exils durch das lyrische Ich.

Bertolt Brecht

Rückkehr (1943)

Die Vaterstadt, wie find ich sie doch?
Folgend den Bomberschwärmen
Komm ich nach Haus.
Wo denn liegt sie? Wo die ungeheueren
Gebirge von Rauch stehn.
Das in den Feuern dort
Ist sie.

Die Vaterstadt, wie empfängt sie mich wohl?
Vor mir kommen die Bomber. Tödliche Schwärme
Melden euch meine Rückkehr. Feuersbrünste
Gehen dem Sohn voraus.

5 Stellen Sie den inneren Aufbau des Gedichts „Rückkehr" dar.

6 Erschließen Sie den inhaltlichen Zusammenhang der drei Fragen im Gedicht.

7 Untersuchen Sie die Sprache des lyrischen Ich.

Carl Zuckmayer (1896 – 1977)

Absolviert als Sohn einer Fabrikantenfamilie 1914 – wegen des beginnenden Krieges – frühzeitig das sog. Notabitur und meldet sich als Freiwilliger zum Kriegsdienst. Ab 1917 verfasst er expressionistische Gedichte. Nach kurzer Studienzeit wendet er sich der Arbeit am Theater zu, wo er mit seinem ersten Stück „Der fröhliche Weinberg" (1925) Erfolg hat. Es folgt eine wechselvolle Zeit an unterschiedlichen Theatern, u.a. in München zusammen mit B. Brecht. 1926 erwirbt er ein Haus bei Salzburg. U.a. wegen der antimilitaristischen Haltung in seiner bekanntesten Komödie „Der Hauptmann von Köpenick" (1931) und aufgrund der Tatsache, dass seine Mutter assimilierte Jüdin ist, zieht er den Argwohn der Nationalsozialisten auf sich, der ab 1933 mehr und mehr seine Arbeit behindert. Da er nun auch öffentlich gegen die Nationalsozialisten Stellung bezieht, kann er nach dem „Anschluss Österreichs" 1938 nur knapp nach Zürich entkommen. 1939 wird die gesamte Familie ausgebürgert und emigriert über Paris nach Rotterdam und von hier aus in die USA. Mit unterschiedlichen Tätigkeiten versucht er die Familie zu ernähren und arbeitet auch für den amerikanischen Auslandsgeheimdienst. 1946 erhält er die US-amerikanische Staatsbürgerschaft und bleibt bis 1957 in den USA. Anschließend siedelt er in die Schweiz um, wo er das Bürgerrecht erhält. Gegen einen Antrag zur Wiedereinbürgerung in Deutschland hat er sich immer gewehrt.

Carl Zuckmayer

Elegie von Abschied und Wiederkehr (1939)

Ich weiß, ich werde alles wiedersehn.
Und es wird alles ganz verwandelt sein,
Ich werde durch erloschne Städte gehn,
Darin kein Stein mehr auf dem andern Stein –
Und selbst wo noch die alten Steine stehen,
Sind es nicht mehr die altvertrauten Gassen –
Ich weiß, ich werde alles wiedersehen
Und nichts mehr finden, was ich einst verlassen.

Der breite Strom wird noch zum Abend gleiten.
Auch wird der Wind noch durch die Weiden gehn,
Die unberührt in sinkenden Gezeiten
Die stumme Totenwacht am Ufer stehn.
Ein Schatten wird an unsrer Seite schreiten
Und tiefste Nacht um unsre Schläfen wehn -
Dann mag erschauernd in den Morgen reiten,
Wer lebend schon sein eignes Grab gesehn.

Ich weiß, ich werde zögernd wiederkehren,
Wenn kein Verlangen mehr die Schritte treibt.
Entseelt ist unsres Herzens Heimbegehren,
Und was wir brennend suchten, liegt entleibt.
Leid wird zu Flammen, die sich selbst verzehren,
Und nur ein kühler Flug von Asche bleibt –
Bis die Erinnrung über dunklen Meeren
Ihr ewig Zeichen in den Himmel schreibt.

Zuckmayer als Farmer in Vermont (USA), ca. 1941

1 Recherchieren Sie die Bedeutung des Begriffs „Elegie“.

2 Interpretieren Sie vor dem Hintergrund von Zuckmayers Biografie sein Gedicht „Elegie von Abschied und Wiederkehr“. Gehen Sie dabei besonders auf die spezifische Bedeutung des Verhältnisses von Heimat und Fremdsein bei Zuckmayer ein.

3 Begründen Sie, warum Zuckmayers Gedicht als Elegie bezeichnet wird.

4 Vergleichen Sie Zuckmayers Elegie mit Brechts Gedicht „Rückkehr“ im Hinblick auf die Sprechhaltung.

Bertolt Brecht

Radwechsel (1953)

Ich sitze am Straßenhang.
Der Fahrer wechselt das Rad.
Ich bin nicht gern, wo ich herkomme.
Ich bin nicht gern, wo ich hinfahre.
Warum sehe ich den Radwechsel
mit Ungeduld?

5 Interpretieren Sie das Gedicht „Radwechsel“ von Brecht unter besonderer Berücksichtigung der inneren Verfassung des lyrischen Ichs.

Fremdheitserfahrungen vs. Heimatgefühl

Eine ethisch fundierte Haltung durch die reflektierte Auseinandersetzung mit dem kulturell Anderen in lyrischen Texten entwickeln

1 Notieren Sie möglichst prägnant Ihr Verständnis von „Fremdsein“ und „Heimat“.

Der Bundespräsident Frank-Walter Steinmeier hat sich in seiner Rede anlässlich des Festaktes zum Tag der Deutschen Einheit am 3. Oktober 2017 in Mainz eingehend mit dem Thema Heimat und Fremdheit auseinandergesetzt. Der Text ist als Reaktion auf eine bereits mehrere Jahre andauernde gesellschaftliche Debatte zum Thema „Flucht und Migration“ zu verstehen, bei der sich die Verfechter eines „‚humanitären Imperativs‘“ unversöhnlich denjenigen gegenübersehen, die lauthals einen vermeintlichen „‚Verrat am eigenen Volk‘“ beklagen.

Frank-Walter Steinmeier

Rede anlässlich des Festaktes zum Tag der Deutschen Einheit (03.10.2017)

Frank-Walter Steinmeier (*1956)

Die Debatte über Flucht und Migration hat Deutschland aufgewühlt. Aber sie ist Folge und Abbild einer aufgewühlten Welt. Mit Blick auf die Umbrüche, die vielen internationalen Krisen und Konflikte habe ich von vielen Bürgern in den letzten Jahren den Satz gehört: *„Ich versteh die Welt nicht mehr“* – und ehrlich gesagt: Ich konnte diesen Satz gut nachvollziehen. Nach den G20-Protesten habe ich Ladenbesitzer aus der Hamburger Schanze getroffen, die sagten: „Wir mussten mit ansehen, wie aus ganz normalen Passanten Gaffer und Plünderer geworden sind.“ In Bitterfeld erzählte mir eine Frau: „Eigentlich wollte ich eine Wahlkampfrede anhören, aber da waren Mitbürger, Nachbarn, die haben mir mit ihrem Gebrüll, mit ihren hasserfüllten Gesichtern richtig Angst gemacht.“

G20-Proteste Am 7./8. Juli 2017 kam es im Zusammenhang mit dem G20-Gipfel in Hamburg zu schweren Ausschreitungen mit Sachbeschädigungen, Plünderungen und zahlreichen Verletzten.

In Stuttgart traf ich einen Mitarbeiter aus der Autobranche, übrigens ein Sohn von türkischen Gastarbeitern, der sagte: „Jahrelang war ich stolz, dass ich in Deutschlands Vorzeigeindustrie arbeite. Jetzt fragen mich alle, ob ich mit betrogen habe.“

Und mehr als einmal habe ich im Osten gehört: „Mein Betrieb ist pleite, mein Dorf ist leer. Es ist ja gut, dass ihr euch um Europa kümmert – aber wer kümmert sich um uns?“

In diesem Jahr und in meiner neuen Rolle habe ich aber noch einen anderen Satz gehört: *„Ich verstehe mein Land nicht mehr.“* Dieser Satz macht mir deutlich mehr zu schaffen. [...]

Das hören wir nicht gern an einem Feiertag. Aber wenn einer sagt: *„Ich fühle mich fremd im eigenen Land“*, dann können wir nicht antworten: *„Tja, die Zeiten haben sich halt geändert“*. Wenn einer sagt: *„Ich versteh mein Land nicht mehr“*, dann gibt es etwas zu tun in Deutschland – und zwar mehr, als sich in guten Wachstumszahlen und Wirtschaftsstatistiken zeigt.

Denn verstehen und verstanden werden – das will jeder, und das braucht jeder, um sein Leben selbstbewusst zu führen.

Verstehen und verstanden werden – das ist Heimat.

Ich bin überzeugt, wer sich nach Heimat sehnt, der ist nicht von gestern. Im Gegenteil: Je schneller die Welt sich um uns dreht, desto größer wird die Sehnsucht nach Heimat. Dorthin, wo ich mich auskenne, wo ich Orientierung habe und mich auf mein eigenes Urteil verlassen kann. Das ist im Strom der Veränderungen für viele schwerer geworden.

Diese Sehnsucht nach Heimat dürfen wir nicht denen überlassen, die Heimat konstruieren als ein *„Wir gegen Die“*; als Blödsinn von Blut und Boden; die eine heile deutsche Vergangenheit beschwören, die es so nie gegeben hat. Die Sehnsucht nach Heimat – nach Sicherheit, nach Entschleunigung, nach Zusammenhalt und vor allen

Dingen Anerkennung –, diese Sehnsucht dürfen wir nicht den Nationalisten überlassen.

Ich glaube, Heimat weist in die Zukunft, nicht in die Vergangenheit. Heimat ist der Ort, den wir als Gesellschaft erst schaffen. Heimat ist der Ort, an dem das „Wir“ Bedeutung bekommt. So ein Ort, der uns verbindet – über die Mauern unserer Lebenswelten hinweg –, den braucht ein demokratisches Gemeinwesen und den braucht auch Deutschland. Auf meinen Reisen durch Deutschland mache ich die wunderbare Erfahrung: Wo Heimat ist, da gibt es viel zu erzählen. In Sönke Wortmanns neuem Film „Sommerfest“, einem Heimatfilm über das Ruhrgebiet, da sagt ein waschechter Bochumer: *„Hömma..., Geschichten liegen hier überall auffer Straße rum – man musse nur aufheben.“*

Ich finde, das muss der Anfang sein. Gehen wir nicht übereinander hinweg, sondern lesen wir unsere Geschichten auf. Wo nach dem 24. September jeder in seiner gesellschaftlichen Nische den Kopf geschüttelt hat, wo wir übereinander reden – und übereinander hinweg – da sollten wir wieder lernen, einander zuzuhören: wo wir herkommen, wo wir hinwollen, was uns wichtig ist.

Am 24.09.2017 fand eine Bundestagswahl statt.

Wenn ein Ostdeutscher erzählt, wie seine Heimat in der DDR sich nach der Wende radikal verändert hat – dass die neue Freiheit nicht nur Ziel von Sehnsucht, sondern auch eine Zumutung war, dass im Wandel vieles verloren ging, was man doch halten wollte – dann gehört auch das zu unseren deutschen Geschichten. Die Herstellung der Einheit war ein gewaltiges Werk. Natürlich wurden auch Fehler gemacht in den Jahren nach 1990 – und es gibt keinen Grund, darüber zu schweigen. Ostdeutsche haben nach der Wiedervereinigung Brüche erlebt, wie sie meine Generation im Westen nie kannte. Und dennoch sind diese ostdeutschen Geschichten kein solch fester Bestandteil unseres „Wir“ geworden wie die des Westens. Ich finde, es ist an der Zeit, dass sie es werden.

Die mutige Anwältin und Autorin Seyran Ateş hat mir kürzlich erzählt: *„Mir hüpft das Herz in der Brust, wenn ich in Istanbul den Bosporus wiedersehe. Und auf dem Rückweg nach Berlin hüpft mir das Herz, wenn ich den Fernsehturm wiedersehe.“* In ihrer Geschichte steckt etwas ebenso Simples wie Wichtiges: Heimat gibt es auch im Plural. Ein Mensch kann mehr als eine Heimat haben, und neue Heimat finden. Das hat die Bundesrepublik für Millionen von Menschen bereits bewiesen. Sie alle sind Teil unseres „*Wir*“ geworden. Ganze Generationen von Zuwanderern sagen heute voller Stolz: „Deutschland ist meine Heimat“, – und das hat uns bereichert. Das sollte uns Zuversicht geben für die großen Integrationsaufgaben, die vor uns liegen. Doch wir sagen auch: Heimat ist offen – aber nicht beliebig.

2 Geben Sie den Inhalt des Textauszuges von Steinmeier mit eigenen Worten strukturiert wieder und untersuchen Sie die Argumentationsstruktur des Redeauszugs.

3 Erklären Sie, worin für Steinmeier die Ursachen von Fremdheit bestehen.

4 Erläutern Sie, welches Verständnis des Begriffs „Heimat“ der Bundespräsident äußert.

5 Vergleichen Sie seine Position mit Ihrem anfänglich notierten Verständnis von „Fremdsein“ und „Heimat“.

6 Erörtern Sie die Bedeutung der Aussage Steinmeiers „Die Heimat ist offen – aber nicht beliebig“ (Z. 72).

7 Erörtern Sie im Plenum, welche Integrationsaufgaben Sie für die Zukunft für erforderlich halten.

Alev Tekinay

Dazwischen (2001)

Jeden Tag packe ich den Koffer
ein und dann wieder aus.

Morgens, wenn ich aufwache,
plane ich die Rückkehr
aber bis Mittag gewöhne ich mich mehr
an Deutschland.

Ich ändere mich
und bleibe doch gleich
und weiß nicht mehr,
wer ich bin.

Jeden Tag ist das Heimweh
unwiderstehlicher,
aber die neue Heimat hält mich fest
Tag für Tag noch stärker.

Und jeden Tag fahre ich
zweitausend Kilometer
in einem imaginären Zug
hin und her,
unentschlossen zwischen
dem Kleiderschrank
und dem Koffer,
und dazwischen ist meine Welt.

Nevfel Cumart

Zwei Welten (1996)

zwischen
zwei
welten
inmitten
unendlicher
einsamkeit
möchte
ich eine brücke sein

doch kann ich
kaum fuß fassen
an dem einen ufer
vom anderen
löse ich mich
immer mehr

die brücke bricht
droht mich
zu zerreißen
in der mitte

1 Recherchieren Sie biografische Informationen zu den beiden Autoren. Legen Sie dabei besonderes Gewicht auf deren Migrationsgeschichte. Präsentieren Sie Ihre Ergebnisse im Plenum.

2 Untersuchen Sie zunächst die Darstellung der Fremdheitserfahrungen in einem der beiden Gedichte und halten Sie Ihre Ergebnisse schriftlich fest.

3 Stellen Sie diese dem Plenum vor.

4 Vergleichen Sie nun in der Lerngruppe die beiden Gedichte hinsichtlich der zugrunde liegenden Konzeption der jeweiligen Fremdheitserfahrung.

5 Verfassen Sie abschließend eine vollständige Interpretation eines von Ihnen auszuwählenden Gedichts.

Letzte Ausfahrt Vielfalt

Die Selbstdarstellungsfunktion der Sprache im Gedicht erfassen

Ernst Jandl

wanderung (1964)

vom vom zum zum
vom zum zum vom
von vom zu vom
vom vom zum zum
von zum zu zum
vom zum zum vom
vom vom zum zum
und zurück

Ernst Jandl (1925 – 2000), österr. Dichter u. Schriftsteller, Vertreter der Konkreten Poesie, bekannt für seine experimentelle Lyrik (visuelle Poesie und Lautgedichte)

1 Beschreiben Sie Form und Aufbau des Textes von Jandl.

2 Erklären Sie, inwiefern der Text eine Selbstdarstellungsfunktion besitzt und der visuellen Poesie zuzuordnen ist.

3 Vergleichen Sie Jandls Ansatz der Konkreten Poesie mit einzelnen Beispielen aus Ihnen bisher bekannt gewordenen „traditionellen“ Gedichten mit dem Motiv des Unterwegsseins.

Wiederentdeckung des Ichs vs. Identitätskrise

Silbermond

Leichtes Gepäck (Songtext)

Eines Tages fällt dir auf,
dass du 99 % nicht brauchst.
Du nimmst all den Ballast
und schmeißt ihn weg,
denn es reist sich besser
mit leichtem Gepäck.
Du siehst dich um in deiner Wohnung,
siehst ein Kabinett aus Sinnlosigkeiten.
Siehst das Ergebnis von kaufen
und kaufen von Dingen,
von denen man denkt,
man würde sie irgendwann brauchen.
Siehst die Klamotten, die du
nie getragen hast und die du
nie tragen wirst, und trotzdem
bleiben sie bei dir,
zu viel Spinnweben und zu viel Kram,
zu viel Altlast in Tupperwaren.
Und eines Tages fällt dir auf,
dass du 99 % davon nicht brauchst.
Du nimmst all den Ballast
und schmeißt ihn weg,
denn es reist sich besser
mit leichtem Gepäck,
mit leichtem Gepäck.
Nicht nur ein kleiner
Hofstaat aus Plastik, auch
die Armee aus Schrott und Neurosen
auf deiner Seele wächst immer mehr,
hängt immer öfter blutsaugend an deiner
Kehle.
Wie geil die Vorstellung war,
das alles loszuwerden.
Alles auf einen Haufen
mit Brennpaste und Zunder
und es lodert und brennt so schön,
ein Feuer in Kilometern noch zu seh'n
Und eines Tages fällt dir auf,
dass du 99 % davon nicht brauchst.
Also nimmst du all den Ballast
und schmeißt ihn weg,
denn es reist sich besser
mit leichtem Gepäck,
mit leichtem Gepäck.
Ab heut
nur noch die wichtigen Dinge,

ab heut
nur noch die wichtigen Dinge,
ab heut
nur noch die wichtigen Dinge,
ab heut
nur noch leichtes Gepäck.
Und eines Tages
fällt dir auf,
es ist wenig, was du wirklich brauchst.
Also nimmst du den Ballast
und schmeißt ihn weg,
denn es lebt sich besser,
so viel besser
mit leichtem Gepäck.
All der Dreck von gestern,
all die Narben,
all die Rechnungen, die viel zu lang offen rumlagen,
lass sie los, schmeiß sie einfach weg,
denn es reist sich besser
mit leichtem Gepäck.

Die Pop-Band Silbermond, 2012

1 Geben Sie den Inhalt des Liedtextes von Silbermond mit eigenen Worten wieder und benennen Sie sein Thema.

2 Erschließen Sie die Sprechhaltung des lyrischen Ichs sowie den gesellschaftlichen Kontext seiner Aussagen.

3 Formulieren Sie alternative Handlungsaufforderungen für das lyrische Ich. Halten Sie sich dabei möglichst an die formalen Vorgaben des Liedtextes.

Hilde Domin

Mit leichtem Gepäck (1962)

Hilde Domin
(1909 – 2006),
dt. Schriftstellerin

Gewöhn dich nicht.
Du darfst dich nicht gewöhnen.
Eine Rose ist eine Rose.
Aber ein Heim
ist kein Heim.

Sag dem Schoßhund Gegenstand ab
der dich anwedelt
aus den Schaufenstern.
Er irrt. Du
riechst nicht nach Bleiben.

Ein Löffel ist besser als zwei.
Häng ihn dir um den Hals,
du darfst einen haben,
denn mit der Hand
schöpft sich das Heiße zu schwer.

Es liefe der Zucker dir durch die Finger,
wie der Trost,
wie der Wunsch,
an dem Tag
da er dein wird.

Du darfst einen Löffel haben,
eine Rose,
vielleicht ein Herz
und, vielleicht,
ein Grab.

1 Stellen Sie das zentrale Thema des Gedichts von Domin dar.

2 Untersuchen Sie die Sprechsituation des lyrischen Ichs.

3 Untersuchen Sie die im Gedicht dargestellten Lebensumstände im Exil.

4 Deuten Sie die beiden letzten Verse des Gedichts unter Rückbezug auf Ihre Kenntnisse von Heinrich Heines Gedicht „Wo?“ (s. S. 46).

5 Vergleichen Sie abschließend das Gedicht „Mit leichtem Gepäck“ von H. Domin mit dem gleichnamigen Liedtext von Silbermond im Hinblick auf das jeweilige Verständnis sowie die Bedeutung des Titels.

Poetry Slam

Der Begriff stammt aus dem Englischen und bedeutet so viel wie Poesie- bzw. Dichterwettstreit oder Poesieschlacht. Die Poetry Slammer stellen ihre eigenen Texte einem Publikum vor, müssen dabei aber auf instrumentelle Begleitung und sonstige Requisiten verzichten. In der Regel ist ihr Auftritt an ein zeitliches Limit – meist fünf Minuten – gebunden. Auch die vorgetragenen Themen unterliegen keinen besonderen Vorschriften. Sowohl ernste wie auch komische Texte können präsentiert werden, häufig entstammen sie der persönlichen Erfahrungswelt der Vortragenden und behandeln Alltagsthemen. Am Ende eines solchen Wettstreits, der allen, die mitmachen möchten, offensteht, entscheidet das Publikum über den Sieger. Seit 1997 findet jährlich die Deutsche Meisterschaft statt (German International Poetry Slam, GIPS). Poetry Slams können dazu dienen, jungen Menschen den Zugang zur Literatur und eigenem literarischen Schaffen zu ermöglichen, da sie zu einem kreativen bzw. unkonventionellen Umgang mit Sprache einladen.
Poetry-Slam-Workshops werden vermehrt auch in Schulen im Rahmen von Projekt- oder Kulturwochen angeboten.

Felix Römer, (* 1980), Poetry-Slammer und Dichter, moderiert Poetry-Slams, lebt in Berlin

Felix Römer

Wie ich einmal fast so wie die anderen geworden wäre oder: Alltag 2. Klasse

Manchmal tröpfelt alles so vor sich hin,
Ein langsamer Zug ohne Halt. Ich sitz drin.
Keine großen Gefühle, noch nicht einmal Leid.
Ich schau aus dem Fenster, da entgleitet die Zeit.
Ja, soll sie vorbeizieh'n, es stört mich nicht mal,
Hier ist klimatisiert, mir ist alles egal.
Es ist nicht mal schlecht, halt einfach nur Trott.
Keine Zweifel am Leben, keine Fragen nach Gott.
Ab und zu kommen Gedichte oder auch Lieder,
Die öffnen die Fenster, doch ich schließe sie wieder.
Denn der Wind schmeckt nach Aufbruch und Heimweh
Ist so groß, dass ich mich dann ganz klein seh'
Und bei Windstille nicht mal mehr einseh',
Dass ich ohne Frischluft bald eingeh'.
Denk' nur: es is' nicht mal schlecht, halt einfach nur Trott.
Keine Zweifel am Leben, keine Fragen nach Gott.
Dabei weiß ich noch wie's war, als ich zu Fuß ging,
Als das Weiterkommen alleine an mir hing.
Ich wusste damals, dass ich langsamer bin,
Aber auch, dass allein ich bestimme, wohin.
Und es bedrückte mich oft, genau das nicht zu wissen ...
Heute drückt nur mein Eigengewicht mich in die Kissen.
Es ist einfach nur Trott, ohne sich zu erheben.
Keine Zweifel an Gott, keine Fragen nach Leben.
So lass ich mich nun durch die Zeit transportieren,
Versuch' noch, meine Passivität zu kaschieren,
Indem ich ein Buch les' von der Freiheit nach allen Seiten,
Während die Räder stur die Gleise langgleiten,
Als sich endlich, endlich, die Frage mir stellt:
Wohin fährst du, verhinderter Held?
Und wieder weiß ich's nicht. Ich kann's nicht sagen
Und dieses Gefühl, das ist nicht zu ertragen.
Und diesmal ist der Weg sogar noch bestimmt,
Ohne Möglichkeit, dass man Einfluss drauf nimmt.
Hier serviert man mir täglich Becher und Teller,
Im Raucherabteil geht's vielleicht etwas schneller.
Ich kann mir nicht mal die Aussicht selber wählen,
Werde nie was Spannenderes als mein Nachbar erzählen.
Und man musste mich nicht mal zwingen.
In diesen beschissenen Zug zu springen.
Und ich öffne das Fenster und ich atme tief ein
Und ich weiß: Hier drin kann ich nicht länger sein!
Es ist gefährlich, aus fahrenden Zügen zu springen,
Aber besser als sich langsam umzubringen.
Und ich springe und ich falle, und verletze mich schwer,
Die Schmerzen im Körper beleben mich sehr.
Ich zerreiß meine Kleider, verbinde die Wunden,
Ein Fluss, mich zu waschen, ist schnell gefunden
Und nackt und sauber, vielleicht etwas entstellt,
Lauf ich jetzt wie neu durch ein Feld,
Verfalle schnell in einen himmlischen Trott,
Ohne Zweifel am Leben, ohne Fragen nach Gott.

1 Schauen Sie sich den Auftritt Felix Römers mit diesem Text im Internet an.

2 Bestimmen Sie das Thema des Textes und überprüfen Sie anhand des Infokastens, inwieweit die Merkmale eines Poetry Slams (vgl. S. 67) sich in dem Text widerspiegeln.

3 Beschreiben Sie die Entwicklung des lyrischen Sprechers während der Zugfahrt und untersuchen Sie, inwiefern die hier dargestellte Form des Unterwegsseins als Metapher für den Zug des Lebens gelten kann. Belegen Sie Ihre Ergebnisse durch entsprechende Textbezüge.

4 Nehmen Sie Stellung zu der Frage, ob es sich – nach Ihrer Meinung – um eine gelungene Abgrenzung von den anderen handelt.

Die Lyrik der (postmodernen) Gegenwart und das Spiel mit der Form untersuchen

Reinhold Grimm

Zum Verständnis moderner Lyrik (1967)

Wir wollen den gewandelten Wirkungsprozess des modernen Gedichts noch näher betrachten. Halten wir darum fest: Ein solches Gedicht gibt keine Wirklichkeit wieder, es konstituiert eine neue. […] Wer folglich das moderne Gedicht so zu verstehen versucht, als ob es eine Wirklichkeit wiedergäbe, muss notwendig zu völlig falschen Ergebnissen gelangen.
Die Sprache Benns, Trakls, Celans, Krolows und der Bachmann ruht nicht, wie dies Goethe von der seinen behaupten durfte, auf den Grundfesten der Erkenntnis. Ein zusammenhängendes anschauliches Bild von der Realität ist nicht mehr vorhanden oder jedenfalls weitgehend reduziert. Stattdessen erscheinen Willkürlichkeiten, dunkle Anspielungen und verwirrende Kombinationen. Das Gedicht wird zum Kaleidoskop hieroglyphischer Chiffren. Die geheimen Zeichen sind aber, wenn überhaupt, bloß scheinbar auflösbar; in Wahrheit können sie nur durch einen schöpferischen Nachvollzug verstanden werden. […] Lösen wir uns von der bildlichen Umschreibung, so wird deutlich, dass die zerstreuten, für sich genommen unverständlichen suggestiven Zeichen sich erst im aufnehmenden Leser zur Einheit zusammenschließen. Die Aneignung moderner Lyrik ist ein kreativer Akt.

Pablo Picasso, Guernica (1937)

1 Erläutern Sie die in dem Textauszug dargestellte Sicht auf das Verhältnis von Lyrik und Wirklichkeit.

2 Erklären Sie, auf welches Weltbild sich der Textauszug bezieht und inwieweit dieses veränderte Weltbild (insbesondere in Abgrenzung zur Romantik) eine sich verändernde Lyrik bedingt.

3 Erörtern Sie, inwiefern sich die Thesen des Textes in den Bildern von Picasso und Pollock (s. S. 70) widerspiegeln.

Jackson Pollock, Herbstrhythmus, Nr. 30, 1950

Die Neue Subjektivität und die Postmoderne

Mit den 70er-Jahren des 20. Jahrhunderts findet eine literarische Um- bzw. Rückorientierung statt. Die Literatur wird vermehrt wieder entpolitisiert und verabschiedet sich von „der euphorischen Theoriefreudigkeit der 60er-Jahre und dem damit zusammenhängenden, vom Optimismus getragenen Glauben an die Verwirklichung als progressiv empfundener Ideen." Dies begründet sich vor allem in der ernüchternden Erkenntnis des Scheiterns der Studentenbewegung Ende der 60er-Jahre, die zumindest nicht alle ihre Ziele erreichte. Damit tritt die private Welt wieder in den Vordergrund, subjektive Erfahrungen und persönliche Probleme werden literarisch thematisiert, die dann aber oft im Sinne der Exemplarität Sinnbilder der gesellschaftlichen Probleme sind. Abgelöst wird diese Entwicklung durch eine zunehmende Rückbesinnung auf Merkmale vormoderner Epochen (Mittelalter, Barock, Romantik), eine Entwicklung, die vergleichbar mit den Rückbesinnungstendenzen der Klassik und der Romantik ist. Dieser Bezug, insbesondere auf typische vormoderne Formen, „entsprang zu einem großen Teil einer Skepsis gegenüber zwei Grundgedanken der Moderne, der Forderung nach permanenter Innovation und dem Glauben an den irreversiblen Fortschritt". In diesem Kontext entsteht der Begriff der Postmoderne. Damit ist zunächst einmal die Zeit nach der literarischen Moderne – also nach der Literatur der Jahrhundertwende, dem Expressionismus und der Neuen Sachlichkeit – gemeint. Kernelement ist dabei die Aufhebung traditioneller Bedeutungszusammenhänge, die mit einer Tendenz zur Fragmentierung, Diskontinuität und Intertextualität (zwischentextliche Bezüge) einhergeht. Die postmoderne Literatur spiegelt eine Welt wider, „in der die Grenzen zwischen der wirklichen Wirklichkeit und den von Menschen geschaffenen Medienwelten und künstlichen Welten aufgehoben sind".

Matthias Politycki (* 1955), dt. Schriftsteller, publiziert Romane, Erzählungen, Gedichte, Essays sowie Hörbücher und gilt als Weltreisender unter den deutschen Autor/-innen.

prästabilierte Harmonie Grundbegriff der Philosophie von G.W. Leibniz – einer vorherbestimmten Einheit im Sinne einer allen Dingen innewohnenden Ordnung

Matthias Politycki

Ein gewisser Eichendorff bläst den Blues von der prästabilierten Harmonie (1976)

Nehmt ihn hin, den Duft des Morgens
deiner fast verschlafnen Tage,
nimm den halbzerbrochnen Spiegel
deiner Marmorwelt. Die Klage

längstverträumter Zeiten dämmert
dir im Dunst des Morgentaus,
schimmert aus der nie geschauten
Ferne. Und du willst hinaus

aus dem Netz der Straßen, Gassen,
durch die Tore, über Treppen,
willst den Himmel selber sehen!
Doch du kannst dich wenden, drehen:

bist gefangen, selbst im Rausch
sehnst du dich nach Brunnenrand
mit noch unverlöschtem Spiegel
und darin dem Himmelsband.

1 Untersuchen Sie die Sprechsituation im Gedicht sowie den Zusammenhang von dargestellter Lebenswirklichkeit und Sehnsucht.

2 Setzen Sie das Gedicht Polityckis in Bezug zu den Merkmalen der neuen Subjektivität sowie der Postmoderne (s. Infokasten) und ordnen Sie es begründend in diese Zeiterscheinung ein.

3 Setzen Sie die Überschrift des Gedichts von Politycki in Bezug zu Eichendorffs Gedicht „Sehnsucht" (s. Klausurtraining, S. 74).

Wolf Wondratschek

In den Autos (1976)

Wolf Wondratschek (* 1943), dt. Schriftsteller

Wir waren ruhig,
hockten in den alten Autos,
drehten am Radio
und suchten die Straße
nach Süden.

Einige schrieben uns Postkarten aus der Einsamkeit,
um uns zu endgültigen Entschlüssen aufzufordern.

Einige saßen auf dem Berg,
um die Sonne auch nachts zu sehen.

Einige verliebten sich,
wo doch feststeht, dass ein Leben
keine Privatsache darstellt.

Einige träumten von einem Erwachen,
das radikaler sein sollte als jede Revolution.

Einige saßen da wie tote Filmstars
und warteten auf den richtigen Augenblick,
um zu leben.

Einige starben,
ohne für ihre Sache gestorben zu sein.

Wir waren ruhig,
hockten in den alten Autos,
drehten am Radio
und suchten die Straße
nach Süden.

1 Beschreiben Sie die im Gedicht dargestellte Situation sowie die Verhaltensweisen und Lebenseinstellungen der einzelnen Reisenden. Formulieren Sie, inwiefern sie sich unterscheiden, aber auch ähneln.

2 Das Gedicht Wondratscheks ist in der Nachfolge der Studentenunruhen 1968 und der Terroraktionen der – letztlich gescheiterten – RAF gegen die etablierte bürgerliche Welt entstanden. Informieren Sie sich über zentrale Ereignisse sowie Zielsetzungen. Überprüfen Sie, inwieweit die Vorstellungen der rebellierenden Jugend realisiert werden konnten bzw. gescheitert sind.

3 Untersuchen Sie vor dem Hintergrund Ihrer bisherigen Ergebnisse die Funktion der ersten sowie letzten Strophe des Gedichts „In den Autos".

4 Vergleichen Sie das Gedicht Wondratscheks mit dem Gedicht „Mignons Lied" aus Goethes „Wilhelm Meisters Lehrjahre" (s. S. 21) hinsichtlich der Sehnsucht der Reisenden nach dem Süden und deren Aussicht auf Realisierung.

Durs Grünbein (* 1962), dt. Essayist, Lyriker und Übersetzer

Durs Grünbein

Kosmopolit

Von meiner weitesten Reise zurück, anderntags
Wird mir klar, ich verstehe vom Reisen nichts.
Im Flugzeug eingesperrt, stundenlang unbeweglich,
Unter mir Wolken, die aussehn wie Wüsten,
Wüsten, die aussehn wie Meere, und Meere,
Den Schneewehen gleich, durch die man streift
Beim Erwachen aus der Narkose, sehe ich ein,
Was es heißt, über die Längengrade zu irren.

Dem Körper ist Zeit gestohlen, den Augen Ruhe
Das genaue Wort verliert seinen Ort. Der Schwindel
Fliegt auf mit dem Tausch von Jenseits und Hier
In verschiedenen Religionen, mehreren Sprachen.
Überall sind die Rollfelder gleich grau und gleich
Hell die Krankenzimmer. Dort im Transitraum,
Wo Leerzeit umsonst bei Bewusstsein hält,
Wird ein Sprichwort wahr aus den Bars von Atlantis.

Atlantis ein mythisches Inselreich

Reisen ist ein Vorgeschmack auf die Hölle

1 Stellen Sie das Thema des Gedichts möglichst prägnant dar und setzen Sie es in Bezug zur Überschrift.

2 Untersuchen Sie die Äußerungen des lyrischen Ichs hinsichtlich seiner Erfahrungen des modernen Reisens und stellen Sie anschließend dar, inwieweit Sie diese Erfahrungen nachvollziehen können bzw. teilen.

3 Fertigen Sie auf der Grundlage Ihrer Analyseergebnisse eine Collage zum Gedicht Grünbeins an und stellen Sie es dem Plenum vor.

4 Nehmen Sie kritisch Stellung zur Aussage des letzten Verses des Gedichts „Kosmopolit".

Durs Grünbein

Alba

Alba altfranz. Ausdruck für das „Tagelied" der Troubadoure; Alba bezeichnet auch die Morgendämmerung

Endlich sind all die Wanderer tot
Und zur Ruhe gekommen die Lieder
Der Verstörten, der Landschaftskranken
In ihren langen Schatten, am Horizont.

Kleine Koseworte und Grausamkeiten
Treiben gelöst in der Luft. Wie immer
Sind die Sonnenbänke besetzt, lächeln
Kinder und Alte vorbei.

In den Zweigen hängen Erinnerungen,
Genaue Szenen aus einem künftigen Tag.
Überall Atem und Sprünge rückwärts
Durchs Dunkel von Urne und Uterus.

Uterus medizinischer Begriff für Gebärmutter

Und das Neue, gefährlich und über Nacht
Ist es Welt geworden. So komm heraus
Aus zerwühlten Laken, sieh sie dir an,
Himmel, noch unbehelligt, und unten

Aus dem Hinterhalt aufgebrochen,
Giftige Gräser und Elstern im Staub,
Mit bösem Flügelschlag, Diebe
In der Mitte des Lebensweges wie du.

Lernarrangement

Bilden Sie arbeitsgleiche Gruppen von max. 4–5 Personen und arbeiten Sie konsequent zusammen. Thematisieren Sie auch alle Verständnisschwierigkeiten.

1 Beschreiben Sie den Inhalt der einzelnen Strophen und untersuchen Sie deren zeitliche Abfolge. Welche Schwierigkeiten ergeben sich dabei für die Leserin bzw. den Leser?

2 Analysieren Sie die Sprechsituation im Gedicht. Stellen Sie Vermutungen an, wer mit dem „du" im letzten Vers angesprochen sein könnte.

3 Untersuchen Sie, in welcher Form die Wanderer sowie die Natur im Gedicht dargestellt werden, und vergleichen Sie diese mit Müllers Gedicht „Der Wegweiser" (s. S. 15).

4 Fassen Sie die Ihnen bekannten postmodernen Erscheinungsformen des Motivs Unterwegssein zusammen.

Unterwegssein im Gedicht – wörtlich genommen

Axel Kutsch

Gang durch ein Gedicht (2008)

Treten Sie ein.
Genieren Sie sich nicht.
Schon sind Sie mitten
in einem Gedicht.

Gehen Sie weiter.
Bleiben Sie nicht steh'n,
damit Sie die Verse
bis zum Ende seh'n.

Seien Sie locker
und nicht so bang.
Schlendern Sie entspannt
die Zeilen entlang.

Atmen Sie ruhig.
Laufen Sie nie.
Hast ist die Feindin
der Poesie.

Betrachten Sie noch
einmal mit Bedacht,
was der Autor sich
für Sie ausgedacht.

Nun sind Sie bereits
am Ausgang des Gedichts
und sehen betroffen:
Eigentlich nichts.

Axel Kutsch (* 1945), dt. Lyriker und Herausgeber mehrerer Anthologien zeitgenössischer Lyrik

Lernarrangement

Teilen Sie Ihren Kurs in Gruppen von maximal vier Schülerinnen und Schülern:

1 Benennen Sie Aspekte zum Motiv des Unterwegsseins, die Ihnen in der zurückliegenden Unterrichtsreihe begegnet sind und Ihnen wichtig erscheinen.
(z. B. Wandern, Technikbegeisterung oder -kritik, Flucht/Verfolgung, Selbstfindung, Interesse am Fremden o. Ä.)

2 Fassen Sie die von Ihnen genannten Aspekte in einer Systematik zusammen, indem Sie diese nach selbstgewählten Kriterien gruppieren.

3 Formulieren Sie auf der Grundlage Ihrer Notizen einen Essay, der das Motiv des Unterwegsseins in seiner literarischen Umsetzung an einzelnen ausgewählten Beispielen reflektiert.

K

Klausurtraining

I B Vergleichende Interpretation literarischer Texte

1 Interpretieren Sie das Gedicht „Sehnsucht" von Joseph von Eichendorff.

2 Vergleichen Sie Joseph von Eichendorffs Gedicht mit dem Gedicht „Sehnsucht" von Ulla Hahn im Hinblick auf die Bedeutung des Schlüsselbegriffs Sehnsucht sowie dessen Verknüpfung mit dem Motiv des Unterwegsseins. Berücksichtigen Sie dabei auch jeweilige epochenspezifische Aspekte.

Joseph von Eichendorff (1788–1857)

Sehnsucht (1830/31)

Es schienen so golden die Sterne,
Am Fenster ich einsam stand
Und hörte aus weiter Ferne
Ein Posthorn im stillen Land.
Das Herz mir im Leib entbrennte,
Da hab' ich mir heimlich gedacht:
Ach, wer da mitreisen könnte
In der prächtigen Sommernacht!

Zwei junge Gesellen gingen
Vorüber am Bergeshang,
Ich hörte im Wandern sie singen
Die stille Gegend entlang:
Von schwindelnden Felsenschlüften,
Wo die Wälder rauschen so sacht,
Von Quellen, die von den Klüften
Sich stürzen in die Waldesnacht.

Sie sangen von Marmorbildern,
Von Gärten, die überm Gestein
In dämmernden Lauben verwildern,
Palästen im Mondenschein,
Wo die Mädchen am Fenster lauschen,
Wann der Lauten Klang erwacht
Und die Brunnen verschlafen rauschen
In der prächtigen Sommernacht.

*Ulla Hahn (*1945)*

Sehnsucht

Nachts kreist die Sehnsucht um mein römisches Haus
Sie weiß nicht wohin seitdem ich dich nicht mehr liebe
Sie versucht sich in unvertrautem Geäst ruht auf Pinien aus
Ich schließe die Fenster. Vor ihrem Schnabelhiebe

Habe ich Angst. Noch liegst du ohne Segen unbegraben
In meinem Herzen und du verwest nur schwer
Die Sehnsucht könnte mir deinen Schatten wiederholen
Sie kennt dich lange und weiß: Ich liebte dich sehr

Sie kennt das Verheißene Land das lange auf dich gewartet
hat alles stand zu deinem Empfang bereit
Als du nicht kamst nicht kamst bin ich fortgegangen
Ich erschlug dich tief. Der Vogel Sehnsucht schreit.

Zu Aufgabe 1

Von Ihnen wird die Interpretation eines lyrischen Textes erwartet. Diese setzt sich zusammen aus mehreren miteinander verbundenen und aufeinander aufbauenden Denkleistungen. Sie bestimmen das Thema des Gedichts, beschreiben und erläutern den Aufbau, erkennen wichtige lyrische Gestaltungsmittel und erklären deren Funktion, erfassen sprachlich-stilistische Gestaltungsmittel und arbeiten die Intention des Autors heraus. Diese Aufgabe abschließend weisen Sie am Gedicht typische Merkmale der Epoche nach.

Ein Blick auf die Formulierung der zweiten Aufgabe zeigt Ihnen an, dass die für den abschließenden Vergleich vorgesehene Akzentuierung im Hinblick auf den Titel „Sehnsucht“ sowie das damit verbundene Motiv des Unterwegsseins erfolgen soll. Dies zeigt Ihnen an, diese Vergleichskriterien bereits bei Ihrer Interpretation des Gedichts von v. Eichendorff mit in den Blick zu nehmen.
Vor der Formulierung Ihres Textes müssen Sie eine grundlegende Entscheidung treffen. Entweder Sie arbeiten die einzelnen Schritte der Reihe nach ab (linear), wie sie einleitend aufgeführt sind, oder Sie verknüpfen diese Schritte unmittelbar miteinander (integriert).
Bei dem vorliegenden Gedicht empfiehlt sich die integrierte Vorgehensweise, da – ganz im Sinne der romantischen Lyrik – eine hohe Dichte der Korrespondenzen zwischen den einzelnen zu untersuchenden Aspekten zu verzeichnen ist. Folgende Schritte bieten sich deshalb an:

Schritt 1:	Verfassen einer aufgabenbezogenen Einleitung
Schritt 2:	Bestimmung des Themas des Gedichts
Schritt 3:	Integrierte bzw. lineare Analyse von Aufbau, Inhalt, Gestaltungsmitteln und Intention des Gedichts
Schritt 4:	Zusammenfassung der Erkenntnisse aus Schritt 3 (unter Berücksichtigung der in Aufgabe 2 genannten Vergleichskriterien) und damit verbundene Deutung des Textes
Schritt 5:	Nachweis der Epochenmerkmale

Schritt 1

In Ihrer Einleitung geben Sie Verfasser/-in, Titel und (falls angegeben) Entstehungsjahr des Gedichts an. Hier können Sie auch schon darauf hinweisen, dass das Erscheinungsjahr mit der Epoche der Romantik übereinstimmt. Da in der zweiten Aufgabe von Ihnen erwartet wird, dass Sie den gemeinsamen Schlüsselbegriff beider Gedichte, die Sehnsucht, schwerpunktmäßig im Hinblick auf das Motiv des Unterwegseins vergleichen, können Sie bereits in der Einleitung anmerken, dass Sie die beiden genannten Aspekte besonders beachten wollen.

Schritt 2

Im Gedicht wird die Begrenzung eines explizit in Erscheinung tretenden lyrischen Ichs in seinem häuslichen Umfeld thematisiert, das nachts am Fenster steht und sich – ausgelöst durch unterschiedliche Wahrnehmungen sowie Symbole des Reisens – nach Überwindung seiner Einsamkeit sowie dem Erreichen eines fernen, idealtypisch verklärten Ziels sehnt.

Schritt 3

Sie verfügen zum Zeitpunkt des Klausurtrainings schon über eingehende Kenntnisse im Umgang mit Gedichten, vor allem aus der Epoche der Romantik, sowie deren zentralen Merkmale und Motive. Des Weiteren ist Ihnen Joseph v. Eichendorff als Dichter aus dem Unterricht bekannt (vgl. etwa S. 16). Aus diesem Grund soll hier auf eine engschrittige Führung durch die Analyse des als prototypisch für diese Epoche zu bezeichnenden Gedichten verzichtet werden. Um keine Untersuchungsaspekte zu übergehen, können Sie sich bei Ihrer Auseinandersetzung mit dem ersten Gedicht an dem bekannten Leitfaden zur Gedichtinterpretation orientieren (s. S. 22 – 24).

Schritt 4

Im Hinblick auf die angestrebte Akzentuierung in Aufgabe 2 kann bereits hier die Zusammenfassung der Analyseergebnisse zu v. Eichendorffs Gedicht dahingehend angelegt werden. Dies kann etwa dadurch geschehen, dass Sie bereits an dieser Stelle Notizen anfertigen, die den spezifischen Zusammenhang des Sehnsucht-Begriffs in der Romantik im Zusammenhang mit der damaligen literarischen Verarbeitung des Motiv des Unterwegsseins berücksichtigen.

Schritt 5

Bezüglich der Epochenzugehörigkeit können Sie auf das Erscheinungsjahr des Gedichts (1830/31) verweisen, das rein zeitlich in die späte Phase der Romantik passt. Inhaltlich lässt sich diese Zuordnung aber noch zusätzlich stützen. Das Thema „Sehnsucht“ kann als typisch für diese Epoche deklariert werden, ganz gleich, ob dieses Gefühl sich auf die Beziehung zu anderen Menschen oder ein (idealisiertes) geografisches Ziel richtet, insbesondere wenn dieses nur durch die Überwindung eines abenteuerlichen Weges zu erreichen ist. Formal bietet der Rhythmus, der sich aus dem Zusammenspiel von Reim und Metrum ergibt und die liedhafte Form des Gedichts prägt, ein weiteres deutliches Argument für diese epochalgeschichtliche Einbettung.

Zu Aufgabe 2

Um beide Gedichte hinsichtlich der zwei in der Aufgabenstellung vorgegebenen Aspekte vergleichen zu können, müssen diese herausgearbeitet werden. D. h., Sie können sich bei dem Vergleich auf diese beiden Aspekte – Inhalt und sprachliche Gestaltung – beschränken. Im Rahmen des Vergleichs mit dem Gedicht von v. Eichendorff können Sie auf Ihre Arbeitsergebnisse von Aufgabe 1 zurückgreifen. Des Weiteren werden Sie durch die abschließende Akzentuierung des Vergleichs beider Gedichte bezüglich des Schlüsselbegriffs Sehnsucht und des Motivs des Unterwegsseins zusätzlich gelenkt.
Vor diesem Hintergrund bieten sich folgende Schritte an:

Schritt 1: Verfassen einer aufgabenbezogenen Überleitung
Schritt 2: Gestraffte Analyse des Gedichts von Ulla Hahn mit den Schwerpunkten Inhalt und sprachliche Gestaltung (nicht ausformulieren, sondern in den Vergleich integrieren)
Schritt 3: Spezifische Ausgestaltung der Bedeutung des zentralen Begriffs Sehnsucht sowie des Motivs „Unterwegssein" bei U. Hahn
Schritt 4: Herausarbeitung von Gemeinsamkeiten und Unterschieden beider Gedichte hinsichtlich der Verknüpfung von Schlüsselwort und Motiv
Schritt 5: Bilanzierende Schlussbetrachtung

Schritt 1

Bei einer aufgabenbezogenen Überleitung sollten Sie sich nicht mit der bloßen Wiedergabe des Arbeitsauftrages begnügen. Es wird erwartet, dass Sie die beiden Aufgaben inhaltlich und ggf. methodisch miteinander verbinden. Dies lässt sich im vorliegenden Fall etwa im Hinblick auf den identischen Titel realisieren, verbunden mit der Frage, welche möglichen Variationen im Begriffsverständnis von Sehnsucht zu unterschiedlichen Entstehungszeiten – beide Gedichte liegen ungefähr 150 Jahre auseinander – zu verzeichnen sein könnten.

Schritt 2

Wie eingangs schon angeführt, muss die Untersuchung des Gedichtes von Ulla Hahn nicht in aller Ausführlichkeit durchgeführt werden, sondern kann auf die in der Aufgabe vorgenommenen Schwerpunktsetzungen konzentriert werden. Dies sind hier der inhaltliche sowie sprachliche Aspekt. Ähnlich wie in Schritt 4 zur 1. Aufgabe bietet es sich dabei auch an, bei der Zusammenstellung der Ergebnisse die spezifische Verknüpfung des Titelbegriffs mit dem Motiv des Unterwegsseins als abschließendes Vergleichskriterium im Blick zu behalten.
Dabei könnten Sie etwa wie folgt beginnen:

In dem Gedicht „Sehnsucht" von U. Hahn beklagt das lyrische Ich die Trennung von einer einst geliebten Person, die sie bislang noch nicht endgültig verarbeitet hat. Bei der Ausführung dieses Themas beginnt das lyrische Ich mit den es quälenden Konsequenzen, da sich die Sehnsucht – ihres Zieles beraubt – orientierungslos im Kreis bewegt (1. Strophe). Unfähig, sich der Belastungen der andauernden Sehnsucht durch eine endgültige Trennung von der geliebten Person zu entledigen, steigert sich das lyrische Ich in Angstgefühle (2. Strophe). Der Versuch, die Gedanken an die (unerfüllte) Liebe gewaltsam auszulöschen, scheitert, die Sehnsucht mit ihren schmerzhaften Folgen aber bleibt (3. Strophe).

Formal betrachtet sind die drei Strophen mit jeweils vier Versen inhaltlich jedoch nicht klar voneinander getrennt, da die Struktur des Gedichts durch Enjambements dominiert wird, die sich auch bei den Strophenübergängen zeigen. Ein durchgängiges Metrum findet sich nicht, außerdem wird die Interpunktion nicht regelkonform vorgenommen. In diesem Zusammenhang können Sie überprüfen, welche weiteren sprachlichen Unregelmäßigkeiten die „Atmosphäre" des Gedichts stören. Der Blick auf die sprachliche Gestaltung rückt den Begriff der Sehnsucht eindeutig in den Mittelpunkt. Hier erscheint es sinnvoll, die Vogelmetaphorik im Hinblick auf die Sehnsucht und die mit ihr verbundenen Gefühlswechsel genauer zu untersuchen und zu deuten.
Insgesamt ergibt sich aus der inhaltlichen, formalen sowie sprachlichen Analyse des Gedichts ein Bild innerer Zerrissenheit und Gefühlsdiffusion bezüglich des lyrischen Ichs.

Schritt 3

Vor dem Hintergrund der Ergebnisse der besonderen Beachtung des Schlüsselbegriffs Sehnsucht lassen sich auch bezüglich des Motivs des Unterwegsseins wesentliche Punkte erschließen. Dabei kann von den zentralen Fragen danach ausgegangen werden, wer oder was und in welcher Form unterwegs ist, ob ein Ziel angestrebt wird und ggf. erreicht wird und welche Bedeutung in diesem Zusammenhang den komplementären Begriffen (nicht) kommen sowie (fort)gehen (s. V. 11) zuzumessen ist.

Schritt 4

Die bislang weitgehend unabhängig voneinander durchgeführten Analysen müssen nun zusammengeführt werden unter den Leitbegriffen der Sehnsucht und des Unterwegsseins. Auf der Grundlage des bisherigen Unterrichts sollte klar sein, dass die Sehnsucht einer der zentralen Begriffe der Epoche der Romantik ist. Insofern stellt sich die Frage, inwiefern Ulla Hahn in ihrem Gedicht der romantischen Deutung des Sehnsucht-Begriffs entspricht bzw. diesen variiert und welche Auswirkungen damit für das Motiv des Unterwegsseins verbunden sind.
Vor diesem Hintergrund kann – die Analyse abschließend – die vergleichende Beantwortung folgender Fragen bezogen auf das Motiv des Unterwegsseins leitend sein:

- Welche (geografischen und persönlichen) Ziele sind jeweils damit verbunden bzw. werden gemieden?
- Können die Ziele erreicht werden?
- Worin unterscheidet sich ihre jeweilige Funktion?

Schritt 5

In Ihrer Bilanz könnten Sie Bezug nehmen auf Ihre Kenntnisse über die Lyrik in der jeweiligen Entstehungszeit der Gedichte. Lässt sich die Lyrik der Epoche der Romantik hinsichtlich der einzelnen Untersuchungsaspekte recht eindeutig bestimmen, ist die Lyrik der Gegenwart durch ein hohes Maß an Vielfalt und Variationen vor dem Hintergrund subjektiver Erfahrungen geprägt. Insofern kann die Welt der Romantiker weitgehend als intakt bezeichnet werden, was literaturhistorisch etwa mit dem Übergang in das 20. Jahrhundert, also den Anfängen der sogenannten Moderne, meist nicht mehr der Fall ist.

„Zum Straucheln braucht's doch nichts, als Füße."

Texte

Strukturell unterschiedliche Dramen aus unterschiedlichen historischen Kontexten: Figurengestaltung, Handlungsaufbau, Dialoggestaltung, sprachliche Gestaltung

Komplexe pragmatische Texte

poetologische Konzepte

Sprache

Sprachvarietäten und ihre gesellschaftliche Bedeutung

Kommunikation

Kommunikationssituation und -verlauf: literarisch und rhetorisch gestaltete Kommunikation

Medien

Bühneninszenierung eines dramatischen Textes

Klausurtraining

III B Erörterung eines Sachtextes mit Bezug auf einen literarischen Text

Heinrich von Kleist: Der zerbrochne Krug – Ein Lustspiel in seiner Ze[it] und zwischen den Epoch[en]

Kompetenzen

Im Rahmen dieser Veröffentlichung setzen Sie sich mit einem bedeutenden Werk der deutschen Literaturgeschichte auseinander. Dabei steht nicht das Werk allein im Fokus, sondern auch die Schaffenszeit, die epochalen Bezüge sowie die formale und inhaltliche Abgrenzung zu anderen dramatischen Werken finden Berücksichtigung. Auf diese Art und Weise werden u. a. folgende Kompetenzen erworben:

- strukturell unterschiedliche dramatische Texte, auch unter Berücksichtigung der Entwicklung der gattungstypischen Gestaltungsformen und poetologischer Konzepte interpretieren,
- synchrone Zusammenhänge aus der Zusammenschau literarischer Texte unter Einbezug weiterer Kontexte (u. a. gesellschaftspolitische Hintergründe, poetologische Konzepte, literaturwissenschaftliche Ansätze) erschließen,
- literarische Texte in grundlegende literaturhistorische und historisch-gesellschaftliche Entwicklungen einordnen,
- die Möglichkeiten und die Grenzen der Zuordnung literarischer Werke zu Epochen und die Problematik literaturwissenschaftlicher Kategorisierungen erläutern,
- einen literarischen Text zu anderen Texten (Aussagen von Autorinnen und Autoren, literaturwissenschaftliche Texte) in Beziehung setzen,
- in ihren Texten Ergebnisse textimmanenter und textübergreifender Untersuchungsverfahren darstellen und sie in einer eigenständigen Deutung zusammenführen/ und sie in eine eigenständige Deutung integrieren,
- die Kommunikation in literarischen Texten (symmetrische und asymmetrische Kommunikation, auch unter Berücksichtigung gesellschaftlicher Rollen und Positionen) untersuchen,
- sprachlich-stilistische Mittel in schriftlichen und mündlichen Texten im Hinblick auf deren Bedeutung für die Textaussage und Wirkung erläutern.

„Nur was nicht aufhört weh zu tun, bleibt im Gedächtnis“

Heinrich von Kleist und seine Zeit kennenlernen

„Kleists Texte [...] zeigen keine Antworten her, sondern immer nur Fragen. Sie inszenieren ‚Paradoxien, Dissonanzen, Zusammenbrüche: Situationen offener Epistemologie‘, wie man sie heute findet. Deshalb könnte es sein, dass die Fortschreibung Kleists erst jetzt so richtig anfängt – in einer Zeit nach der Moderne.“
Günter Blamberger, Heinrich von Kleist. Biografie

Le juge ou la Cruche cassée, Kupferstich von Jean Jacques Le Veau nach einem Ölgemälde des französischen Malers Philibert-Louis Debucourt; der Kupferstich diente Kleist als Anregung

Szenenbild der Aufführung „Der zerbrochne Krug“ am Deutschen Theater, 2021

„Was Kleists Drama von 1811 zur Komödie macht, ist vor allem die Dreistigkeit, mit der hier vom Patriarchat Macht ausgeübt, Positionen gesichert und Verhältnisse zementiert werden. Die Wahrheit zählt dabei nicht im Geringsten. Stattdessen gilt es, unverfroren und skrupellos jede Verantwortung von sich zu schieben – gestützt von einer Gesellschaft, die stolz vor ihrem kulturellen Erbe stehend scheinheilig mitspielt, und sich vormacht, die Gerechtigkeit würde interessieren.“
Deutsches Theater Berlin, Programmheft zur Aufführung von „Der zerbrochne Krug“

1 ***Lernarrangement***
Bearbeiten Sie in Zweierarbeit die folgenden Aufgaben und präsentieren Sie anschließend Ihre Ergebnisse dem Kursplenum.
a) In dem Zitat oben von Blamberger heißt es, „dass die Fortschreibung Kleists erst jetzt so richtig anfängt – in einer Zeit nach der Moderne“. Die Phase nach der Moderne wird auch oft als „Postmoderne“ bezeichnet. Klären Sie, was mit Moderne und mit Postmoderne gemeint ist und welche Zeiträume mit diesen Bezeichnungen korrespondieren.
b) Verständigen Sie sich darüber, welche literarische Epoche Sie mit dem Erscheinungsjahr des Werkes (1811) in Verbindung bringen und sammeln Sie, was Sie über diese wissen.
c) Erklären Sie, was mit der „Fortschreibung“ und mit „offener Epistemologie“ gemeint ist.

2 Beschreiben Sie die Abbildung des Kupferstichs, der Kleist als Anregung gedient hat. Vergleichen Sie Ihre Ergebnisse mit Ihrer Vorstellung von heutigen Gerichtssitzungen und mit der Atmosphäre der Gerichtsverhandlung, die das Szenenbild der Aufführung des Deutschen Theaters vermittelt.

3 a) Erklären Sie das im Programmheft zum Ausdruck gebrachte Verständnis des Komödiantischen in Kleists „Der zerbrochene Krug“.
b) Setzen Sie das Zitat in Bezug zum Szenenbild. Inwieweit spiegeln sich die Aussagen des Programmhefts schon in diesem einen Szenenbild wider?

Heinrich von Kleist, Reproduktion einer Illustration von Peter Friedel, 1801

„Zum Straucheln braucht's doch nichts, als Füße" – Kleists Biografie erschließen

Günter Blamberger

Heinrich von Kleist. Biographie (2011)

Kleists Bilanz fällt ernüchternd aus: 23 Jahre alt ist er im Sommer 1801, ein im Grunde ziellos Reisender ohne festen Wohnsitz, ohne Beruf, ohne finanziellen Rückhalt, ein Projektemacher, der gerade im Aufbruch nach Paris ist, um das in seiner Geburtsstadt Frankfurt/Oder abgebrochene Studium der Naturwissenschaft fortzusetzen. Es ist eines von vielen Projekten in seinem Leben, von denen sich bisher keines nach Plan erfüllt hat. Eigentlich weiß er nicht, wie es weitergehen wird [...]. Das ist schlecht auszuhalten für einen, der von Jugend an von Figuren der Steuerung fasziniert ist und die Kontrolle über seine Lebensreise so fest in der Hand halten will wie die Zügel der Kutschenpferde. [...]
Wenn aber das Leben aus Experimenten besteht, deren Verlauf nicht mehr berechenbar ist, wie kommt einer wie Kleist damit zurecht? Wie, dass sein Leben sich nicht, wie geplant, zu einem kohärenten und zielgenauen Projekt entwickelt, sondern verworrenes Flickwerk bleibt, ohne vorgefertigtes Schnittmuster, eine patchwork-identity, wie es die Soziologie gegenwärtig nennen würde? [...] Kleist mag als Dichter, wie Thomas Mann einmal schrieb, „sondergleichen" sein, „völlig einmalig, aus aller Hergebrachtheit und Ordnung fallend", seine Schwierigkeiten mit der Erstellung und Durchführung eines Lebensplans sind nichts ihm Eigentümliches, es handelt sich eher um ein Generationsproblem der nach 1770 Geborenen, die mit den Mündigkeits- und Selbstbestimmungsmodellen der Aufklärung erzogen worden sind und dann in die Wirren der Befreiungskriege gegen Napoleon geraten, in der die deutschen Staaten politisch instabil und in allen sozialen Bereichen reformbedürftig sind und die ständische Gesellschaft allmählich entsichert wird. Gerade die Lebensläufe von Aristokraten entwickeln sich so ins gefährlich Offene, die Verbindlichkeit des eigenen Standesmodells wird brüchig, der soziale Handlungsraum vergrößert sich, der Zugewinn an Freiheit kann zugleich aber als Beliebigkeit empfunden werden, als Orientierungsverlust. [...]
Auf Kleist, mit 34 Jahren gestorben, trifft das zu. Fast jeder Biograph schreibt seine Geschichte von ihrem monströsen Ende her und versucht in den Brandzeichen des Körpers die der Seele zu lesen. Der Selbstmord am Wannsee 1811 gilt nur als die finale Katastrophe einer Lebensgeschichte, die sich als permanente Krisengeschichte darstellt und damit als letzte Konsequenz eines Nonkonformisten, der – einer staatstragenden Familie entstammend – den Militärdienst quittiert, das Studium abbricht, die standesgemäße Verlobung mit der Generalstochter Wilhelmine von Zenge beendet, den Versuch einer Beamtenlaufbahn rasch aufgibt, erfolglos ist bei den Zeitgenossen als Dichter und gescheitert mit dem großen journalistischen Projekt der Berliner Abendblätter. Eine einzige Kette von Enttäuschungen und Versagen [...].

kohärent zusammenhängend, einheitlich

Das Familienwappen Kleists, mit (roten) Wölfen

Peter Michalzik

Kleist. Dichter, Krieger, Seelensucher. Biografie (2011)

Wer das Leben Heinrich von Kleists verfolgt, findet im Wesentlichen zwei Geschichten. Sie scheinen kaum etwas miteinander zu tun zu haben. Es ist zum einen die Geschichte eines schwer zugänglichen, merkwürdig verstockten Menschen, der lange als einer der großen Einsamen der deutschen Literatur galt. Zum anderen ist es die Geschichte eines agilen jungen Mannes in einer Zeit der Umbrüche, Kriege und Neuerungen. Selten fielen die innere und die äußere Geschichte so weit auseinander wie im Fall Kleists.

Er war unternehmungslustig, tourte ausdauernd durch Europa und war gut vernetzt. Gleichzeitig hatte er eine extreme Sehnsucht, von seinem Innersten zu reden, und verzweifelte immer wieder an der Sprache. Ein solcher Mensch muss wohl letztendlich einsam bleiben. Selten hat jemand heftiger geliebt und war gleichzeitig unfähiger zur Liebe als Kleist.

In dieser Situation begann er zu dichten und versuchte, beide Geschichten, die innere und die äußere, zusammenzubringen. Er legte seine Verzweiflung, seinen Hass, seine Hoffnung, seine Liebe und seine Seele erst in Tragödien, dann in Komödien und dann in Erzählungen. So entfaltete sich ein eigenartiges Wesen, mit befremdlichen Gebärden, eigenartigen Figuren, ungekannten Gefühlen. Es sind wahre Ungeheuer, die Kleist erfand, und man liebt sie trotzdem, wie ‚Kohlhaas' und ‚Penthesilea'. Er schrieb, im ‚Amphitryon' und im ‚Käthchen von Heilbronn', von göttlicher und menschlicher Liebe, so zart, dass man zergeht. Im ‚Zerbrochnen Krug' ist der erste Mensch ein Teufel und die Welt ein Bauernschwank. Er träumte den Traum von der neuen, schöneren Geburt der Menschengesellschaft nach dem Weltuntergang. Er erfand so etwas wie die unschuldige Vergewaltigung und die mörderische Liebe.

Es half nichts. Am Ende begrüßte er emphatisch seinen eigenen Tod. Die Lage fühlte sich für ihn so aussichtslos an, dass er sich selbst glauben machen wollte, dass es ein glücklicher Tod sei, mit dem er aus der Welt ging. Seitdem kommt die Welt nicht von ihm los.

emphatisch
hier: entschieden, begeistert

1 ***Lernarrangement***

Führen Sie im Plenum des Kurses ein Quiz zum Leben von Heinrich von Kleist durch. Bilden Sie Kleingruppen und gehen Sie folgendermaßen vor:

a) Erarbeiten Sie zunächst in Einzelarbeit die beiden Auszüge aus den Biografien, indem Sie die aus Ihrer Sicht wichtigsten Informationen notieren. Tauschen Sie sich anschließend über Ihre Notizen aus.
b) Recherchieren Sie zu biografischen Details Heinrich von Kleists. Nehmen Sie die Textmarkierungen als Ausgangspunkt.
c) Halten Sie Ihre Rechercheergebnisse schriftlich fest und entwickeln Sie dazu Quizfragen. Formulieren Sie zu acht verschiedenen Themenbereichen jeweils eine Frage.
d) Führen Sie anschließend das Quiz durch.
e) Stellen Sie abschließend Ihre Erkenntnisse unter Nennung Ihrer Quellen Ihren Mitschülerinnen und Mitschülern zur Verfügung.

In ihrer Erzählung „Kein Ort. Nirgends", die 1979 in der DDR erschienen ist, schildert Christa Wolf die fiktive Begegnung Heinrich von Kleists mit der Schriftstellerin Karoline von Günderode (11.02.1780 – 26.07.1806).

Christa Wolf (1929 – 2011)

Christa Wolf

Kein Ort. Nirgends (1979)

Wedekind, froh sicherlich, von dem anstrengenden Alleinsein mit seinem Schützling erlöst zu werden, gibt mit Kleists Erlaubnis eine originelle Beobachtung zum besten, die Kleist an seinem, Wedekinds, Hund gemacht haben will: Bello, ein harmlos-treues Tier, das sich gleich die ersten Tage, als Kleist in Hause war, mit dem Gast angefreundet, ihn später auch auf seinen weiten Spaziergängen begleitet hat. Einmal nun habe Kleist den Hund, der immer Freude am Gehorchen gezeigt, zwischen zwei Befehle gestellt gesehn, deren jeder ihm zwingend erscheinen mußte: Erstens habe Wedekinds Frau ihn aus dem Küchenfenster gerufen, damit er, wie so oft, des Hofrats jüngstes Töchterchen bewache; zum andern habe Kleist ihm von der Straße

her gepfiffen, mit ihm spazierenzugehn. Da sei der Hund, entsetzlich unschlüssig, zwischen Küchenfenster und Hoftor hin- und hergelaufen, und sein Gesicht habe, das versicherte Kleist, einen unglücklichen Ausdruck gehabt. Weder Kleist noch des Hofrats Frau hätten ihn, des Experiments halber, von ihrem Befehl entbunden. Der Hund sei offenbar von dem Konflikt überwältigt worden. Seine Augen hätten sich mit jenem Häutchen überzogen, das bei Hunden Müdigkeit anzeigt, und, von unwiderstehlicher Schlafsucht bezwungen, habe er sich genau in die Mitte zwischen des Hofrats Frau und Kleist gelegt und sei auf der Stelle eingeschlafen.
Man staunt, lacht, applaudiert. Kleist, auf den alle Augen sich richten, fügt hinzu: Ja, auch die Frau Hofrätin und ich mußten herzlich über das kuriose Benehmen des Tieres lachen. Erst später, als ich darüber nachgedacht, sagte ich zu mir: Der arme Hund. – Und während die Herren den Vorfall erörtern, denkt er: Wer sein Leben lang schlafen könnte.
Wedekind, leider, muß eine unpassende Bemerkung machen. Herr von Kleist, sagt er lächelnd, scheine sich bis zu einem gewissen Grad in der Lage seines guten Bello zu fühlen.
In welchem Sinne, will man nun wissen.
Kleist wünscht dringlich, er hätte geschwiegen. Es rächt sich immer, aus sich herauszugehn. So knapp wie möglich sagt er: Nun, der Vergleich mit dem Tier sei ein Scherz, wenn auch die Ähnlichkeit seiner Lage mit gewissen unlösbaren Situationen des menschlichen Lebens unverkennbar sei.
Zum Beispiel? – Merten, der Gastgeber. Es schmeichelt ihm, daß in seinem Haus derart tiefsinnige Gespräche geführt werden.
Wer fragt, soll Antwort haben. Zum Beispiel, sagt Kleist, folgender Fall: Jemand fühle, ob nun zu Recht oder zu Unrecht, den Zwang in sich, einer Bestimmung zu folgen; seine Vermögensverhältnisse gestatten es ihm nicht, im Ausland zu leben und frei seinen Intentionen nachzugehn, noch auch in seinem Vaterland zu existieren, ohne ein Amt anzunehmen. Dieses Amt aber, zu dessen Erlangung er sich unerträglich erniedrigen müßte, würde in jedem Sinn seiner Bestimmung zuwiderlaufen. Voilà. Da hätten Sie Ihr Beispiel.
Man schweigt. Merten endlich, der frei heraus bekennt, Kleists Drama ‚Die Familie Schroffenstein', gelesen zu haben, und nicht glauben würde, wie er den Autor dadurch peinigt, Merten fragt an, ob der Herr von Kleist nicht vielleicht aus dem Verkauf seiner literarischen Produktion einen bescheidenen Lebensunterhalt würde bestreiten können?
Bücher schreiben für Geld? O nichts davon! ruft da der Kleist mit einer unerwarteten Heftigkeit. Soll ich auf einem mir entfernten, gleichgültigen Gebiet, dem Militärwesen, fremden Zwecken widerstanden haben, um mich ihnen dann auf meinem eigentlichsten Gebiet zu unterwerfen?
(originale Rechtschreibung)

1 Stellen Sie dar, wie Christa Wolf den Charakter Heinrich von Kleists in ihrer Erzählung ausgestaltet und diskutieren Sie, inwieweit diese Charakterzeichnung Ihrer Meinung nach zutreffend ist. Arbeiten Sie mit Textbelegen.

2 Gescheitert, zerrissen, genial – begründen Sie, welches dieser Adjektive auf Heinrich von Kleist nach Ihrer bisherigen Kenntnis am ehesten zutrifft. Wählen Sie ggf. ein anderes Adjektiv und begründen Sie Ihre Auswahl.

„Der zerbrochne Krug" – Annäherung an das Stück

Den Entstehungskontext der Komödie erkunden

Kleist schreibt das Lustspiel „Der zerbrochne Krug" nicht ‚in einem Rutsch' herunter. Vermutlich beginnt er mit ersten Arbeiten dazu bereits 1802 während eines Aufenthaltes in der Schweiz. 1806 in Königsberg nimmt er die Arbeit daran wieder auf und beendet sie sehr wahrscheinlich erst 1807, als er sich wegen einer Spionageanklage in französischer Kriegsgefangenschaft befindet.
Da im Zentrum des Theaterstücks eine Gerichtsverhandlung steht und die Hauptfigur ein Richter ist, stellt sich die Frage, inwieweit Kleist mit den juristischen Belangen seiner Zeit vertraut war. Kleist ist zwar kein ausgebildeter Jurist, belegt aber während seines dreisemestrigen (und dann abgebrochenen) Studiums in Frankfurt a. D. Oder (1799/1800) u. a. auch Vorlesungen in Rechtswissenschaften. Die juristischen Diskurse an der Universität haben durchaus einen Einfluss auf sein literarisches Schaffen; neben dem Lustspiel „Der zerbrochne Krug" ist hier insbesondere auch die Novelle „Michael Kohlhaas" zu nennen.

Die Erstaufführung von *Der zerbrochne Krug* durch Johann Wolfgang von Goethe

1808 wird „Der zerbrochne Krug" am Hof von Weimar unter der Regie Johann Wolfgang von Goethes uraufgeführt. Die Aufführung ist ein grandioser Misserfolg, was vermutlich daran liegt, dass Goethe das Lustspiel in einen Dreiakter umschreibt. Zudem wird es im Anschluss an eine Oper vor einem bereits ermüdeten Publikum aufgeführt. Die Pausen zwischen den Akten der Komödie tun ihr Übriges, um das Stück bei den Zuschauerinnen und Zuschauern durchfallen zu lassen. Kleist ist darüber sehr erbost. Dennoch beugt er sich der Kritik seiner Zeitgenossen und kürzt seinen Text erheblich: Den 12. Auftritt beispielsweise streicht er – von ursprünglich ca. 520 Versen – auf 57 Verse zusammen. Die Komödie gewinnt durch die Bearbeitung deutlich an Schwung. Dennoch ist Kleist die ursprüngliche Fassung so wichtig, dass er sie in der ersten Buchausgabe 1811 als „Variant" zusätzlich abdruckt.

Heinrich von Kleist

Vorrede zur handschriftlichen Fassung des „zerbrochnen Krugs" (1808)

„Le Juge ou la Cruche cassée". Kupferstich von Jean Jacques Le Veau (1729–1786) nach einem Ölgemälde des französischen Malers Philibert-Louis Debucourt (1755–1832)

Diesem Lustspiel liegt wahrscheinlich ein historisches Factum, worüber ich jedoch keine nähere Auskunft habe auffinden können, zum Grunde. Ich nahm die Veranlassung dazu aus einem Kupferstich, den ich vor mehreren Jahren in der Schweiz sah. Man bemerkte darauf – zuerst einen Richter, der gravitätisch auf dem Richterstuhl saß: vor ihm stand eine alte Frau, die einen zerbrochenen Krug hielt, sie schien das Unrecht, das ihm widerfahren war, zu demonstriren: Beklagte; ein junger Bauerkerl, den der Richter, als überwiesen, andonnerte, vertheidigte sich noch, aber schwach: ein Mädchen, das wahrscheinlich in dieser Sache gezeugt hatte (denn wer weiß, bei welcher Gelegenheit das Delictum geschehen war) spielte sich, in der Mitte zwischen Mutter und Bräutigam, an der Schürze; wer ein falsches Zeugniß abgelegt hätte, könnte nicht zerknirschter dastehn: und der Gerichtsschreiber sah (er hatte vielleicht kurz vorher das Mädchen angesehen) jetzt den Richter mistrauisch zur Seite an, wie Kreon, bei einer ähnlichen Gelegenheit, den Ödip, Darunter stand: der zerbrochene Krug. – Das Original war, wenn ich nicht irre, von einem niederländischen Meister.

Kreon, Ödip
Figuren aus dem Theaterstück „König Ödipus" von Sophokles, s. S. 93 ff.

Niederländischer Meister
Ob Kleist hier irrte oder bewusst eine falsche Fährte legte, ist umstritten.

1 Vergleichen Sie die Darstellung auf dem Kupferstich (s. S. 83) mit der Darstellung der Gerichtsverhandlung in Kleists Theaterstück. Halten Sie Gemeinsamkeiten und Unterschiede fest. Gibt es eine Szene im Stück, die der bildlichen Darstellung nahekommt?

Hier finden Sie die 12. Szene (‚Variant'):

WES-169088-012

2 Recherchieren Sie, was in der gestrichenen Passage der 12. Szene (‚Variant') geschieht oder nutzen Sie den QR-Code. Stellen Sie Vermutungen dazu an, warum diese Szene in der überarbeiteten Fassung entfallen ist.

Den Inhalt der Dramenhandlung nachvollziehen

Szenenbild aus der Aufführung „Der zerbrochne Krug" bei den Heppenheimer Festspielen, 2023

3 Beschreiben Sie das Szenenbild. Erläutern Sie, wie es auf Sie wirkt und ordnen Sie das Bild der passenden Szene aus dem Theaterstück zu.

4 ***Lernarrangement***

Bilden Sie Kleingruppen.

a) Füllen Sie die folgende Tabelle gemeinsam aus.

b) Entscheiden Sie sich für eine Szene und entwickeln Sie dazu ein Standbild. Proben Sie das Standbild.

c) Stellen Sie sich die Standbilder im Plenum gegenseitig vor und lassen Sie die Zuschauenden ermitteln, welche Szene Sie ausgewählt haben. Erläutern und begründen Sie anschließend Ihre Darstellung.

Szene	Figuren	Stichworte zur Handlung	Notizen
1	Richter Adam, Gerichtsschreiber Licht		
2			
3			
4			
5			
6			
7			
8			
9			
10			
11			
12			

Die Figurenkonstellation und die Konfliktgestaltung erfassen

1 a) Stellen Sie mithilfe einer Mindmap oder einer anderen, frei wählbaren Darstellungsform die Beziehungen und Konflikte der Figuren aus dem Theaterstück dar.

Szenenbild der Aufführung „Der zerbrochne Krug" durch das Anhaltinische Theater in Dessau, 2019

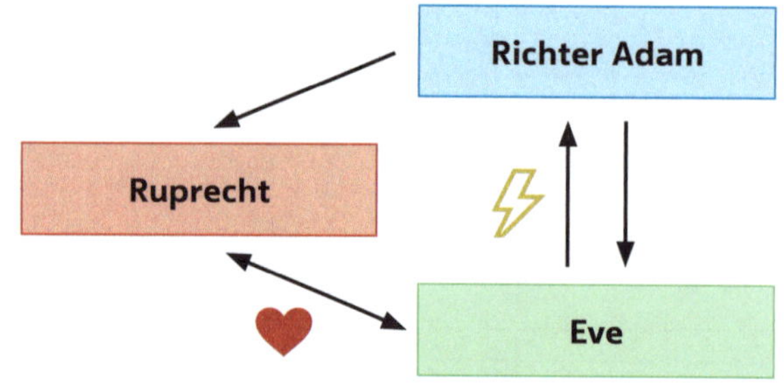

b) Präsentieren Sie Ihre Ergebnisse und diskutieren Sie mögliche Unterschiede in Ihrer Wahrnehmung.

Rollenbiografie

Eine Rollenbiografie ist ein Text, in dem die Figur aus der Ich-Perspektive über sich selbst Auskunft gibt, d.h. sie spricht über sich selbst, als stelle sie sich einem Fremden vor. Neben allgemeinen Fakten gibt sie Auskunft über ihren Charakter, ihre Einstellungen und ihre Beziehung zu anderen. Rollenbiografien werden im Präsens formuliert.

2 ***Lernarrangement***

a) Teilen Sie die zentralen Figuren im Theaterstück (Richter Adam, Gerichtsschreiber Licht, Walter, Eve, Frau Marthe, Ruprecht) in der Lerngruppe untereinander auf, sodass einzelne Figuren mehrfach besetzt sind.

b) Entwerfen Sie in Einzelarbeit jeweils eine Rollenbiografie. Suchen Sie anschließend im Internet ein passendes Foto für Ihre Figur und fügen Sie es in die Rollenbiografie ein.

c) Stellen die Rollenbiografien im Plenum vor.

d) Beurteilen Sie die Rollenbiografien danach, ob Sie dem allgemeinen Leseverständnis der Lerngruppe entsprechen. Gehen Sie dabei vor allem auf mögliche Unterschiede in den Darstellungen ein.

Hinweise zu den Bedeutungen der Namen finden Sie in der Textausgabe (TA) auf S. 98 oder im Grimm'schen Wörterbuch:

WES-169088-007

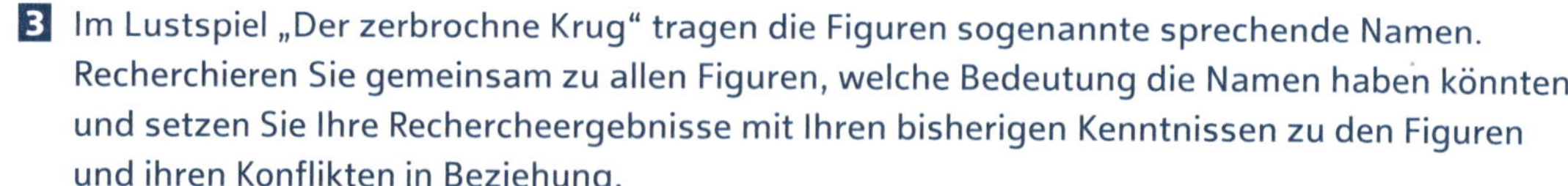

3 Im Lustspiel „Der zerbrochne Krug" tragen die Figuren sogenannte sprechende Namen. Recherchieren Sie gemeinsam zu allen Figuren, welche Bedeutung die Namen haben könnten und setzen Sie Ihre Rechercheergebnisse mit Ihren bisherigen Kenntnissen zu den Figuren und ihren Konflikten in Beziehung.

Sprechende Namen

Unter einem „sprechenden Namen" versteht man in der Literaturwissenschaft einen Namen für eine literarische Figur, der – beispielsweise durch direkte Nennung oder eine literarische Anspielung – von vornherein auf bestimmte Charaktermerkmale dieser Figur verweist: „Nomen est omen". Bei Richter Adam z. B. ist der biblische Bezug augenscheinlich. Die Anspielung bedeutet allerdings nicht, dass die Figur nur Ähnlichkeiten zu der Referenzfigur haben muss. Gerade auch Unterschiede können für eine Interpretation bedeutsam sein.

Den Fall rekonstruieren

Hans-Georg Schede

Der Handlungsaufbau im „zerbrochnen Krug“ (2018)

Der zerbrochene Krug, ja der bloße Umstand einer Gerichtsverhandlung setzten eine Vorgeschichte voraus, ohne die es ja zu keiner Beschuldigung und Klage kommen konnte. [...] Jeder, der als Kinogänger oder Fernsehzuschauer mit dem Genre des Gerichtsfilms auch nur flüchtig vertraut ist, weiß, dass die Gerichtsverhandlung der Tag der Entscheidung ist, auf den alles zuläuft und nach dem die Spannung so stark abfällt, dass nicht mehr viel folgen kann. Diese dramaturgische Regel war zu Kleists Zeiten nicht weniger zwingend als heute. [...] Keineswegs zwingend hingegen, aber nichtsdestoweniger künstlerisch einleuchtend, ist Kleists Entscheidung, das Stück fast ausschließlich auf die Gerichtsszene zu konzentrieren, seine Handlung nur knapp davor beginnen zu lassen und die Vorgeschichte erst allmählich im Verlauf der Verhandlung, und immer wieder behindert durch die Verschleierungsmanöver des Richters, zum Vorschein zu bringen. Die gespannte Aufmerksamkeit des Zuschauers gilt dadurch nicht nur der Frage, ob am Ende die Gerechtigkeit siegt – diese Frage ist ja durch die gattungsgemäße Erwartung, dass alles gut ausgehen wird, schon vorentschieden –, sondern noch viel stärker der grundlegenden Frage, was denn überhaupt vorgefallen ist. Dabei wird recht schnell deutlich, dass der Richter selbst der Täter ist – denn nur so erschließt sich dem Zuschauer die Komik der wenig regelgerecht verlaufenden Verhandlung. Die genauen Zusammenhänge von Adams Intrige, durch die er Eve in der Hand hatte, werden hingegen erst in der vorletzten Szene aufgeklärt, sodass die auf die Vorgeschichte bezogene Spannung bis zum Schluss erhalten bleibt.

1 Geben Sie mit eigenen Worten wieder, welche Besonderheiten im Handlungsaufbau von „Der zerbrochne Krug“ Hans-Georg Schede benennt.

2 a) Erläutern Sie, wie sich der Spannungsaufbau durch die von Hans-Georg Schede beschriebene besondere Bauweise des Theaterstücks gestaltet.
b) Formulieren Sie eine oder mehrere Fragen, die sich die Zuschauerinnen und Zuschauer des Stücks bis zuletzt stellen.

Szenenbild aus der Aufführung „Der zerbrochne Krug“ am Düsseldorfer Schauspielhaus, 2018

Da Richter Adam bis zum Schluss versucht, seine Täterschaft zu verbergen, müssen sowohl die Figuren des Theaterstücks als auch die Zuschauerinnen und Zuschauer den Tathergang aus den Zeugenaussagen in der Gerichtsverhandlung rekonstruieren.

3 ***Lernarrangement***

Bilden Sie Lerngruppen und verfassen Sie eine Anklageschrift des Gerichtsschreibers Licht gegen Richter Adam. Gehen Sie folgendermaßen vor:

a) Bearbeiten Sie in Einzelarbeit den 11. Auftritt (TA, S. 70 – 82), indem Sie sich Notizen zu den Ereignissen des Vorabends der Tat machen.
b) Vergleichen Sie Ihre Notizen in der Gruppe.
c) Verfassen Sie gemeinsam die Anklageschrift. Klären Sie dabei folgende Fragen:
   - Welches Delikt wird dem Richter vorgeworfen?
   - Welche Ereignisse finden am Vorabend der Tat in welcher Reihenfolge statt?
   - Welches Ziel verfolgt Richter Adam bei Eve?
   - Welche Mittel setzt er zur Erreichung seines Ziels ein?
   - Warum lässt sich Eve auf das Gespräch und das Treffen mit Richter Adam ein?
   - Was vermutet der Verlobte Eves, Ruprecht, und welche Rolle spielt er an besagtem Abend?
   - Was vermutet die Mutter von Eve, Frau Marthe, und wie kommt sie zu der Vermutung?

   Beachten Sie bei der Ausformulierung die Hinweise im grünen Kasten.
d) Stellen Sie sich im Plenum die Anklageschriften gegenseitig vor und prüfen Sie, ob die Ereignisse korrekt dargestellt worden sind.

Anklageschrift

Eine Anklageschrift ist ein juristischer Text mit vielen genau festgelegt formalen Elementen. Diese müssen Sie für Ihre Arbeit nicht präzise beachten. Beginnen Sie in etwa so:

„Angeklagt wird der Richter Adam.

Ihm werden folgende Taten zur Last gelegt: ...

Richter Adam ist Dorfrichter in Huisum, einem Dorf nahe Utrecht.

Am Abend des ... ist er um ... hat er das Haus von Marthe Rull und ihrer Tochter Eve aufgesucht. ...“

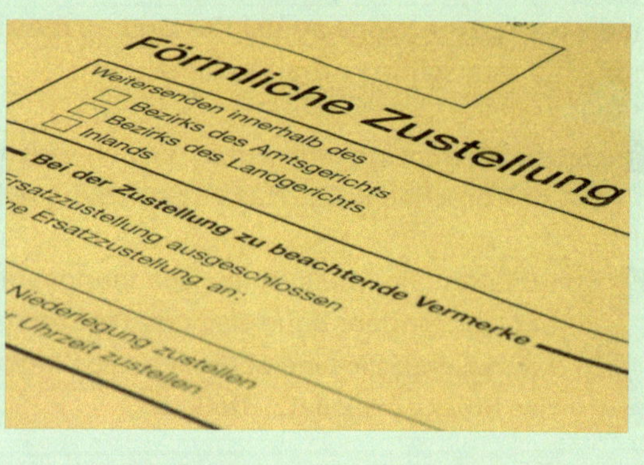

4 ***Lernarrangement***

a) Stellen Sie sich vor, Eve muss sich vor Gericht für ihr Verhalten verantworten (beispielsweise wegen Justizbehinderung). Um sich zu verteidigen, muss sie einen Anwalt mit dem Fall betrauen. Verfassen Sie ein Schreiben Eves an ihren Anwalt, in dem sie ihr Verhalten schildert und rechtfertigt.
b) Präsentieren Sie die Schreiben im Plenum und beurteilen Sie, ob die darin geschilderten Motive Eves zu dem im Theaterstück gezeichneten Charakter der Figur passen.

Kleists Lustspiel im Kontext der Theatergeschichte

Grundlagen der Dramentheorie erarbeiten

Wieso wird Kleists Werk „Der zerbrochne Krug“ als Lustspiel bezeichnet? Und worin unterscheiden sich Tragödie und Komödie eigentlich voneinander? Um diese Fragen zu beantworten, muss zum Beispiel nachvollzogen werden, wie ein typisches, geschlossenes Drama aufgebaut ist. Gustav Freytag unterzog die Dramatik einer systematischen Betrachtung und entwickelte in Analogie zu seiner Auffassung der Theorie des Aristoteles ein Modell dessen, was die Dramatik an sich und die Tragödie im Besonderen auszeichnen möge. Freytag geht in seiner Schematisierung vor allem auf die Einteilung der Tragödie in fünf Akte ein und betont die Einhaltung der drei Einheiten (Ort, Zeit, Handlung).

Gustav Freytag

Die Technik des Dramas (1863)

Gustav Freytag (1816–1895)

Das Drama stellt in einer Handlung durch Charaktere, vermittels Wort, Stimme und Gebärde diejenigen Seelenprobleme dar, welche der Mensch vom Aufleuchten eines Eindrucks bis zu leidenschaftlichem Begehren und zur Tat durchmacht, sowie die Seelenprozesse, welche durch eigene und fremde Tat angeregt werden.

Der Bau des Dramas soll diese beiden Gegensätze des Dramatischen zu einer Einheit verbunden zeigen, Ausströmen und Einströmen der Willenskraft, das Werden der Tat und ihre Reflexe auf die Seele, Satz und Gegensatz, Kampf und Gegenkampf, Steigen und Sinken, Binden und Lösen.

In jeder Stelle des Dramas kommen beide Richtungen des dramatischen Lebens, von denen die eine die andere unablässig fordert, in Spiel und Gegenspiel zur Geltung; aber auch im Ganzen wird die Handlung des Dramas und die Gruppierung der Charaktere dadurch zweiteilig. Der Inhalt des Dramas ist immer ein Kampf mit starken Seelenbewegungen, welchen den Held gegen widerstrebende Gewalten führt. Und wie der Held ein starkes Leben in gewisser Einseitigkeit und Befangenheit enthalten muss, so muss auch die gegenspielende Gewalt durch menschliche Vertreter sichtbar gemacht werden. [...]

Diese zwei Hauptteile des Dramas sind durch einen Punkt der Handlung, welcher in der Mitte derselben liegt, fest verbunden. Diese Mitte, der Höhepunkt des Dramas, ist die wichtigste Stelle des Aufbaus, bis zu ihm steigt, von ihm ab fällt die Handlung. Es ist nun entscheidend für die Beschaffenheit des Dramas, welche von den beiden Brechungen des dramatischen Lichts in den ersten, und welche in den zweiten Teil als die vorherrschende gesetzt wird, ob das Ausströmen oder Einströmen, das Spiel oder das Gegenspiel den ersten Teil erhält. Beides ist erlaubt, beide Konstruktionen vermögen ihre Berechtigung an Dramen von höchstem Wert nachzuweisen. Und diese Methoden ein Drama zu bilden sind höchst charakteristisch geworden für die einzelnen Dichter und die Zeit, in welcher sie lebten. [...]

1 Fassen Sie diesen ersten Abschnitt des Auszugs aus Gustav Freytags Werk in eigenen Worten zusammen. Was soll das dramatische Werk auf welche Art und Weise zeigen?

Durch die beiden Hälften der Handlung, welche in einem Punkte zusammenschließen, erhält das Drama – wenn man die Anordnung durch Linien verbildlicht – einen pyramidalen Bau. Es steigt von der Einleitung mit dem Zutritt des erregenden Moments bis zu dem Höhenpunkt und fällt von da bis zur Katastrophe. Zwischen diesen drei Teilen liegen die Teile der Steigerung und des Falles. Jeder dieser fünf Teile kann aus einer Szene oder aus einer gegliederten Folge von Szenen bestehen, nur der Höhepunkt ist gewöhnlich in einer Hauptszene zusammengefasst.

Diese Teile des Dramas, a) Einleitung, b) Steigerung, c) Höhenpunkt, d) Fall oder Umkehr, e) Katastrophe, haben jeder Besonderes in Zweck und Baueinrichtung. Zwischen ihnen stehen drei wichtige szenische Wirkungen [...]. Sie heißen hier: das erregende Moment, das tragische Moment, das Moment der letzten Spannung. Die erste Wirkung ist jedem Drama nötig, die zweite und dritte sind gute, aber nicht unentbehrliche Hilfsmittel. – Es werden deshalb im Folgenden acht Bestandteile des Dramas in ihrer Reihenfolge aufgeführt.

Exposition

Die Einleitung [...]. Da die Darstellung von Ort, Zeit, Volkstum und Lebensverhältnissen des Helden der Einleitung des Dramas zukommt, so wird diese zunächst das Umgebende kurz charakterisieren. Außerdem wird dem Dichter hier Gelegenheit, sowohl die eigentümliche Stimmung des Stückes wie in kurzer Ouverture anzudeuten, als auch das Tempo desselben, die größere Leidenschaftlichkeit oder Ruhe, mit welcher die Handlung forteilt [...].

Das erregende Moment. Der Eintritt der bewegten Handlung findet an der Stelle des Dramas statt, wo in der Seele des Helden ein Gefühl oder Wollen aufsteigt, welches die Veranlassung zu der folgenden Handlung wird, oder wo das Gegenspiel den Entschluss fasst, durch seine Hebel den Helden in Bewegung zu setzen. Offenbar wird dieses Treibende bedeutsamer in solchen Stücken hervortreten, bei denen der Hauptspieler die erste Hälfte willenskräftig beherrscht, aber es bleibt bei jeder Anordnung ein wichtiges Moment der Handlung [...].

auch: **steigende Handlung oder Komplikation**

s. vorherige Anmerkung zum Verhältnis der Begriffe Person und Figur.

Die Steigerung. Die Handlung ist in Bewegung gesetzt, die Hauptpersonen haben ihr Wesen dargelegt, die Teilnahme ist angeregt. In einer gegebenen Richtung hebt sich Stimmung, Leidenschaft, Verwicklung [...].

War es nicht möglich, die wichtigsten Personen des Gegenspiels oder der Hauptgruppe im Vorhergehenden darzustellen, so muss ihnen jetzt ein Raum geschafft und Gelegenheit zu bedeutsamer Tätigkeit gegeben werden. Auch solche, welche erst in der zweiten Hälfte des Dramas wirksam sind, müssen dringend wünschen, sich schon jetzt dem Hörer bekannt zu machen. [...]

auch: **Peripetie (Wendepunkt) und Klimax**

Der Höhepunkt des Dramas ist die Stelle des Stückes, in welcher das Ergebnis des aufsteigenden Kampfes stark und entschieden heraustritt, er ist fast immer die Spitze einer groß ausgeführten Szene, an welche sich die kleineren Verbindungsszenen von der Steigerung und der fallenden Handlung heranlegen. Allen Glanz der Poesie, alle dramatische Kraft wird der Dichter anzuwenden haben, um diesen Mittelpunkt seines Kunstwerks lebendig herauszuheben. Die höchste Bedeutung hat er freilich nur in den Stücken, in denen der Held die aufsteigende Handlung durch seine inneren Seelenvorgänge treibt; bei den Dramen, welche durch das Gegenspiel steigen, bezeichnet er die allerdings wichtige Stelle, wo dies Spiel den Haupthelden gefangen und in die Richtung des Falles verlockt hat [...].

Wenn an einem Punkte der Handlung plötzlich, unerwartet, im Gegensatz zu dem Vorhergehenden etwas Trauriges, Finsteres, Schreckliches eintritt, das wir doch sofort als aus der ursächlichen Verbindung der Ereignisse hervorgegangen und aus den Voraussetzungen des Stückes als vollständig begreiflich empfinden, so ist dies Neue ein **tragisches Moment** [...].

Der schwierigste Teil des Dramas ist die Szenenfolge der **fallenden Handlung** oder, wie sie wohl genannt wird, **der Umkehr**; allerdings treten die Gefahren zumeist bei den kraftvollen Stücken ein, in denen die Helden die Führung haben. Bis zum Höhenpunkt war die Teilnahme an die eingeschlagene Richtung der Hauptcharaktere gefesselt. Nach der Tat entsteht eine Pause. Die Spannung muss auf das Neue erregt werden, dazu müssen neue Kräfte, vielleicht neue Rollen vorgeführt werden, an denen der Hörer erst Anteil gewinnen soll [...].

Außerdem noch ein anderes. Vorzüglich dieser Teil des Dramas ist es, welcher den Charakter des Dichters in Anspruch nimmt. Denn das Schicksal gewinnt Macht über den Helden, seine Kämpfe wachsen einem verhängnisvollen Ausgang zu, der sein ganzes Leben ergreift. [...]

Der Kern des Ganzen, Idee und Führung der Handlung treten mächtig hervor, der Zuschauer versteht den Zusammenhang der Begebenheiten, sieht die letzte Absicht des Dichters, er soll sich den höchsten Wirkungen hingeben und er beginnt mitten in seiner Teilnahme prüfend das Maß seines Wissens, seiner gemütlichen Neigungen und Bedürfnisse an das Kunstwerk zu legen [...].

Das Moment der letzten Spannung. Dass die Katastrophe dem Hörer im ganzen nicht überraschend kommen dürfe, versteht sich von selbst ...

auch: **retardierendes Moment**

Demungeachtet ist es zuweilen misslich, ohne Unterbrechung bis zum Ende zu eilen. Gerade dann, wenn das Gewicht des unglücklichen Geschicks bereits lange und schwer auf einem Helden lastet, welchem die gerührte Empfindung des Hörers Rettung wünscht, obgleich vernünftige Erwägung die innere Notwendigkeit des Untergangs recht wohl deutlich macht. In solchem Falle ist ein altes anspruchloses Mittel des Dichters, dem Gemüt des Hörers für einige Augenblicke Aussicht auf Erleichterung zu gönnen. Dies geschieht durch eine neue kleine Spannung, dadurch, dass ein leichtes Hindernis, eine entfernte Möglichkeit glücklicher Lösung, der bereits angedeuteten Richtung auf das Ende noch in den Weg geworfen wird. [...]

Katastrophe des Dramas ist uns die Schlusshandlung, welche der Bühne des Altertums Exodus hieß. In ihr wird die Befangenheit der Hauptcharaktere durch eine kräftige Tat aufgehoben. Je tiefer der Kampf aus ihrem innersten Leben hervorgegangen und je größer das Ziel desselben war, desto folgerichtiger wird die Vernichtung des unterliegenden Helden sein. [...] Über dem Ende der Helden aber muss versöhnend und erhebend im Zuschauer die Empfindung von dem Vernünftigen und Notwendigen solches Untergangs lebendig werden. Dies ist nur möglich, wenn durch das Geschick der Helden eine wirkliche Ausgleichung der kämpfenden Gegensätze hervorgebracht wird. Die Schlussworte des Dramas haben die Aufgabe, zu erinnern, dass nichts Zufälliges, einmal Geschehenes dargestellt worden sei, sondern ein Poetisches, das allgemein verständliche Bedeutung habe [...].

2 Stellen Sie die Ausführungen Gustav Freytags in einem schematischen Zusammenhang dar. Nutzen Sie als Grundlage dafür die aufgeführte Grafik und fügen Sie in Stichpunkten wesentliche Merkmale der einzelnen Handlungsschritte hinzu:

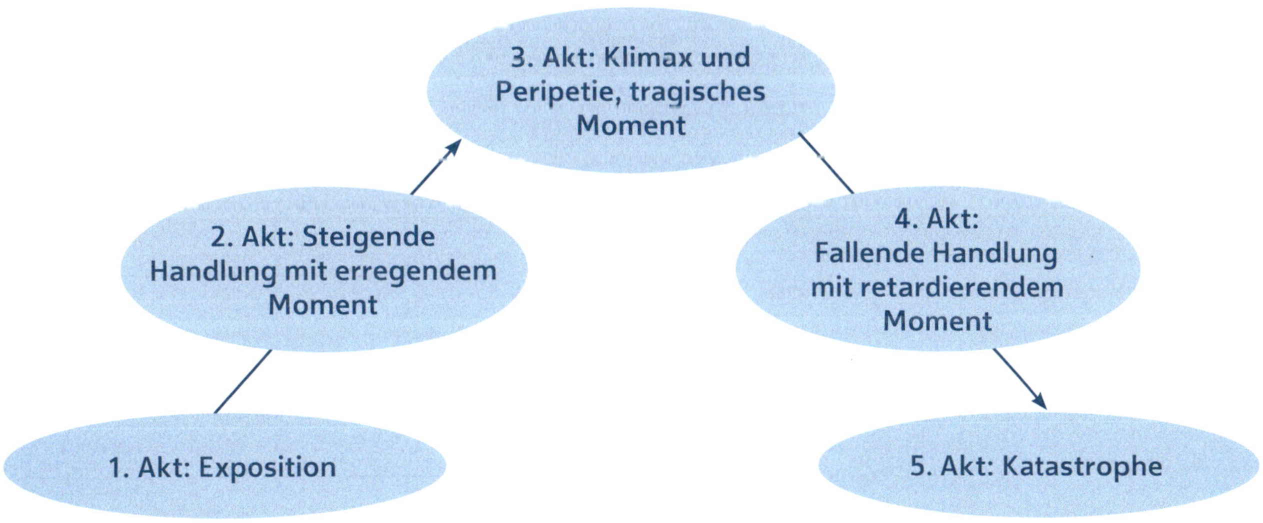

3. Akt: Klimax und Peripetie, tragisches Moment

2. Akt: Steigende Handlung mit erregendem Moment

4. Akt: Fallende Handlung mit retardierendem Moment

1. Akt: Exposition

5. Akt: Katastrophe

Den Unterschied zwischen analytischem und synthetischem Theater kennenlernen

1 a) Vergleichen Sie die beiden folgenden Schaubilder, indem Sie die wesentlichen Unterschiede im Handlungsverlauf herausarbeiten. Nutzen Sie die Schreiblinien neben den Schaubildern für Notizen. Lassen Sie die erste Zeile frei.

b) Ordnen Sie die beiden Begriffe „Enthüllungsdrama“ und „Zieldrama“ dem jeweils passenden Schaubild zu und notieren Sie die Begriffe auf die erste Zeile neben dem Schaubild.

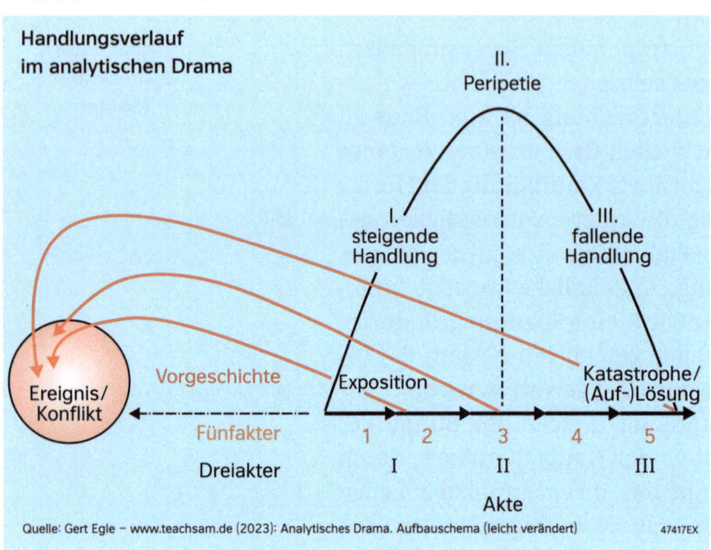

Schaubild A: analytischer Aufbau eines Theaterstücks

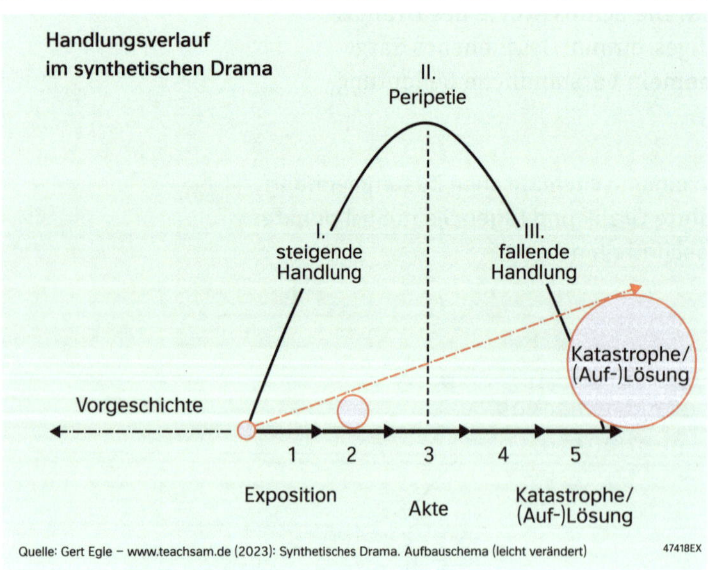

Schaubild B. synthetischer Aufbau eines Theaterstücks

2 a) Ordnen Sie das Drama „Der zerbrochne Krug“ einem der beiden Schaubilder zu: Handelt es sich Ihrer Einschätzung nach um ein synthetisches oder um ein analytisches Theaterstück? Begründen Sie Ihre Zuordnung, indem Sie einzelne Begriffe aus dem Schaubild konkreten Handlungselementen aus dem Lustspiel zuordnen.

b) Beurteilen Sie, ob der Aufbau von „Der zerbrochne Krug“ dem klassischen Aufbau eines Theaterstücks folgt (s. Freytag, S. 89 ff.) oder die Bauweise eher ungewöhnlich ist. Ziehen Sie Ihnen bekannte Theaterstücke als Beispiele heran, um Ihre Einschätzung zu stützen.

3 ***Lernarrangement***

a) Entwerfen Sie in Lerntandems eine Handlungsskizze des Lustspiels „Der zerbrochne Krug“ nach dem Modell des synthetischen Theaters.
b) Stellen Sie sich Ihre Handlungsskizzen gegenseitig im Plenum vor.
c) Diskutieren Sie, welche Vorteile der analytische Aufbau des Theaterstücks gegenüber der synthetischen Variante hat. Auf welche Elemente des Stücks wird die Aufmerksamkeit der Zuschauerinnen und Zuschauer durch die besondere Bauweise gelegt?

„König Ödipus“ als Grundform des analytischen Theaters untersuchen

Der Urtyp des analytischen Dramas ist die Tragödie „König Ödipus“ von Sophokles. Daher ist „Der zerbrochne Krug“ häufig mit diesem Theaterstück verglichen worden. Kleist selbst verweist in seiner ungedruckten Vorrede bei der Beschreibung des Bildes, das den Ausgangspunkt seines Schaffensprozesses bildet, auf „König Ödipus“ (s. S. 83). Wie Adam untersucht auch Ödipus ein Verbrechen, das er selbst begangen hat. Noch eine weitere Einzelheit legt nahe, dass Kleist sein Theaterstück ganz bewusst an Sophokles anlehnt. Der Name des Königs von Theben, Ödipus, bedeutet Schwellfuß. Und der Richter Adam hat einen Klumpfuß, durch den er am Ende der Verhandlung überführt werden kann.

Sophokles
(497/496 v. Chr. – 406/405 v. Chr.), bedeutender griechischer Schriftsteller

In Sophokles‘ Tragödie wird Theben, dessen König Ödipus ist, von einer schweren Seuche heimgesucht. Das Orakel des Gottes Apollo in Delphi, das angerufen wird, verspricht die Rettung der Stadt, wenn der Mörder von König Laios, des Vorgängers von Ödipus, gefunden und bestraft wird. Dass Ödipus der Mörder ist, weiß er nicht. Er ist der Sohn von Laios und seiner Frau Iokaste. Da den beiden geweissagt wird, dass ihr Sohn seinen Vater ermorden und seine Mutter heiraten wird, setzen sie das Kind aus und halten es für tot. Doch der Hirte, der mit der Aussetzung beauftragt wird, hat Mitleid mit dem Säugling und gibt ihn in die Obhut einer Pflegefamilie. So wächst Ödipus in Korinth als angenommener Sohn des Königs Polybos auf. Ödipus weiß nicht, dass er von Polybos adoptiert worden ist. Als junger Mann tötet er im Streit Laios, ohne zu wissen, um wen es sich handelt. Später gelangt er nach Theben, heiratet die Witwe von Laios (seine Mutter) und wird König.

Sophokles

König Ödipus (ca. 429 – 425 v. Chr.)

Ödipus: O der du alles begreifst, Teiresias, Sagbares,
Unsagbares, Himmlisches und auf Erden Wandelndes,
die Stadt – erblickst du sie auch nicht, so weißt du doch,
wie sehr mit Krankheit sie behaftet ist, vor der wir nur
in dir, Herr, den Beschützer und den Retter finden.
Denn Phoibos – wenn du’s nicht schon hörtest von den Boten –
sandte, da wir zu ihm gesandt, als Antwort uns zurück, es könne
Erlösung von dieser Krankheit kommen nur,
wenn wir des Laios Mörder klar aufspürten,
sie dann töteten oder als Flüchtlinge aus dem Lande jagten.
Verweigre du nun nicht der Vögel Spruch
noch was du sonst an Wegen kennst der Seherkunst,
errette du dich selber und die Stadt, errette mich,
errette uns von all der Befleckung durch den Toten!

Teiresias
blinder Seher, den Ödipus um Rat gefragt hat

Phoibos
Anderer Name für den Gott Apollo; der Name betont, dass Apollo u. a. der Gott des Lichtes (auch im übertragenen Sinne) ist.

der Vögel Spruch
Die Deutung des Vogelfluges gilt in der griechischen Mythologie als eine Form der Weissagung.

In deiner Hand sind wir. Dass helfe ein Mann,
mit allem, was er hat und kann, ist schönste Müh.
Teiresias: Weh, wehe, Klarsehn: Wie furchtbar, wo es nicht
nützt dem Klarsehenden! Das war mir wohl bewusst,
doch habe ich's vergessen, sonst wär ich nicht hierher gekommen.
Ödipus: Was ist? Wie mutlos du zu uns getreten bist!
Teiresias: Lass mich nach Hause! Am leichtesten wirst du das Deine
und ich das Meine zu Ende tragen, wenn du mir gehorchst.
Ödipus: Nicht nach Recht und Brauch sprachst du und nicht gewogen dieser
Stadt, die dich genährt, dass du ihr verweigerst diesen Spruch.
Teiresias: Seh ich doch, wie auch dir dein Wort nicht zum Heil ausschlägt!
Dass dasselbe nicht auch mir geschehe ...
Ödipus: Nein, bei den Göttern, wenn du klarsiehst, so wende dich nicht ab,
denn alle liegen flehend wir dir hier zu Füßen!
Teiresias: Ihr alle seht ja nicht ... Doch ich, nein, nie
enthüll ich meine – nicht zu sagen deine – Übel!
Ödipus: Was sagst du? Du weißt und willst nicht reden, hast vor,
uns preiszugeben und die Stadt zugrund zu richten?
Teiresias: Ich will mich selbst und dich nicht quälen. Wozu dein
vergebliches Verhör? Du erfährst es nicht von mir.
Ödipus: Wirst du nicht, Schlechtester der Schlechten – denn eines Steins
Natur selbst brächtest du zum Kochen – endlich reden?
So unerweichlich, unerbittlich zeigst du dich?
Teiresias: Du geißelst meine Art, doch deine, die mit dir
zusammenwohnt, die hast du nicht erkannt, und tadelst mich!
Ödipus: Wer geriete nicht in Zorn, wenn er solche Reden
hört, mit denen jetzt du diese Stadt entehrst?
Teiresias: Kommen wird es von allein, deck ich's auch mit Schweigen zu.
Ödipus: So musst du mir, was kommen wird, auch sagen!
Teiresias: Ich möchte nichts mehr sagen. Tobe, wenn du willst,
darob im Zorn, und sei er noch so grimmig!
Ödipus: O ja! Und auslassen werd ich nichts in meinem Zorn von dem,
was mir da dämmert. Wisse denn, mir scheint,
du hast die Tat mit ausgeheckt, sie mit verübt, nur dass
du nicht mit Händen mordetest – doch hättest du das Augenlicht,
die Tat auch, sagt' ich, stammt von dir allein!
Teiresias: Wirklich? Ich fordere dich auf, bei dem Gebot,
das vorhin du verkündet hast, zu bleiben und vom
heutigen Tage an nicht diese hier mehr anzureden noch auch mich:
Denn dieses Landes heilloser Besudler bist du!
Ödipus: So schamlos schleuderst du heraus dies Wort? Und wie glaubst du, der
Strafe dafür zu entrinnen?
Teiresias: Ich bin entronnen! Nähr ich doch in mir die Kraft der Wahrheit.
Ödipus: Von wem belehrt? Sicher nicht von deiner Kunst!
Teiresias: Von dir! Du zwangst mich, wider Willen ja zu reden.
Ödipus: Welch Wort? Sag's nochmals, damit ich's besser fasse!
Teiresias: Hast du's denn vorher nicht begriffen? Oder suchst du
mich mit deinen Worten herauszufordern?
Ödipus: Nicht so, dass ich sagen könnte: Ich verstand's. So wiederhol es denn!
Teiresias: Des Mannes Mörder, den du suchst, sag ich, bist du!
Ödipus: Nicht dir zur Freude sagst du diesen Gräuel ein zweites Mal!
Teiresias: Soll ich noch andres sagen, dass du dich noch mehr erzürnst?
Ödipus: So viel du willst! In den Wind wird es gesprochen sein!
Teiresias: Ahnungslos, sag ich, verkehrst mit deinen Nächsten du
in Schimpf und Schande und siehst nicht, wie tief du steckst im Übel!

Ödipus: Du meinst, du könntest fröhlich stets so weiterreden?
Teiresias: Ja, sofern es noch eine Kraft der Wahrheit gibt.
Ödipus: Sie gibt's, nur nicht in dir! In dir ist diese nicht, da
blind du bist an Ohren, Geist und Augen.
Teiresias: Und du unselig! Denn du verhöhnst an mir, was
jeder unter diesen an dir verhöhnen wird – und nur zu bald!
Ödipus: Aus einer einzigen Nacht nur nährst du dich, so dass du weder mir
noch einem andern, der das Licht sieht, jemals schaden kannst.
Teiresias: Es ist auch nicht dein Los, durch mich zu fallen, denn
Apollon ist genug, dem daran liegt, dies auszuführen.
Ödipus: Sind das des Kreon oder deine Erfindungen?
Teiresias: Kreon ist dir kein Unheil, sondern du dir selbst.
Ödipus: O Reichtum, Königsmacht und Können, alles Können
weit überragend im eiferreichen Leben!
Welch großer Neid wird nicht bei euch gehegt,
wenn dieser Herrschaft wegen, die die Stadt
als Gabe, nicht gefordert, in die Hand mir gab –
wenn ihretwegen Kreon, der Getreue, der Freund seit Anbeginn,
heimlich mich beschleicht und hinauszuwerfen trachtet,
und heimtückisch solch einen Scharlatan vorschiebt und Ränkeschmied,
den listigen Bettelpriester, der für den Gewinn
nur Augen hat, doch blind ist in der Kunst!

1 ***Lernarrangement***
Arbeiten Sie im Lerntandem.

a) Fassen Sie den obigen Auszug aus dem Drama „König Ödipus" inhaltlich zusammen.
b) Benennen Sie die Gemeinsamkeiten zwischen den Theaterstücken „König Ödipus" und „Der zerbrochne Krug" und stellen Sie die Unterschiede zwischen den beiden Hauptfiguren dar. Konzentrieren Sie sich dabei auf die moralische Haltung der Hauptfiguren.
c) Wählen Sie eine Passage aus „Der zerbrochne Krug" aus, an der Sie die Unterschiede verdeutlichen können. Legen Sie dabei den Schwerpunkt auf die Art der Prozessführung und das Interesse an der Aufklärung der Tat.
d) Stellen Sie sich im Plenum anschließend Ihre Analyseergebnisse in einem kurzen Vortrag vor.

2 „König Ödipus" ist im Gegensatz zu „Der zerbrochne Krug" ein Trauerspiel.

a) Vergleichen Sie die beiden Theaterstücke hinsichtlich Ihrer Wirkung auf die Zuschauerinnen und Zuschauer.
b) Erläutern Sie anhand Ihres Vorwissens, worin der Unterschied zwischen einem Trauerspiel und einem Lustspiel besteht.

Aufführung des „König Ödipus" am ‚Deutschen Theater Berlin', 2019

Die Grundlagen der Dramentheorie vertiefen

Martin Esslin

Was ist ein Drama? (1976)

Im täglichen Leben sind die Situationen, mit denen wir konfrontiert werden, real; im Theater – oder bei anderen Formen des Dramas, im Hörfunk, Fernsehen und Film – sind sie vorgetäuscht, Schein, Spiel.

Der Unterschied zwischen Wirklichkeit und Spiel liegt darin, dass das, was in Wirklichkeit geschieht, unwiederbringlich vorbei, unwiederholbar ist, während man im Spiel immer wieder neu beginnen, den Vorgang variiert wiederholen kann. Spiel ist Nachahmung der Wirklichkeit. Doch das heißt keineswegs, dass Spiel nicht mehr ist als leichtfertiger Zeitvertreib. Im Gegenteil: Gerade in der Wiederholbarkeit liegt die immense Wichtigkeit des Spielens für das Wohl und die Entwicklung des Menschen. Kinder spielen, um die Verhaltensweisen einzuüben, mit denen sie in ihrem Leben der Wirklichkeit begegnen werden, die sie meistern müssen. [...] Alle diese Spiele sind im Grunde dramatisch, denn sie beruhen auf Mimesis, Nachahmung wirklicher Situationen und Verhaltensweisen. Der Spieltrieb ist einer der Grundinstinkte des Menschen, ohne ihn könnte weder der Einzelne noch die Gesellschaft überleben. Drama ist daher mehr als bloßer Zeitvertreib. Es ist eine zutiefst mit der Natur des Menschen verbundene Erscheinung. [...] Die dramatische Darstellungsform ist eine der wichtigsten Methoden, derer sich die Gesellschaft bedient, um ihren Mitgliedern die Grundregeln ihres Verhaltens zu vermitteln. [...] Durch in der Fantasie nacherlebtes Spiel (denn das ist ja Drama für Erwachsene) werden positive oder negative Verhaltensweisen erlernt. [...] Drama ist nicht nur die konkreteste – das heißt die am wenigsten abstrakte – künstlerische Nachahmung menschlichen Verhaltens, es ist auch die konkreteste Art, in welcher wir über die Lage des Menschen in der Welt denken können. Je höher die Ebene der Abstraktion, desto weiter entfernt sich das Denken von der Wirklichkeit. Um nur ein Beispiel zu geben: Man kann darüber debattieren, ob die Todesstrafe zu rechtfertigen ist oder nicht. Weit schwieriger ist es jedoch, diesen abstrakten Gedankengang, auch wenn er durch Statistiken untermauert ist, auf die konkrete Wirklichkeit zu beziehen, auf die Auswirkung auf das einzelne Individuum. Das können wir nur tun, indem wir uns einen einzelnen Menschen vorstellen, der von der Todesstrafe betroffen ist, und die beste Art, das zu erreichen, ist, einen Fall zu dramatisieren und ihn so konkret nachzuerleben. Es ist kein Zufall, dass die entsprechenden Regierungsstellen Pläne für mögliche Ernstfälle, wie Epidemien oder Atomkriege, ausarbeiten, indem sie die verschiedenen Eventualitäten mittels eines Szenarios, also dramatisierter konkreter Situationen, durchexerzieren. Sie setzen so ihre abstrakten Statistiken, ihre Computer-Analysen in dramatische, konkrete Realität um, die es möglich macht, alle statistisch nicht erfassbaren Faktoren, wie die individuellen psychischen Reaktionen der Beteiligten, mit einzukalkulieren.

Und gerade das ist auch das eigentliche Anliegen aller bedeutenden dramatischen Weltliteratur [...]. Drama auf diesem Niveau ist eine Art des Philosophierens, nicht in abstrakter, sondern in konkreter Form – um es in der heutigen Terminologie auszudrücken: eine existenzielle Denkmethode.

1 Erläutern Sie, welche Bedeutung nach Esslin das Spiel für die menschliche Entwicklung hat.

2 Erörtern Sie auf dieser Grundlage, welche Funktion das Drama für die Gesellschaft hat. Erklären Sie dazu auch die Beispiele, die Esslin nennt.

Aristoteles

Poetik (335 v. Chr.)

Aristoteles (384 – 322 v. Chr.), machte als Erster die Dichtung zum Thema einer umfassenden und systematischen Untersuchung. Mit der Schrift des Aristoteles begann die Tradition der normativen Poetik; alle späteren Theoretiker mussten sich mit ihm auseinandersetzen.

Aristoteles-Büste, römische Kopie, nach einer Skulptur des Bildhauers Lysippos, um 330 v. Chr.

5. Komödie und Tragödie

[...]: die Tragödie versucht, sich nach Möglichkeit innerhalb eines einzigen Sonnenumlaufs zu halten oder nur wenig darüber hinauszugehen [...].

6. Die Tragödie

[...] Die Tragödie ist Nachahmung einer guten und in sich geschlossenen Handlung von bestimmter Größe, in anziehend geformter Sprache [...]. Die Nachahmung von Handlung ist der Mythos. [...] Der wichtigste Teil ist die Zusammenfügung der Geschehnisse. Denn die Tragödie ist nicht Nachahmung von Menschen, sondern von Handlung und von Lebenswirklichkeit. [...]

7. Die Teile der Tragödie

[...] Wir haben festgestellt, dass die Tragödie die Nachahmung einer in sich geschlossenen und ganzen Handlung ist, die eine bestimmte Größe hat [...]. Ein Ganzes ist, was Anfang, Mitte und Ende hat. Ein Anfang ist, was selbst nicht mit Notwendigkeit auf etwas anderes folgt, nach dem jedoch natürlicherweise etwas anderes eintritt oder entsteht. Ein Ende ist umgekehrt, was selbst natürlicherweise auf etwas anderes folgt, und zwar notwendigerweise oder in der Regel, während nach ihm nichts anderes mehr eintritt. Eine Mitte ist, was sowohl selbst auf etwas anderes folgt als auch etwas anderes nach sich zieht. Demzufolge dürfen Handlungen, wenn sie gut zusammengefügt sein sollen, nicht an beliebiger Stelle einsetzen noch an beliebiger Stelle enden [...]. [...]

8. Struktur eines Stücks

Die Fabel des Stücks ist nicht schon dann – wie einige meinen – eine Einheit, wenn sie sich um einen einzigen Helden dreht. Denn diesem einen stößt unendlich vieles zu, woraus keinerlei Einheit hervorgeht. So führt der eine auch vielerlei Handlungen aus, ohne dass sich daraus eine einheitliche Handlung ergibt. [...] Demnach muss [...] auch die Fabel, da sie Nachahmung von Handlung ist, die Nachahmung einer einzigen, und zwar einer ganzen Handlung sein. Ferner müssen die Teile der Geschehnisse so zusammengefügt sein, dass sich das Ganze verändert und durcheinander gerät, wenn irgendein Teil umgestellt oder weggenommen wird. Denn was ohne sichtbare Folgen vorhanden sein oder fehlen kann, ist gar nicht ein Teil des Ganzen.

Fabel hier: roter Faden, Kern der Handlung

Basis dieser Ausführungen ist das aristotelische Prinzip der Einheit von Zeit (das Geschehen läuft in max. einem Sonnenumlauf ab), Ort (kein Ortswechsel in der Dramenhandlung) und Handlung (nur ein Handlungsstrang). Die Begriffe sind unter dem Oberbegriff „die drei Einheiten" zum prägenden Bestandteil der dramenpraktischen Umsetzung und des dramentheoretischen Diskurses geworden.

9. Aufgabe des Dichters

Aus dem Gesagten ergibt sich auch, dass es nicht Aufgabe des Dichters ist mitzuteilen, was wirklich geschehen ist, sondern vielmehr, was geschehen könnte, d. h. das nach den Regeln der Wahrscheinlichkeit oder Notwendigkeit Mögliche. [...] Unter den einfachen Fabeln und Handlungen sind die episodischen die schlechtesten. Ich bezeichne die Fabel als episodisch, in der die Episoden weder nach der Wahrscheinlichkeit noch nach der Notwendigkeit aufeinanderfolgen. [...]

1 Fassen Sie die Ausführungen Aristoteles' zur Tragödie zusammen und erläutern Sie die vier Merkmale, die ein Charakter in einer Tragödie haben muss.

Elke Reinhardt-Becker

Einladung zur Literaturwissenschaft: Tragödie (2009)

Im Drama werden uns „handelnde Menschen" (Aristoteles' *Poetik*) auf der Bühne vorgestellt. Wer handelt, muss sich stets entscheiden („Tue ich dies oder jenes, was wird passieren, ist meine Entscheidung richtig?"). In diesem Zwang zur Entscheidung steckt eine grundsätzliche Spannung, denn die Entscheidungen können tragische Folgen haben und genau hierin liegt das Wesen der Tragödie: Der Protagonist der Tragödie befindet sich in einem Konflikt, in einer Grenzsituation, er ist zwischen Extremen gefangen und seine Gefangenschaft ist ohne Ausweg. Egal wie er sich verhalten wird, er wird scheitern.
Diese faktische Unterlegenheit unter das Schicksal wird in der Tragödie kombiniert mit dem Wissen um diese Unterlegenheit. Der Held weiß, dass er scheitern muss, sein Aufbegehren gegen das Schicksal, denn er versucht ja zumindest, das Unglück abzuwenden, wird so besonders tragisch. Goethe schreibt dazu: „Alles Tragische beruht auf einem unausgleichbaren Gegensatz. Sowie Ausgleichung eintritt oder möglich wird, schwindet das Tragische." Die Tragödie ist in der griechischen Antike modellhaft ausgebildet worden und wurde über Jahrtausende hinweg variiert. Oft galt sie als „höchste" Gattung im poetischen Spektrum [...].
Auslöser für tragische Konflikte kann a) eine tragische Schuld sein, die oft nicht durch eigene Handlungen des Protagonisten erworben wurde, aber trotzdem objektiv vorhanden ist (z. B. *Ödipus*), b) eine persönliche Schuld, die auf die Eigenverantwortlichkeit des Protagonisten zurückgeht (z. B. Schillers *Die Räuber*, 1781), c) das – wie immer auch geartete – Schicksal (z. B. Kleists *Die Familie Schroffenstein*, 1803) und d) Missverständnisse, Irrtümer und Lügen (z. B. Shakespeares *Othello*, 1603).
Etwas konkreter formuliert: Die Protagonisten können in einen Konflikt geraten zu Göttern, anonymen Mächten oder der Gesellschaft mit ihren Beschränkungen (z. B. Standesschranken, die Liebesehen verhindern, ökonomische Einschränkungen, kulturelle Grenzen etc.). Durch Darstellung von Menschen in tragischen Konflikten, in Extremsituationen vermag die Tragödie, die Möglichkeiten des Menschseins zu zeigen.

Elke Reinhardt-Becker

Einladung zur Literaturwissenschaft: Komödie (2009)

Werden in der Tragödie „handelnde Menschen" (Aristoteles' Poetik zum Drama) in tragischen, unlösbaren Konflikten gezeigt, die in jeder Sekunde ihres Handelns um dessen Aussichtslosigkeit wissen, so werden in der Komödie Menschen gezeigt, die sich in einem lösbaren Konflikt befinden, aber nicht unbedingt von dieser Lösbarkeit wissen. Sie sind faktisch dem Schicksal überlegen, obwohl die dargestellten Konflikte ebenso aussichtslos erscheinen wie in der Tragödie. Wie gelingt die Lösung der Konflikte? a) durch Zufall, b) durch persönliche Schläue oder Dummheit des „Helden" oder c) durch persönliche Schläue oder Dummheit des Gegners des „Helden".
Warum ist die Komödie aber „komisch", wenn sie doch ähnlich ernste Konflikte zeigt wie die Tragödie? Einerseits natürlich durch die Zeichnung der Charaktere, denn weder „Schläue" noch „Dummheit" sprechen für einen besonders edlen Charakter, andererseits wird die Komödie komisch durch eine übertriebene, geradezu groteske Darstellung des Konflikts.

Bis in die Mitte des 18. Jahrhunderts informierte schon die Liste der [A]uftretenden [...] den Zuschauer darüber, ob er lachen oder weinen sollte. War das Drama mit bürgerlichen Figuren oder gar Bauern und Dienern bestückt, konnte es sich nur um eine Komödie handeln, war es mit adeligen Helden versehen, konnte es nur eine Tragödie sein. Diese sogenannte „Ständeklausel" geht zurück auf die Poetik Aristoteles', der die Darstellung der schlechteren Menschen der Komödie überließ, die Tragödie hingegen für die besseren Menschen reservierte. [...] Noch der Aufklärer Gottsched steht 1730 in dieser Tradition und erst Lessing lehnte die Ständeklausel endgültig ab und schuf das Bürgerliche Trauerspiel.

Johann Christoph Gottsched (1700 – 1766): deutscher Schriftsteller und Literaturtheoretiker

1 ***Lernarrangement***

Teilen Sie den Kurs in zwei Gruppen auf.

a) Bearbeiten Sie die beiden Texte (S. 98 und S. 98 f.) wie folgt:
- Gruppe A: Wenden Sie die Definition der Tragödie nach Elke Reinhardt-Becker (S. 98) auf „König Ödipus" an und konkretisieren Sie die zentralen Begriffe *(Konflikt, Grenzsituation, Aufbegehren gegen das Schicksal, tragische Schuld)*.
- Gruppe B: Wenden Sie die Definition der Komödie nach Elke Reinhardt-Becker (S. 98 f.) auf „Der zerbrochne Krug" an und konkretisieren Sie die zentralen Begriffe *(lösbarer Konflikt, Komik, Zeichnung der Charaktere)*.

b) Stellen Sie sich die Ergebnisse gegenseitig vor und führen Sie diese zusammen, indem Sie beide Dramenformen in einer Tabelle gegenüberstellen.

Gotthold Ephraim Lessing

Über das Trauer- und das Lustspiel (November 1756)

Wenn es also wahr ist, dass die ganze Kunst des tragischen Dichters auf die sichere Erregung und Dauer des einzigen Mitleidens geht, so sage ich nunmehr, die Bestimmung der Tragödie ist diese: sie soll unsre Fähigkeit, Mitleid zu fühlen, erweitern. Sie soll uns nicht bloß lehren, gegen diesen oder jenen Unglücklichen Mitleid zu fühlen, sondern sie soll uns weit fühlbar machen, dass uns der Unglückliche zu allen Zeiten, und unter allen Gestalten, rühren und für sich einnehmen muss. [...] Der mitleidigste Mensch ist der beste Mensch, zu allen gesellschaftlichen Tugenden, zu allen Arten der Großmut der aufgelegteste. Wer uns also mitleidig macht, macht uns besser und tugendhafter, und das Trauerspiel, das jenes tut, tut auch dieses, oder – es tut jenes, um dieses tun zu können. [...]

Auf gleiche Weise verfahre ich mit der Komödie. Sie soll uns zur Fertigkeit verhelfen, alle Arten des Lächerlichen leicht wahrzunehmen. Wer diese Fertigkeit besitzt, wird in seinem Betragen alle Arten des Lächerlichen zu vermeiden suchen, und eben dadurch der wohlgezogenste und gesittetste Mensch werden. Und so ist auch die Nützlichkeit der Komödie gerettet.

Beider Nutzen, des Trauerspiels sowohl als des Lustspiels, ist von dem Vergnügen unzertrennlich; denn die ganze Hälfte des Mitleids und des Lachens ist Vergnügen, und es ist großer Vorteil für den dramatischen Dichter, dass er weder nützlich, noch angenehm, eines ohne das andere sein kann.

Gotthold Ephraim Lessing (1729 – 1781): bedeutender Dichter der Aufklärung und wichtiger Dramentheoretiker

1 Geben Sie wieder, welche erzieherische Wirkabsicht nach Lessing mit der Tragödie einerseits und der Komödie andererseits verbunden ist.

2 Erläutern Sie, welchen Vorteil des dramatischen Dichters Lessing im letzten Abschnitt des Textauszugs (Z. 16 – 19) beschreibt.

Günter Blamberger

Warum ist „Der zerbrochne Krug" ein Lustspiel? (2011)

Der tragische Held leidet am Widerspruch seines Ideals mit der Norm, und der Zuschauer einer Tragödie leidet mit ihm mit. Der komische Held mag sich selbst nicht komisch, sondern tragisch vorkommen, der Zuschauer lacht nicht gemeinsam mit ihm, sondern über ihn. Er lacht über ein ihm unangemessen erscheinendes Verhalten, von dem er sich durch das Lachen gerade distanziert. *Der zerbrochne Krug* handelt nicht von persönlichen Idealen des Richter Adam, mit denen sich ein Zuschauer identifizieren könnte, sondern von dessen Regelwidrigkeiten. Der Richter mag insgeheim ein verzweifelter Liebhaber sein, gezeigt wird er uns von außen, als Lügenbaron. Sein Verhalten mag verständlich sein, es verletzt aber die Rechtsordnung, die der Gerichtsrat Walter am Ende wiederherzustellen scheint, ohne dass Adam „ernsthaften Schaden" an Leib und Seele nimmt.

1 ***Lernarrangement***

Bilden Sie Lerntandems.

a) Erläutern Sie, warum der Richter Adam Blamberger zufolge ein komischer Held ist.

b) Suchen Sie Textpassagen, an denen man die Komik Adams verdeutlichen kann und zeigen Sie auf, worin die Komik besteht. Halten Sie Ihre Ergebnisse in Stichworten fest.

c) Stellen Sie sich Ihre Beispiele gegenseitig vor und diskutieren Sie, ob Sie die Ergebnisse überzeugend finden.

Zentrale Gestaltungsmittel des Theaterstücks

Dem Krugsymbol auf die Spur kommen

Heinrich von Kleists Theaterstück heißt nicht etwa „Der Richter Adam" oder „Die Vergehen des Dorfrichters Adam", sondern „Der zerbrochne Krug". Der Krug scheint also von großer symbolischer Bedeutung für das Stück zu sein.

„Nichts seht ihr, mit Verlaub, die Scherben seht ihr;
Der Krüge schönster ist entzweigeschlagen." (TA, S. 32)

So beginnt die lange Beschreibung des zerbrochenen Krugs durch Frau Marthe, die Mutter Eves. Ihr geht es darum, dass derjenige bestraft wird, der ihren Krug zerbrochen hat. Als sie vor Gericht aufgerufen wird, um ihren Verdacht zu schildern, beschreibt sie den Krug zunächst ausführlich. Zwar handelt es sich bei Frau Marthes Krug um eine literarische Erfindung Kleists; als Vorlage diente ihm aber vermutlich folgender Kupferstich von Simon Fokke, auf den er bei seinen Recherchen zu dem Stück in der Dresdner Bibliothek gestoßen sein dürfte.

Simon Fokke: Übertragung der Niederlande durch Kaiser Karl V. an seinen Sohn Philipp im Jahr 1555 (Kupferstich von 1751).
Unter dem Baldachin steht der Kaiser, mit der einen Hand auf sein Schwert gestützt, mit der anderen auf der Schulter Wilhelms von Oranien.
Vor ihm steht sein Sohn im Königsmantel, zentral steht der Bischof von Arras.

1 ***Lernarrangement***

Arbeiten Sie in Kleingruppen.

a) Notieren Sie in Einzelarbeit zu den Versen 647–729 (TA, 7. Auftritt, S. 32 ff.) stichwortartig die wichtigsten Informationen, die Frau Marthe über den Krug referiert.

b) Vergleichen Sie Ihre Notizen innerhalb Ihrer Arbeitsgruppe und tragen Sie sie in einer Übersichtsdarstellung zusammen. Unterteilen Sie Ihre Übersicht in „Darstellung auf dem Krug" und „Geschichte des Krugs".

c) Vergleichen Sie die Darstellung auf Fokkes Kupferstich mit der Darstellung auf dem Krug Frau Marthes im Drama. Stellen Sie Vermutungen darüber an, warum Kleist von der Bildvorlage abweicht. Beziehen Sie auch die Informationen zur Gründung der Niederlande (S. 102) in Ihre Überlegungen ein.

d) Analysieren Sie nun zusätzlich die Verse 440–444 und 490 f. (TA, 6. Auftritt, S. 24, S. 26) im Hinblick auf die Bedeutung des Krugsymbols. Ziehen Sie ggf. weitere aussagekräftige Textstellen Ihrer Wahl hinzu.

e) Stellen Sie abschließend auf der Basis Ihrer Vorarbeiten eine Deutungshypothese zur Bedeutung des Kruges im Drama auf.

f) Stellen Sie sich Ihre Deutungshypothesen gegenseitig im Plenum vor und diskutieren Sie ihre Schlüssigkeit.

Digitale Rekonstruktion des Kruges auf der Basis von Fokkes Kupferstich.

Zur Gründungsgeschichte der Niederlande

Bis zur Gründung der niederländischen Republik 1648 gehörten die Niederlande zu Spanien, das von dem Habsburger Könighaus beherrscht wurde. Unter der Herrschaft Philipp II., Sohn Karl V., seit 1556 spanischer König, begann ein 80-jähriger Kampf um die Unabhängigkeit, der auch Bestandteil des 30-jährigen Kriegs wurde. 1648 im Rahmen des Westfälischen Friedens kam es zur Trennung der Niederlande (siehe Karte): Der katholische Süden mit dem reichen Flandern blieb spanisch; im Norden entstand eine unabhängige, protestantische (calvinistische) Republik.

1602 wurde die Vereinigte Oost-Indische Compagnie (VOC) gegründet, die den Handel mit Gewürzen im Südostasiatischen Raum monopolisiert und den Reichtum der Niederlande begründet. Man spricht vom „goldenen Jahrhundert" der Niederlande. Um 1800 zerfiel das Monopol und der niederländische Staat übernahm die Kolonien (vor allem das heutige Indonesien mit der damaligen Hauptstadt Batavia [= heute Jakarta]).

Helmut J. Schneider

Frau Marthes Beschreibung des zerbrochenen Krugs (2013)

Szenenbild der Aufführung „Der zerbrochne Krug" durch das Anhaltinische Theater in Dessau, 2019

Der nun zertrümmerte Krug verkörperte seit Generationen Kontinuität und Bestand der Gemeinschaft, die über das Dörfliche hinaus ins Nationale ausgreift. Abgebildet war auf ihm eine historische Szene, die als nationaler Ursprungsakt der Niederlande gelten kann, bevor sie ihre Unabhängigkeit erkämpften, nämlich die Belehnung Philipps von Spanien mit den Niederlanden durch seinen Vater Kaiser Karl V. im Jahre 1555. In der Schilderung Marthes erscheint nun das zerstörte, nur noch in Bruchstücken sichtbare Bild als Zerstörung des historischen Ereignisses selbst. […]

Insofern die Klage sich ebenso auf die (möglicherweise) verlorene Unschuld der Tochter bezieht („Dein guter Name lag in diesem Topfe"; ebd., 305*), ergibt sich ein weiterer Aspekt von Marthes Schilderung: Krug und Eve erscheinen als Opfer männlicher Gewalt, die sie mit ihrer Häufung von Figuren beschädigter Männlichkeit gewissermaßen zurückgibt. „Seht ihr den Krug, ihr wertgeschätzten Herren? / Seht ihr den Krug?" so hatte sie begonnen, um auf die Versicherung Adams „O ja, wir sehen ihn", zu replizieren: „Nichts seht ihr, mit Verlaub, die Scherben seht ihr" (ebd., 311*) – und daraufhin dem patriarchalen Regime mit „unten weggeschlagenen Schwertern", dem fehlenden Rumpf des Kaisers und dem allein übrig gebliebenen Hinterteil seines Sohns seine Nichtigkeit zu weisen. Der perückenlose und zerschundene Richter findet sein Spiegelbild in dem aus der Bildmitte verschwundenen, dem dynastischen Akt vorstehenden geistlichen Oberhaupt, dem Erzbischof „mit der heilgen Mütze": „Den hat der Teufel ganz und gar geholt" (ebd., 311*). […]

Zerstörung gemeint ist hier die Zerstörung der Gründungsgeschichte der Niederlande

*TA, S. 26, 32, 33

Signifikanterweise hatte er in besagter nächtlicher Situation das Signum seiner Autorität, die Perücke, auf dem Krug abgelegt und ihn dann bei seiner Flucht zu Boden gerissen, bevor nahezu gleichzeitig ein ähnliches Schicksal seinen Schädel ereilte: Loch im Krug und Loch im Kopf – der Text betont die Parallele zwischen der Gemeinschaftsikone und dem Dorfpatriarchen, die aus einer gemeinsamen Vergangenheit in die Gegenwart hineinragen und einen gemeinsamen Untergang finden.

Signum
Zeichen

1 Fassen Sie Schneiders Interpretation des Krugsymbols zusammen.

2 a) Vergleichen Sie Scheiders Deutung(en) mit Ihren Deutungsansätzen aus der Gruppenarbeitsphase (S. 101, Aufgabe 1).
b) Nehmen Sie vor dem Hintergrund möglicher Deutungsunterschiede kritisch Stellung zu Schneiders Interpretationsansatz.

Sprache und Komik erfassen: Die Exposition in Hinblick auf die Dialoggestaltung interpretieren

1 ***Lernarrangement***
Gestalten Sie in Lerntandems den 1. Auftritt szenisch. Unterstützen Sie Ihre Darstellung mit sinnvoll gewählten Requisiten.
a) Rezitieren Sie in Lerntandems den 1. Auftritt (TA, S. 5 – 11) im Plenum.
b) Beurteilen Sie Unterschiede und Gemeinsamkeiten in den Darbietungen Ihrer Mitschülerinnen und Mitschüler.

2 Interpretieren Sie den 1. Auftritt unter Einbeziehung der sprachlichen Gestaltungsmittel und der Regieanweisungen. Legen Sie dafür eine Tabelle nach folgendem Muster an, die Sie um weitere sprachliche Mittel ergänzen:

	Beispiel mit Textbeleg	**Funktion**
biblische Anspielungen		
Doppeldeutigkeiten		
Anspielung auf Sprichworte		
...		

3 Erläutern Sie, wie die Exposition des Lustspiels auf die Zuschauerinnen und Zuschauer wirkt.

4 Deuten Sie, warum bestimmte Informationen in der Exposition nicht gegeben werden.

Komik

Im Sachwörterbuch der Literatur von Gero von Wilpert findet sich folgende Definition von Komik: „(griech. *Komos* = nächtlicher Umzug fröhlicher Zecher unter Musikbegleitung; Gelage), die der Tragik entgegengesetzte Weise des Welterlebens, ein zum Lachen reizende, harmlose Ungereimtheit, beruhend auf einem lächerlichen Missverständnis von erstrebtem, erhabenem Schein und wirklichem, niedrigem Sein von Personen, Gegenständen, Worten, Ereignissen und Situationen, also ein Missverhältnis von Stil und Inhalt. Der innere Widerspruch kann von vornherein offensichtlich sein oder plötzlich verblüffend zutage treten und ruft leichtes Unlustgefühl hervor, das im Lachen abgewehrt und im Überlegenheitsgefühl verbunden mit selbstkritischer Erkenntnis gelöst wird." (Gero von Wilpert: Sachwörterbuch der Literatur. Stuttgart: Kröner 1969, S. 396) Die Zuschauer/-innen, Leser/-innen oder Hörer/-innen distanzieren sich lachend von der komisch anmutenden Differenz von Sein und Schein. Man unterscheidet gemeinhin drei Formen von Komik: die Situationskomik, die Figurenkomik und die Sprachkomik. Die Übergänge sind dabei fließend.

Heinrich von Kleist

Der zerbrochne Krug (Erster Auftritt, 1811)

LICHT: Ei, was zum Henker, sagt, Gevatter Adam!
Was ist mit euch geschehn? Wie seht ihr aus?
ADAM: Ja, seht. Zum Straucheln braucht's doch nichts, als Füße.
Auf diesem glatten Boden, ist ein Strauch hier?
Gestrauchelt bin ich hier; denn jeder trägt
Den leidgen Stein zum Anstoß in sich selbst.
LICHT: Nein, sagt mir, Freund! Den Stein trüg jeglicher –?
ADAM: Ja, in sich selbst!
LICHT: Verflucht das!
ADAM: Was beliebt?
LICHT: Ihr stammt von einem lockern Ältervater,
Der so beim Anbeginn der Dinge fiel,
Und wegen seines Falls berühmt geworden;
Ihr seid doch nicht –?
ADAM: Nun?
LICHT: Gleichfalls –?
ADAM: Ob ich –? Ich glaube –?
Hier bin ich hingefallen, sag ich Euch.
LICHT: Unbildlich hingeschlagen?

5 ***Lernarrangement***

Bilden Sie Arbeitsgruppen. Analysieren Sie den ersten Auftritt hinsichtlich des Einsatzes von Komik.

a) Fassen Sie die Definition von Komik aus dem obenstehenden Informationskasten zusammen und tauschen Sie sich darüber aus, ob diese Definition Ihrem Begriffsverständnis entspricht.
b) Setzen Sie sich mit den gelb markierten Stellen in der Exposition des Dramas auseinander, indem Sie herausarbeiten, mit welchen Mitteln hier eine komische Wirkung erzielt wird und worin diese Wirkung besteht. Nehmen Sie die Tabelle von Seite 103 sowie Ihre Ergebnisse aus Aufgabe 5 a) zu Hilfe.
c) Finden Sie weitere Textstellen, denen Sie eine komische Wirkungsabsicht zuschreiben. Erläutern Sie, worin die Komik jeweils besteht und um welche Form der Komik (Situationskomik, Figurenkomik, Sprachkomik ...) es sich handelt.
d) Beurteilen Sie, ob sich die Komik des Textes den heutigen Leserinnen und Lesern noch erschließt und diskutieren Sie mögliche Gründe für Ihre Einschätzung.

Kleists Gedanken über die Entwicklung von Gedanken beim Reden anwenden

Heinrich von Kleist

Über die allmähliche Verfertigung der Gedanken beim Reden
(1805)

Wenn du etwas wissen willst und es durch Meditation nicht finden kannst, so rate ich dir, mein lieber, sinnreicher Freund, mit dem nächsten Bekannten, der dir aufstößt, darüber zu sprechen. Es braucht nicht eben ein scharfdenkender Kopf zu sein, auch meine ich es nicht so, als ob du ihn darum befragen solltest: nein! Vielmehr sollst du es ihm selber allererst erzählen. Ich sehe dich zwar große Augen machen, und mir antworten, man habe dir in frühern Jahren den Rat gegeben, von nichts zu sprechen, als nur von Dingen, die du bereits verstehst. Damals aber sprachst du wahrscheinlich mit dem Vorwitz, andere [zu belehren], ich will, dass du aus der verständigen Absicht sprechest, *dich* zu belehren, und so können, für verschiedene Fälle verschieden, beide Klugheitsregeln vielleicht gut nebeneinander bestehen. Der Franzose sagt „l'appétit vient en mangeant", und dieser Erfahrungssatz bleibt wahr, wenn man ihn parodiert und sagt „l'idee vient en parlant".

Vorwitz intuitive Absicht, die dem Wissen (vgl. „Witz") „vor"gelagert ist

l'appétit vient en mangeant der Appetit kommt beim Essen

l'idee vient en parlant der Einfall kommt beim Sprechen

parodieren früher oft i. S. v. umformend übernehmen, also ohne satirische Absicht

Illustration des siebten Auftritts (Ende) von Adolph Menzel

1 Informieren Sie sich über den Bedeutungshorizont und den Bedeutungswandel des Wortes „Witz".

2 Fassen Sie Kleists Gedankengang über die Entwicklung von Gedanken beim Reden in eigenen Worten zusammen.

3 Finden Sie Beispiele aus eigenen Erfahrungen, auf die sich Kleists Ansatz beziehen lässt.

4 Prüfen Sie, ob sich der oben ausgeführte Ansatz auf die Kommunikation von Richter Adam anwenden lässt. Untermauern Sie Ihre Ergebnisse mit passenden Textstellen.

Einen Szenenauszug mit besonderem Augenmerk auf Figuren- und Dialoggestaltung interpretieren

1 a) Beschreiben Sie die Illustration von Adolf Menzel und identifizieren Sie die einzelnen Figuren.
b) Erläutern Sie, welchen Eindruck Ihnen die Bilddarstellung vermittelt.

Illustration von Adolf Menzel zum Beginn des 11. Auftritts, 1877

2 Fassen Sie die Handlung des 11. Auftritts (TA, S. 70–82) zusammen.

3 ***Lernarrangement***
Verfassen Sie in Vierergruppen arbeitsteilig je einen inneren Monolog zu einer der folgenden Figuren: Richter Adam, Gerichtsrat Walter, Gerichtsschreiber Licht und Eve. Sie sollen sich auf die Situation des Verses 1839 beziehen und jeweils verdeutlichen, was die Figuren zu diesem Zeitpunkt wissen, welche Absichten sie haben, was sie ggf. befürchten und was sie auf jeden Fall vermeiden wollen.
- Verfassen Sie die inneren Monologe in Einzelarbeit.
- Stellen Sie sich Ihre Schreibprodukte gegenseitig vor und diskutieren Sie, ob sie der Situation der jeweiligen Figur entsprechen. Bearbeiten Sie Ihre Entwürfe gegebenenfalls.
- Präsentieren Sie die Monologe im Plenum. Diskutieren Sie, welche Konsequenzen die unterschiedlichen Motive und Konflikte der Figuren für den weiteren Handlungsverlauf haben.

4 Interpretieren Sie unter Berücksichtigung der gestalterischen Mittel in funktionaler Anbindung den Textauszug, S. 78–82 (TA, V. 1808–V. 1908).
a) Benennen Sie kurz, an welchem Punkt der Handlung des 11. Auftritts der Textauszug einsetzt.
b) Analysieren Sie den Inhalt und die Sprachgestaltung des Textauszugs. Beziehen Sie dabei die Auswertung der inneren Monologe ein. Berücksichtigen Sie folgende Aspekte und Arbeitsschritte:
- Beschreibung des situativen und kommunikativen Kontextes,
- Vorstellung der an der Verhandlung beteiligten Figuren und ihrer Beziehung zueinander,
- Darstellung des Gesprächsverlaufs,
- Erläuterung der Zielsetzung der Gesprächspartner und Deutung ihrer Handlungsmotive,
- Eingehen auf Störungen, Unterbrechungen, Missverständnisse,
- Berücksichtigung der Gesprächsanteile,
- Betonung des Wendepunktes/Höhepunktes oder der Wendepunkte/Höhepunkte,
- Erläuterung und Deutung der Sprachverwendung in funktionaler Anwendung: Wortwahl, Syntax, rhetorische Stilmittel, Interpunktion,
- Deutung der Regieanweisungen.

c) Beurteilen Sie die Funktion des Textauszugs für das Gesamtwerk mit Ausblick auf den weiteren Handlungsverlauf.

5 Präsentieren Sie Ihre Ergebnisse im Plenum.

Kleist in seiner Zeit

Preußens Geschichte zur Zeit Kleists erkunden

Rudolf Vierhaus

Heinrich von Kleist und die Krise des Preußischen Staates um 1800 (1980)

Während der Regierung Friedrichs d. Gr. und vor allem durch ihn hatte dieser Staat seit 1740 die Aufmerksamkeit Europas zunehmend auf sich gezogen. Auf Grund seiner militärischen Stärke war er zu einer Großmacht geworden; sein Herrschafts- und Verwaltungssystem galt als Beispiel für staatliche Effizienz und Rationalität. Retablissement, Wirtschaftsförderung und Justizreformen nach dem Ende des Siebenjährigen Krieges hatten seinem Ruf, ein aufgeklärt regiertes Land zu sein, in dem religiöse Toleranz und relative Meinungsfreiheit herrschten, gerechte Justiz geübt werde und die Beamten unter strenger Aufsicht stünden, weiter gefestigt. Der Stolz auf kriegerischen Erfolg, auf den Ruhm des Königs und die Achtung des Auslandes, aber auch das Bedürfnis nach Ausgleich für die permanent übersteigerten Anforderungen an die Bevölkerung hatten einen preußischen Staatspatriotismus entstehen lassen, der […] tief ins Volk hineinreichen konnte. Für die Gebildeten trat bestätigend die Überzeugung hinzu, in einem Lande zu leben, in dem Aufklärung allgemeiner verbreitet sei und größere Förderung erfahre als andernorts. Wenn Kant 1784 in seiner berühmten ‚Beantwortung der Frage: Was ist Aufklärung?' seine Zeit, die noch nicht aufgeklärt, aber doch auf dem Wege dahin sei, das „Jahrhundert Friedrichs" nannte, so durfte er breiter Zustimmung sicher sein.

Retablissement
Wiederaufbau

Nun allerdings schon vermengt mit Ungeduld. Machten sich doch in den letzten Regierungsjahren Friedrichs zunehmende Starrheit, Menschenverachtung und rechthaberisches Festhalten am persönlichen Regiment „aus dem Kabinett" lähmend bemerkbar. […] Die Aufklärungsdiskussion ging weiter und erreichte nun erst volle publizistische Breite und Intensität. Zugleich aber verlor die praktische Reformarbeit Glanz und Verve. Außenpolitisch hatte Preußen seine Isolierung am Ende des Siebenjährigen Kriegs durch die mehr aufgenötigte als erwünschte Zusammenarbeit mit Russland partiell überwinden können und – unter Beteiligung Österreichs – durch die erste polnische Teilung beträchtlichen und strategisch wichtigen Ländergewinn erzielt, dabei jedoch alle Grundsätze aufgeklärter Politik diskreditiert. […]

polnische Teilung
die Teilung Polens

Als der König 1786 starb, war sein Herrschaftssystem bereits alt geworden und erstarrt. Je mehr der Elan der ersten Regierungsjahrzehnte in den Nöten des Siebenjährigen Kriegs untergegangen, der Ruhm der militärischen Erfolge verblasst und die Reputation Preußens, der am modernsten verwaltete Staat Europas zu sein, staubig geworden war, umso stärker trat die harte Machtstruktur dieses Staates wieder in den Blick. […] 1786 war das friderizianische Regierungssystem, gemessen an den Erwartungen, die es geweckt hatte, bereits überholt, während andererseits die preußische Gesellschaft Struktur und politische Mentalität einer Staatsbürgergesellschaft, wie die aufgeklärte Bürokratie sie anstrebte, noch gar nicht erreicht hatte.

Die folgenden zwei Jahrzehnte bis zum ebenso blamablen wie vollständigen militärischen und politischen Zusammenbruch von 1806 gehören zu den verwirrendsten und am schwersten zu deutenden der preußischen Geschichte. Trotz der erfolgreichen Intervention in Holland 1787, trotz des Anfalls Ansbach-Bayreuths (1791), trotz des Friedens von Basel (1795) und der Erreichung der Neutralisierung Norddeutschlands, trotz der riesigen kampflosen Gebietserwerbungen durch die zweite und dritte Teilung Polens und trotz der Gewinne aus der Säkularisation war Preußen in dieser Zeit ein weitgehend passives Element in der großen europäischen Politik: zunehmend mehr reagierend als selbständig handelnd, sich über die Handlungsfreiheit seiner Politik täuschend und seine tatsächlichen Stärken falsch einschätzend.

indolent gleichgültig, geistig träge

rosenkreuzlerischer Irrationalismus Die Rosenkreuzer waren eine spirituelle Gemeinschaft innerhalb des Protestantismus.

Auch seine militärische Stärke, die doch noch immer die wesentliche Voraussetzung seiner Großmachtrolle war! [...] Zugleich wurden bei der Einverleibung der polnischen Teilungsgebiete bedenkliche Korruption und Habgier der Beamten sichtbar. Es wirkte sich aus, dass das „persönliche Regiment“ des Königs festgehalten wurde, obwohl der Nachfolger Friedrichs zu träge, unstet und indolent war, dieser Aufgabe gerecht zu werden. In seiner Umgebung breiteten sich Mätressen- und Günstlingswirtschaft, rosenkreuzlerischer Irrationalismus und administrativer Immobilismus aus. Der frische Wind, der zu Beginn der Regierung Friedrich Wilhelms II. zu wehen und das erstarrte friderizianische System wieder in Bewegung zu bringen schien, war bald abgeflaut; nun aber wurden deutliche Desintegrationserscheinungen sichtbar. Der völlig auf die Leitung von oben eingestellte preußische Staat trat in die allgemeine politische Krise, die in der Französischen Revolution ihren bedeutendsten, aber nicht den einzigen Ausdruck fand, ohne entschlossene Führung und ohne die sozialen Kräfte ein, die in der Lage waren, Reformen gegen eine passive und richtungslose Regierung durchzudrücken. Dazu waren auch die hohe Bürokratie und die militärische Führung unfähig, deren Stellung sich infolge der Schwäche des Königs damals noch verstärkte.

Als das lange vorbereitete ‚Allgemeine Landrecht der preußischen Staaten‘, eine großartige Leistung aufgeklärter Rechtswissenschaft 1794 in Kraft gesetzt wurde, nahm ihm die Beibehaltung des königlichen Machtspruchs ein ganz wesentliches Element seiner politischen Bedeutung; ein Jahrzehnt später wurde es durch den ‚Code Napoléon‘, der in ehemaligen preußischen Westgebieten eingeführt wurde, ideell und politisch überholt. [...]

Bei der sozialgeschichtlichen Analyse muss jedoch weiter ausgegriffen [...] und auf den wachsenden Bevölkerungsdruck, das Knappwerden anbaufähigen Bodens [...] [sowie] die steigenden Agrarpreise [hingewiesen werden]. Im ostdeutschen Gutswirtschaftsbereich profitierten davon die Grundherren, während sich die bäuerliche Bevölkerung höheren Lebensmittelpreisen und strengeren herrschaftlichen Dienstleistungsforderungen ausgesetzt sahen. In den Städten stieg die Not derart, dass Ende des Jahres 1800 in Berlin an die ärmere Bevölkerung Bezugskarten für billiges Brot ausgegeben werden mussten. [...] Wie reagierte das politische System auf diese Krise? Da in der absoluten Monarchie der Herrscherwechsel die praktisch größte Chance für einen Wandel des Regierungssystems oder doch des Regierungsstils bietet, setzte man in Preußen große Hoffnungen auf den Regierungsantritt Friedrich Wilhelms III. 1798.

Dabei aber täuschte man sich sowohl in der Person des Königs als auch in der Veränderungsfähigkeit des damaligen Preußen aus eigenen Voraussetzungen heraus. Der neue Monarch war sparsam, sittenstreng, friedliebend, ein Mann eher bürgerlichen Geschmacks, aber voll überzeugt von seiner Herrscherwürde, dazu entscheidungsschwach, unselbstständig, gleichwohl zunehmend rechthaberisch und störrisch, ohne Phantasie, prosaisch und pedantisch. Änderte sich der Stil der Regierung tatsächlich in vielem, so doch nicht ihr System: dazu besaß Friedrich Wilhelm nicht den Willen und das Format [...].

Kurz vor Kriegsausbruch 1806 fügte der Minister Karl Reichsfreiherr vom Stein seiner ersten großen Reformdenkschrift die hellsichtige, tief pessimistische Nachschrift hinzu: „Sollten des Königs Majestät die vorgeschlagene Veränderung der Regierungsverfassung nicht beschließen, sollten sie fortfahren, unter dem Einfluss

Darstellung der Schlacht bei Jena, 1806

des Kabinetts zu handeln, so ist es zu erwarten, dass der Staat (den er regiert) entweder sich auflöst, oder seine Unabhängigkeit verliert, und dass die Liebe und Achtung seiner Untertanen ganz verschwinden.“ Stein hatte dabei nicht einmal den Krieg und die mögliche Niederlage vor Augen, sondern den inneren Zustand des Staates – allerdings unter den Bedingungen der äußeren Situation. Die Katastrophe von der Doppelschlacht bei Jena und Auerstedt bis zum Diktatfrieden von Tilsit hat dann die innere Schwäche Preußens schockierend deutlich gemacht. Dass es in seinem Restbestand überhaupt bestehen blieb, verdankte es den Interessen Russlands. Jedoch – dafür ist die Denkschrift Steins selber das beste Zeugnis – als Preußen zusammenbrach, standen in Verwaltung, Heer und unter den Gebildeten die Männer und Ideen für eine umfassende Reform schon bereit. Es kennzeichnet die Lage Preußens um 1800 als eine echte Krise, dass es in ihr Alternativen gab, die allerdings erst nach der Katastrophe als solche zur Wirkung kommen konnten.

1 Stellen Sie die zentralen politischen und gesellschaftlichen Entwicklung Preußens um 1800 dar.

2 Erläutern Sie, welche dieser gesellschaftspolitischen Verhältnisse Kleist besonders betrafen.

3 Prüfen Sie, ob und ggf. welche zeitgeschichlichen Entwicklungen sich im Theaterstück finden lassen und wie sie dargestellt sind.

Kleist in seiner Zeit verstehen

Im März 1799 verlässt Heinrich von Kleist nach sieben Jahren auf eigenen Wunsch das Militär. Seinem ehemaligen Lehrer Christian Ernst Martini gegenüber begründet er seinen Schritt. Warum er anschließend keine Beamtenlaufbahn einschlagen kann, legt er in einem Brief an seine Verlobte Wilhelmine von Zenge dar.

Heinrich von Kleist

Brief Kleists an Christian Ernst Martini (09.03.1799)

[...] Denn eben durch diese Betrachtungen wurde mir der Soldatenstand, dem ich nie von Herzen zugetan gewesen bin, weil er etwas durchaus Ungleichartiges mit meinem ganzen Wesen in sich trägt, so verhasst, dass es mir nach und nach lästig wurde, zu seinem Zwecke mitwirken zu müssen. Die größten Wunder militärischer Disziplin, die der Gegenstand des Erstaunens aller Kenner waren, wurden der Gegenstand meiner herzlichsten Verachtung; die Offiziere hielt ich für so viele Exerziermeister, die Soldaten für so viele Sklaven, und wenn das ganze Regiment seine Künste machte, schien es mir als ein lebendiges Monument der Tyrannei. Dazu kam noch, dass ich den übeln Eindruck, den meine Lage auf meinen Charakter machte, lebhaft zu fühlen anfing. Ich war oft gezwungen, zu strafen, wo ich gern verziehen hätte, oder verzieh, wo ich hätte strafen sollen; und in beiden Fällen hielt ich mich selbst für strafbar. In solchen Augenblicken musste natürlich der Wunsch in mir entstehen, einen Stand zu verlassen, in welchem ich von zwei durchaus entgegengesetzten Prinzipien unaufhörlich gemartert wurde, immer zweifelhaft war, ob ich als Mensch oder als Offizier handeln musste; denn die Pflichten beider zu vereinen, halte ich bei dem jetzigen Zustande der Armeen für unmöglich.

Preußische Soldaten um 1786

Und doch hielt ich meine moralische Ausbildung für eine meiner heiligsten Pflichten, eben weil sie, wie ich eben gezeigt habe, mein Glück gründen sollte, und so knüpft sich an meine natürliche Abneigung gegen den Soldatenstand noch die Pflicht, ihn zu verlassen. [...]

Heinrich von Kleist

Brief Kleists an Wilhelmine von Zenge (13.11.1800)

Bildnis von Wilhelmine von Zenge, der Verlobten Heinrich von Kleists, 1800

[...] Ich will kein Amt nehmen. Warum will ich es nicht? – O wie viele Antworten liegen mir auf der Seele! Ich kann nicht eingreifen in ein Interesse, das ich mit meiner Vernunft nicht prüfen darf. Ich soll tun, was der Staat von mir verlangt, und doch soll ich nicht untersuchen, ob das, was er von mir verlangt, gut ist. Zu seinen unbekannten Zwecken soll ich bloßes Werkzeug sein – ich kann es nicht. Ein eigner Zweck steht mir vor Augen, nach ihm würde ich handeln müssen, und wenn der Staat es anders will, dem Staate nicht gehorchen dürfen. Meinen Stolz würde ich darin suchen, die Aussprüche meiner Vernunft geltend zu machen gegen den Willen meiner Obern – nein, Wilhelmine, es geht nicht, ich passe mich für kein Amt. Ich bin auch wirklich zu ungeschickt, um es zu führen. Ordnung, Genauigkeit, Geduld, Unverdrossenheit, das sind Eigenschaften die bei einem Amte unentbehrlich sind, und die mir doch ganz fehlen. Ich arbeite nur für meine Bildung gern und da bin ich unüberwindlich geduldig und unverdrossen. Aber für die Amtsbesoldung Listen zu schreiben und Rechnungen zu führen – ach, ich würde eilen, eilen, dass sie nur fertig würden, und zu meinen geliebten Wissenschaften zurückkehren. [...]

Aber kann ich jedes Amt ausschlagen? das heißt, ist es möglich? – Ach, Wilhelmine, wie gehe ich mit klopfendem Herzen an die Beantwortung dieser Frage! Weißt Du wohl noch am letzten Abend den Erfolg unsrer Berechnungen? – Aber ich glaube doch immer noch – ich habe doch noch nicht alle Hoffnung verloren – Sieh, Mädchen, ich will Dir sagen, wie ich zuerst auf den Gedanken kam, dass es wohl möglich sein müsse. Ich dachte, Du lebst in Frankfurt, ich in Berlin, warum könnten wir denn nicht, ohne mehr zu verlangen, zusammen leben? Aber das Herkommen will, dass wir ein Haus bilden sollen, und unsere Geburt, dass wir mit Anstand leben sollen – o über die unglückseligen Vorurteile! Wie viele Menschen genießen mit wenigem, vielleicht mit einem paar hundert Talern das Glück der Liebe – und wir sollten es entbehren, weil wir von Adel sind? Da dachte ich, weg mit allen Vorurteilen, weg mit dem Adel, weg mit dem Stande – gute Menschen wollen wir sein und uns mit der Freude begnügen, die die Natur uns schenkt. Lieben wollen wir uns, und bilden, und dazu gehört nicht viel Geld – aber doch etwas, doch etwas – und ist das, was wir haben, wohl hinreichend? Ja, das ist eben die große Frage. [...]

Ich bilde mir ein, dass ich Fähigkeiten habe, seltenere Fähigkeiten, meine ich – Ich glaube es, weil mir keine Wissenschaft zu schwer wird; weil ich rasch darin vorrücke, weil ich manches schon aus eigener Erfahrung hinzugetan habe – und am Ende glaube ich es auch darum, weil alle Leute es mir sagen. Also kurz, ich glaube es. Da stünde mir nun für die Zukunft das ganze schriftstellerische Fach offen. Darin fühle ich, dass ich sehr gern arbeiten würde. – O da ist die Aussicht auf Erwerb äußerst vielseitig. Ich könnte nach Paris gehen und die neueste Philosophie in dieses neugierige Land verpflanzen [...].

1 Erläutern Sie anhand der beiden Briefauszüge (S. 109 und S. 110), wie sich Kleist persönlich zu den Zwängen und Anforderungen seiner Zeit positioniert.

2 Setzen Sie sich auf der Grundlage Ihrer Ergebnisse mit der Lebensrealität des Dichters auseinander und stellen Sie dar, in welcher Konfliktsituation er sich befindet. Beziehen Sie Ihre Ergebnisse aus der Erarbeitung des Textauszugs aus dem Roman „Kein Ort. Nirgends" (S. 81 f.) und Ihre Rechercheergebnisse zur Biografie Kleists (S. 81) ein.

Deutungen des Krugbildes

Die politischen und gesellschaftlichen Bezüge erschließen

Gunther Wenz

Der Fall des Dorfrichters (2016)

Mit der Darstellung der Inthronisation des spanischen Prinzen durch seinen kaiserlichen Vater bringt das [...] Frontispiz des Kruges [...] „die Gründungsszene des niederländischen Staats, den Moment der vertraglichen Stiftung seiner politischen Institution“ repräsentativ in Erinnerung. [...] Die edle Szene ist dahin, der Gründungsmythos liegt in Scherben, der die niederländische Freiheitsgeschichte in Gang setzen und [...] bis auf weiteres mitbestimmen sollte, wovon die Geschichte des zu Bruch gegangenen Prunkstücks ebenfalls Zeugnis gibt. [...] Der Krug ist zerbrochen, das Bild vom Gründungsmythos der Vereinigten Niederlande, das ihn zierte, liegt in Scherben. Man hat das Bruchgeschehen auf „die Erfahrung einer krisenhaften Dissoziation der gesellschaftlichen Ordnung und ihrer Wertsysteme“ bezogen, wie sie für Kleists poetisches Werk kennzeichnend sei. So werde zum einen „das Vollkommenheitsideal einer harmonischen Ständegesellschaft – welches ein Bild auf dem Krug veranschaulichte – der folgenden Zerstörung und der gegenwärtigen Anarchie kontrastiert. [...]“

Frontispiz
Stirnseite

Zitate aus:
E. Ribbat: Die Romantik: Wirkungen der Revolution und neue Formen literarischer Autonomie. In: V. Žmegač: Geschichte der deutschen Literatur vom 18. Jahrhundert bis zur Gegenwart, Band 1/2. Königstein 1984, S. 92 – 215; hier: 142 und 145 f.

Jacques-Louis David (1748–1825): „Die (Selbst-)Krönung Napoleons“ (Originaltitel: „Le Sacre de Napoléon“), 1805–1807. Das Gemälde ist von monumentale Größe, es misst ca 10 m x 6 m.

Michael Diers

Weltgeschichte in Kleists Lustspiel (2016)

In erster Linie handelt das Stück vom moralischen Sündenfall des Dorfrichters Adam, dessen Fehltritt im Rahmen einer Gerichtsszene auf vertrackte Weise aufgedeckt wird. In zweiter Linie jedoch wird die Weltgeschichte von ihren mythischen Anfängen bis zur Jetztzeit der Stückentstehung im ersten Jahrzehnt des 19. Jahrhunderts in Preußen, Europa und Übersee verhandelt. Entlang der Erzählung von der nächtlichen Eskapade eines Huisumer Justizvertreters, welcher der jungen Eve,

Tochter der Witwe Marthe Rull, nachgestiegen ist und dabei durch Tollpatschigkeit ein Trinkgefäß zu Bruch hat gehen lassen, wird die eigene Epoche im historischen Rückspiegel betrachtet und ihr dadurch vom Autor als kritischem Zeitgenossen im selben Zuge coram publico der Prozess gemacht. Dabei spielen im Verlauf der doppelbödigen Geschichtsverhandlung Werke der bildenden Kunst – ein bemalter oder reliefverzierter Tonkrug zu Beginn sowie eine Anzahl geprägter Goldmünzen mit dem Porträt des spanischen Königs gegen Ende des Stückes – nicht nur als Requisiten, sondern als erkenntnisstiftende Denkbilder – eine entscheidende Rolle. Neben der dramaturgischen Funktion nutzt der Autor sie zu historischen, geschichtsphilosophischen und kunsttheoretischen Reflexionen. […]

Goldmünzen Gerichtsrat Walter bietet Goldmünzen als Pfand für sein Wort an (nur im „Variant").

Vor dem Hintergrund des Verlustes eines geschätzten historischen Gegenstandes wird mit Kritik am Hof und seinen Repräsentanten nicht gespart. Der Klage um den Krug und seine Zerstörung ist die Klage um die Geschichte und ihren Verlauf, der juristischen Privatklage ist die politische Anklage verbunden. Marthe nimmt, indem sie sich dumm stellt, kein Blatt vor den Mund und rechnet mit dem dargestellten Zeremoniell der Inthronisation Philipps II., das Schiller in seiner Studie über die Geschichte des Abfalls der Niederlande von der spanischen Regierung bereits als „rührendes Gaukelspiel" apostrophiert hatte, sowie mit den verheerenden Folgen, die er gezeitigt hat, ab. Verwundert könnte man fragen, wie sie denn bei ihrer kritischen Haltung die bildliche Gegenwart all dieser Potentaten, die während des Staatsaktes zugegen waren, über die Jahre hin in ihrer Nähe geduldet und verkraftet hat, und warum sie jetzt über den Verlust des Kruges, der ihr die Gegenwart dieses politischen Vis-à-vis erspart, eigentlich klagt. […]

Marthes Beschreibungskunst, durch die sie den Rang und Glanz des Kruges wieder auferstehen lässt, hat darin ihren Witz und ihre Pointe, dass sie zwei Darstellungs- und Realitätsebenen vergleichend miteinander ins Spiel bringt – die Gesamtszene, wie sie sich vor der Zerstörung des Kruges dargeboten hat, sowie die durch den Bruch des Gefäßes fragmentierte Darstellung und schließlich das historische Ereignis selber. Indem sie auch das Fragment in seiner Disparatheit als autonomes Bild auffasst, gerät ihr die nobilitierte Szene zur politischen Karikatur: Wo zuvor der heroische Ton des Staatsaktes in einem Historienbild vorherrschte, walten jetzt Hohn und Spott. Plötzlich isoliert, das heißt ohne Kontext des Hofstaates dastehend, macht die Königin eine traurige, bedauernswerte Figur; eben noch in Ehrerbietung auf den Stufen vor Karl V. vor der Weltöffentlichkeit gegenwärtig, weilt Philipp inzwischen, das Hinterteil ausgenommen, im Bauch des Kruges; den stolzen Kaiser müssen fürderhin seine Beine stellvertreten, und der mächtige Bischof hat sich bis auf den Schatten vollständig verflüchtigt. Von den beiden Körpern des Königs und seiner Anhänger ist im Bild keiner unversehrt geblieben, der physische wie der amtliche Körper ist beschädigt und dadurch entsetzt. Die mutilierte Hofgesellschaft hat ihre Wirkung und ihr Ansehen verloren und ist im Restbild wie in einer Karikatur radikaler Lächerlichkeit preisgegeben. […]

mutiliert schwer verletzt; meist unter Verlust von Körperteilen

Das Jahrfünft von 1802 bis 1806, in dem Kleist an seinem Lustspiel arbeitet, fällt mit dem definitiven Aufstieg Napoleons zum führenden Herrscher Europas zusammen. Mit Fug und Recht kann man es als den zentralen Abschnitt der napoleonischen Ära ansprechen: 1801 hatte sich Napoleon zum Konsul auf Lebenszeit ernannt, am 2. Dezember 1804 krönte er sich in der Kathedrale Notre Dame in Paris zum erblichen Kaiser der Franzosen, woraufhin ihn der Papst weihte; am 26. Mai ließ sich Napoleon in Mailand zum König von (Ober-)Italien erheben; nach der Niederschlagung Österreichs 1805 und Preußens 1806 stand er durch das Bündnis mit Alexander I. von Russland 1807 auf dem Gipfel seiner Macht. Was Kleist von diesem Aufstieg hielt und welche Gefahren er damit verbunden sah, lässt sich unter anderem einem Brief aus Königsberg entnehmen, der Ende Dezember 1805 verfasst wurde: „Die Zeit scheint eine neue Ordnung der Dinge herbeiführen zu wollen, und wir werden davon nichts, als bloß den Umsturz der alten erleben. Es wird sich aus dem ganzen kultivierten Teil von Europa ein einziges, großes System von Reichen bilden, und die Throne mit neuen, von Frankreich abhängigen, Fürstendynastien besetzt werden. [...] Warum sich nur nicht einer findet, der diesem bösen Geist der Welt die Kugel durch den Kopf jagt." Das unter dem Aspekt symbolischer Politik markanteste Ereignis unter den referierten Geschichtsdaten ist zweifellos die feierliche Selbstinthronisation Napoleons. Das in zahlreichen Darstellungen Bild gewordene Spektakel des Sacre de Napoleon I. lässt sich als pompöse politische Inszenierung mit der Brüsseler Erhebung Philipps II. in Analogie setzen. Wiederum wird ein Zeremoniell als „Gaukelspiel" vor den Augen der Weltöffentlichkeit vollzogen. Gegen dieses Schlagbild der eigenen Epoche setzt Kleist das Historienbild des 16. Jahrhunderts, das er zur Zertrümmerung frei- und dadurch der Lächerlichkeit preisgegeben hat. Die Karikatur, die daraus durch den Bruch des Gefäßes wie in einer Metamorphose erwachsen ist, wirft einen langen Schatten auch in die Jetztzeit und bleibt am Krönungsornat Napoleons I. haften. Die politische Satire, die Marthes Ekphrasis auszeichnet, lässt sich auf die aktuelle Politik übertragen.

Zitat: aus einem Brief Heinrich von Kleists an Otto August Rühle von Lilienstern

Ekphrasis *griech.:* Detaillierte, anschauliche Beschreibung, die den Rezipienten und Rezipientinnen das Beschriebene bildlich vor Augen führt.

1 Beschreiben Sie das Gemälde von Jacques-Louis David und vergleichen Sie es mit dem Kupferstich von Simon Fokke (S. 101).

2 Geben Sie in eigenen Worten zentrale Aussagen aus den Textauszügen von a) Gunther Wenz und b) Michael Diers wieder.

3 Vergleichen Sie die Ausführungen der Verfasser miteinander, indem Sie auf Gemeinsamkeiten und Unterschiede ihrer Positionen hinweisen.

4 Nehmen Sie Stellung zu den Ausführungen beider Autoren und prüfen Sie, ob bzw. inwiefern Sie ihre Interpretationsansätze unterstützen.

Die psychologische Dimension der Krugbeschreibung reflektieren

Jochen Schmidt

Das Symbol der verlorenen Ehre Eves (2013)

Frau Marthes Krug-Rede hat eine psychologische Dimension jenseits des Komischen. Die übermäßig ausführliche Beschreibung des Kruges ist ein verdecktes Reden über Evchens Mädchenehre, die durch das nächtliche Spektakel in ihrer Kammer ebenso gelitten hat wie der Krug, der dabei zerbrochen wurde. Zwar sieht es zunächst so aus, als verliere sich Frau Marthe an die Merkmale und die Geschichte des Kruges. Aber das ist nur der äußere Anschein, der in diesem doppelbödigen Spiel der komischen Wirkung dient. Ihre wahren Motive kommen schon vor der Krugbeschreibung zum Vorschein, als Evchen sie von dem öffentlichen Engagement für den Krug abhalten will. Darauf antwortet Frau Marthe (V. 487–497):

Du sprichst, wie du's verstehst. Willst du etwa
Die Fiedel tragen, Evchen, in der Kirche
Am nächsten Sonntag reuig Buße tun?
Dein guter Name lag in diesem Topfe,
Und vor der Welt mit ihm ward er zerstoßen,
Wenn auch vor Gott nicht, und vor mir und dir.
Der Richter ist mein Handwerksmann, der Schergen,
Der Block ist's, Peitschenhiebe, die es braucht,
Und auf den Scheiterhaufen das Gesindel,
Wenn's unsre Ehre weiß zu brennen gilt,
Und diesen Krug hier wieder zu glasieren.

Szenenbild der Aufführung „Der zerbrochne Krug" im Theater am Schiffbauer Damm, Berlin, 2008

Es geht für Marthe also gerade nicht um den Krug als solchen, sondern um Evchens guten Namen und die Wiederherstellung ihrer Ehre. Nur weil sich Eves Ehre und das Schicksal des Kruges so eng verbinden, beschäftigt sie sich mit ihm so einlässlich und hartnäckig. Die Beschreibung des Krugs erhält geradezu metonymische Qualität. Die weltgeschichtliche Totalität der bildlichen Darstellung auf dem Kruge deutet auf Marthes Ein und Alles: auf Evchen und ihren guten Namen. In ähnlicher Weise aufschlussreich ist es, dass sie so ausführlich darstellt, wie der Krug durch alle Fährnisse gerettet wurde, bis er schließlich in der unglückseligen Nacht das Opfer eines Rüpels wurde. Die Rede ist im Ganzen eine uneigentliche Rede, in der Terminologie der literarischen Rhetorik: eine oratio figurata. Frau Marthe wählt die Ebene des Uneigentlichen, weil sie sich scheut, über die Ehre ihrer Tochter in offener Gerichtssitzung zu sprechen.

metonymisch Die Metonymie ist eine Stilfigur, in der ein Wort durch ein anderes ersetzt wird.

Fährnis Gefahr, Bedrohung

1 Analysieren Sie den Textauszug, indem Sie herausarbeiten, welche „psychologische Dimension“ (Z. 1) der Verfasser der Krugbeschreibung Marthes zuschreibt.

2 Erläutern Sie, worin der Verlust der Ehre Eves besteht, den Frau Marthe J. Schmidt zufolge beklagt. Prüfen Sie, inwiefern dieser Ehrbegriff sich mit unserem heutigen Begriffsverständnis deckt.

3 Diskutieren Sie, ob Sie den Deutungsansatz J. Schmidts für plausibel halten.

Die gebrechliche Einrichtung der Welt

Die Justizkritik im Theaterstück „Der zerbrochne Krug" untersuchen

Hans-Peter Schneider

Justizkritik im „Zerbrochnen Krug" (1988/89)

[Es ist wahrscheinlich], dass Kleists Gerichtsspektakel Missstände angeprangert hat, wie sie im Justizwesen Preußens, aber auch anderer Staaten, bereits während des 17. und 18. Jahrhunderts aufgetreten waren. Denn die damaligen Verhältnisse waren bisweilen so verheerend, dass sie noch Jahrzehnte später Anlass zum Kopfschütteln geben konnten, zumal ihre Änderung auch noch besonders unkonventionelle Maßnahmen verlangt hatte, die jedem politisch interessierten Menschen zweifellos im Gedächtnis geblieben sein mussten.
Infolge zu weniger Richterstellen, äußerst unbestimmter, dunkler und zweifelhafter Rechtsquellen, eines umständlichen Verfahrens der Aktenversendung und nicht zuletzt fehlender Gerichtskontrolle hatten die Prozesse im 18. Jahrhundert einen Umfang und eine Dauer angenommen, die nicht selten das Lebensalter der Parteien überstieg. Stötzel berichtet: „Niemand fand etwas Befremdliches dabei, dass die Prozessschriften allmählich zu Bänden anwuchsen, dass Prozesse Jahrzehnte, ja Jahrhunderte sich fortspannen, dass Richter wegen anderer ihnen aufgebürdeter Nebengeschäfte kaum je vollzählig am Platze waren und, wenn sie einmal für das Gericht arbeiteten, auf die einzelne Sache mindestens die doppelte oder dreifache Zahl der Monate oder Jahre verwendeten […]."*
Wer einen kürzeren Prozess wollte, musste extra in die Tasche greifen. Das Sportel- und Korruptionsunwesen erlebte eine Blütezeit wie nie zuvor im preußischen Staat. Unter diesen Umständen erhielt im Jahre 1747 der damalige Kanzler Samuel von Cocceji von Friedrich dem Großen einen ungewöhnlichen Auftrag: Er wurde zu einer höchstpersönlichen Bereisung der Untergerichte in der preußischen Provinz Pommern gebeten und nahm zusammen mit einigen Räten viele der schwebenden Prozesse selbst in die Hand. […] Stötzel schreibt: „Kein Wunder also, dass mit dem Kundwerden seiner Absicht, er wolle die Provinzen durchziehen und sich bald hier, bald dort im Verein mit einigen seiner ihn begleitenden Getreuen als rechtsprechendes Gericht niederlassen, um überall den alten Sauerteig auszukehren, rings bei den Justizkollegien nichts als Schrecken sich verbreitet."*
Waren auch die Zustände in den brandenburg-preußischen Landen kaum verrotteter als anderswo in Deutschland, so führte doch der unermüdliche Einsatz Cocceiis und seiner Nachfolger allmählich zu spürbaren Fortschritten, die schließlich auch Eingang in die Gesetzgebung fanden. Auf der Grundlage der Cabinetts-Ordre vom 14. April 1780 über die Verbesserung des Justizwesens wurde bereits ein Jahr später als erstes Buch des Corpus Juris Fridericianum die ‚Prozeß-Ordnung' geschaffen, welche ihre endgültige Fassung schließlich in der ‚Allgemeinen Gerichtsordnung für die Preußischen Staaten' von 1793 fand. Darin war unter anderem eine ständige Visitation der Untergerichte durch Justizkommissare vorgeschrieben, um die genannten Missstände nicht einreißen zu lassen. Kleist hat sich an der juristischen Fachterminologie dieser Gerichtsordnung nachweislich orientiert, die er bereits während seines Studiums in Frankfurt an der Oder kennengelernt haben mag. Warum sollte er nicht auch, Coccejis prominentes Beispiel vor Augen, die für den ‚Krug' essentielle Idee der Justizbereisung durch Walter den Regeln nachgebildet haben?

Sportel
Der Sportel war ein Entgelt, das man bei Gericht für einen Prozess zahlen musste und das in der Regel der Richter behalten durfte.

* **Zitate:**
Adolf Stötzel, Brandenburg-Preußische Rechtsverwaltung und Rechtsverfassung. Berlin 1888, Bd. 2. S. 181 f.

1 ***Lernarrangement***

Arbeiten Sie in Dreiergruppen.

a) Fassen Sie die zentrale Aussage des Textes in Stichworten zusammen.

b) Wählen Sie jeweils eine juristisch relevante Figur aus dem Theaterstück aus (Adam, Walter, Licht) und beschreiben Sie deren charakteristisches Verhalten während des Prozesses. Gehen Sie dabei vom 11. Auftritt (TA, S. 70–82) aus. Ziehen Sie weitere Textstellen hinzu, die das Verhalten der von Ihnen gewählten Figur verdeutlichen.

c) Überprüfen Sie auf der Grundlage Ihrer Gruppenergebnisse, ob bzw. inwiefern Sie die Einschätzung Schneiders, dass „Kleists Gerichtsspektakel Missstände angeprangert“ (Z. 1) habe, unterstützen.

d) Stellen Sie Ihre Ergebnisse im Plenum vor und diskutieren Sie mögliche Deutungsunterschiede.

Illustration von Adolf Menzel mit den juristisch relevanten Figuren zu Beginn des 9. Auftritts, 1877

K

Klausurtraining

III B Erörterung literarischer Texte auf der Grundlage eines pragmatischen Textes

Sie haben sich bis hier mit dem Lustspiel „Der zerbrochne Krug“ von Heinrich von Kleist und dessen epochaler wie ideengeschichtlicher Zuordnung auseinandergesetzt. Jetzt sollen Sie einen pragmatischen Text in Bezug setzen zu Ihren Kenntnissen der Literatur und Kleists Text im Besonderen.

1 Stellen Sie die zentralen Aussagen im vorliegenden Textauszug von Anne Fleig zur Bedeutung des Vertrauens in Kleists Lustspiel „Der zerbrochne Krug“ dar.

2 Erörtern Sie, inwieweit sich die Gedanken Fleigs im Lustspiel „Der zerbrochne Krug“ widerspiegeln. Gehen Sie dabei besonders auf die Beziehungen zwischen Eve und Ruprecht sowie zwischen Eve und Richter Adam ein und nehmen Sie abschließend Stellung zu der Aussage Fleigs: „Die Frage nach dem Vertrauen beinhaltet die Frage nach der Wahrheit im Rahmen einer verbindlichen Ordnung.“ (Z. 34 f.)

Anne Fleig

Das Gefühl des Vertrauens in Kleists Dramen (2008/09)

Im Jahrhundert der Aufklärung gewinnen die Gefühle vor allem in Hinblick auf die Bildung des Menschen an Bedeutung, denn der Entwurf eines mündigen Subjekts schließt die Aufklärung über die eigenen Gemütsbewegungen mit ein. […]
Auch das Verständnis von Vertrauen unterliegt durch die Aufklärung einem grundlegenden Wandel. Das personale Vertrauen – das Vertrauen in andere Menschen – und das soziale Vertrauen – das Vertrauen ins Recht bzw. eine rechtsstaatliche Ordnung – lösen allmählich das seit dem Mittelalter vorherrschende Vertrauen auf Gott ab. […]
Die Aufwertung des personalen Vertrauens seit der Aufklärung schlägt sich auch im Werk Heinrich von Kleists nieder. Allerdings kann hier kaum von einer Kultur des Vertrauens die Rede sein. Die Möglichkeit von Vertrauen steht vielmehr in Frage. […]
Vertrauen kann als Haltung zur Welt, mithin als eine Form der Welterfassung verstanden werden. Als Form der Welterfassung ist Vertrauen zugleich an Annahmen über den Normalfall dieser Welt gebunden. Funktion und Bedeutung von Vertrauen hängen unmittelbar mit den jeweiligen gesellschaftlichen Rahmenbedingungen zusammen und unterliegen dadurch historischem Wandel. Bis weit ins 18. Jahrhundert hinein galt Gott als wichtigster Adressat menschlichen Vertrauens. Der mit ihm verbundene Glaube an die Vorsehung bildete die Grundlage ruhigen und zuversichtlichen Lebens. Mit der Herausbildung der bürgerlichen Gesellschaft und der Auflösung der ständisch geprägten Ordnung erfuhr Vertrauen vor allem als Grundlage persönlicher Beziehungen einen Aufschwung. Diese Entwicklung kann als Individualisierung von Vertrauen gedeutet werden. […]
Mit der Aufklärung rückte in der zweiten Hälfte des 18. Jahrhunderts der vernunftbegabte Mensch ins Zentrum des Vertrauensdiskurses. Die christliche Tradition und der Vorsehungsglaube mussten sich den Ansprüchen der Vernunft stellen. Gleichzeitig verloren ständische Zugehörigkeiten an Bindungskraft. Selbstgewählte persönliche Beziehungen wie Freundschaften gewannen an Bedeutung und trugen zur Aufwertung des Vertrauens bei. Der bürgerlichen Kultur des

Szenenbild der Aufführung „Der zerbrochne Krug“ durch das Anhaltinische Theater in Dessau, 2019

Vertrauens lag die Vorstellung von der Gleichheit aller Menschen und gleichberechtigtem Umgang miteinander zugrunde. [...]

Vor dem Hintergrund des skizzierten Wandels von Vertrauen seit der Aufklärung lässt sich das Vertrauen bei Kleist genauer bestimmen. Zunächst tritt Vertrauen vor allem in Krisensituationen auf den Plan. Die Frage nach dem Vertrauen beinhaltet die Frage nach der Wahrheit im Rahmen einer verbindlichen Ordnung, die bei Kleist von Anfang an der Vergangenheit angehört. [...] Ins Zentrum der Vertrauenshandlung rückt daher das Vertrauen in den Anderen, konkret in das geliebte Gegenüber. Die Probe des Vertrauens zielt auf das Gefühl des Vertrauens, das sich in der unbedingten Liebe zum Anderen manifestiert und dem sprachlich vermittelten Misstrauen voraus geht. Hier liegt auch einer der Unterschiede zu Kant, der personales Vertrauen nicht mit Liebe, sondern mit Freundschaft verbindet.

Kleist spitzt die aufklärerische Individualisierung des Vertrauens zu, indem er das Vertrauen als Gefühl mit der Identität und Selbstgewissheit seiner Figuren verknüpft. Diese Gewissheit ist an die bedingungslose Treueforderung gebunden, die gleichzeitig jene Zuversicht stiften soll, die Glück und Freude vorausgeht.

Szenenbild der Aufführung „Der zerbrochne Krug“ durch das Anhaltinische Theater in Dessau, 2019

Zu Aufgabe 1

Wichtige Vorbereitung für die Untersuchung des pragmatischen Textes ist die gründliche (mehrmalige) Lektüre. Ihr Textverständnis sollten Sie dann vertiefen, indem Sie im Text Markierungen vornehmen und zwar mit einer Farbe alle Aussagen zur Bedeutung und zur Geschichte des Vertrauens im Allgemeinen und mit einer anderen Farbe alle Aussagen zur Rolle des Vertrauens im Besonderen bei Kleist. Nach diesen Vorbereitungen bietet sich folgende Vorgehensweise an:

Schritt 1: Verfassen einer aufgabenbezogenen Einleitung

Schritt 2: Bestimmung des Themas: Wovon handelt der Text im Allgemeinen?

Schritt 3: Bestimmung der Position der Autorin und Klärung der Argumentation

Schritt 4: Erarbeitung einer reflektierten Schlussfolgerung

Schritt 1

In dieser Einleitung nennen Sie die Autorin (Anne Fleig), den Titel (Das Gefühl des Vertrauens in Kleists Dramen), die Textsorte (Sachtext), das Erscheinungsjahr (2008/09) und das Thema (Bedeutung des Vertrauens in den Kleists Dramen). Weiterhin erläutern Sie Ihre Vorgehensweise bei der Untersuchung des Textes, wie sie in den Schritten 2, 3 und 4 zum Ausdruck kommt.

Schritt 2

Mit der Markierung von Textstellen haben Sie bereits die entscheidende Vorbereitung getroffen, um jetzt das Thema des Textes darzulegen. Sie formulieren die beiden Schwerpunkte: Bedeutung und Entwicklung des Vertrauens bei der Herausbildung der bürgerlichen Gesellschaft und speziell die Bedeutung und Darstellung des Vertrauens bei Kleist. Zusammenfassend zur inhaltlichen Analyse sollten Sie die Hauptaussagen der Autorin noch einmal klar herausstellen. Damit bereiten Sie auch den Übergang zum dritten Schritt vor.

Schritt 3

Da der Text von Anne Fleig deutlich linear argumentiert, bietet es sich an, der Chronologie des Textes zu folgen. Wichtig ist, darauf zu achten, dass Sie die Position der Autorin wiedergeben und erklären. Bei der Formulierung Ihres Analyseteils können Sie die folgenden oder ähnliche verwenden:

Der genannte Kerngedanke der Autorin wird in mehreren Schritten entwickelt. Zunächst stellt sie einleitend den Zusammenhang zwischen Aufklärung und der bewussten Wahrnehmung des Individuums und seines Gefühlslebens her.
Weiterführend leitet Fleig über in eine Betrachtung der Bedeutung des Vertrauens in den Werken Heinrich von Kleists.

Schritt 4

Formulieren Sie nun Ihre reflektierte Schlussfolgerung. Sie können die folgenden Sequenzen übernehmen oder eigene Formulierungen wählen:

Abschließend ist festzuhalten, dass Fleig den Gedanken, dass..., vor allem mit dem Argument untermauert, dass, ... Damit sieht Fleig vor allem ...

Zu Aufgabe 2

Auch die **zweite Aufgabe** der Klausur bedarf der Vorbereitung. Sie sollen vor allem erörtern, inwieweit sich die Ausführungen Fleigs im Lustspiel „Der zerbrochne Krug" widerspiegeln. Insgesamt unterliegt die Bearbeitung der zweiten Aufgabe einem Dreischritt: Auch wenn die Aufgabenstellung es nicht explizit fordert, sollten Sie zunächst das Lustspiel im Gesamtzusammenhang und in Bezug auf zwei Figurenkonstellationen darstellen. (1) Sie können sich in der dann nachfolgenden Erörterung dann gut darauf beziehen. Diese bildet den Kern der Ausführungen zur Aufgabe 2. (2) Danach sollen Sie schließlich zu einer konkreten Aussage der Autorin eine Stellungnahme formulieren. (3) Folgende Vorgehensweise bietet sich an:

Schritt 1: Formulierung einer aufgabengezogenen Überleitung (Problemaufriss vornehmen)

Schritt 2: Darstellung der Zusammenhänge des Lustspiels (Zuordnung der zwei Figurenkonstellationen)

Schritt 3: Erörterung der Gedanken Fleigs vor dem Hintergrund des Lustspiels

Schritt 4: abschließende persönliche und begründete Stellungnahme zu dem Zitat von Fleig

Schritt 1

Analog zur aufgabengezogenen Einleitung soll hier eine aufgabenbezogene Überleitung verfasst werden. Zu Beginn Ihres Textes zur zweiten Aufgabe nehmen Sie einen Problemaufriss vor: Die zweite Aufgabe knüpft direkt an die Analyse des Textes an. Sie sollen die Aussage Fleigs erörtern, d. h. sowohl zustimmende als auch ablehnende Argumente anführen. Damit steht diese zweite Aufgabe in dem Kontext des Diskurses über die Deutung des Lustspiels „Der zerbrochne Krug", hier am Beispiel des Vertrauens. Dieser Aspekt steht im Mittelpunkt der Überleitung.

Schritt 2

Nun stellen Sie das Lustspiel in seinem Ablauf insgesamt dar, aber kurz und prägnant. Genauso skizzieren Sie die beiden Figurenkonstellationen Eve – Ruprecht und Eve – Richter Adam im Hinblick auf das jeweilige Vertrauen zueinander.

Schritt 3

Die Erörterung der Frage, inwieweit sich die Aussagen Fleigs zum Vertrauen im Lustspiel widerspiegeln, erfordert eine durchdachte Aufstellung von Pro- und Kontra-Argumenten.

Kohärenz bezeichnet den gedanklichen und syntaktischen Zusammenhang in einem Text. Gewährleistet wird diese durch passende Satzanschlüsse mithilfe von Konnektoren (Adverbien und Konjunktionen) und zentrale Redewendungen (z. B.: Der Autor vertritt seine Position durch ...)

Schritt 4

Ihre abschließende persönliche Stellungnahme sollte vor allem der Begriff der „Wahrheit" definieren bzw. problematisieren und deutlich machen, was die Kriterien für eine „verbindliche Ordnung" sind.

Abschließend sollten Sie nun Ihre Texte Korrektur lesen und dabei insbesondere Rechtschreibung, Zeichensetzung und die korrekte Anwendung des Modus kontrollieren. Achten Sie auch darauf, ob die Kohärenz gewährleistet ist.

Es bietet sich an, mit einer Mitschülerin oder einem Mitschüler die angefertigten Untersuchungen auszutauschen, um sich gegenseitig sprachlich, inhaltlich und in Bezug auf die Kohärenz zu überprüfen.

Frauen zwischen Determination und Autonomie

Die Situation der weiblichen Figuren im Lustspiel „Der zerbrochne Krug“ einordnen

Mechthilde Vahsen

Wie alles begann – Frauen um 1800 (2008)

Freiheit – Gleichheit – Brüderlichkeit hatte die Französische Revolution versprochen. Allerdings nicht für Frauen, wie diese recht schnell erkennen mussten. Es blieb ihnen also nichts anderes übrig, als sich selber aufzumachen und um ihre Bürgerinnenrechte zu kämpfen. [...]

Die Situation von (bürgerlichen) Frauen in Deutschland um 1800

Im Verlauf des 18. Jahrhunderts, das allgemein als das „Zeitalter der Aufklärung“ gilt, veränderte sich einiges: Noch in der ersten Hälfte des Jahrhunderts propagierten die Moralischen Wochenschriften das Bild der gelehrten Frau. Dieses Rollenmodell sah eine Frau vor, die gebildet und intellektuell sein sollte – obwohl es zu dieser Zeit keine systematische Mädchenbildung gab. Zum Ende des Jahrhunderts wurde dieses Rollenmodell durch den sogenannten „natürlichen Geschlechtscharakter“ der Frau abgelöst, der in Philosophie, Theologie, Medizin und anderen Bereichen ausführlich beschrieben wurde. Demnach hatten Frauen keinen Subjekt-Status, waren keine mündigen, autonomen Menschen, sondern benötigten eine Geschlechtsvormundschaft, ausgeübt durch den Vater, den Bruder oder den Ehemann. Aufgrund der ihnen zugewiesenen „natürlichen Geschlechtseigenschaften“ wie Tugend, Sittsamkeit und Fleiß war die ihnen nun zugedachte Rolle die der Ehefrau und Mutter. Dieses neue Rollenkonzept sorgte für eine Trennung der gesellschaftlichen Räume: Der Ort von Frauen war das Haus, der Ort von Männern war die Öffentlichkeit.

Dass die Ideologie des „natürlichen Geschlechtscharakters“ sich vor allem auf die Frauen des Bürgertums richtete – nicht zuletzt in Abgrenzung zum Adel –, wird vor allem daran deutlich, dass für Frauen der Arbeiterschicht diese Ideologie nicht funktionierte. Ihre Erwerbsarbeit wurde für den Unterhalt der Familie gebraucht, sodass das Konzept der nicht erwerbstätigen (bürgerlichen) Hausfrau und Mutter dieser Realität drastisch entgegenstand.

Das Modell der gesellschaftlich getrennten Geschlechterrollen blieb nicht unwidersprochen. Unter dem Einfluss der Französischen Revolution und den rasanten politischen Veränderungen gerieten seine Vertreterinnen und Vertreter in Erklärungsnöte. Alternative Konzepte wurden entwickelt, wie beispielsweise das so genannte Egalitätskonzept. Es ging davon aus, dass Frauen ebenso wie Männer autonome Subjekte sind. Mit anderen Worten: Frauen und Männer sind gleich. Ein Vertreter dieser Richtung in Deutschland war Theodor Gottlieb von Hippel, der 1792 seine Schrift „Über die bürgerliche Verbesserung der Weiber“ publizierte. [...]

Wilfried Barner und Gunter E. Grimm

Die bürgerliche Familie im 18. Jahrhundert (1987)

Die politischen Machtverhältnisse und eine erstarrte ständische Gesellschaftsordnung – beides nicht mehr adäquater Ausdruck der ökonomischen Rolle des Bürgertums – verhinderten eine politische Emanzipation des Dritten Standes. Literatur und Familie waren Freiräume, in denen die bürgerlichen Ideale artikuliert bzw. praktiziert wurden, deren Realisierung im politischen Bereich vorerst noch Utopie bleiben musste, ‚Empfindsamkeit‘ und ‚Moralität‘ bestimmten das Ethos des Bürgerlichen Trauerspiels, und spezifisch bürgerliche Tugenden wie Fleiß, Sparsamkeit, Ordnungsliebe, Bescheidenheit, Zurückgezogenheit usw. wurden als all-

Junge bürgerliche Familie, Gemälde von Joseph-Marcellin Combette (1770–1840), 1800/1801

gemeinmenschlich proklamiert. Wie die Familie zum Bild des ‚tugendhaften' und ‚natürlichen' Zusammenlebens wurde, so der Hof zum Ort des ‚Unnatürlichen' und ‚Lasterhaften', wo Intrige und Verstellungen herrschten. So wird die ‚große Welt' in Miss Sara Sampson als „nichtswürdigste Gesellschaft von Spielern und Landstreichern" hingestellt und in Verbindung mit adliger ‚Lebensart' genannt [...]. Das Bürgerliche Trauerspiel beschränkte sich zwar weitgehend auf die Privatsphäre, deshalb darf aber nicht kurzgeschlossen werden, es sei literarischer Ausdruck eines Rückzugs in die Idylle und die Familie sei in ihm privates Refugium eines sich dem öffentlichen Bereich entziehenden Bürgertums. Der das Gesellschaftsbild des 18. Jahrhunderts bestimmende Gegensatz zwischen einem politisch-öffentlichen und einem moralisch-privaten Bereich wird im Bürgerlichen Trauerspiel in die Familie hineingetragen und begründet dort den dramatischen Konflikt. Allein schon, dass man die Gesellschaft in zwei polarisierte Sphären separiert, diesen Antagonismus thematisiert und die Familie zum „poetischen Medium der Konfliktdarstellung"* wählt, beinhaltet Kritik an einer Gesellschaftsordnung, die das postulierte Zusammenleben auf der Grundlage eines ständeübergreifenden Wertsystems verhindert. Die unter moralischen Gesichtspunkten vorgebrachte Kritik war immer auch politisch motiviert bzw. hatte politische Konsequenzen [...].

*** Zitat aus:** Hinrich C.Seeba: „Das Bild der Familie bei Lessing. Zur sozialen Integration im bürgerlichen Trauerspiel", in: Lessing in heutiger Sicht. Hrsg. v. Richard T. Gray. Jacobi 1977, S. 307 - 322; S. 317.

1 Erläutern Sie auf der Grundlage der Informationen aus den beiden Texten von Seite 121 f. die Entwicklung der Familie und der Rolle der Frau im 18. Jahrhundert. Unterscheiden Sie zwischen den realen Lebensverhältnissen und der Darstellung in der Literatur.

2 Stellen Sie dar, wie die gesellschaftliche Rolle der Frau und der Familie im Lustspiel „Der zerbrochne Krug" dargestellt wird.

3 Beurteilen Sie, ob das Handeln Eves durch ihre gesellschaftliche Rolle determiniert ist oder ob man es als selbstbestimmt, ggf. sogar als emanzipiert bewerten kann.

Sich mit Kleists Rollenverständnis und Menschenbild auseinandersetzen

Heinrich von Kleist

Brief Kleists an Wilhelmine von Zenge (30.05.1800)

Liebe Wilhelmine. Die wechselseitige Übung in der Beantwortung zweifelhafter Fragen hat einen so vielseitigen Nutzen für unsre Bildung, dass es wohl der Mühe wert ist, die Sache ganz so ernsthaft zu nehmen, wie sie ist [...].

Gesetzt, Du fragtest mich, welcher von zwei Eheleuten, deren jeder seine Pflichten gegen den andern erfüllt, am meisten bei dem früheren Tode des andern verliert; so würde alles, was in meiner Seele vorgeht, ohngefähr in folgender Ordnung aneinanderhangen.

Zuerst fragt mein Verstand: was willst Du? Das heißt, mein Verstand will den Sinn Deiner Frage begreifen. Dann fragt meine Urteilskraft: Worauf kommt es an? Das heißt, meine Urteilskraft will den Punkt der Streitigkeit auffinden. Zuletzt fragt meine Vernunft: Worauf läuft das hinaus? Das heißt, meine Vernunft will aus dem Vorangehenden das Resultat ziehen. [...] Das würde nun ohngefähr auf diese Art am besten geschehen:

„Der Mann ist nicht bloß der Mann seiner Frau, er ist auch ein Bürger des Staates; die Frau hingegen ist nichts, als die Frau ihres Mannes; der Mann hat nicht bloß Verpflichtungen gegen seine Frau, er hat auch Verpflichtungen gegen sein Vaterland; die Frau hingegen hat keine andern Verpflichtungen, als Verpflichtungen gegen ihren Mann; das Glück des Weibes ist zwar ein unerlasslicher, aber nicht der einzige Gegenstand des Mannes, ihm liegt auch das Glück seiner Landsleute am Herzen; das Glück des Mannes hingegen ist der einzige Gegenstand der Frau; der Mann ist nicht mit allen seinen Kräften für seine Frau tätig, er gehört ihr nicht ganz, nicht ihr allein, denn auch die Welt macht Ansprüche auf ihn und seine Kräfte; die Frau hingegen ist mit ihrer ganzen Seele für ihren Mann tätig, sie gehört niemandem an, als ihrem Manne, und sie gehört ihm ganz an; die Frau endlich, empfängt, wenn der Mann seine Hauptpflichten erfüllt, nichts von ihm, als Schutz gegen Angriff auf Ehre und Sicherheit, und Unterhalt für die Bedürfnisse ihres Lebens, der Mann hingegen empfängt, wenn die Frau ihre Hauptpflichten erfüllt, die ganze Summe seines irdischen Glückes; die Frau ist schon glücklich, wenn es der Mann nur ist, der Mann nicht immer, wenn es die Frau ist, und die Frau muss ihn erst glücklich machen. Der Mann empfängt also unendlich mehr von seiner Frau, als umgekehrt die Frau von ihrem Manne.

Folglich verliert auch der Mann unendlich mehr bei dem Tode seiner Frau, als diese umgekehrt bei dem Tode ihres Mannes. Die Frau verliert nichts als den Schutz gegen Angriffe auf Ehre und Sicherheit, und Unterhalt für die Bedürfnisse ihres Lebens; das erste findet sie in den Gesetzen wieder, oder der Mann hat es ihr in Verwandten, vielleicht in erwachsenen Söhnen hinterlassen; das andere kann sie auch als Hinterlassenschaft von ihrem Manne erhalten haben. Aber wie will die Frau dem Manne hinterlassen, was er bei ihrem Tode verliert? Er verliert den ganzen Inbegriff seines irdischen Glückes, ihm ist, mit der Frau, die Quelle alles Glückes versiegt, ihm fehlt alles, wenn ihm eine Frau fehlt, und alles, was die Frau ihm hinterlassen kann, ist das wehmütige Andenken an ein ehemaliges Glück, das seinen Zustand noch umso trauriger macht.

1 Erläutern Sie das im Text dargestellte Rollenverständnis Kleists in Bezug auf die Rolle von Mann und Frau in einer Ehe. Prüfen Sie, inwiefern Kleists Frauen- und Männerbild mit dem Rollenverständnis des 18. Jahrhundert übereinstimmt.

2 Erörtern Sie, inwiefern sich Kleists Rollenverständnis in „Der zerbrochne Krug“ widerspiegelt. Arbeiten Sie mit Textbelegen.

Zur literaturgeschichtlichen Einordnung Heinrich von Kleists

Von der Aufklärung über die Klassik zur Romantik: Epochenüberblick über die Entwicklungen von 1700 – 1820

Jedes literarische Werk steht im Kontext seiner Schaffenszeit und damit auch im Kontext literaturepochaler Entwicklungen. Das Bühnenstück „Der zerbrochne Krug" als Drama zu erfassen, bedingt auch, die literarischen Entwicklungen zu verstehen, die Kleist kannte und mit denen er sich auseinandergesetzt hat. Kleist setzt sich besonders mit Goethe auseinander, den er am liebsten von seinen Dichterthron gestoßen hätte. Aber er bezieht sich auch dezidiert auf das Literaturverständnis von Schiller. Um seine Abgrenzung verstehen zu können, sollte man sich auch mit der Klassik beschäftigen. Und um die zu verstehen, muss man die Aufklärung verstanden haben. In diesem Sinne könnte man sagen: Ohne Aufklärung keine Klassik und kein Kleist!

1 Lesen Sie unter „Auf einen Blick – Literaturgeschichte" (S. 340 – 352) die kurzen Texte zur Literaturgeschichte für die Epochen/Strömungen der Aufklärung, des Sturm und Drang, der Klassik, der Romantik, des Vormärz und des Biedermeier. Fassen Sie die Wesensmerkmale der jeweiligen Epochen in zwei oder drei treffenden Formulierungen zusammen.

2 Die nachfolgenden Bilder sind typische Darstellungen für die Aufklärung, die Romantik, die Klassik, den Vormärz und das Biedermeier. Ordnen Sie die Bilder begründet den Epochen zu.

Kants Essay „Beantwortung der Frage: Was ist Aufklärung?" analysieren

Immanuel Kant (1724 – 1804)

Immanuel Kant, der wohl berühmteste Philosoph seiner Zeit, gilt als der Aufklärer schlechthin und zugleich als einer der bedeutendsten Philosophen der Weltgeschichte. Prägend nach Kant ist dabei für die Philosophie die Beantwortung dreier Fragen, die dann in eine vierte münden, die sogenannten philosophischen Grundfragen: Was kann ich wissen? Was soll ich tun? Was darf ich hoffen? Was ist der Mensch? Diese Fragen legen den Grundstein für drei große Bereiche der Philosophie: die Erkenntnistheorie, also die Frage, wie der Mensch zur Erkenntnis kommt, die Ethik, die Frage nach dem moralisch wertvollen Verhalten, und die Religionsphilosophie, also die Frage der Möglichkeiten des Glaubens. Aus der Beantwortung der ersten drei Fragen und deren philosophischer Erkenntnis ergibt sich für Kant die Möglichkeit, die letzte Frage, „Was ist der Mensch?", in philosophischer Hinsicht zu beantworten.

Kants Essay „Beantwortung der Frage: Was ist Aufklärung?" (1784) erschien in der „Berlinischen Monatsschrift". Bereits 1783 war in dieser angemahnt worden, dass sich noch niemand mit der Beantwortung dieser wichtigen Frage auseinandergesetzt habe. Einige Literaten und Philosophen reagierten auf diese Aufforderung und so entwickelte sich im Rahmen der Veröffentlichungen der Schrift eine Grundsatzdebatte über die Definition der Aufklärung.

Immanuel Kant

Beantwortung der Frage: Was ist Aufklärung? (1784)

Aufklärung ist der Ausgang des Menschen aus seiner selbstverschuldeten Unmündigkeit. Unmündigkeit ist das Unvermögen, sich seines Verstandes ohne Leitung eines anderen zu bedienen. Selbstverschuldet ist diese Unmündigkeit, wenn die Ursache derselben nicht am Mangel des Verstandes, sondern der Entschließung und des Mutes liegt, sich seiner ohne Leitung eines andern zu bedienen. Sapere aude! Habe Mut, dich deines eigenen Verstandes zu bedienen! ist also der Wahlspruch der Aufklärung. Faulheit und Feigheit sind die Ursachen, warum ein so großer Teil der Menschen, nachdem sie die Natur längst von fremder Leitung freigesprochen (naturaliter maiorennes), dennoch gerne zeitlebens unmündig bleiben; und warum es anderen so leicht wird, sich zu deren Vormündern aufzuwerfen. Es ist so bequem, unmündig zu sein. Habe ich ein Buch, das für mich Verstand hat, einen Seelsorger, der für mich Gewissen hat, einen Arzt, der für mich die Diät beurteilt usw., so brauche ich mich ja nicht selbst zu bemühen. Ich habe nicht nötig zu denken, wenn ich nur bezahlen kann; andere werden das verdrießliche Geschäft schon für mich übernehmen. Dass der bei weitem größte Teil der Menschen (darunter das ganze schöne Geschlecht) den Schritt zur Mündigkeit, außer dem, dass er beschwerlich ist, auch für sehr gefährlich halte, dafür sorgen schon jene Vormünder, die die Oberaufsicht über sie gütigst auf sich genommen haben. Nachdem sie ihr Hausvieh zuerst dumm gemacht haben und sorgfältig verhüteten, dass diese ruhigen Geschöpfe ja keinen Schritt außer dem Gängelwagen, darin sie sie einsperrten, wagen durften, so zeigen sie ihnen nachher die Gefahr, die ihnen drohet, wenn sie es versuchen, allein zu gehen. Nun ist diese Gefahr zwar eben so groß nicht, denn sie würden durch einige Mal Fallen wohl endlich gehen lernen; allein ein Beispiel von der Art macht doch schüchtern und schreckt gemeiniglich von allen ferneren Versuchen ab.

Es ist also für jeden einzelnen Menschen schwer, sich aus der ihm beinahe zur Natur gewordenen Unmündigkeit herauszuarbeiten. Er hat sie sogar liebgewonnen und ist vorderhand wirklich unfähig, sich seines eigenen Verstandes zu bedienen, weil man ihn niemals den Versuch davon machen ließ. Satzungen und Formeln, diese mechanischen Werkzeuge eines vernünftigen Gebrauchs oder vielmehr Missbrauchs seiner Naturgaben, sind die Fußschellen einer immerwährenden Unmündigkeit. Wer sie auch abwürfe, würde dennoch auch über den schmalsten Graben einen nur unsicheren Sprung tun, weil er zu dergleichen freier Bewegung nicht gewöhnt ist. Daher gibt es nur wenige, denen es gelungen ist, durch eigene Bearbeitung ihres Geistes sich aus der Unmündigkeit herauszuwickeln und dennoch einen sicheren Gang zu tun.

Dass aber ein Publikum sich selbst aufkläre, ist eher möglich; ja es ist, wenn man ihm nur Freiheit lässt, beinahe unausbleiblich. Denn da werden sich immer einige Selbstdenkende, sogar unter den eingesetzten Vormündern des großen Haufens finden, welche, nachdem sie das Joch der Unmündigkeit selbst abgeworfen haben, den Geist einer vernünftigen Schätzung des eigenen Werts und des Berufs jedes Menschen, selbst zu denken, um sich verbreiten werden. Besonders ist hierbei: dass das Publikum, welches zuvor von ihnen unter dieses Joch gebracht worden, sie hernach selbst zwingt, darunter zu bleiben, wenn es von einigen seiner Vormünder, die selbst aller Aufklärung unfähig sind, dazu aufgewiegelt worden; so schädlich ist es, Vorurteile zu pflanzen, weil sie sich zuletzt an denen selbst rächen, die oder deren Vorgänger ihre Urheber gewesen sind. Daher kann ein Publikum nur langsam zur Aufklärung gelangen. Durch eine Revolution wird vielleicht wohl ein Abfall von persönlichem Despotismus und gewinnsüchtiger oder herrschsüchtiger Bedrückung, aber niemals wahre Reform der Denkungsart zustande kommen; sondern neue Vorurteile werden, ebenso wohl als die alten, zum Leitbande des gedankenlosen großen Haufens dienen.

Zu dieser Aufklärung aber wird nichts erfordert als Freiheit; und zwar die unschädlichste unter allem, was nur Freiheit heißen mag, nämlich die: von seiner Vernunft in allen Stücken öffentlichen Gebrauch zu machen. Nun höre ich aber von allen Seiten rufen: Räsoniert nicht! Der Offizier sagt: Räsoniert nicht, sondern exerziert! Der Finanzrat: Räsoniert nicht, sondern bezahlt! Der Geistliche: Räsoniert nicht, sondern glaubt! [...] Hier ist überall Einschränkung der Freiheit. Welche Einschränkung aber ist der Aufklärung hinderlich, welche nicht, sondern ihr wohl gar beförderlich? – Ich antworte: Der öffentliche Gebrauch seiner Vernunft muss jederzeit frei sein, und der allein kann Aufklärung unter Menschen zustande bringen; der Privatgebrauch derselben aber darf öfters sehr enge eingeschränkt sein, ohne doch darum den Fortschritt der Aufklärung sonderlich zu hindern.

räsonieren
hier: nachdenken

Ich verstehe aber unter dem öffentlichen Gebrauche seiner eigenen Vernunft denjenigen, den jemand als Gelehrter von ihr vor dem ganzen Publikum der Leserwelt macht. Den Privatgebrauch nenne ich denjenigen, den er in einem gewissen ihm anvertrauten bürgerlichen Posten oder Amte von seiner Vernunft machen darf. [...] So würde es sehr verderblich sein, wenn ein Offizier, dem von seinen Oberen etwas anbefohlen wird, im Dienste über die Zweckmäßigkeit oder Nützlichkeit dieses Befehls laut vernünfteln wollte; er muss gehorchen. Es kann ihm aber billigermaßen nicht verwehrt werden, als Gelehrter über die Fehler im Kriegesdienste Anmerkungen zu machen und diese seinem Publikum zur Beurteilung vorzulegen. Der Bürger kann sich nicht weigern, die ihm auferlegten Abgaben zu leisten; sogar kann ein vorwitziger Tadel solcher Auflagen, wenn sie von ihm geleistet werden sollen, als ein Skandal, (das allgemeine Widersetzlichkeiten veranlassen könnte), bestraft werden. Ebenderselbe handelt dem ungeachtet der Pflicht eines Bürgers nicht entgegen, wenn er als Gelehrter wider die Unschicklichkeit oder auch Ungerechtigkeit solcher Ausschreibungen öffentlich seine Gedanken äußert. [...]

Die Menschen arbeiten sich von selbst nach und nach aus der Rohigkeit heraus, wenn man nur nicht absichtlich künstelt, um sie darin zu erhalten. [...]

1 Definieren Sie auf Grundlage des Auszugs in eigenen Worten Kants Auffassung von „Aufklärung" und erläutern Sie, welche Hindernisgründe Kant für den „Ausgang" aus der selbstverschuldeten Unmündigkeit sieht. Wieso bedarf es des „Mutes", um zur Aufklärung zu gelangen?

2 Klären Sie auf Grundlage des Textauszuges Kants Verständnis der Begriffe Vernunft, Mündigkeit, Erziehung und private sowie öffentliche Freiheit bzw. privater und öffentlicher Vernunftgebrauch.

3 Ziel der Aufklärung im Kantschen Sinne ist die Erziehung zur Mündigkeit. Literarische Texte, die sich an den Leitideen der Aufklärung orientieren, wollen oder sollen zur Erziehung zur Mündigkeit beitragen. Überprüfen Sie auf Grundlage des Textes und mithilfe der in Aufgabe 2 geklärten Begriffe, inwieweit und auf Grundlage welcher Merkmale Kleists „Der zerbrochne Krug" zur Erziehung zur Mündigkeit, also zur Aufklärung im Kantschen Sinne beiträgt.

Einen Epochenüberblick erstellen

Peter-André Alt

Aufklärung (2001)

Als gesamteuropäisches Phänomen stellt die Aufklärung trotz bestimmter übergreifender Ziele und Gedankenmotive keine einheitliche Epoche dar; sie zerfällt vielmehr in unterschiedliche Phasen, in denen heterogene Tendenzen vorherrschen, die eine möglichst differenzierte Periodisierung ratsam erscheinen lassen. Zu unterscheiden wären drei Hauptströmungen, die in einem gewissen zeitlichen Folgeverhältnis zueinander stehen:

- der Rationalismus als bestimmendes philosophisches System der ersten Phase zwischen 1680 und 1740,
- der Empirismus bzw. der (in Deutschland teilweise noch rationalistisch fundierte) Sensualismus der zweiten Phase zwischen 1740 und 1780,
- der zwischen 1780 und 1795 hervortretende Kritizismus, der sich vor allem mit der Transzendentalphilosophie Kants verbindet [...].

Peter-André Alt
* 16.06.1960, deutscher Literaturwissenschaftler und Hochschullehrer

Das Zentrum des frühaufklärerischen Rationalismus bildet der Gedanke, dass die von Gott geschaffene Natur als Vernunftnatur und logisch gegründete Ordnung aufzufassen sei, die der Mensch mit den Mitteln des Verstandes, gestützt auf ein regelgeleitetes wissenschaftliches Verfahren, systematisch zu erschließen vermöge. Die Durchsetzung eines neuen Wissensbegriffs soll es dem denkenden Individuum erlauben, mithilfe der Ratio die Geheimnisse der Natur zu durchdringen [...]. Die zweite Phase der Aufklärung steht unter dem Einfluss heterogener Faktoren und lässt sich nicht mehr einem einzigen Leitbegriff unterordnen. Durchgängig zeigt sich spätestens in der Mitte des 18. Jahrhunderts eine gewisse Distanz zum logozentrischen, allein auf die Möglichkeiten des Vernunfturteils gegründeten, rein verstandesorientierten Lehrsystem des Rationalismus. An seine Stelle tritt eine neue Philosophie der menschlichen Erfahrung [...]. Ebenso wie der frühaufklärerische Rationalismus lässt sich das erfahrungswissenschaftliche Denken vom Primat der Vernunft leiten, jedoch möchte es eine veränderte methodische Basis für die systematische Erforschung von Mensch und Natur schaffen [...]. [Der britische Empirismus gibt] dem Bereich der Empirie Vorrang vor einem allein theoretisch fundierten Vernunftdenken [...]. Der Sensualismus betrachtet das Feld der Wahrnehmungen, denen sich der Mensch überantworten kann, als einen der Vernunft korrespondierenden, durchaus rational analysierbaren Bereich [...].
Die dritte, abschließende Phase der Aufklärung hat ihr intellektuelles Zentrum fraglos in der Philosophie Kants, dessen Hauptwerk, die Kritik der reinen Vernunft (1781), sowohl die rationalistische Metaphysik der Frühaufklärung als auch den Empirismus der mittleren Strömung in einer neuen methodischen Synthese aufhebt. [...] Die entscheidende Konsequenz von Kants Theorie des Urteils liegt darin, dass die Erkenntnis der Wirklichkeit transzendental, das bedeutet im Hinblick auf die Bedingungen der theoretischen Möglichkeit dieser Erkenntnis, bestimmt wird. Der Mensch ist das, was er denkt; er wird zum Souverän der Wirklichkeit, insofern er sich im Akt des Denkens – des Urteils – seine Realität erst schafft. [...]

Drei Phasen sind mithin zu unterscheiden, die die Aufklärung als gesamteuropäisches Epochenphänomen bestimmen [...]. Jenseits der Gegensätze, die diese Perioden beherrschen, lassen sich durchaus Gemeinsamkeiten entdecken, die das intellektuelle Profil der Aufklärung übergreifend prägen [...]:

1. Aufklärung scheint beherrscht durch eine grundsätzliche Ermächtigung der Vernunft. [...] Die Arbeit des menschlichen Verstandes bildet den bevorzugten Gegenstand aufklärerischer Erkenntnis und zugleich das maßgebliche methodische Fundament, von dem diese ausgeht. [...]

2. Aufklärung versteht sich als Erziehung des Menschen, als Anleitung zum Gebrauch seiner Verstandeskräfte [...].

[3., eingefügt durch die Red.] Aufklärung erscheint als das Zeitalter des Wissens und der Wissenschaften, der Neuformulierung szientifischer Methoden und Denkansätze. Nie zuvor wurden die drängenden Fragen der Naturerkenntnis mit vergleichbarer Energie angegangen, nie zuvor mit ähnlichem Selbstbewusstsein theoretische Probleme diskutiert und wissenschaftliche Hypothesen erprobt. [...] An die Stelle des noch im 17. Jahrhundert gültigen Vorbehalts, dass der Mensch die Geheimnisse der Schöpfung letzthin nicht erschließen könne, weil allein Gott absolutes Wissen über sie besitze, tritt im Zeitalter der Aufklärung ein bis dahin unbekanntes Wahrheitspostulat wissenschaftlicher Verfahrensweisen. [...] Schaltstelle dieses konzeptionellen Veränderungsprozesses ist der Rationalismus, der davon ausgeht, dass die Natur von Gott nach Prinzipien der Vernunft geschaffen wurde, mithin auch durch eine auf Vernunftsregeln gegründete Wissenschaft vollständig zu erschließen ist. [...]

4. Aufklärung bedeutet stets auch Säkularisierung und schließt eine fortschreitende Verweltlichung im Zeichen der Verdrängung kirchlicher Autoritäten ein.

1 Lesen Sie den Text von Peter-André Alt zur Aufklärung und markieren Sie die zentralen Aussagen. Erstellen Sie anschließend auf Grundlage Ihrer Markierungen ein Wortcluster der zentralen Begriffe.

2 Fertigen Sie anhand des Wortclusters einen Strukturbaum zum Text an, der die zentralen Zusammenhänge, Entwicklungsschritte und Konsequenzen der Aufklärung visualisiert.

3 Inwieweit spielt die Aufklärung eine Rolle bei der Niederschrift des Lustspiels „Der zerbrochne Krug“ und inwieweit sind im Bühnenstück selber Elemente der Aufklärung nachweisbar? Diskutieren Sie diese Frage im Plenum.

Sich mit einem programmatischen Text der Klassik vertiefend auseinandersetzen

Die Weimarer Klassik (ca. 1785 – 1805/1832)

Wenn von klassischen Epochen gesprochen wird, dann ist eine literarische Phase gemeint, in der Werke entstanden sind, die retrospektiv als vorbildhaft für ein literarisches Wirken gesehen werden: In diesem Sinne entsteht in diesen Phasen eine Nationalliteratur. Für die deutschsprachige Literatur gilt die gemeinsame Wirkphase Goethes und Friedrich Schillers als vorbildhaft. Aufgrund der Tatsache, dass sie zu dieser Hochphase beide in Weimar lebten und sich zwischen ihnen eine enge Freundschaft entwickelte, wird die deutsche Klassik auch als Weimarer Klassik bezeichnet. Goethes Italienreise (1786 - 1788) und Schillers Umzug nach Weimar beziffern dabei zumeist den Beginn, strittiger ist der Zeitpunkt des Endes der Klassik: Dieser Punkt wird entweder mit Schillers Tod 1805 oder Goethes Tod 1832 gesetzt.

Generell ist das Wirken dieser beiden Literaten zentral für die Epoche. Für beide Dichter stand die Verbindung der großen Schwerpunkte der vorherigen Phasen der deutschen Literatur im Mittelpunkt ihres literarischen Wirkens. Dominierten in der Aufklärung die Vernunft (ratio), im Sturm und Drang hingegen Herz und Gefühl (emotio), so sollten diese Gegensätze in der Klassik zu einem harmonischen Ausgleich geführt werden. Sowohl ratio als auch emotio sollen ausgedrückt werden, sie sollen resultieren in einer actio, die sich in der Verfeinerung der Seele eines jeden Einzelnen manifestiert. Diese Verfeinerung kann auch als Idealisierung der Seele verstanden werden und eben diese Idealisierung zeichnet sich als Schlagwort der Klassik aus: Das Ideal an Inhalt, das Ideal der Form sollte bei den Rezipierenden zur Erstellung einer idealen Seele führen.

Goethe sah das Vorbild für dieses Wirken in der griechisch-römischen Antike, sodass sich viele seiner Werke auf die Mythologie der alten Griechen rückbeziehen. Schiller orientiert sich zudem in seinen Werken an der Geschichtsschreibung. Er bezieht sich insbesondere in seinen Dramen konkret auf historische Stoffe, die er dann künstlerisch überformt. Mit diesen Idealen geht auch eine starke Formgebundenheit in der Weimarer Klassik einher. Hatte sich der Sturm und Drang noch von literarischen Regeln befreit und das Originalgenie walten lassen, so orientiert sich die Klassik wieder an recht engen Regeln, in deren Einhaltung die Ästhetik eines Werkes gesehen wird, sodass durch die ästhetische Gestaltung Erziehung im Sinne eines angestrebten Idealzustandes vermittelt werden soll. Dies manifestiert sich auch in der Sprachverwendung, die dialektalen, umgangssprachlichen Elemente des Sturm und Drang und der Romantik weichen in den der Klassik zuzuordnenden Werken einer künstlerisch stark überformten Sprache.

Die Zeitschrift *Die Horen* war eines der prägenden Kommunikationsorgane der Künstler und Geistesgrößen der Weimarer Klassik. Ähnlich der *Berlinischen Monatsschrift* und der *Athenäums Zeitschrift* diente diese von Schiller herausgegebene Schrift der Diskussion aktueller literarischer und gesamtgesellschaftlicher Themen. Zu den Autoren zählt eine lange Liste der Intellektuellen der Zeit und auch Goethe, der zweite große Klassiker, veröffentlichte regelmäßig Essays in *Die Horen*. Der nachfolgende Auszug ist Teil der Ankündigung zur neu erscheinenden Zeitschrift.

Friedrich Schiller

Ankündigung aus „Die Horen“ (1795)

Zu einer Zeit, wo das nahe Geräusch des Kriegs das Vaterland ängstiget, wo der Kampf politischer Meinungen und Interessen diesen Krieg beinahe in jedem Zirkel erneuert und nur allzu oft Musen und Grazien daraus verscheucht, wo weder in den Gesprächen noch in den Schriften des Tages vor diesem allverfolgenden Dämon der Staatskritik Rettung ist, möchte es ebenso gewagt als verdienstlich sein, den so sehr zerstreuten Leser zu einer Unterhaltung von ganz entgegengesetzter Art einzuladen. In der Tat scheinen die Zeitumstände einer Schrift wenig Glück zu versprechen, die sich über das Lieblingsthema des Tages ein strenges Stillschweigen auferlegen und ihren Ruhm darin suchen wird, durch etwas anders zu gefallen, als wodurch jetzt alles gefällt. Aber je mehr das beschränkte Interesse der Gegenwart die Gemüter in Spannung setzt, einengt und unterjocht, desto dringender wird das Bedürfnis, durch ein allgemeines und höheres Interesse an dem, was rein menschlich und über allen Einfluss der Zeiten erhaben ist, sie wieder in Freiheit zu setzen und die politisch geteilte Welt unter der Fahne der Wahrheit und Schönheit wieder zu vereinigen.

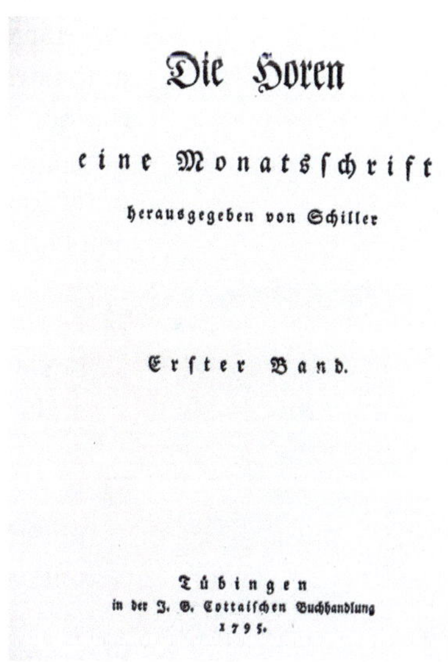

Die Horen

eine Monatsschrift

herausgegeben von Schiller

Erster Band.

Tübingen

in der J. G. Cottaischen Buchhandlung

1795.

„Die Horen“ – Originalausgabe

Dies ist der Gesichtspunkt, aus welchem die Verfasser dieser Zeitschrift dieselbe betrachtet wissen möchten. Einer heitern und leidenschaftfreien Unterhaltung soll sie gewidmet sein, und dem Geist und Herzen des Lesers, den der Anblick der Zeitbegebenheiten bald entrüstet, bald niederschlägt, eine fröhliche Zerstreuung gewähren. Mitten in diesem politischen Tumult soll sie für Musen und Charitinnen einen engen vertraulichen Zirkel schließen, aus welchem alles verbannt sein wird, was mit einem unreinen Parteigeist gestempelt ist. Aber indem sie sich alle Beziehungen auf den jetzigen Weltlauf und auf die nächsten Erwartungen der Menschheit verbietet, wird sie über die vergangene Welt die Geschichte und über die kommende die Philosophie befragen, wird sie zu dem Ideale veredelter Menschheit, welches durch die Vernunft aufgegeben, in der Erfahrung aber so leicht aus den Augen gerückt wird, einzelne Züge sammeln und an dem stillen Bau bessrer Begriffe, reinerer Grundsätze und edlerer Sitten, von dem zuletzt alle wahre Verbesserung des gesellschaftlichen Zustandes abhängt, nach Vermögen geschäftig sein. Sowohl spielend als ernsthaft wird man im Fortgange dieser Schrift dieses einige Ziel verfolgen, und so verschieden auch die Wege sein mögen, die man dazu einschlagen wird, so werden doch alle, näher oder entfernter, dahin gerichtet sein, wahre Humanität zu befördern. Man wird streben, die Schönheit zur Vermittlerin der Wahrheit zu machen und durch die Wahrheit der Schönheit ein daurendes Fundament und eine höhere Würde zu geben. Soweit es tunlich ist, wird man die Resultate der Wissenschaft von ihrer scholastischen Form zu befreien und in einer reizenden, wenigstens einfachen, Hülle dem Gemeinsinn verständlich zu machen suchen. Zugleich aber wird man auf dem Schauplatze der Erfahrung nach neuen Erwerbungen für die Wissenschaft ausgehen und da nach Gesetzen forschen, wo bloß der Zufall zu spielen und die Willkür zu herrschen scheint. Auf diese Art glaubt man zu Aufhebung der Scheidewand beizutragen, welche die schöne Welt von der gelehrten zum Nachteile beider trennt, gründliche Kenntnisse in das gesellschaftliche Leben und Geschmack in die Wissenschaft einzuführen.

Man wird sich, soweit kein edlerer Zweck darunter leidet, Mannigfaltigkeit und Neuheit zum Ziele setzen, aber dem frivolen Geschmacke, der das Neue bloß um der Neuheit willen sucht, keineswegs nachgeben. Übrigens wird man sich jede Freiheit erlauben, die mit guten und schönen Sitten verträglich ist.

Wohlanständigkeit und Ordnung, Gerechtigkeit und Friede werden also der Geist und die Regel dieser Zeitschrift sein; die drei schwesterlichen Horen Eunomia, Dike und Irene werden sie regieren. In diesen Göttergestalten verehrte der Grieche die welterhaltende Ordnung, aus der alles Gute fließt, und die in dem gleichförmigen Rhythmus des Sonnenlaufs ihr treffendstes Sinnbild findet. Die Fabel macht sie zu Töchtern der Themis und des Zeus, des Gesetzes und der Macht; des nämlichen Gesetzes, das in der Körperwelt über den Wechsel der Jahreszeiten waltet und die Harmonie in der Geisterwelt erhält.

Die Horen waren es, welche die neugeborene Venus bei ihrer ersten Erscheinung in Cypern empfingen, sie mit göttlichen Gewanden bekleideten und so, von ihren Händen geschmückt, in den Kreis der Unsterblichen führten: eine reizende Dichtung, durch welche angedeutet wird, dass das Schöne schon in seiner Geburt sich unter Regeln fügen muss und nur durch Gesetzmäßigkeit würdig werden kann, einen Platz im Olymp, Unsterblichkeit und einen moralischen Wert zu erhalten. [...]

1 Erläutern Sie die von Schiller intendierte Funktion der Zeitschrift, indem Sie kurz den Inhalt des Auszuges zusammenfassen und dann dezidiert die angestrebte Funktion der Zeitschrift erklären und an Beispielen verdeutlichen.

2 Recherchieren Sie den Mythos der Horen. Erläutern Sie auf Grundlage Ihrer Ergebnisse und unter Berücksichtigung der Ausführungen Schillers (vgl. Z. 48 ff.) die Aussageabsicht, die sich mit dem gewählten Titel der Zeitschrift verbindet.

3 Erläutern Sie das Bildungs- und Erziehungsverständnis, welches Schiller in diesem Auszug vertritt.

4 Vergleichen Sie das von Schiller geschilderte Erziehungs- und Bildungsverständnis mit der Auffassung der Aufklärung. Wo finden sich Gemeinsamkeiten? Worin unterscheiden sich die Konzepte?

Ideen der Romantik anhand eines pragmatischen Textes nachvollziehen

Bengt Algot Sørensen

Deutsche Romantik (2003)

Während sich die Klassiker um eine reinliche Scheidung der Gattungen, vornehmlich um das Wesen des Epos, des Dramas, der Lyrik bemühten, wie etwa der Briefwechsel zwischen Goethe und Schiller zeigt, so waren die Romantiker dagegen der Meinung, dass das Kunstwerk der Zukunft aus der Mischung der Gattungen hervorgehen müsse. Im Brief über den Roman (1800) behauptete Fr. Schlegel, dass „das Drama ... die wahre Grundlage des Romans ist", und anschließend gesteht er: „Ja, ich kann mir einen Roman kaum anders denken, als gemischt aus Erzählung, Gesang und anderen Formen." [...] Die künstlerische Praxis der Romantik entsprach weitgehend solchen und ähnlichen Theorien. So sind z. B. die zahlreichen eingelegten Lieder ein charakteristisches Merkmal des Romans dieser Periode. [...] Ähnlich verhält es sich mit den Dramen der Romantik. Hier kommt es sogar vor, dass [Figuren] sich in Sonetten, Stanzen oder Terzinen unterhalten. [...]

Friedrich Schlegel (1772–1829), deutscher Philosoph und Schriftsteller

Wie der Roman wurde auch das Drama der Romantik weitgehend durch die Mischung der Gattungen bestimmt. Stimmung, Atmosphäre, „Klima, Duft und Ton" (Tieck); verbunden mit Träumen und Visionen, Personifikationen und Allegorien, dazu eine Vielfalt von metrischen und strophischen Formen, diese Mischung bewirkte eine Auflösung der festen Umrisse, eine Verwandlung der Wirklichkeit ins Traumhafte, die zwar genuin romantisch war, dem Wesen des traditionellen Dramas aber widersprach. Charakteristisch sind die Schlussworte des Prologs in Tiecks dramatisiertem Volksbuch *Kaiser Octavianus* (1804):

Mondbeglänzte Zaubernacht,
Die den Sinn gefangen hält,
Wundervolle Märchenwelt,
Steig auf in der alten Pracht.

Ludwig Tieck (1773–1853), deutscher Dichter der Romantik

Nicht das antike Drama konnte hier vorbildlich werden, sondern der katholische, dem Mittelalter verbundene Süden gab der Märchenwelt des romantischen Dramas wesentliche Anregungen. Besonders der spanische Dramatiker der Gegenreformation, Calderón (1600–1681), faszinierte die Romantiker. Die Brüder Schlegel haben ihn mehrfach – bewundernd – charakterisiert, A. W. Schlegel und nach ihm Eichendorff kongenial übersetzt.

Pedro Calderón de la Barca (1600–1681), spanischer Dichter und Dramatiker

Die Dramen der Romantiker wurden selten oder nie aufgeführt. Auch ihre Lustspiele waren ausgesprochene Lesekomödien. In Tiecks ersten Lustspielen wie z. B. *Der gestiefelte Kater* (1797), *Die verkehrte Welt* (1798) und *Prinz Zerbino* (1799) tritt der Bruch mit der Lustspieltradition der Aufklärung deutlich hervor: Der Handlungszusammenhang löst sich auf, die Bühne fängt an, mit sich selbst zu spielen, das Publikum wird einbezogen und zur Zielscheibe des Witzes und der Satire gemacht. Noch weiter ging Brentano in der Komödie *Ponce de Leon* (1803), in der sich die spielerische Fantasie ohne satirisches Ziel in einem poetisch-imaginären Raum frei entfaltet. [...]

1 Stellen Sie anhand des Textes von Sørensen Merkmale der Literatur der Romantik dar und gehen Sie dabei insbesondere auf Aspekte der Gattung der Dramatik ein.

2 Prüfen Sie, inwieweit „Der zerbrochene Krug" die dargestellten Merkmale romantischer Dramatik erfüllt. Recherchieren Sie weiterführend den Begriff des aufklärerischen Lustspiels und überprüfen Sie hier, inwieweit Gemeinsamkeiten und Unterschiede festgestellt werden können.

3 Verfassen Sie ein abschließendes Fazit zur Einordnung „des Krugs" im Kontext der beiden dramenpraktischen Traditionslinien.

Das Werk Heinrich von Kleists literaturgeschichtlich einordnen

Günter Blamberger

Kleist ein radikaler Moralist (2011)

Kleist [gehört] zu einer Generation, die das Drama der Französischen Revolution als Kind erlebt, mit den Mündigkeits- und Selbstbestimmungsmodellen der Aufklärung erzogen wird und dann in die Wirren der Befreiungskriege gegen Napoleon gerät, in der die deutschen Staaten politisch instabil und in allen sozialen Bereichen reformbedürftig sind und die ständische Gesellschaft allmählich entsichert wird. Gerade die Lebensläufe von Aristokraten wie Kleist entwickeln sich so ins gefährlich Offene, die Verbindlichkeit des eigenen Standesmodells wird brüchig, der soziale Handlungsraum vergrößert sich, der Zugewinn an Freiheit kann zugleich aber als Beliebigkeit empfunden werden, als Orientierungsverlust. Folglich beschließt Kleist am Ende seiner Soldatenzeit, einen Lebensplan zu entwickeln und im Vertrauen auf Bildung wie in der Anschauung der eigenen „moralischen Schönheit" den „sicheren Weg des Glücks zu finden". Das ist keine aristokratische, das ist eine ganz bürgerliche Ordnungsfantasie, dass man mit Hilfe von Mentoren seine Eigentümlichkeit frei und stetig entfalten und tugendhaft immer bei sich selbst bleiben könne, komme was da wolle an Krisen und Katastrophen. Rousseau träumt in seiner pädagogischen Schrift „Emile" davon, Goethe im „Wilhelm Meister", Wilhelm von Humboldt in seiner Bildungsreform und Jugendliche vermutlich bis heute. Es ist vor allem ein typisch deutscher Traum. Deutschland, und keine andere Nation, hat den Bildungsroman entwickelt. Die großen deutschen Dichter und Denker um 1800: Kant, Schiller, Goethe, Hölderlin, Hegel sind idealistische Moralphilosophen, sie sind anders als die großen Dichter und Denker Frankreichs, Englands, Spaniens keine skeptischen Moralisten. Der Unterschied ist: Moralphilosophen achten vorwiegend darauf, wie Menschen handeln sollen, Moralisten darauf, wie unter Menschen tatsächlich gehandelt wird. Gegenstand ihres Interesses ist nicht die ideale Verhaltensnorm, sondern die reale Befindlichkeit des Menschen.

Kleist fällt aus seiner Zeit und aus allen Träumen des deutschen Idealismus heraus. Er wird dadurch unter den Großen der deutschen Literatur zum denkbar größten Ausnahmefall bis heute: zu einem skeptischen Moralisten und illusionslosen Analytiker menschlichen Verhaltens, der die Helden seiner Dramen und Erzählungen in Krisen und Katastrophen treibt und dabei die Welt zur Kenntlichkeit entstellt. Einen Bildungsroman wird er nicht schreiben, und sein Leben wäre selbst kein Vorbild dafür. Da rundet sich kein Individuum zum organischharmonischen Ganzen, die Orte wechseln und die Projekte. [...]

Kleists Helden sind mit wenigen Ausnahmen, Käthchen natürlich, keine „schönen Seelen", die dem Gebot der „moral grace", der Grazie als Übereinstimmung von äußerer Anmut und innerer sittlicher Würde folgen, wie es der bürgerliche Idealismus, Schiller voran, propagierte. Ein schöner Traum ist das, auch für Kleist, aber eben nur ein Traum, was sonst? Herrmanns Grazie-Modell ist das des Marionettenspielers aus Kleists berühmtem Aufsatz „Über das Marionettentheater", der den Ausdruck der Puppe mathematisch perfekt zu berechnen weiß. Grazie meint hier eine Wirkungsästhetik, um sich den Dank – auch das heißt Grazie eben –, die Gunst des Betrachters zu sichern. Es handelt sich um eine Lust an der Verstellung als Macht, um eine Kunst der Selbstinszenierung, der keine innere Substanz entsprechen muss.

1 Erläutern Sie die zentrale These Günter Blambergers. Verdeutlichen Sie dabei insbesondere den Unterschied zwischen „Moralphilosophen" (Z. 22) und „Moralisten" (Z. 23).

2 Im Text heißt es, Kleist sei ein Autor, „der die Helden seiner Dramen und Erzählungen in Krisen und Katastrophen treibt und dabei die Welt zur Kenntlichkeit entstellt" (Z. 29f.). Erläutern Sie die Bedeutung dieser These anhand konkreter Situationen aus dem Theaterstück „Der zerbrochne Krug".

Gisela Wand

Kleist zwischen Klassik und Romantik (2017)

Die europäische und deutsche Klassik – beeindruckt vom Menschenbild der antiken griechischen Philosophie und Kunst und beseelt von der Idee, dass das Schöne, das Gute und das Wahre im idealen Menschen zur Synthese kommen, – schuf literarische Gestalten, deren innerer Auftrag es war, dieses Ideal zu verkörpern. Goethes Iphigenie ist sich selbst transparent, Schicksal lastet auf ihr, aber kein dunkler Trieb bedrängt sie; Gefühl und Bewusstsein stimmen in ihr überein, sie kennt ihre innere Wahrheit; zum Wagnis wird ihr nur, aus schützenden Verstellungen und Masken herauszutreten und ihre Identität mit sich selbst auch vor der Welt zu behaupten. Anders bei Kleist: Seine Frauengestalten erleiden die Widersprüchlichkeit zwischen Gefühl und Bewusstsein und die Unvereinbarkeit von Triebstruktur und gesetzter Norm. Das klassische Ideal der Selbstidentität, der Eindeutigkeit und der Übereinstimmung von innen und außen ist für Kleist schon darum nicht mehr haltbar, weil er es wagt, die Sexualität des Menschen einzubeziehen. [...]
Kleist, zwischen Klassik und Romantik stehend, hat als erster deutscher Dichter sein Werk aus der Position radikaler Sprachskepsis heraus hervorgetrieben. Für die Klassiker war das Wort der entscheidende Ausdrucksträger. Klassik basiert geradezu auf dem Glauben an die Tragfähigkeit des reinen Wortes, Goethe und Schiller waren von der Sagbarkeit des zu Sagenden überzeugt. Iphigenie etwa kann bitten: „Zwischen uns sei Wahrheit" – und ihre Lebensgeschichte anschließend lupenrein in Worte fassen. Kleists Dichtung dagegen ist schon daran als nach-klassisch zu erkennen, dass in ihr die unmittelbare Gestik und Körpersprache (das analogische Sprechen) ebenbürtig neben das Wort (neben digitales Sprechen) tritt. Mit der Entdeckung des Unsagbaren steht er den Romantikern nah, aber er will nicht die Poetisierung der Welt oder die Verklärung des – immer auch vagen – Gefühls. Er strebt vielmehr die annähernd realistisch-analytische Durchleuchtung der Menschennatur mitsamt ihren diffusen, widersprüchlichen und uneindeutigen Gefühlen an.

1 Erläutern Sie, warum nach Meinung von Gisela Wand Kleists Werk zwischen der Klassik und der Romanik einzuordnen ist.

2 Konkretisieren Sie die zentralen Aspekte (Erleiden von Widersprüchlichkeit/Sprachskepsis) an der Figur der Eve.

3 Nehmen Sie Stellung zur These Wands. Stimmen Sie ihr zu oder sind Sie anderer Meinung? Begründen Sie Ihre Meinung.

Zur Rezeptionsgeschichte des Lustspiels „Der zerbrochne Krug“

Sich mit Rezensionen zu einem der meistgespielten Theaterstücke Deutschlands auseinandersetzen

Zeitung für die elegante Welt

Die Kritik der Uraufführung (14.03.1808)

Aus Weimar. Neulich wurde hier zur Fastnacht ein neues burleskes Lustspiel von Herrn v. Kleist gegeben: ‚der zerbrochene Krug‘. Die Geschichte des Stücks ist wirklich komisch, und es würde gewiss sehr gefallen haben, wenn es auf einen Akt zusammengedrängt und alles gehörig in lebhafte Handlung gesetzt wäre. Stattdessen ist es aber in drei lange Akte abgeteilt, und besonders wird im letzten Akte so entsetzlich viel und alles so breit erzählt, dass dem sonst sehr geduldigen Publikum der Geduldfaden endlich ganz riss, und gegen den Schluss ein solcher Lärm sich erhob, dass keiner imstande war, von den ellenlangen Reden auch nur eine Silbe zu verstehn. Unsre neuesten Poeten von Talent sind so stolz, dass sie glauben, dem Publikum alles bieten zu können, und dass sie meinen, es müsse sich schon geehrt fühlen, wenn man sich nur herablasse, ihm etwas zum Besten zu geben.

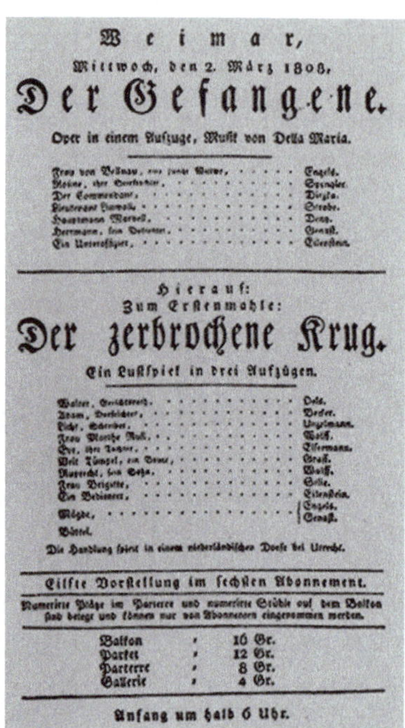

Weimar,
Mittwoch, den 2. März 1808.
Der Gefangene.
Oper in einem Aufzuge, Musik von Della Maria.

Hierauf:
Zum Erstenmahle:
Der zerbrochene Krug.
Ein Lustspiel in drei Aufzügen.

Eilfte Vorstellung im sechsten Abonnement.

Balkon	,	16 Gr.
Parket	,	12 Gr.
Parterre	,	8 Gr.
Gallerie	,	4 Gr.

Anfang um halb 6 Uhr.

Theaterzettel zu Goethes Uraufführung von „Der zerbrochne Krug“, Hoftheater Weimar, 2. März 1808

Gerhart Hauptmann inszenierte das Theaterstück 1913 für das Berliner „Deutsche Künstlertheater“. Eine Rezension aus der Schaubühne:

Siegfried Jacobsohn

Kleists Lustspiel zeigt das volle Leben (1913)

Friedrich Hebbel (1813–1863), deutscher Schriftsteller

Seit Dörings Tode hat sich die Komödie auf keiner Bühne behauptet. Schuld sind die Bühnen. „Kleists Arbeiten starren von Leben“, hat Hebbel gesagt. Dann ist dieses Leben wohl immer erstickt worden. Dann musste als Regisseur für Kleist wohl einmal ein Dichter kommen, dessen Arbeiten auch von Leben starren. Es sucht der Bruder seine Brüder, und kann er helfen, hilft er gern.

Bruder Hauptmanns nützlichste Hilfe ist: dass er sieht. Er ist ganz Auge. Er sieht Marthe Rulls Garten; er sieht den Klumpfuß seinen Sündenweg stampfen; er sieht, vor allem, was wir selber sehen sollen. ‚Die Gerichtsstube.‘ Aber was für eine! Eine mit Bett, vergittertem Fenster, Wäschekorb und ausgespannter und behängter Wäscheleine; mit Vogelbauer, Spiegelscherbe und Tonpfeifenständer; eng, schmuddlig, niegelüftet; von einer Poesie der Unordnung, die man riecht. Dieses Stübchen wird vollgestopft mit bäurischen und städtischen Niederländern, die so echt und dabei so komisch hergerichtet sind, dass sicherlich der Versuch glücken würde, von ihnen allen eine Posse ohne Worte spielen zu lassen. Aber es ist doch gut, dass Kleists Komödie ihre Worte hat. Deren sind so viel, dass allerlei gestrichen werden muss; aber es muss höchst behutsam gestrichen werden, weil das Stück

Gerhart Hauptmann (1862–1946): Schriftsteller; bedeutendster deutscher Dichter des Naturalismus

mächtig konzentriert, weil es wahrhaft ge- und verdichtet ist. Jeder wird jedem Strich einen andern vorziehen. Das spricht für Kleist, nicht gegen Hauptmann, der, nach zahllosen Experimenten erheblich bühnenerfahrenerer Regisseure, endlich erreicht hat, dass mehr als zehn Kenner über eine menschliche Begebenheit sich, je nachdem, krank oder gesund lachen. Er hat einfach den vollen Mut zu der Komik dieser Komödie gehabt, die man bisher entweder, um ihrer klassischen Verse willen, zu sehr respektiert, oder für die man keine Schauspieler gehabt hat. Hauptmann hat sie.

Gerhard Stadelmaier (F.A.Z.)

Der Teufel und der leere Gott (2008)

Wenn der eisern gewellte Vorhang hochfährt, sieht man auf Ferdinand Wögerbauers Bühne exakt diesen groß gewinkelten Raum mit exakt dem Tisch samt Brokatdecke, exakt dem Richterstuhl aus dem alten Stich, nur dass die Tür neben dem Richterstuhl an der Wand durch ein großes Sprossenfenster in gleißendem Morgenschimmer ersetzt ist, durch das kaltes Winterlicht fällt und durch das hinaus der Richter sich im Verlauf der Verhandlung schon mal erbricht und am Ende fliehend hinausstürzt aufs Schnee- und Eisfeld. Der Regisseur Peter Stein hat keine Angst vor alten Bildern. Er liebt sie geradezu. Denn seine Inszenierungen können sich die historische Verkleidung auch leisten. Sie sind nicht aufs Gegenwartskostüm angewiesen, um von heute zu sein.

Stich
Der Kupferstich von Jean Jacques Le Veaus, „Le juge, ou la cruche cassée", der Kleist zu seinem Lustspiel angeregt hatte, war vor der Aufführung auf den Vorhang projiziert worden.

Wenn die vielen lebenden Hühner, die auf der Bühne über Tisch und Aktenordner und Stühle flattern und gackern, von zwei lachkreischenden Mägden verjagt sind zu Arturo Annecchinos rascher, heller, lustig-federnder Buffa-Musik (Klavier und Streicher), landet hier unendlich langsam humpelnd im langen weißen Gewand sogar ein Mann von morgen. Mit blutigen Kopfwunden, die er sich gestern Nacht zuzog [...], tritt Klaus Maria Brandauer als Dorfrichter Adam auf. Ein abgerissener, in heillose Fernen wie in leere Himmel hineinstarrender Seinskomiker. Kein Teufelskerl. Eher der zum Kerl gewordene Teufel, der ja nichts anderes als der von Gott (dem Guten) abgefallene Engel ist.

Brandauer hat schon auch was vom Strizzi-Dorfrichter: Er brüllt die Zeugen an, mault mimisch-höhnisch ihre Aussagen nach, bramarbasiert, schmiert, scharwenzelt, fällt plötzlich rollenden „Rrrrrrs" in den allerübertriebensten satirisch aufgebrezelten Burgtheaterton – aber er macht aus seiner Technik keine Brandauer-Grube. Sondern einen herrlichen Abgrund. Es wirkt, als schwänzele, heule, grinse, lüge er in alle Eiseshimmel hinauf, aus denen ihm nicht einmal mehr die Gnade angähnt. Ein Amoralist, der mit keinem Urteil mehr rechnet, weil niemand mehr da ist, der eines sprechen könnte.

Es gibt keine höhere Instanz. Es gibt nur lachbar höllisches Elend. So machen Peter Stein und Klaus Maria Brandauer aus der klassischen Komödie der Suche nach Gerechtigkeit eine Tragödie der komisch-unendlichen Ungerechtigkeit. Es gibt viel zu lachen: vor allem über die kurzen Beine der Lügen, über die der Dorfrichter dauernd stolpert. Aber man amüsiert sich auf himmlischem Inferno-Niveau. Kleists, des verzweifelten Wahrheitssuchers zerrissene Welt-Schöpfung, wird hier im letzten Aufflugsversuch eines stürzenden Engels zur hinreißend komischen Volte.

Adams schmuddeliges Nachtgewand sieht aus, als bestehe es aus glattgebügelten Flügel- und Federnfetzen. Sein Ton ist herrisch, aber hilflos; hochfahrend, aber verloren. Brandauer spielt das längst vergeigte Spiel noch einmal: wütend, wahnsinnig, unnachgiebig, lustvoll verzweifelt – den Sündenfall in einem Paradies, in dem jeder jedem nur noch zur Hölle werden kann. Ob das in Pluderhosen oder in Kaufhausanzügen geschieht, ist gleichgültig. In Pluderhosen aber ist es komischer. Die Komödie eines Richters, der über seine eigene Untat zu Gericht sitzen muss, wird hier zum Weltendspiel einer Ego-Groteske. [...]

Klaus-Maria Brandauer als Richter Adam

Als des Richters Umtriebe zutage liegen, als er flieht, als der Gerichtsrat die Geschichte von den Rekruten, die nach Batavia müssen, als Lüge des Richters denunzieren will, da stürzt das Mädchen, das genau weiß, dass der Staat hier lügt, in eine abgrundtiefe Verzweiflung. Ihren Verlobten hatte sie fast durch das nächtliche Abenteuer mit dem Richter verloren, jetzt wird sie ihn in den Kolonien verlieren. Am Ende vertraut sie allein auf das Wort des Beelzebub Walter. Ohne dass dieses heikle Ehrenwort hier kritisch von der Regie denunziert würde. Stein lässt es generös stehen. So wird der Teufel doch noch zum lieben Gott. Und auch das ist sehr komisch.
Adam aber wird von der Menge hinaus aufs Schneefeld gejagt, gehetzt und gelyncht. Am Ende hängt er an langen Seilen wie ein Gekreuzigter im kahlen Winterhimmel. Der Teufel ist tot, das Paradies zerbrochen, der Himmel leer. Was bleibt jetzt noch außer verzweifelten Seelen? Was aber bleibet, ist großes Theater.

Elena Philipp (nachtkritik.de)

Handfeste Privilegienverwahrlosung (2021)

Anne Lenk und ihr Ensemble erzählen Kleists Klassiker als Geschichte von Machtmissbrauch und struktureller Gewalt in einer patriarchal verfassten Gesellschaft – mit Happy End. Spannend ist die Inszenierung aber nicht wegen des konsequenten plot twists zum Schluss: Richter Adam wird selbst angeklagt. Spannend ist dieser „Zerbrochne Krug“, weil hier dramaturgisch jedes Detail stimmt, die Dynamik, der Rhythmus, das Zusammenspiel des durchweg famosen Ensembles. Gedanklich durchdrungen wirkt der Text. Obgleich es weitgehend das Original ist, das die Schauspieler:innen sprechen, wirkt der komplexe Kleist'sche Satzbau in ihrer Diktion direkt und ungekünstelt.
In jedem Moment reagieren die sieben Figuren gestisch und mimisch auf das Gesagte und aufeinander. Binnendramen entfalten sich allein durch Blicke, etwa bei den meist weit auseinander sitzenden Verlobten Eve und Ruprecht. Durch neue Sitzordnungen und Gruppierungen in dem von Bühnenbildnerin Judith Oswald bewusst auf die Vorderbühne beengten Raum – Platzwechsel, die sich oft in den kurzen

Szenenbild der Inszenierung von Anne Lenk zu Kleists Lustspiel „Der zerbrochne Krug“ am Deutschen Theater Berlin, 2021

Pausen zwischen den Aufzügen vollziehen, markiert mit einem Black und kurzem Schlagzeugsolo – tun sich eine Fülle von Beziehungen und Bezügen auf. Es bedarf hier keines Richterstuhls, um Hierarchien, soziale Positionierungen und Allianzen zu verdeutlichen.
Clou in Anne Lenks Inszenierung ist dabei die Figur der Gerichtsrätin Walter: kein sozial höher als der Richter gestellter Mann wie bei Kleist, sondern eine junge Frau, die offen entsetzt ist über das in Huisum gebräuchliche Gewohnheitsrecht. Unaufdringlich, aber unbeirrt orchestriert sie den Widerstand gegen Dorfrichter Adam. Optisch wirkt diese Gerichtsrätin wie ein Huschelchen mit ihrer apricotfarbenen Latzhose und dem korallenfarbenen Jackett über dem Schwangerenbauch. [...] Damit rückt Kostümbildnerin Sibylle Wallum [...] die Rätin in die Nähe einer heutigen selbstbewussten Generation junger Frauen.

Handfester Machtmissbrauch

Höflich distanziert tritt Lorena Handschins reisende Prüferin auf, und so verletzlich man diese Figur einschätzen könnte, so zielorientiert und unbestechlich agiert sie. Ihr Kopf ist klar, sie folgt dem Gesetz und kann es bis ins Detail ausbuchstabieren, während Dorfrichter Adam seine Schlüsse schon vor der Befragung zieht. Die von ihm missbrauchte Eve versucht er mit Erpressung und Drohungen gefügig zu machen, verbal diskreditiert er sie, wo es nur geht – und Lisa Hrdinas handfeste, teenagerhaft von ihrer Mutter Marthe genervte Eve hält still, weil sie um ihren Verlobten Ruprecht fürchtet, der mit der Armee nach Batavia aka Indonesien eingeschifft werden soll, wie Richter Adam ihr fälschlich erzählt. Wegen des Attests, das ihn von der Militärpflicht befreien soll, hat sich Eve überhaupt für die Avancen des Richters geöffnet – eine klassische Machtmissbrauchs-Situation.

aka
Abkürzung f. ‚also known as' (= auch bekannt als); hier: heute bekannt unter dem Namen

Ein Lächeln ins Gesicht geschmiert

Als Unberührbaren spielt Ulrich Matthes den Adam. Spöttisch und privilegienverwahrlost lümmelt er in seinem Stuhl, ein schmieriges Lächeln im Mundwinkel, ein ebenso schmieriges Unterhemd am Leib. Ihm kann keiner etwas anhaben, auch wenn er seine Pflichten nachlässig erfüllt und seinen Status verwaltet, statt für Gerechtigkeit zu sorgen. Zumindest war das bislang so. Spät erst wird dem Dorfrichter klar, dass er selbst hier vor Gericht steht.
Aus dieser Diskrepanz zwischen dem Nichtverstehen des Täters und dem Wissen der übrigen Personnage, die sich mit dem ebenfalls wissenden Publikum verbündet, zieht Kleists Text einen beträchtlichen Teil seiner galligen Komik. Auch in Anne Lenks psychologisch präzise gearbeiteter Inszenierung funktioniert das langsame Enthüllen der Selbsttäuschung ganz wunderbar. Gelacht wird viel an dem auf 90 Minuten komprimierten Abend.
Die Regisseurin [...] aktualisiert den Stoff dabei anscheinend mühelos. Eine Gemeinschaft, die die Gewaltausübung durch den Dorfrichter lange auch mittrug, emanzipiert sich in einem schmerzhaften Prozess von ihm und seinen missbräuchlichen Methoden – das ist die sehr zeitgemäße und doch unaufdringlich vorgebrachte Botschaft. Platt moralisch ist hier nichts. Deutlich aber doch. So, denkt die Kritikerin am Ende, kann das gehen.

1 ***Lernarrangement***

Bilden Sie Arbeitsgruppen.

a) Analysieren Sie jeweils eine der Rezensionen (S. 134–137), indem Sie unter Berücksichtigung der sprachlichen und argumentativen Textgestaltung die Position des jeweiligen Verfassers bzw. der Verfasserin darstellen.
b) Präsentieren Sie Ihre Ergebnisse im Plenum
c) Reflektieren Sie die Ausführungen aus den Präsentationen und diskutieren Sie, welche der Aufführungen des Theaterstücks „Der zerbrochne Krug" Ihnen auf der Basis der Informationen aus der zugehörigen Rezension als besonders gelungen erscheint.

„Der zerbrochne Krug“ im Vergleich mit Brecht: „Der kaukasische Kreidekreis“

Unterschiedliche Dramen im Hinblick auf poetologische Konzepte vergleichen

Friedrich Schiller

Was kann eine gute stehende Schaubühne eigentlich wirken? (1784)

Die Gerichtsbarkeit der Bühne fängt an, wo das Gebiet der weltlichen Gesetze sich endigt. Wenn die Gerechtigkeit für Gold verblindet, [...] wenn die Frevel der Mächtigen ihrer Ohnmacht spotten und die Menschenfurcht den Arm der Obrigkeit bindet, übernimmt die Schaubühne Schwert und Waage, und reißt die Laster vor einen schrecklichen Richterstuhl. Das ganze Reich der Fantasie und Geschichte, Vergangenheit und Zukunft stehen ihrem Wink zu Gebot. [...]
So gewiss sichtbare Darstellung mächtiger wirkt als toter Buchstabe und kalte Erzählung, so gewiss wirkt die Schaubühne tiefer und daurender als Moral und Gesetze. [...] Aber der Wirkungskreis der Bühne dehnt sich noch weiter aus. Auch da, wo Religion und Gesetze es unter ihre Würde achten, Menschenempfindungen zu begleiten, ist sie für unsre Bildung noch geschäftig. Das Glück der Gesellschaft wird ebenso sehr durch Torheit als durch Verbrechen und Laster gestört. [...]
Ich kenne nur ein Geheimnis, den Menschen vor Verschlimmerung zu bewahren, und dieses ist – sein Herz gegen Schwächen zu schüzen. Einen großen Teil dieser Wirkung können wir von der Schaubühne erwarten. Sie ist es, die der großen Klasse von Toren den Spiegel vorhält und [...] mit heilsamem Spott beschämt. [...] [D]urch Rührung und Schrecken wirkt [...] sie hier, (schneller vielleicht, und unfehlbarer) durch Scherz und Satire. [...]
Unmöglich kann ich hier den großen Einfluss übergehen, den eine gute stehende Bühne auf den Geist der Nation haben würde. Nationalgeist eines Volks nenne ich die Ähnlichkeit und Übereinstimmung seiner Meinungen und Neigungen [...]. Nur der Schaubühne ist es möglich, diese Übereinstimmung in einem hohen Grad zu bewirken, weil sie das ganze Gebiet des menschlichen Wissens durchwandert, alle Situationen des Lebens erschöpft, und in alle Winkel des Herzens hinunterleuchtet; weil sie alle Stände und Klassen in sich vereinigt und den gebahntesten Weg zum Verstand und zum Herzen hat. [...]
Die Schaubühne ist die Stiftung, wo sich Vergnügen mit Unterricht, Ruhe mit Anstrengung, Kurzweil mit Bildung gattet [...]. Wenn Gram an dem Herzen nagt, wenn trübe Laune unsre einsamen Stunden vergiftet, wenn uns Welt und Geschäfte anekeln, wenn tausend Lasten unsre Seele drücken und unsre Reizbarkeit unter Arbeiten des Berufs zu ersticken droht, so empfängt uns die Bühne – in dieser künstlichen Welt träumen wir die wirkliche hinweg, wir werden uns selbst wiedergegeben, unsre Empfindung erwacht, heilsame Leidenschaften erschüttern unsre schlummernde Natur und treiben das Blut in frischere Wallungen.

1 Erläutern Sie die Grundgedanken Schillers zur Frage der Moralität und der Funktionalität des Dramas. Inwieweit wirkt das Theater moralisch? Was soll ein Drama im Menschen auslösen bzw. bewirken?

2 Setzen Sie Schillers Thesen in Bezug zu Heinrich von Kleists Werk „Der zerbrochne Krug“ Inwieweit stellt das Drama eine Form von Moralität auf die Bühne? Träumt man bei einer Aufführung des „Krugs“ die wirkliche Welt hinweg?

Die Richterfiguren bei Kleist und Brecht miteinander vergleichen

Bertolt Brecht schrieb das Bühnenstück „Der kaukasische Kreidekreis“ 1944/45. Das Stück wurde zunächst in den USA (in englischer Sprache) uraufgeführt, in Deutschland dann 1954 im Theater am Schiffbauer Damm (= Berliner Ensemble).
Brecht greift in dem Theaterstück ein chinesisches Vorbild auf und verlegt die Handlung in den Kaukasus. Dort herrschen kriegerische Zeiten. Der Großfürst der Region ist gestürzt worden und alle seine Gouverneure wurden hingerichtet, darunter auch Georgi Abaschwili. Seine Frau Natella konnte jedoch fliehen, ließ aber ihr neugeborenes Kind zurück. Die Magd Grusche nimmt es auf und bringt es durch alle Gefahren. Als der Krieg zu Ende ist, kommt Natella Abaschwili zurück und verlangt ihr Kind zurück. Sie ist vornehmlich an dem reichen Erbe ihres Mannes interessiert, an das sie nur mithilfe des Kindes, des einzigen Erben, gelangen kann. Es kommt zum Prozess, den der ehemalige Dorfschreiber Azdak führt.

Bertolt Brecht
(*10.02.1989
†14.08.1956)

Bertolt Brecht

Der kaukasische Kreidekreis (1944/45)

AZDAK: [...] Hol mir von dem Roten, Süßen. *Schauwa ab.* Verschwindet, ich hab einen Fall zu behandeln. *Panzerreiter ab. Schauwa zurück mit Kanne Wein. Der Azdak trinkt schwer.* Etwas für meinen Steiß! *Schauwa bringt das Gesetzbuch, legt es auf den Richterstuhl. Der Azdak setzt sich.* Ich nehme! *Die Antlitze der Kläger, unter denen eine besorgte Beratung stattfindet, zeigen ein befreites Lächeln. Ein Tuscheln findet statt.*

[...]

DIE ANWÄLTE *nähern sich dem Azdak, der erwartungsvoll aufsteht:* Ein ganz lächerlicher Fall, Euer Gnaden. – Die Gegenpartei hat das Kind entführt und weigert sich, es herauszugeben.

AZDAK *hält ihnen die offene Hand hin, nach Grusche blickend:* Eine sehr anziehende Person. *Er bekommt mehr.* Ich eröffne die Verhandlung und bitt mir strikte Wahrhaftigkeit aus. *Zu Grusche:* Besonders von dir.

DER ERSTE ANWALT: Hoher Gerichtshof! Blut, heißt es im Volksmund, ist dicker als Wasser. Diese alte Weisheit ...

AZDAK: Der Gerichtshof wünscht zu wissen, was das Honorar des Anwalts ist.

DER ERSTE ANWALT *erstaunt:* Wie belieben? *Der Azdak reibt freundlich Daumen und Zeigefinger.* Ach so! 500 Piaster, Euer Gnaden, um die ungewöhnliche Frage des Gerichtshofes zu beantworten.

AZDAK: Habt ihr zugehört? Die Frage ist ungewöhnlich. Ich frag, weil ich Ihnen ganz anders zuhör, wenn ich weiß, Sie sind gut.

DER ERSTE ANWALT *verbeugt sich:* Danke, Euer Gnaden. Hoher Gerichtshof! Die Bande des Blutes sind die stärksten aller Bande. Mutter und Kind, gibt es ein innigeres Verhältnis? Kann man einer Mutter ihr Kind entreißen? Hoher Gerichtshof! Sie hat es empfangen in den heiligen Ekstasen der Liebe, sie trug es in ihrem Leibe, speiste es mit ihrem Blute, gebar es mit Schmerzen. Hoher Gerichtshof! Man hat gesehen, wie selbst die rohe Tigerin, beraubt ihrer Jungen, rastlos durch die Gebirge streifte, abgemagert zu einem Schatten. Die Natur selber ...

AZDAK *unterbricht, zu Grusche:* Was kannst du dazu und zu allem, was der Herr Anwalt noch zu sagen hat, erwidern?

GRUSCHE: Es ist meins.

AZDAK: Ist das alles? Ich hoff, du kannst's beweisen. Jedenfalls rat ich dir, daß du mir sagst, warum du glaubst, ich soll dir das Kind zusprechen.

GRUSCHE: Ich hab's aufgezogen nach bestem Wissen und Gewissen, ihm immer was zum Essen gefunden. Es hat meistens ein Dach überm Kopf gehabt, und ich hab allerlei Ungemach auf mich genommen seinetwegen, mir auch Ausgaben gemacht. Ich hab nicht auf meine Bequemlichkeit geschaut. Das Kind hab ich angehalten zur Freundlichkeit gegen jedermann und von Anfang an zur Arbeit, so gut es gekonnt hat, es ist noch klein.

DER ERSTE ANWALT: Euer Gnaden, es ist bezeichnend, daß die Person selber keinerlei Blutsbande zwischen sich und dem Kind geltend macht.

AZDAK: Der Gerichtshof nimmt's zur Kenntnis.

DER ERSTE ANWALT: Danke, Euer Gnaden. Gestatten Sie, daß eine tiefgebeugte Frau, die schon ihren Gatten verlor und nun auch noch fürchten muß, ihr Kind zu verlieren, einige Worte an Sie richtet. Gnädige Natella Abaschwili

DIE GOUVERNEURSFRAU *leise:* Ein höchst grausames Schicksal, mein Herr, zwingt mich, von Ihnen mein geliebtes Kind zurückzuerbitten. Es ist nicht an mir, Ihnen die Seelenqualen einer beraubten Mutter zu schildern, die Ängste, die schlaflosen Nächte, die ...

DER ZWEITE ANWALT *ausbrechend:* Es ist unerhört, wie man diese Frau behandelt. Man verwehrt ihr den Eintritt in den Palast ihres Mannes, man sperrt ihr die Einkünfte aus den Gütern, man sagt ihr kaltblütig, sie seien an den Erben gebunden, sie kann nichts unternehmen ohne das Kind, sie kann ihre Anwälte nicht bezahlen! *Zu dem ersten Anwalt, der, verzweifelt über seinen Ausbruch, ihm frenetische Gesten macht, zu schweigen:* Lieber Illo Schuboladze, warum soll es nicht ausgesprochen werden, daß es sich schließlich um die Abaschwili-Güter handelt?

DER ERSTE ANWALT: Bitte, verehrter Sandro Oboladze! Wir haben vereinbart ... *Zum Azdak:* Selbstverständlich ist es richtig, daß der Ausgang des Prozesses auch darüber entscheidet, ob unsere hohe Klientin die Verfügung über die sehr großen Abaschwili-Güter erhält, aber ich sage mit Absicht „auch", das heißt, im Vordergrund steht die menschliche Tragödie einer Mutter, wie Natella Abaschwili im Eingang ihrer erschütternden Ausführungen mit Recht erwähnt hat. Selbst wenn Michel Abaschwili nicht der Erbe der Güter wäre, wäre er immer noch das heißgeliebte Kind meiner Klientin!

AZDAK: Halt! Den Gerichtshof berührt die Erwähnung der Güter als ein Beweis der Menschlichkeit.

DER ZWEITE ANWALT: Danke, Euer Gnaden. [...]

AZDAK: [...] Ich stell dir eine Frage: Was für ein Kind ist es? So ein zerlumpter Straßenbankert oder ein feines, aus einer vermögenden Familie?

GRUSCHE *böse:* Es ist ein gewöhnliches.

AZDAK: Ich mein: hat es frühzeitig verfeinerte Züge gezeigt?

GRUSCHE: Es hat eine Nase im Gesicht gezeigt.

AZDAK: Es hat eine Nase im Gesicht gezeigt. Das betracht ich als eine wichtige Antwort von dir. [...] Ich werd's jetzt kurz machen und mir eure Lügen nicht weiter anhören, – *zu Grusche* – besonders die deinen. Ich kann mir denken, was ihr euch – *zu der Gruppe der Beklagten* – alles zusammengekocht habt, daß ihr mich bescheißt, ich kenn euch. Ihr seid Schwindler.

GRUSCHE *plötzlich:* Ich glaub's Ihnen, daß Sie's kurz machen wollen, nachdem ich gesehen hab, wie Sie genommen haben!

AZDAK: Halt's Maul. Hab ich etwa von dir genommen?

GRUSCHE *obwohl die Köchin sie zurückhalten will:* Weil ich nichts hab.

AZDAK: Ganz richtig. Von euch Hungerleidern krieg ich nichts, da könnt ich verhungern. Ihr wollt eine Gerechtigkeit, aber wollt ihr zahlen? Wenn ihr zum Fleischer geht, wißt ihr, daß ihr zahlen müßt, aber zum Richter geht ihr wie zum Leichenschmaus. [...]

DER ERSTE ANWALT *während Schauwa geht:* Wenn wir gar nichts mehr vorbringen, haben wir das Urteil im Sack, gnädige Frau.

DIE KÖCHIN *zu Grusche:* Du hast dir's verdorben mit ihm. Jetzt spricht er dir das Kind ab. [...]

AZDAK: [...] Ich brauch das Kind. *Winkt Grusche zu sich und beugt sich zu ihr, nicht unfreundlich.* Ich hab gesehen, daß du was für Gerechtigkeit übrig hast. Ich glaub dir nicht, daß es dein Kind ist, aber wenn es deines wär, Frau, würdest du da nicht wollen, es soll reich sein? Da müßtest du doch nur sagen, es ist nicht deins. Und sogleich hätt es einen Palast und hätte die vielen Pferde an seiner Krippe und die vielen Bettler an seiner Schwelle, die vielen Soldaten in seinem Dienst und die vielen Bittsteller in seinem Hofe, nicht? Was antwortest du mir da? Willst du's nicht reich haben?

Grusche schweigt. [...]

AZDAK: Ich glaub, ich versteh dich, Frau.

GRUSCHE: Ich geb's nicht mehr her. Ich hab's aufgezogen, und es kennt mich.

Schauwa führt das Kind herein.

DIE GOUVERNEURSFRAU: In Lumpen geht es!

GRUSCHE: Das ist nicht wahr. Man hat mir nicht die Zeit gegeben, daß ich ihm sein gutes Hemd anzieh.

DIE GOUVERNEURSFRAU: In einem Schweinekoben war es!

GRUSCHE *aufgebracht:* Ich bin kein Schwein, aber da gibt's andere. Wo hast du dein Kind gelassen?

DIE GOUVERNEURSFRAU: Ich werd's dir geben, du vulgäre Person. *Sie will sich auf Grusche stürzen, wird aber von den Anwälten zurückgehalten.* Das ist eine Verbrecherin! Sie muß ausgepeitscht werden!

DER ZWEITE ANWALT *hält ihr den Mund zu:* Gnädigste Natella Abaschwili! Sie haben versprochen ... Euer Gnaden, die Nerven der Klägerin ...

AZDAK: Klägerin und Angeklagte: Der Gerichtshof hat euren Fall angehört und hat keine Klarheit gewonnen, wer die wirkliche Mutter dieses Kindes ist. Ich als Richter hab die Verpflichtung, daß ich für das Kind eine Mutter aussuch. Ich werd eine Probe machen. Schauwa, nimm ein Stück Kreide. Zieh einen Kreis auf den Boden. *Schauwa zieht einen Kreis mit Kreide auf den Boden.* Stell das Kind hinein! *Schauwa stellt Michel, der Grusche zulächelt, in den Kreis.* Klägerin und Angeklagte, stellt euch neben den Kreis, beide! *Die Gouverneursfrau und Grusche treten neben den Kreis.* Faßt das Kind bei der Hand. Die richtige Mutter wird die Kraft haben, das Kind aus dem Kreis zu sich zu ziehen.

DER ZWEITE ANWALT *schnell:* Hoher Gerichtshof, ich erhebe Einspruch, daß das Schicksal der großen Abaschwili-Güter, die an das Kind als Erben gebunden sind, von einem so zweifelhaften Zweikampf abhängen soll. Dazu kommt: Meine Mandantin verfügt nicht über die gleichen Kräfte wie diese Person, die gewohnt ist, körperliche Arbeit zu verrichten.

Szenenbild aus der Aufführung „Der kaukasische Kreidekreis" vom Berliner Ensemble

AZDAK: Sie kommt mir gut genährt vor. Zieht!

Die Gouverneursfrau zieht das Kind zu sich herüber aus dem Kreis. Grusche hat es losgelassen, sie steht entgeistert.

DER ERSTE ANWALT *beglückwünscht die Gouverneursfrau:* Was hab ich gesagt? Blutsbande!

AZDAK *zu Grusche*: Was ist mit dir? Du hast nicht gezogen.

GRUSCHE: Ich hab's nicht festgehalten. *Sie läuft zu Azdak.* Euer Gnaden, ich nehm zurück, was ich gegen Sie gesagt hab, ich bitt Sie um Vergebung. Wenn ich's nur behalten könnt, bis es alle Wörter kann. Es kann erst ein paar.

AZDAK: Beeinfluß nicht den Gerichtshof! Ich wett, du kannst selber nur zwanzig. Gut, ich mach die Probe noch einmal daß ich's endgültig hab.

Die beiden Frauen stellen sich noch einmal auf.

Zieht!

Wieder läßt Grusche das Kind los.

GRUSCHE *verzweifelt*: Ich hab's aufgezogen! Soll ich's zerreißen? Ich kann's nicht.

AZDAK *steht auf:* Und damit hat der Gerichtshof festgestellt, wer die wahre Mutter ist. *Zu Grusche:* Nimm dein Kind und bring's weg. Ich rat dir, bleib nicht in der Stadt mit ihm. *Zur Gouverneursfrau:* Und du verschwind, bevor ich dich wegen Betrug verurteil. Die Güter fallen an die Stadt, damit ein Garten für die Kinder draus gemacht wird, sie brauchen ihn, und ich bestimm, daß er nach mir „Der Garten des Azdak" heißt.

Die Gouverneursfrau ist ohnmächtig geworden und wird vom Adjutanten weggeführt, während die Anwälte schon vorher gegangen sind. Grusche steht ohne Bewegung. Schauwa führt ihr das Kind zu. [...]

(originale Rechtschreibung)

1 Erläutern Sie, worum es in dem Theaterstück Brechts geht und fassen Sie die Handlung der Szene zusammen.

2 Vergleichen Sie die beiden Richterfiguren Adam und Azdak Welche Gemeinsamkeiten verbindet die beiden Figuren und wodurch unterscheiden Sie sich voneinander?

3 Stellen Sie dar, welche Vorstellungen von Familie und Erziehung Brecht in seinem Theaterstück vertritt.

4 Vergleichen Sie Brechts Familien- und Frauenbild mit dem, das im Lustspiels Kleist deutlich wird. Beziehen Sie hierbei Ihre Analysen zur Frage der Autonomie und Determination von Frauen im Werk Kleists (S. 121 f.) ein.

5 Prüfen Sie, inwieweit die schillersche Idee der Moralität auf der Bühne in Brechts Stück „Der kaukasische Kreidekreis" eine Umsetzung findet.

Dramentheoretische Konzeptionen untersuchen und vergleichen

Bertolt Brecht

Die Straßenszene als Modell für episches Theater

Es ist verhältnismäßig einfach, ein Grundmodell für episches Theater aufzustellen. Bei praktischen Versuchen wählte ich für gewöhnlich als Beispiel allereinfachsten, sozusagen „natürlichen" epischen Theaters einen Vorgang, der sich an irgendeiner Straßenecke abspielen kann: Der Augenzeuge eines Verkehrsunfalls demonstriert einer Menschenansammlung, wie das Unglück passierte. Die Umstehenden können den Vorgang nicht gesehen haben oder nur nicht seiner Meinung sein, ihn „anders sehen“ – die Hauptsache ist, daß der Demonstrierende das Verhalten des Fahrers oder des Überfahrenen oder beider in einer solchen Weise vormacht, daß die Umstehenden sich über den Unfall ein Urteil bilden können.

Dieses Beispiel epischen Theaters primitivster Art scheint leicht verstehbar. Jedoch bereitet es erfahrungsgemäß dem Hörer oder Leser erstaunliche Schwierigkeiten, sobald von ihm verlangt wird, die Tragweite des Entschlusses zu fassen, eine solche Demonstration an der Straßenecke als Grundform großen Theaters, Theater eines wissenschaftlichen Zeitalters, anzunehmen.

Man bedenke: Der Vorgang ist offenbar keineswegs das, was wir unter einem Kunstvorgang verstehen. Der Demonstrierende braucht kein Künstler zu sein. Was er können muß, um seinen Zweck zu erreichen, kann praktisch jeder. Angenommen, er ist nicht imstande, eine so schnelle Bewegung auszuführen, wie der Verunglückte, den er nachahmt, so braucht er nur erläuternd zu sagen: er bewegte sich dreimal so schnell, und seine Demonstration ist nicht wesentlich geschädigt oder entwertet. Eher ist seiner Perfektion eine Grenze gesetzt. Seine Demonstration würde gestört, wenn den Umstehenden seine Verwandlungsfähigkeit auffiele. Er hat es zu vermeiden, sich so aufzuführen, daß jemand ausruft: „Wie lebenswahr stellt er doch einen Chauffeur dar!“ Er hat niemanden „in seinen Bann zu ziehen“. Er soll niemanden aus dem Alltag in „eine höhere Sphäre“ locken. Er braucht nicht über besondere suggestive Fähigkeiten zu verfügen.

Völlig entscheidend ist es, daß ein Hauptmerkmal des gewöhnlichen Theaters in unserer Straßenszene ausfällt: die Bereitung der Illusion. Die Vorführung des Straßendemonstranten hat den Charakter der Wiederholung. Das Ereignis hat stattgefunden, hier findet die Wiederholung statt. Folgt die Theaterszene hierin der Straßenszene, dann verbirgt das Theater nicht mehr, daß es Theater ist, so wie die Demonstration an der Straßenecke nicht verbirgt, daß sie Demonstration (und nicht vorgibt, daß sie Ereignis) ist. Das Geprobte am Spiel tritt voll in Erscheinung, das auswendig Gelernte am Text, der ganze Apparat und die ganze Vorbereitung. Wo bleibt dann das Erlebnis, wird die dargestellte Wirklichkeit dann überhaupt noch erlebt?

Die Straßenszene bestimmt, welcher Art das Erlebnis zu sein hat, das dem Zuschauer bereitet wird. Der Straßendemonstrant hat ohne Zweifel ein „Erlebnis“ hinter sich, aber er ist doch nicht darauf aus, seine Demonstration zu einem „Erlebnis“ der Zuschauer zu machen; selbst das Erlebnis des Fahrers und des Überfahrenen vermittelt er nur zum Teil, keinesfalls versucht er, es zu einem genußvollen Erlebnis des Zuschauers zu machen, wie lebendig er immer seine Demonstration gestalten mag. Seine Demonstration verliert zum Beispiel nicht an Wert, wenn er den Schrecken, den der Unfall erregte, nicht reproduziert; ja, sie verlöre eher an Wert. Er ist nicht auf Erzeugung purer Emotionen aus. Ein Theater, das ihm hierin folgt, vollzieht geradezu einen Funktionswechsel, wie man verstehen muß.

Ein wesentliches Element der Straßenszene, das sich auch in der Theaterszene vorfinden muß, soll sie episch genannt werden, ist der Umstand, daß die Demonstration gesellschaftlich praktische Bedeutung hat. Ob unser Straßendemonstrant nun zeigen will, daß bei dem und dem Verhalten eines Passanten oder des Fahrers ein Unfall unvermeidlich, bei einem andern vermeidlich ist, oder ob er zur Klärung der Schuldfrage demonstriert – seine Demonstration verfolgt praktische Zwecke, greift gesellschaftlich ein.

(originale Rechtschreibung)

1 ***Lernarrangement***

Bilden Sie Gruppen, um die geschilderte Straßenszene im Sinne Brechts nachzuspielen.

a) Lesen Sie den Text und tauschen Sie sich über die zentralen Gedanken Brechts aus.

b) Wählen Sie eine/n Regisseur/-in und eine/n Augenzeug/-in und proben Sie die Szene.

c) Spielen Sie im Plenum die Szene und diskutieren Sie, ob die Darstellung im Sinne Brechts erfolgt.

2 Erläutern Sie anschließend,
- was es bedeutet, dass der Augenzeuge die Abläufe bei einem Unfall demonstriert,
- warum der Augenzeuge keinen Künstler sein braucht und
- warum es eher hinderlich ist, wenn der Augenzeuge die Zuschauenden in den Bann zieht und seine Darstellung lebensnah erscheint.

3 Gehen Sie noch einmal in Ihre Gruppe und verändern Sie Ihre Darstellung der Szene so, wie sie im klassischen Theater aufgeführt werden müsste.

4 Führen Sie die Szene dramatisch auf und diskutieren Sie im Plenum die unterschiedliche Wirkung beim Zuschauer.

In der Gegenüberstellung von dramatischem Theater und epischem Theaterr wird Brechts Zielsetzung deutlich. Als Anmerkungen zur Oper „Aufstieg und Fall der Stadt Mahagonny“ (1930) hat Brecht die folgende Synopse vorgenommen.

Bertolt Brecht

Dramatische und epische Form des Theaters (1938)

Dramatische Form des Theaters	Epische Form des Theaters
sie Bühne verkörpert einen Vorgang	sie erzählt ihn
verwickelt den Zuschauer in eine Aktion und	macht den Zuschauer zum Betrachter, aber
verbraucht seine Aktivität	weckt seine Aktivität
ermöglicht ihm Gefühle	erzwingt von ihm Entscheidungen
vermittelt ihm Erlebnisse	vermittelt ihm Kenntnisse
der Zuschauer wird in eine Handlung hineinversetzt	er wird ihr gegenübergesetzt
es wird mit Suggestion gearbeitet	es wird mit Argumenten gearbeitet
die Empfindungen werden konserviert	bis zu Erkenntnissen getrieben
der Mensch als bekannt vorausgesetzt	der Mensch ist Gegenstand der Untersuchung
der unveränderliche Mensch	der veränderliche und veränderne Mensch
Spannung auf den Ausgang	Spannung auf den Gang
eine Szene für die andere	jede Szene für sich
die Geschehnisse verlaufen linear	in Kurven
natura non facit saltus	facit saltus
was der Mensch soll	was der Mensch muss
seine Triebe	seine Beweggründe
das Denken bestimmt das Sein	das gesellschaftliche Sein bestimmt das Denken

5 ***Lernarrangement***

a) Wählen Sie in Gruppenarbeit einzelne Elemente aus der Synopse aus und konkretisieren Sie einzelne Elemente mit Beispielen aus „Der zerbrochnenKrug“ und der Szene aus „Der kaukasischen Kreidekreis“. Wählen Sie dabei immer die zusammengehörigen Paare.

b) Stellen Sie sich Ihre Beispiele im Plenum vor und diskutieren Sie, ob sie passend sind.

6 Versuchen Sie anschließend im Plenum so viele Elemente wie möglich an dem Beispiel der Straßenszene zu erläutern.

Bertolt Brecht

Dramatisches Theater – Episches Theater (1936)

Der Zuschauer des dramatischen Theaters sagt: Ja, das habe ich auch schon gefühlt. – So bin ich. – Das ist nur natürlich. – Das wird immer so sein. – Das Leid dieses Menschen erschüttert mich, weil es keinen Ausweg für ihn gibt. – Das ist große Kunst: da ist alles selbstverständlich. – Ich weine mit den Weinenden, ich lache mit den Lachenden.
Der Zuschauer des epischen Theaters sagt: Das hätte ich nicht gedacht. – So darf man es nicht machen. – Das ist höchst auffällig, fast nicht zu glauben. – Das muß aufhören. – Das Leid dieses Menschen erschüttert mich, weil es doch einen Ausweg für ihn gäbe. – Das ist große Kunst: da ist nichts selbstverständlich. – Ich lache über den Weinenden, ich weine über den Lachenden.
(originale Rechtschreibung)

Bertolt Brecht

Das Prinzip der Verfremdung (1930)

Einen Vorgang oder einen Charakter verfremden heißt zunächst einfach, dem Vorgang oder dem Charakter das Selbstverständliche, Bekannte, Einleuchtende zu nehmen und über ihn Staunen und Neugierde zu erzeugen.
(originale Rechtschreibung)

1 Erläutern Sie, was sich für die Zuschauenden durch das epische Theater verändert.

2 Übertragen Sie die Gedanken Brechts auf Ihre eigenen Erfahrungen beim Betrachten von Filmen und schildern Sie konkret, wie Sie sich als Zuschauende verhalten haben. Stellen Sie kurz den Film vor und erklären Sie, welche filmischen Mittel Ihrer Meinung nach Ihr Verhalten beeinflusst haben.

3 Erläutern Sie, welche Bedeutung die Verfremdung für das epische Theater hat.

4 Vergleichen Sie die Vorstellungen, die Schiller und Brecht von der Bedeutung des Theaters haben. Beachten Sie besonders die Intention und die Technik der Darstellung.

5 Heinrich von Kleist hat sich deutlich von der Weimarer Klassik und damit auch von Schiller abgegrenzt. Erörtern Sie, ob und inwieweit Kleist bereits Grundgedanken von Brechts Theaterkonzeption vorweggenommen hat.

„Nur was nicht aufhört weh zu tun, bleibt im Gedächtnis"

Sich mit der gegenwärtigen Bedeutung von Kleists Werk auseinandersetzen

Heinrich von Kleist wird auf deutschen Bühnen nach wie vor viel gespielt und seine Erzählungen und Dramen sind kanonische Schullektüre. Doch haben seine Werke Schülerinnen und Schülern heute noch etwas zu sagen?

Szenenbild der Aufführung „Der zerbrochne Krug" am Deutschen Theater, 2021

Deutsches Theater Berlin

Programmheft zur Aufführung von „Der zerbrochne Krug":„Die Dreistigkeit des Patriacharts" (2021)

Was Kleists Drama von 1811 zur Komödie macht, ist vor allem die Dreistigkeit, mit der hier vom Patriarchat Macht ausgeübt, Positionen gesichert und Verhältnisse zementiert werden. Die Wahrheit zählt dabei nicht im Geringsten. Stattdessen gilt es, unverfroren und skrupellos jede Verantwortung von sich zu schieben – gestützt von einer Gesellschaft, die stolz vor ihrem kulturellen Erbe stehend scheinheilig mitspielt, und sich vormacht, die Gerechtigkeit würde interessieren.

Günter Blamberger

Heinrich von Kleist. Biografie (2011)

Kleists Texte [...] zeigen keine Antworten her, sondern immer nur Fragen. Sie inszenieren „Paradoxien, Dissonanzen, Zusammenbrüche: Situationen offener Epistemologie"*, wie man sie heute findet. Deshalb könnte es sein, dass die Fortschreibung Kleists erst jetzt so richtig anfängt – in einer Zeit nach der Moderne.

* Titel einer Studie von Hans Ulrich Gumbrecht und K. Ludwig Pfeiffer von 1991

Michael Köhler (Deutschlandfunk)

Interview mit der Regisseurin Laura Linnemann über die Inszenierung von „Der zerbrochne Krug" in Düsseldorf (2018)

„**Michael Köhler:** In unserer Reihe „Denkfabrik Gerechtigkeit" über künstlerische Antworten auf politische Fragen der Gegenwart geht es nun um Machtmissbrauch an herausgehobener Stelle, nämlich bei Gericht. Es geht nicht um einen zerbrochenen Krug, sondern um ein zerbrochenes Leben, um Schädigung und Schändung und um gedecktes Unrecht. Eve, das Opfer, entsagt buchstäblich. Im Lichte der #MeToo-Debatte wird die Frage nach Machtmissbrauch und die Frage nach der stimmlosen Frau gestellt. Die Regisseurin Laura Linnenbaum habe ich gefragt: Welche Fragen haben Sie gestellt, welche Antworten haben Sie gegeben?

Laura Linnenbaum: Sie haben es ja gerade schon gesagt: Es handelt sich im Stück um den Machtmissbrauch einer Person, die vom Staat das Recht erhalten hat, über andere zu urteilen. Und der nutzt es im Verlauf des Stücks, obwohl er selbst zum Schuldigen geworden ist, extrem aus, dass er nun Recht sprechen darf. Da hat sich für uns die Frage gestellt: Das ist ja irgendwie hochaktuell, dass ein Mann in dem Fall konkret die sexuelle Unterwürfigkeit einer Frau ausnutzen kann, um sie in der Notsituation, in der sie war, ob nun gezwungen oder nur durch die Umstände gezwungen, dazu zu bringen, das zu tun, was er möchte, zu einer sexuellen Handlung zu bringen. Das kommt vor Gericht, und qua seiner Position, die kein anderer in Frage zu stellen sich traut, kommt er fast ungeschoren aus der Gesamtsituation heraus. Weil ihn seine Position schützt. Das schien uns exemplarisch, und in die Richtung haben wir dann Kleist gelesen."

Daniel Kehlmann

Die Sehnsucht, kein Selbst zu sein (Rede zur Verleihung des Kleistpreises) (2007)

„Doch gerade das Oszillierende an ihm, das tänzerisch Ausweichende, das zugleich Anziehende und immer wieder Befremdliche, das ihn um so weiter entrückt, je näher man ihm kommt, wird ihn weiterhin, Generation für Generation, zum Zeitgenossen machen. Denn eine Epoche, der Kleist nichts mehr zu sagen hätte, müßte entweder dem unglücklichen Bewußtsein, dem Unbehagen an Entfremdung und Spaltung, in die Erleuchtung entwachsen oder aber zurückgefallen sein in die Barbarei einer nurmehr dem Konsum und der Unterhaltungskunst überantworteten Stumpfheit, die von Gesetz, Sehnsucht und Erlösung nichts mehr weiß."
(originale Rechtschreibung)

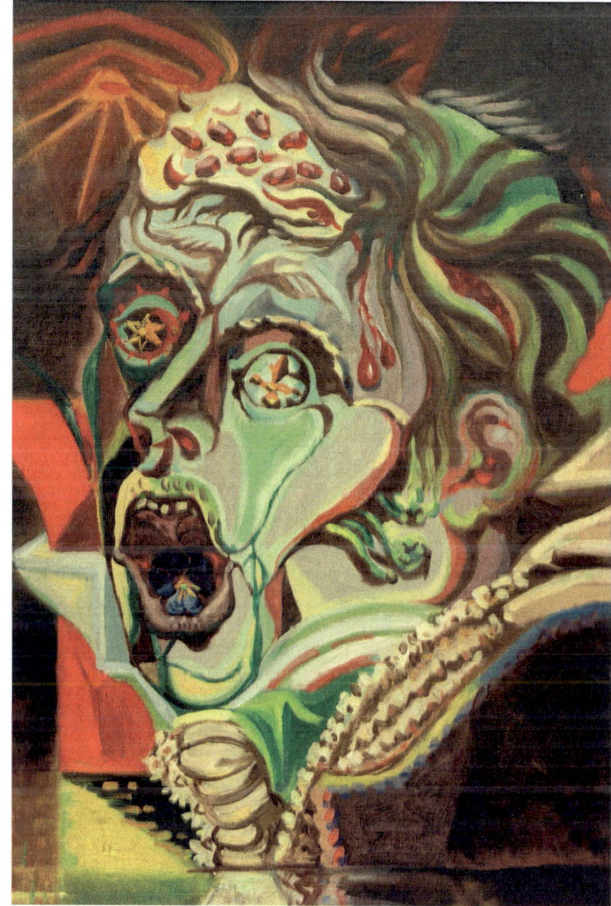

André Masson: „Portrait du poète Heinrich von Kleist", 1939

1 a) Setzen Sie sich im Plenum mit den Zitaten und Bildern auf den Seiten 146 und 147 auseinander, indem Sie erläutern, wie die verschiedenen Beiträge die Frage nach der Aktualität Kleists und seines Theaterstücks „Der zerbrochne Krug" beantworten.
b) Nehmen Sie zu den Beiträgen kritisch Stellung.

2 Erstellen Sie eine Mindmap, in der Sie Antworten auf die Frage sammeln, welche gegenwärtige Relevanz das Lustspiel Ihrer Meinung nach hat oder haben könnte.

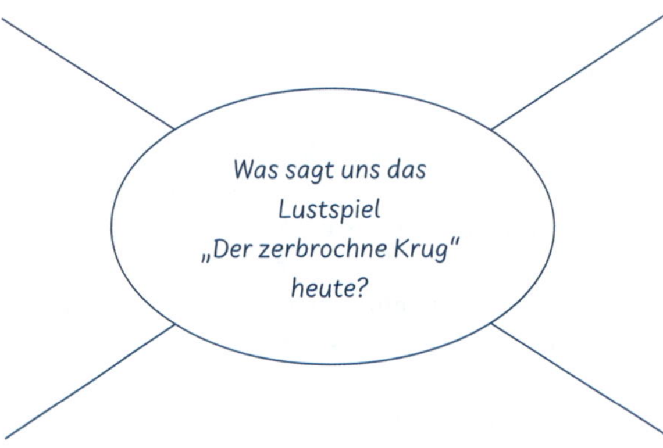

Notizen: ______________________________

____

____

____

____

____

____

3 ***Lernarrangement***
Bilden Sie Kleingruppen.
a) Erarbeiten Sie ein Empfehlungsschreiben für eine Literatur-AG, eine Theater-AG oder einen Literaturkurs an Ihrer Schule. In dem Schreiben sollen Sie dafür werben, dass das Theaterstück „Der zerbrochne Krug" an Ihrer Schule behandelt oder aufgeführt wird. Das Schreiben sollte folgende Elemente enthalten:
- einige kurze Informationen zur Biografie Heinrich von Kleists,
- eine knappe Inhaltsangabe des Lustspiels „Der zerbrochne Krug",
- eine kurze literaturgeschichtliche Einordnung des Werkes von Kleist,
- eine differenzierte Begründung für Ihre Empfehlung.

b) Präsentieren Sie Ihre Textproduktionen im Plenum.
c) Diskutieren Sie mögliche Unterschiede in Ihren Begründungen für die gegenwärtige Relevanz des Theaterstücks.

Abschlussbetrachtung

Sich rekapitulierend mit Aspekten der Analyse auseinandersetzen

An dieser Stelle soll noch einmal den Aspekten des Dramas „Der zerbrochene Krug" resümierend nachgegangen werden.

1 **Inhalte/Themen:** Erstellen Sie eine Mindmap, die die unterschiedlichen Themen, Inhalte und Bezüge des Dramas „Der zerbrochne Krug" systematisiert.

2 **Figurenkonstellation:** Systematisieren Sie rekapitulativ die Figurenkonstellation in „Der zerbrochne Krug" durch eine Strukturskizze, die sowohl die Beziehungsverhältnisse zwischen den Figuren als auch die wichtigsten Charakteristiken darstellt.

3 **Struktur/Aufbau, Form und Sprache:** Erstellen Sie ein Handout, das die zuvor genannten Punkte für „Der zerbrochne Krug" erklärt: Wie ist das Drama aufgebaut? Welche Form wird dafür genutzt? Welche Sprache wird verwendet? Gibt es sprachliche Besonderheiten?

4 **Gattungsspezifik:** In Analogie zu Struktur und Aufbau müssen auch die gattungsspezifischen Implikationen resümiert werden. Rekapitulieren Sie die Definitionen von Komödie, Tragödie, analytischem und synthetischem Drama.

a) Versuchen Sie, die Szenen des Werkes „Der zerbroche Krug" begründet in einer Aktstruktur anzuordnen, dafür müssen Sie den Sinnzusammenhang unterschiedlicher Szenen berücksichtigen: Welche Szenen dienen der Exposition? Kann eine steigende Handlung mit erregendem Moment festgemacht werden? Bilden Szenen Klimax und Peripetie? Gibt es einen retardierenden Moment? Bündeln sich Szenen zur Lösung? Orientieren Sie sich an der aufgeführten Tabelle:

„Der zerbrochne Krug" in Aktform	Szenen	Begründung der Zuordnung
1. Akt: Exposition		
2. Akt: Steigende Handlung mit erregendem Moment		
3. Akt: Klimax und Peripetie, tragisches Moment		
4. Akt: Fallende Handlung mit retardierendem Moment		
5. Akt: Lösung		

b) Nehmen Sie abschließend Stellung zu der Frage, inwieweit „Der zerbrochne Krug" als typische Komödie bezeichnet werden kann.

5 **Epochaler Kontext:** Das Werk „Der zerbrochene Krug" hat eine Vielzahl epochaler Bezüge. Systematisieren Sie diese Zusammenhänge in einer Mindmap. Welche epochalen Gedanken prägen das Werk? Distanziert sich Kleist bewusst von bestimmten Auffassungen?

6 Verfassen Sie abschließend einen Essay zu „Der zerbrochne Krug" nach eigener Schwerpunktsetzung. Mögliche Fragestellungen/Aspekte wären: Warum immer noch „Der zerbrochne Krug"? – Die aktuelle Bedeutung des Lustspiel Kleists; „Zum Straucheln braucht's doch nichts, als Füße" – Das Menschenbild im Kleistschen Lustspiel; Wie romantisch ist das hier? – Kleist und „Der zerbrochne Krug" als Grenzgänger zwischen den Epochen.

„Erst in der Neuzeit trat dort das ein, was man in der Wissenschaft als Desertifikation bezeichnet, zu deutsch Verwüstung."

Jenny Erpenbeck: Heimsuchung – Ein vielstimmiger Roman über ein Jahrhundert deutscher Geschichte

Texte

Strukturell unterschiedliche Erzähltexte aus unterschiedlichen historischen Kontexten

Komplexe Sachtexte

Sprache

Sprachgeschichtlicher Wandel

Kommunikation

Sprachliches Handeln im kommunikativen Kontext

Rhetorisch ausgestaltete Kommunikation in funktionalen Zusammenhängen

Klausurtraining

I A Interpretation eines literarischen Textes mit weiterführendem Schreibauftrag

Kompetenzen

Sie setzen sich in diesem Arbeitsbuch hauptsächlich mit dem Roman „Heimsuchung" von Jenny Erpenbeck auseinander. Darüber hinaus lernen Sie auch formale und inhaltliche Gemeinsamkeiten und Abgrenzungen zu anderen bekannten und weniger bekannten epischen Werken kennen. Dadurch werden Sie unter anderem folgende Kompetenzen erwerben:

- strukturell unterschiedliche erzählende Texte unter besonderer Berücksichtigung der Entwicklung der gattungstypischen Gestaltungsform analysieren und interpretieren,
- literarische Texte in grundlegende literarhistorische und historisch-gesellschaftliche Entwicklungen – von der Aufklärung bis zum 21. Jahrhundert – einordnen und die Möglichkeit und Grenzen der Zuordnung literarischer Werke zu Epochen aufzeigen,
- an ausgewählten Beispielen die Mehrdeutigkeit von Texten sowie die Zeitbedingtheit von Rezeption und Interpretation reflektieren,
- in Ihren Analysetexten Ergebnisse textimmanenter und textübergreifender Untersuchungsverfahren darstellen und in einer eigenständigen Deutung zusammenführen,
- Textverständnis durch Formen produktionsorientierten Schreibens darstellen,
- Texte unter spezifischen Fragestellungen zu Inhalt, Gestaltungsweise und Wirkung kriterienorientiert beurteilen.

Wer erzählt wem was wie ... und warum?

Das Erzählen als konstitutiven Bestandteil der Kultur kennenlernen

Eingebunden wird die Behandlung von Erpenbecks Roman in den großen Zusammenhang der Frage nach dem Erzählen. Gab es eine Zeit ohne Geschichten? Von den Mythen der alten Griechen und den Erzählungen von „Tausendundeiner Nacht" über die Sagen der Germanen zur Bibel, zu den Märchen bis hin zum Film, die Menschheit erzählt sich ihre Geschichten, zunächst mündlich, dann schriftlich. Aber worin besteht das Faszinosum des Erzählens? Warum scheint sich von den literarischen Gattungen allein die Epik noch am modernen Literaturmarkt behaupten zu können? Und wie hat sich die Art der Erzählung im Verlaufe der Jahrhunderte verändert?

1 Reflektieren Sie Ihre eigene Erfahrung mit Erzählungen unterschiedlichster Art.
   a) Wann und in welcher Form sind Sie erstmals mit Erzählungen in Kontakt gekommen?
   b) Welche Formen von Erzählungen haben Sie kennengelernt?
   c) Gibt es Erzählungen, die bei Ihnen einen bleibenden Eindruck hinterlassen haben?

2 Diskutieren Sie Ihre jeweiligen Erfahrungen mit Erzählungen im Plenum und sammeln Sie die Titel/Themen der Erzählungen, die Eindruck hinterlassen haben, im Tafelbild.

„Kindern erzählt man Geschichten zum Einschlafen – Erwachsenen, damit sie aufwachen." *Jorge Bucay*

„Die Gesellschaft wird durch Millionen von Gesprächen gebildet. Wenn ein Mensch seine Geschichte erzählen kann, wird er Teil einer Gesellschaft. Wem man nicht zuhört, der existiert nicht."
Henning Mankell, Schriftsteller

„Und selbst wenn eines Tages nicht mehr geschrieben oder gedruckt werden wird oder darf, wenn Bücher als Überlebensmittel nicht mehr zu haben sind, wird es Erzähler geben, die uns von Mund zu Ohr beatmen, indem sie die alten Geschichten zu neuen Fäden spinnen: laut und leise, hechelnd und verzögert, manchmal dem Lachen und manchmal dem Weinen nahe."
Günter Grass, anlässlich der Verleihung des Literaturnobelpreises

„Das erzählende Wort ist mehr als Rede; es führt das, was geschehen ist, faktisch in die kommenden Geschlechter hinüber, ja das Erzählte ist selber Geschehen."
Martin Buber im Vorwort zu „Die Erzählungen der Chassidim"

„Geschichten sind deshalb Geschichten, weil sie uns an Geschichten erinnern." *Peter Bichsel*

„Romane soll man nicht verfilmen, Märchen nicht dramatisieren. Die Fantasie des Zuschauers wird durch eine realistische, logische Erzählweise weder angeregt noch bedient. Der Versuch, einen Riesen auf die Bühne zu bringen, muss scheitern. Die Imagination des Lesers lässt den Schauspieler auf Stelzen lächerlich erscheinen. Keine Bühne ist groß genug, meinen Riesen zu zeigen, keine Schauspielerin in der Lage, meine Hexe zu spielen, mag man ihr noch so viele Warzen ins Gesicht kleben. Kein Bühnenbildner kann mir meinen Zauberwald bauen." *Beat Fäh im Programmheft „HEXENFIEBER" (Vorstadt-Theater, Basel)*

„Aus dem Erzählen zeigt sich, ob jemand zu hören gewusst habe."
Johann Gottfried Herder, Briefe zur Beförderung der Humanität

3 Lesen Sie alle Zitate und wählen Sie selber zwei Zitate aus, die Sie persönlich ansprechen oder von deren Aussage Sie sich distanzieren möchten. Fassen Sie die Kernaussage der ausgewählten Zitate in eigenen Worten zusammen und erklären Sie, warum Sie sie ausgewählt haben.

4 Diskutieren Sie im Plenum: 1. Warum erzählen sich die Menschen überhaupt Geschichten? 2. Was wird erzählt? 3. Wie wird es erzählt? 4. Wie spiegelt sich das Ihrer Meinung nach in der epischen Literatur wider?

Die frühen Erzählungen

Griechische Mythologie und Erzählungen aus Tausendundeiner Nacht kennenlernen

Homers „Odyssee"? Geschichten aus „Tausendundeiner Nacht"? Schon mal gehört, selten gelesen. Diese Geschichten begleiten den Menschen seit Jahrhunderten, Jahrtausenden.

1 ***Lernarrangement***
Teilen Sie den Kurs in zwei Hälften. Die eine Hälfte recherchiert die Geschichte von Homers „Odyssee", die andere Hälfte des Kurses setzt sich mit den Geschichten aus „Tausendundeiner Nacht" auseinander. Nennen Sie jeweils Entstehungsort, -zeit sowie Autor und beschreiben Sie Inhalt und Aufbau bzw. Erzählstruktur. Benennen Sie zudem Beispiele für die Rezeption dieser Werke. Präsentieren Sie anschließend Ihre Ergebnisse im Plenum.

Homer

Odyssee. Erster Gesang

Ratschluss der Götter, dass Odysseus, welchen Poseidon verfolgt, von Kalypsos Insel Ogygia heimkehre. Athene, in Mentes Gestalt, den Telemachos besuchend, rät ihm, in Pylos und Sparta nach dem Vater sich zu erkundigen, und die schwelgenden Freier aus dem Hause zu schaffen. Er redet das erste Mal mit Entschlossenheit zur Mutter und zu den Freiern. Nacht.

Antikes Mosaik mit einer Szene aus der „Odyssee"

Sage mir, Muse, die Taten des vielgewanderten Mannes,
Welcher so weit geirrt, nach der heiligen Troja Zerstörung,
Vieler Menschen Städte gesehn, und Sitte gelernt hat,
Und auf dem Meere so viel unnennbare Leiden erduldet,
Seine Seele zu retten, und seiner Freunde Zurückkunft.
Aber die Freunde rettet' er nicht, wie eifrig er strebte,
Denn sie bereiteten selbst durch Missetat ihr Verderben:
Toren! welche die Rinder des hohen Sonnenbeherrschers
Schlachteten; siehe, der Gott nahm ihnen den Tag der Zurückkunft,
Sage hievon auch uns ein weniges, Tochter Kronions.

Alle die andern, so viel dem verderbenden Schicksal entflohen,
Waren jetzo daheim, dem Krieg' entflohn und dem Meere:
Ihn allein, der so herzlich zur Heimat und Gattin sich sehnte,
Hielt die unsterbliche Nymphe, die hehre Göttin Kalypso,
In der gewölbeten Grotte, und wünschte sich ihn zum Gemahle.

Tausendundeine Nacht

Es regierte einst in den ältesten Zeiten und verflossenen Äonen ein König von den Sassaniden auf den Inseln Indiens und Chinas, der viele Truppen und Verbündete, Diener und zahlreiches Gefolge besaß. Auch hatte er zwei wackere, tapfere Söhne, von denen jedoch der ältere noch tapferer war, als der jüngere; er herrschte über viele Länder und war so gerecht gegen seine Untertanen, dass ihn alle sehr liebten. Sein Name war Scheherban, sein jüngerer Bruder hieß Schahseman, und war König von Samarkand in Persien. Beide hatten ihre Heimat nicht verlassen und jeder regierte höchst glücklich 20 Jahre lang in seinem Reiche. Da sehnte sich der ältere König nach seinem jüngeren Bruder, und befahl seinem Vezier, zu jenem hinzureisen und ihn zu ihm zu bringen. Der jüngere Bruder gehorchte alsbald und machte Anstalten zur Reise, und ließ Zelte, Kamele, Maultiere, Diener und Gefolge herbeikommen. Die Regierung war indes dem Vezier übertragen und der König reiste ab nach dem Lande seines Bruders.

Vezier
auch: Wesir, Minister eines islamischen Herrschers

2 Fassen Sie die Auszüge kurz in eigenen Worten zusammen und vergleichen Sie die beiden Anfänge der berühmten Erzählungen in Bezug auf die Wirkung, die diese erzeugen.

3 Beschreiben Sie formale Unterschiede zwischen den beiden Erzählungen.

Michael Neumann

Die fünf Ströme des Erzählens (2013)

Die Menschen erzählen, seit sie sprechen können. Sie erzählen die eigenen Erlebnisse des Tages, den Klatsch von nebenan [...] und die Gerüchte aus ferneren Gegenden. Sie erzählen von den Ängsten der Nacht, von den Erfahrungen der Vorfahren und von den Taten der Götter. Manche erzählen so gut, dass ihre Geschichten anschaulich und lebendig vor die inneren Augen der Zuhörer treten. [...] Zu allen Zeiten und an allen Orten sind die Menschen umwogt von Geschichten – von Mythen und Märchen, Sagen und Schwänken, [...] Novellen und Romanen, und in neuerer Zeit von Kino- und Fernsehfilmen, Hörspielen und Computerspielen. Vom ersten, ahnungsweisen Verständnis menschlicher Worte bis an den Rand des Grabes bewegt ein jeder sich in einem Meer des Erzählens [...].
Doch nicht nur die grundsätzliche Aktivität des Erzählens ist universal. In den verschiedensten und entferntesten Kulturen stoßen die Erzählforscher auf eine Fülle übereinstimmender Motive, Plots und Genres: auf Motive wie die magische Flucht oder den Kampf mit dem Drachen; auf Plots wie die Erniedrigung und Erhöhung eines „Aschenputtels" oder die Mahrtenehe, also die Verbindung zwischen einem Menschen und einem außermenschlichen Wesen; auf Genres wie das Märchen, den Schwank oder den kosmogonischen Mythos. Wie kommt es, dass die Menschen unter den unterschiedlichen kulturellen, historischen und sozialen Umständen immer wieder von ähnlichen Geschichten angezogen werden?

4 Erläutern Sie Neumanns These der Universalität des Erzählens, indem Sie zunächst den Text kurz zusammenfassen und dann insbesondere auf die Frage der vergleichbaren Motive, Plots und Genres eingehen und diese mit eigenen Beispielen belegen (s. Z. 11–17).

5 Sammeln Sie im Plenum Hypothesen zu Neumanns abschließender Frage (s. Z. 17–19).

Neumann geht mit seiner Arbeit der Frage nach, ob es in der Menschheitsgeschichte dominante „Ströme" der Narration gibt, ob also bestimmte Aspekte, Motive, Plots immer wieder in den Fokus treten. Von diesen Strömen identifiziert er schließlich fünf: **Märchen**-Strom, **Sagen**-Strom, **Mythen**-Strom, **Anderwelt**-Strom und **Schwank**-Strom.

6 Recherchieren Sie die oben genannten Begriffe (s. auch „Auf einen Blick – Fachbegriffe") und entwickeln Sie eine Definition der einzelnen Typen. Überprüfen Sie, inwieweit sich diese Typen auch in moderner Unterhaltungsliteratur (z. B. „Harry Potter", „Herr der Ringe", „Twilight" etc.) widerspiegeln.

Erzählen? Wie geht das nun?

Die Grundprinzipien der Erzähltechnik erschließen

Im weiteren Verlauf werden unterschiedliche Texte zur Erzähltechnik thematisiert. Der Begriff der *Technik* impliziert bereits, dass die epische Analyse auch immer ein Begriffsverständnis voraussetzt. Die eine Ebene der Rezeption ist der Genuss, die Illusion, das Eintauchen in erzählte Welten. Die andere Ebene ist die Analytik, die Auseinandersetzung nicht nur mit den Inhalten der Erzählung, sondern auch mit der dargebotenen Form. Warum wird das, was erzählt wird, ausgerechnet auf diese Art und Weise erzählt? Welche Bedeutung erhält das Erzählte durch die Art, **wie** es erzählt wird?

James Wood

Die Kunst des Erzählens (2011)

1857 schrieb John Ruskin ein kleines Büchlein mit dem Titel „Die Grundlagen des Zeichnens“. Es ist eine behutsam vorgehende Einführung, die dem ausübenden Maler, interessierten Bildbetrachter oder Kunstfreund dienlich sein will, indem sie den Blick des Kritikers auf den Vorgang des künstlerischen Schaffens richtet. Ruskin fordert seine Leser zunächst auf, die Natur ins Auge zu fassen, etwa ein Blatt, und dieses Blatt dann mit einem Stift zu zeichnen. Er verweist auf seine eigene Zeichnung eines Blattes und geht dann zu einem Gemälde von Tintoretto über: Schau auf die Pinselstriche, schreibt Ruskin, sieh dir an, wie Tintoretto Hände zeichnet und welche Sorgfalt er auf den Schattenwurf verwendet. Schritt für Schritt geleitet er seine Leser entlang der Prozesse des künstlerischen Schaffens. Seine Autorität rührt dabei nicht von seinen zeichnerischen Fähigkeiten her – er war ein fähiger, aber kein besonders begabter Künstler –, sondern von seinem guten Auge, dem genauen Hinschauen und von seinem Talent, dies Gesehene in verständlichen Sätzen wiederzugeben.

Es gibt erstaunlich wenig Bücher dieser Art über Romane. [...]

Die beiden von mir meistgeschätzten Romantheoretiker des 20. Jahrhunderts sind der russische Formalist Viktor Sklovski und der französische Formalist und Strukturalist Roland Barthes. Beide waren große Literaturkritiker, weil sie – als Formalisten – wie Schriftsteller dachten: Sie richteten ihre Aufmerksamkeit auf den Stil, die Wortwahl, die Form, die Metapher und die Symbolik.

[...] Im vorliegenden Buch versuche ich [ebenso], einige der wesentlichen Fragen zur Kunst des Erzählens zu stellen. Gibt es so etwas wie Realismus? Was verstehen wir unter einer gelungenen Metapher? Was ist eine Figur? Woran erkennen wir eine meisterhafte Verwendung von Details im Roman? Was ist Erzählperspektive, und wie wirkt sie? Was ist imaginative Anteilnahme? Warum rührt uns Literatur? Das sind alte Fragen. Literaturwissenschaft und Literaturtheorie haben einige von ihnen in letzter Zeit wiederbelebt; doch ich glaube nicht, dass dort gute Antworten gefunden wurden.

So hoffe ich, mein Buch kann auf seine theoretischen Fragen Antworten aus der Praxis geben oder, anders ausgedrückt, auf die Fragen eines Kritikers die Antworten eines Autors anbieten.

Wenn es eine weiterreichende These enthält, dann diese: Erzählende Prosa ist sowohl Kunst als auch Wirklichkeit, sie trickst und sie ist wirklichkeitsgetreu, und beide Aspekte lassen sich ohne Weiteres zusammenbringen. Deshalb habe ich mich bemüht, das Handwerkliche der Erzählkunst, das Wie, möglichst genau zu beschreiben, um es wiederum an die Welt zu koppeln, so wie Ruskin das Werk Tintorettos daran knüpfen wollte, wie wir ein Blatt betrachten. Infolgedessen greifen die Kapitel des Buches ineinander, jedes bewegt dieselbe ästhetische Position: Wenn ich von erlebter Rede spreche, spreche ich eigentlich über Perspektive und bei Perspektive eigentlich über die Wahrnehmung von Details und bei Details eigentlich über Figuren, und spreche ich über Figuren, dann spreche ich eigentlich über die Wirklichkeit, welche meinen Erkundungen zugrunde liegt.

Wood verfasst eine Erklärung für sein Werk zur Erzähltheorie, er stellt seine **Motivation, Intention** und seine **generelle Sicht auf die Theorie des Erzählens** dar. Diese Schritte spiegeln sich auch in seinem Argumentationsaufbau wider.

1 Teilen Sie den Text aufgrund seiner Argumentationslogik in Sinnabschnitte ein und ordnen Sie die oben genannten Begriffe den einzelnen Abschnitten begründet zu. Erstellen Sie auf dieser Grundlage ein Schaubild des Argumentationszusammenhangs des Textes.

2 Fassen Sie nun die jeweiligen Abschnitte in eigenen Worten zusammen und ergänzen Sie das Schaubild durch die Kernaussagen der einzelnen Abschnitte.

3 Erklären Sie auf Grundlage Ihrer bisherigen Erarbeitungen den Vergleich, dessen sich Wood zu Beginn seines Textes bedient, inhaltlich und formal.

4 In Zeile 21 ff. werden von Wood unterschiedliche Fragen aufgeführt, mit denen er sich in seinem Werk beschäftigen möchte. Setzen Sie sich mit diesen Fragen einzeln auseinander, indem Sie für sich selber vorläufige Antworten formulieren. Stellen Sie sich im Plenum gegenseitig Ihre Antworten vor.

5 Im letzten Absatz (Z. 37 ff.) stellt Wood seine das Werk umfassende These vor. Erläutern Sie diese These und die daran anschließende Konsequenz Woods.

Soll eine erzähltechnische Analyse eines epischen Textes vorgenommen werden, so ist es wichtig, die Begrifflichkeiten und Analyseebenen sauber zu trennen und eine Beurteilung anhand ausgewählter Kriterien vorzunehmen. Der nachfolgende Autorentext systematisiert die komplexe Welt der Erzählsituationen und orientiert sich dabei an den Begrifflichkeiten Jürgen H. Petersens, der ein komplexes Erzählmodell entwickelt hat. Die entscheidenden Kategorien des Erzählmodells und damit auch der Beurteilung sind dabei: Erzählform, Erzählverhalten, Erzählerstandort, Erzählperspektive, Erzählhaltung und Darbietungsform.

Sascha Spolders

Modell des Erzählens nach Petersen (2016)

Das Erzählsystem eines epischen Textes ist immer ein fiktionales Konstrukt, in dem ein bestimmtes und spezifisches Verhältnis zwischen Erzähler, Erzähltem und dem Leser vorliegt. Im Rahmen einer **Erzählsituation** – dieser Begriff wird hier als übergeordnete Kategorie verwendet – vermittelt ein zu bestimmender Erzähler einen fiktiven Inhalt auf eine spezifische Art und Weise. Die Frage einer Erzählanalyse ist dann immer: Warum vermittelt ausgerechnet diese Form des Erzählers diesen Inhalt auf genau diese Art und Weise? Mit anderen Worten: Welche Funktion erzielt die spezifische Erzählgestaltung?
Nach Petersen können dann verschiedene Kategorien unterschieden werden. Eine der zentralen Ebenen ist dabei die **Erzählform**.
Die Erzählform bezeichnet die Frage, ob und inwieweit der Erzähler personalisiert auftritt. Während der Ich-Erzähler eine Personalisierung erfährt, also auch Bestandteil der eigentlichen Handlung der Erzählung ist, er oder sie ist selber eine Figur, hat der Er-/Sie-Erzähler keine Personalisierung. Er kann die Handlung überschauen, näher oder distanzierter zu den Figuren sein, die Handlung evtl. kommentieren, er ist aber nicht Teil der eigentlichen Handlung. Ein Erzähler der Er-/Sie-Form bleibt selber in diesem Sinne unsichtbar und ist „nur“ ausführendes Medium der Erzählung.

Im Zusammenhang mit der Erzählform ist dann immer das **Erzählverhalten** zu analysieren, also die Frage, wie sich der Erzähler dem Erzählten gegenüber verhält: auktorial, personal oder neutral. Das auktoriale Erzählverhalten (gerne auch allwissendes Erzählen genannt) gibt dem Erzähler die Möglichkeit der eigenen Sichtweise. Er kann in das Geschehen eingreifen, die Gesamthandlung überschauen und durchaus auch lenken, werten, kommentieren und hat Einblick in die Innenwelt aller Figuren. Damit tritt der auktoriale Erzähler, bspw. durch Kommentare oder direkte Leseransprache, in das Bewusstsein des Lesers. In der Er-/Sie-Form erhält er im Gegensatz zu einem Ich-Erzähler zwar keine Personalität, aber er ist als Erzählinstanz präsent. Dies ist oft der Grund für die analytisch fehlerhafte Gleichsetzung des auktorialen Erzählers mit dem Autor. Das personale Erzählverhalten hingegen ist perspektivisch eingeschränkt, das heißt, der Erzähler berichtet aus der Perspektive einer oder mehrer Figuren (multiperspektivisch-personales Erzählen), bleibt aber auf die Perspektiven beschränkt, der Erzähler weiß also nur das, was auch die Figur weiß. Bei der Ich-Form sind Erzähler und erzählte Figur dann identisch. Wenn Kommentierungen durch den personalen Erzähler stattfinden, dann sind diese auf die Perspektive der jeweiligen erzählten Figur beschränkt, der personale Erzähler hat dementsprechend oftmals eine große Nähe zu seiner erzählten Figur (s. Erzählerstandort und -perspektive). Der neutrale Erzähler tritt extrem hinter das Erzählte zurück, kommentiert und wertet nicht und bleibt meistens distanziert zum Erzählten. Die Handlung selber tritt in den Vordergrund anstelle der Erzählsituation, somit ist das szenische Erzählen, also die starke Dialoglastigkeit ähnlich der Dramatik, eine typische Darstellungsform des neutralen Erzählers.

Eng mit dem Erzählverhalten verbunden ist die Frage der **Erzählperspektive**, die wiederum ergänzt wird durch den Erzählerstandort. Bei der Erzählperspektive geht es um den Abstand bzw. die Nähe, die der Erzähler zum Erzählten respektive zu den Figuren einnimmt. Es kann aus der Außensicht (meist die Perspektive des neutralen Erzählers) oder der Innensicht (dominante Perspektive der personalen Erzählung) erzählt werden. Der auktoriale Erzähler kann beide Perspektiven im ständigen Wechsel einnehmen. In diesem Kontext bezeichnet der **Erzählerstandort** das räumlich-zeitliche Verhältnis des Erzählers zum Erzählten, zu fragen ist also, ob der Erzähler retrospektiv berichtet oder bspw. als erlebendes Ich direkter Bestandteil der Handlung ist. Typischer Standort des auktorialen Erzählers ist der „olympische" Standort, der Erzähler hat den absoluten Überblick über alle Geschehnisse, vorherige, gleichzeitige und folgende, und überblickt aus der Vogelperspektive alle Ereignisse, während der personale meist eine deutliche Nähe zum erzählten Geschehen aufweist.

Aus dem Zusammenspiel der vorherigen Kategorien ergibt sich zumeist die Erzählhaltung. Der Erzähler kann unterschiedliche Einstellungen zum Erzählten einnehmen, er kann dieses skeptisch, ablehnend, ironisierend, affirmativ, kritisch, schwankend, pathetisch oder auch neutral etc. erzählen. Für die Erzählhaltung ist es besonders entscheidend, die vorherigen Kategorien in die Analyse miteinzubeziehen, um zu einer begründeten Beurteilung zu gelangen.

Abschließend bleiben noch die unterschiedlichen **Darbietungsformen** (vgl. auch Auf einen Blick, S. 328 f.), also die Frage, wer in welcher Erzählsituation auf welche Art und Weise spricht. Generell ist zwischen Erzähler- und Figurenrede zu unterscheiden. Zur Erzählerrede gehören der Erzählerbericht und -kommentar sowie die indirekte Rede. Zur Figurenrede gehören die direkte Rede, also der Dialog, und der innere Monolog, der allein die Gedankenwelt der Figur darstellt. Die erlebte Rede ist ein besonderer Fall, im klassischen Sinne ist sie Erzählerrede. Allerdings weist die erlebte Rede eine extreme Nähe zur erzählten Figur auf, sodass Erzähler und Figur sich augenscheinlich miteinander verbinden (meist in der 3. Pers. Sg., Indikativ Präteritum wiedergegeben), obwohl also weiterhin der Erzähler spricht, hat der Rezipient den Eindruck, die Figur würde selber sprechen. Der Bewusstseinsstrom ist dann ein Mittel moderner Erzählung, bei dem Syntax und Kohärenz oft aufgelöst werden, und er kann sowohl Bestandteil von Figuren- als auch Erzählerrede sein.

1 Erstellen Sie auf Grundlage des Textes und der Anmerkungen unter „Auf einen Blick – Fachbegriffe Epik“ (s. S. 328 ff.) eine schematische Darstellung des Erzählmodells nach Petersen, in der die einzelnen Kategorien definiert und Wechselverhältnisse hervorgehoben werden.

2 Erläutern Sie Bedeutung und unterschiedliche Möglichkeiten der Raum-, Zeit- und Figurengestaltung (s. „Auf einen Blick – Fachbegriffe Epik“, S. 329 f.) für epische Texte. Setzen Sie anschließend die jeweiligen Gestaltungen in Bezug zu den Erzählverhalten.
Was wäre eine typische Raumgestaltung für den auktorialen Erzähler? Wie wäre es bei den anderen Erzählverhalten gestaltet? Welche Möglichkeiten der Zeitgestaltung haben auktorialer, personaler und neutraler Erzähler?

Grau ist alle Theorie! Spannend wird es bei der erzähltechnischen Gestaltung erst, wenn die theoretischen Erkenntnisse auf die literarische Praxis angewandt werden. Und insbesondere der Vergleich unterschiedlicher erzähltechnischer Gestaltungen ermöglicht Erkenntnisse nicht nur über die Werke selber, sondern auch über die jeweiligen literarischen und historischen Kontexte, in denen diese verfasst wurden.

3 Untersuchen Sie den Erzähleinstieg der drei Kapitel „Prolog“, „Der Gärtner“ und „Der Großbauer und seine vier Töchter“ aus Erpenbecks „Heimsuchung“. Arbeiten Sie Unterschiede und Gemeinsamkeiten heraus.

4 ***Lernarrangement***
Besorgen Sie sich aus dem Internet den Text der Dritten Geschichte aus dem „Decamerone“ von Boccaccio. Verwenden Sie dazu nebenstehenden QR-Code.
Teilen Sie den Kurs in drei Gruppen. Je eine Gruppe beschäftigt sich mit dem Erzähleinstieg in die „Odyssee“ (S. 152), in „Tausendundeine Nacht“ (S. 152 f.) und in der dritten Geschichte des „Decamerone“.

a) Untersuchen Sie analog zu Aufgabe 3 Ihren jeweiligen Erzähleinstieg. Welche Stimmung wird durch die Art des Erzählens mit welchen Mitteln erzeugt?
b) Stellen Sie Ihre Ergebnisse im Plenum vor und diskutieren Sie Gemeinsamkeiten und Unterschiede der drei Erzähleinstiege.

Hier finden Sie die dritte Geschichte des Decamerone:

WES-169088-003

5 ***Lernarrangement***

a) Setzen Sie sich in Gruppen zusammen und sichten Sie die in Aufgabe 4 genannten epischen Textauszüge. Verteilen Sie diese Texte gleichmäßig auf die Gruppenmitglieder.
b) Nehmen Sie für alle Auszüge eine Bestimmung der Erzählsituation vor. Erläutern Sie die Wirkung der Auszüge und Auffälligkeiten bezüglich der erzählerischen und sprachlichen Gestaltung. Stellen Sie sich innerhalb der Gruppe Ihre Ergebnisse vor.
c) Visualisieren Sie die Ergebnisse Ihrer Untersuchung so, dass Gemeinsamkeiten und Unterschiede der unterschiedlichen Gestaltungen deutlich werden.
d) Präsentieren Sie Ihre Ergebnisse im Plenum und stellen Sie abschließend Hypothesen bezüglich möglicher Entwicklungstendenzen in der Gestaltung epischer Texte auf.

6 Diskutieren Sie die unterschiedliche Gestaltung der Erzählsituation in den ersten drei Kapiteln des Romans „Heimsuchung“ hinsichtlich ihrer Wirkung dieser Erzähleinstiege auf die Leselust.

Heimat. Ein Gefühl? Ein Ort? Eine Heimsuchung?

Sich mit Aussagen über die Bedeutung von „Heimat" auseinandersetzen

Die wahre Heimat ist eigentlich die Sprache.
Sie bestimmt die Sehnsucht danach,
und die Entfernung vom Heimischen
geht immer durch die Sprache am schnellsten.
Wilhelm von Humboldt

Heimat ist immer
etwas Verlorenes,
eine Sehnsucht, die sich
nie erfüllen lässt.
Edgar Reitz

Heimisch in der Welt wird
man nur durch Arbeit. Wer
nicht arbeitet, ist heimatlos.
Berthold Auerbach

Zuhause ist man da,
wo man jemanden
kennenlernt, der
jemanden kennt, der
jemanden kennt,
den man kennt.
Barbara Sommerer

Es ist egal wer du bist,
wichtig ist, was du für deine Heimat machst.
Viktor Jede

Wo gehn wir denn hin? Immer nach Hause.
Novalis

Das Heim eines Mannes ist die Festung
der Familie,
in der Weib und
Kinder Schutz und Geborgenheit finden.
Horst Bulla

Am Tage. da ich meinen Pass verlor,
entdeckte ich mit achtundfünfzig Jahren,
dass man mit seiner Heimat mehr verliert
als einen Fleck umgrenzter Erde.
Stefan Zweig

Heimat ist kein Ort.
Heimat ist ein Gefühl.
Georg-Wilhelm Exler

Diese Erde ist unsere Heimat. Heimat ist dort wo wir leben, wo wir uns sicher fühlen. Die Heimat ist der Ort, wo die Zukunft unserer Kinder gedeiht. Wer euch verdrängen mag, den werdet ihr wissen lassen, dass er die Heimat nicht in eurem Herzen verdrängen kann. Denn dort lebt sie weiter, bis an das Ende eures Lebens.
Michael P. Künne

Nicht da ist man daheim,
wo man seinen Wohnsitz hat,
sondern wo man
verstanden wird.
Christian Morgenstern

Heimat ist da,
wo man uns mag und
wo wir ein Auskommen
haben Tag für Tag.
Monika Kühn-Görg

1 ***Lernarrangement***

a) Setzen Sie sich in Zweierteams mit den hier wiedergegebenen Aussagen über „Heimat“ auseinander. Wählen Sie jeweils eine Aussage, die Ihnen zusagt, und eine, die Sie ablehnen, aus.

b) Tragen Sie im Kursplenum diese Auswahl zusammen und diskutieren Sie mögliche Kontroversen. Beziehen Sie auch die folgenden Zitate von Seite 7 des Romans „Heimsuchung“ mit ein.

In diesem Kapitel wird sich auf folgende Textausgabe (TA) bezogen: Jenny Erpenbeck. Heimsuchung. 1. Aufl. München: Penguin 2018.

Drei Zitate aus dem Roman „Heimsuchung“ (TA, S. 7)

Dieweil der Tag lang und die Welt alt ist, können viel Menschen an einem Platz stehn, einer nach dem andern.
Marie in WOYZECK von Georg Büchner

…, versprecht ihr mir, Ihr Wälder meiner Jugend, wenn ich komme, die Ruhe noch einmal wieder?
Friedrich Hölderlin

Wenn das Haus fertig ist, kommt der Tod.
Arabisches Sprichwort

Worterklärungen

Unbekannte Begriffe klären

Der Roman „Heimsuchung" (München: Penguin 2018) liegt ohne Annotationen und Worterklärungen vor. Daher finden Sie hier Erläuterungen für eine Reihe eher unbekannter Begriffe.

Seite / Zeile	Worterklärung
13 / 03	**okulieren** – das Veredeln von Pflanzen
13 / 05	**kopulieren** – das Veredeln von Pflanzen
14 / 13	**Hundstage** – Zeitspanne heißer Tage vom 23.07. bis zum 23.08.
14 / 16	**Marterwoche** – altertümlicher Name für die Karwoche vor Ostern
16 / 19	**Schulze** – auch: Schultheiß, vergleichbar mit Bürgermeister
18 / 03	**Molle** – Backtrog
18 / 11	**Kossäth** – Der K. muss dem Grundherrn für die Überlassung von Land Pacht, Naturalien, und Hand- und Spanndienste leisten.
19 / 04	**Dreschflegel** – bäuerliches Werkzeug zum Dreschen des Getreides nach der Ernte
19 / 27	**Büdner** – der B. besitzt ein Haus, aber kein Land; muss als Tagelöhner arbeiten
24 / 16	**Guben** – heute polnisch Gubin, Stadt an der Lausitzer Neiße
25 / 21	**Ortsbauernführer –** zur Zeit des NS Leiter einer Einheit des Reichsnährstandes
27 / 16	**Schmeling** – Max Sch., *1905, † 2005, deutscher Schwergewichtsboxer
28 / 02	**Thorack(en)** – Josef Thorack, *1889, †1952, österreichischer Bildhauer
31 / 30ff.	**Gurkenberg, Schwarzes Horn, Keperling, Hoffte, Bulzenberg, Nacklige, Mindachs Berg** – Ortsnamen für Untiefen
39 / 29	**Mannesmann Luftschutz** – Metallabdeckung für Kellerfenster von der Firma Mannesmann, Düsseldorf
41 / 14	**Speer** – Albert Sp., *1905, †1981, Reichsminister für Bewaffnung und Munition, Architekt
42 / 20	**Kehle** – Linie am Dach, an der zwei Dachflächen aufeinandertreffen
42 / 21	**Schleppgaube** – Gaube mit rechteckiger Stirnseite, darüber ein flaches Gaubendach
48 / 17	**Adler** – Fahrrad-, Motorrad- und Automobilhersteller, 1880 bis 1992
56 / 01	**„C"** – Abkürzung für *coloured*
58 / 22	**Tafelberg** – Ortsname für Erhebung
60 / 24	**Kulmhof** – pol. Chełmno, 130 km östlich von Łódź, deutsches Vernichtungslager
60 / 25	**Litzmannstadt** – die polnische Stadt Łódź hieß von 1940 bis 1945 Litzmannstadt
61 / 07	**moederstad** – (nl) Mutterstadt = Kapstadt, war die erste Stadtgründung in Südafrika
71 / 06	**Ipplmeier** – jüdischer Kommerzienrat, Figur aus dem Film „Robert und Bertram" (1939)
71 / 07	**Semit** – gleichbedeutend mit Jude
71 / 19	**Ostzone** – (abwertende) Bezeichnung für die DDR
73 / 16	**Schlacht bei den Seelower Höhen –** 16. – 19.04.1945, Auftakt zum Kampf um Berlin
74 / 17	**Liedtke** – Carl Harry L. deutscher Schauspieler, *1882, †1945 Bad Saarow
74 / 20	**Die lustige Witwe** – Operette von Franz Lehár, Uraufführung 1905
77 / 13	**polnische Zwangsarbeiter** – nach 1939 ins Reich verschleppte Zivilpersonen aus Polen
113 / 17	**Regierungskrankenhaus** – besonders für die DDR-Elite tätiges Krankenhaus
115 / 01	**Warthegau** – nach der Besetzung Polens 1939 eingerichtetes Verwaltungsterritorium
115 / 06	**Gaswagen** – spez. gebaute LKWs, um Tötungen durch Einleitung von Gas vorzunehmen
116 / 05	**Warte, nur balde** – aus dem Gedicht „Über allen Wipfeln ist Ruh'" von J. W. Goethe
125 / 30	**Kuppelei** – Kuppelei-Paragraph; in der DDR bis 1968 geltendes Recht
130 / 30	**Kleereiber** – landwirtschaftliches Gerät zur Aussonderung des Samens von Klee
148 / 31	**Riesengebirge** – Gebirge an der Grenze von Polen und Tschechien
151 / 17	**Kaderakte** – Dossier über jeden Beschäftigten in der DDR, ähnlich Personalakte

Hundert Jahre deutsche Geschichte

Die Zeitangaben des Romans synoptisch darstellen

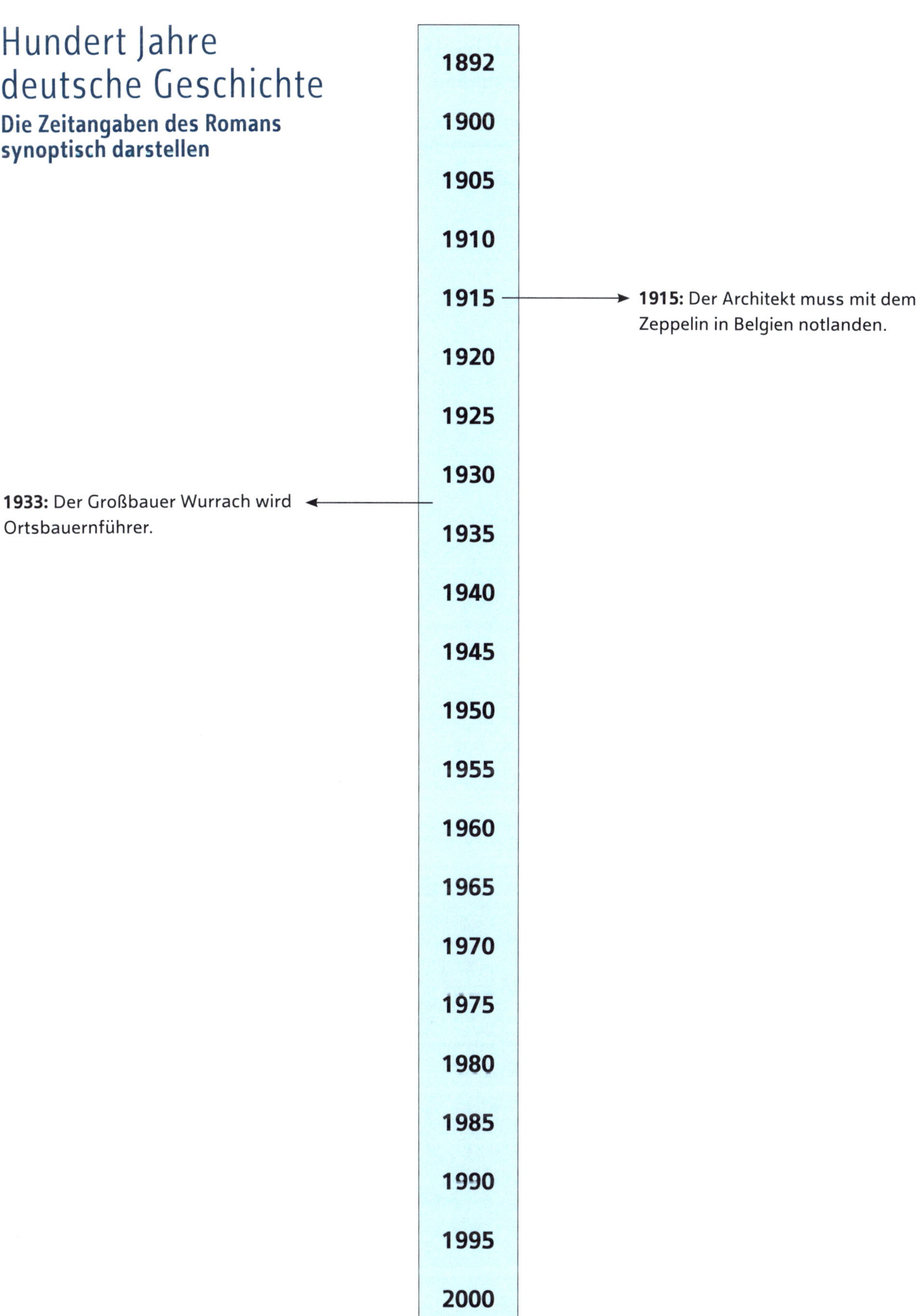

1 Sammeln Sie hier alle Jahresangaben, die Ihnen bei der Lektüre oder bei der Bearbeitung der Aufgaben begegnen.

Seeufer, Tafelberg und Nowolipie

Die Orte der Romanhandlung erkunden

1 Die Karte oben zeigt das südöstliche Brandenburg. Markieren Sie den Scharmützelsee, an dessen Ufer das Sommerhaus des Architekten steht, die Stadt Gubin, die früher Guben hieß und aus der der Tuchhändler Arthur und seine Enkelin Doris stammen, die Stadt Seelow, wo Mitte April 1945 die Schlacht bei den Seelower Höhen tobte, sowie die Stadt Berlin, in der der Architekt das Kriegsende erlebt.

Luftbild des Scharmützelsees

1 Im Kapitel „Der Tuchfabrikant“ (TA, S. 48 – 61) spielen einige Passagen in Südafrika, in Sichtweite des Tafelbergs. Markieren Sie im Text diese Stellen, um später darauf zurückgreifen zu können und weitere Verschränkungen der Erzählzeit zu entschlüsseln.

Der Tafelberg bei Kapstadt mit dem „Tafeltuch“ (vgl. TA, S. 58, Z. 21)

2 Erläutern Sie, welche mögliche Bedeutungsebene sich hinter der folgenden Textstelle verbirgt: „Hier muss sich der Gärtner von einem Beamten einen Bleistift ins krause Haar stecken lassen. Der Bleistift hält“ (TA, S. 55, Z. 26 f.). Einen wichtigen Hinweis finden Sie in den Worterklärungen auf Seite 160.

3 a) In dem Kapitel „Das Mädchen“ (TA, S. 79 – 92) werden mehrere Straßen im Warschauer Ghetto genannt (s. TA, S. 85, Z. 5 – 8). Suchen Sie diese Straßen auf dem Stadtplan und markieren Sie diese.

b) Doris findet auf dem Schwarzmarkt in der Karmelickastraße ein Buch, in dem sie stehend liest (s. S. 166, Aufgabe 1 und 2). Vergegenwärtigen Sie sich die Situation im Warschauer Ghetto mithilfe des nebenstehenden QR-Codes.

Informieren Sie sich hier über die Geschichte des Warschauer Ghettos:

WES-169088-042

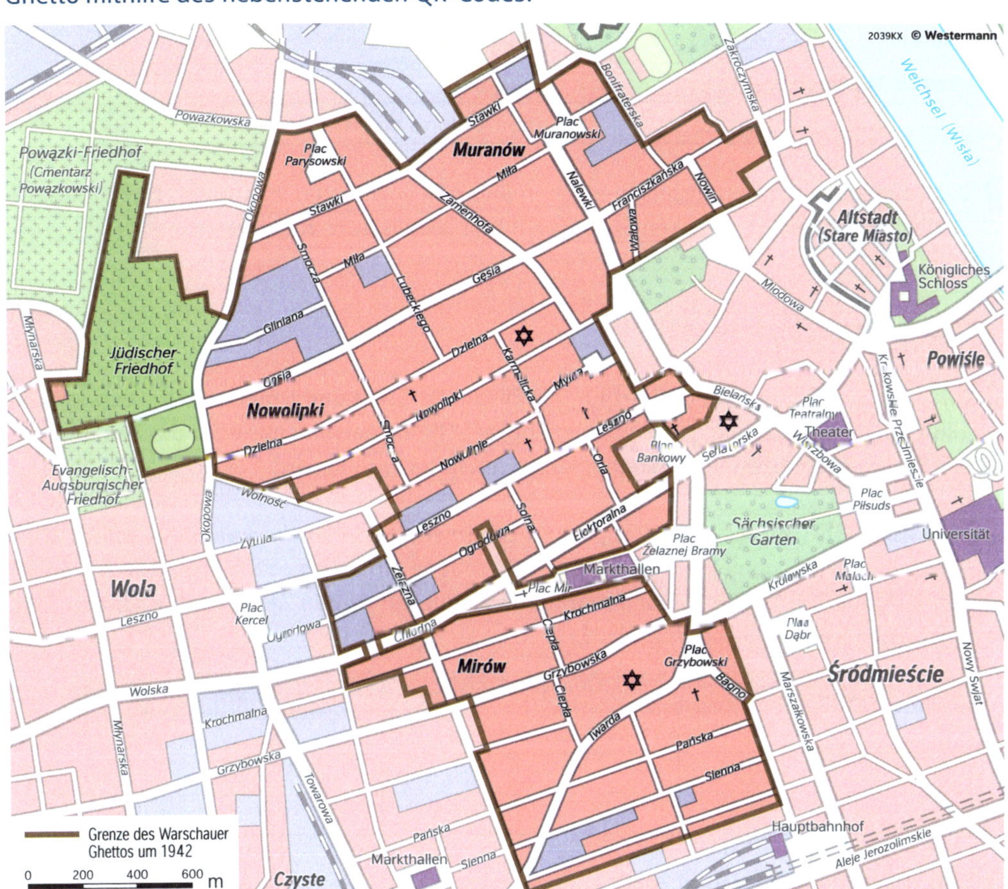

Sie alle bewohnten Klaras Erbe

Das Verständnis der Texte über die Romanfiguren vertiefen

In dem Roman „Heimsuchung" von Jenny Erpenbeck wird in elf Kapiteln von Einzelfiguren oder Figurengruppen erzählt. Weiterhin gibt es elf kürzere Kapitel, die sich mit der Figur des Gärtners beschäftigen. Im Folgenden geht es darum, das Textverständnis zu vertiefen.
Im **ersten Schritt** werden die drei Kapitel „Der Großbauer und seine vier Töchter", „Der Tuchfabrikant" und „Die Schriftstellerin" erarbeitet. In den beiden ersten wird von größeren Figurengruppen erzählt und das dritte ist historisch und politisch sehr komplex.

Lernarrangement

a) Teilen Sie Ihren Kurs in Kleingruppen und bearbeiten Sie die folgenden Arbeitsaufträge, um die zeitlichen Abläufe, die Handlungsstränge und die charakterlichen Merkmale der Figuren zu verdeutlichen.
b) Tragen Sie anschließend im Plenum Ihre Ergebnisse vor und klären Sie Unstimmigkeiten.

Die besten Anhaltspunkte für die **Bestimmung von Lebensdaten** sind eindeutige Jahresangaben oder identifizierbare historische Ereignisse. Weiterhin hilfreich sind allgemeine Zeitangaben, die vor allem beim Gärtner zu finden sind. Darüber hinaus muss man sich mit plausiblen Konstruktionen behelfen: Heiratsalter etwa 20 bis 21 Jahre.

Der Großbauer und seine vier Töchter (TA, S. 14 – 26)

1 Verfassen Sie für den Großbauern sowie für seine vier Töchter einen kurzen Text, in dem Sie alle wesentlichen biografischen Fakten und allgemeine Charakteristika wiedergeben.

2 Erschließen Sie für alle fünf Figuren das Geburtsjahr und für Klara das Jahr ihres Todes und notieren Sie diese in die dafür vorgesehenen Zeilen.

Großbauer Wurrach wurde ca.	geboren.
Grete Wurrach wurde ca.	geboren.
Hedwig Wurrach wurde ca.	geboren.
Emma Wurrach wurde ca.	geboren.
Klara Wurrach wurde ca.	geboren und starb ca. .

3 Bestimmen Sie die vier unterschiedlichen Stilarten von Texten im Kapitel „Der Großbauer und seine vier Töchter" und fassen Sie deren Inhalt jeweils kurz zusammen.

Der Tuchfabrikant (TA, S. 48 – 61)

Elliott kann allein drei Stufen hinuntergehen, als den Juden der Eintritt in öffentliche Parks verboten wird. Das ist ein Jahr bevor Holland in den Krieg eintritt. Die Deportation nach Warschau erfolgt etwa 1941.

4 Erstellen Sie für Hermine und Arthur, für Elisabeth, Ernst und Doris und für Ludwig, Anna, Elliot und Elisabeth eine gemeinsame biografische Zeitleiste, indem Sie die Zeitangaben für alle Ereignisse nutzen, von denen in diesem Kapitel erzählt wird.

5 Jetzt verfügen Sie über alle Daten, um zu erkennen, dass es neben den zwei offensichtlichen Orts- und Zeitebenen eine weitere, dritte Zeitebene gibt. Nutzen Sie Ihre Arbeitsergebnisse von Aufgabe 1 auf Seite 163 und markieren Sie die zur dritten Zeitebene gehörigen Textstellen. Halten Sie Ihre Ergebnisse fest.

Erzählebene	Ort	Jahr
1.		
2.		
3.		

6 Lesen Sie sich jede der drei Zeitebenen noch einmal in Reinform durch, also nicht unterbrochen von den beiden anderen. Erstellen Sie für jede Ebene eine kurze Inhaltsangabe (Ablauf der Ereignisse).

Die Schriftstellerin (TA, S. 112 – 123)

In dem Kapitel „Die Schriftstellerin" wird an keiner Stelle eine konkrete Jahreszahl genannt. Deshalb ist es schwierig, die zeitlichen Abläufe zu ergründen. Eine Schlüsselfunktion dafür hat folgende Textstelle: *„Dieser junge Arzt, der, als sie nach Jahren der Flucht nach Deutschland zurückkam, noch nicht einmal auf der Welt war, [...] wagte es wirklich, gegen sie die unsichtbare Armee antreten zu lassen, deren Generäle sie während der Emigration noch auf den Armen geschaukelt hat."* (TA, S. 113, Z. 31 – S. 114, Z. 6).
Das vorangehende Gärtner-Kapitel enthält wichtige Informationen für die Rekonstruktion der Zeitabläufe. Beginnen Sie also Ihre Lektüre auf Seite 109, Z. 4.

1 Klären Sie, was mit dem Begriff „neuerfundener Frieden" (TA, S. 112, Z. 18) gemeint ist, und nutzen Sie Ihre Erkenntnisse für die Rekonstruktion des zeitlichen Ablaufs.

2 Erklären Sie, was mit dem Begriff „unsichtbare Armee" (TA, S. 114, Z. 4 / S. 122, Z. 2) gemeint ist.

3 Legen Sie wahrscheinliche und plausible Jahreszahlen fest für: 1. die Geburt der Schriftstellerin, 2. den Einzug in das Haus am See und 3. den Zeitpunkt, an dem die Handlung des Kapitels „Die Schriftstellerin" spielt. Notieren Sie diese.

Die Schriftstellerin geht 1933 ins Exil und wird zu diesem Zeitpunkt sicherlich eine junge Erwachsene gewesen sein.

Die Schriftstellerin wurde wahrscheinlich im Jahre geboren.
Im Jahre zieht die Schriftstellerin in das Haus am See ein.
Das Kapitel „Die Schriftstellerin" spielt vermutlich im Jahre .

4 Geben Sie wieder, worum es bei der Auseinandersetzung zwischen der Schriftstellerin und der Gemeindeverwaltung geht.

5 Fassen Sie zusammen, was der Bürgermeister eines kleinen Städtchens im Warthegau in sein Tagebuch geschrieben hat (s. TA, S. 114, Z. 31 – S. 116, Z. 7).

Im **zweiten Schritt** werden die restlichen acht Kapitel erarbeitet. Auch hier geht es darum, Zeitabläufe, Handlungszusammenhänge und charakterliche Merkmale der Figuren zu verdeutlichen.

Lernarrangement

a) Teilen Sie Ihren Kurs in acht Gruppen. Jede Gruppe beschäftigt sich mit einem Kapitel. Bestimmen Sie jeweils das Geburtsjahr des Protagonisten bzw. der Protagonistin, verfassen Sie eine kurze biografische Skizze und erläutern Sie, in welchem Jahr das Kapitel spielt. Bearbeiten Sie die jeweils zugehörigen Arbeitsaufträge.
b) Erstellen Sie anhand Ihrer Arbeitsergebnisse ein Handout und stellen Sie dieses dem gesamten Kurs zur Verfügung.

Gruppe 1: Der Architekt (TA, S. 34 – 45)

Beachten Sie, dass in dem Kapitel „Der Großbauer und seine vier Töchter" (TA, S. 24, Z. 18 – S. 25, Z. 3) und in dem Kapitel „Der Gärtner" (TA, S. 28, Z. 25 – S. 31, Z. 12), auch weitere Informationen über den Architekten zu finden sind.

Der Architekt als Soldat im I. WK wird etwa 19 oder 20 Jahre alt gewesen sein.

6 Erläutern Sie, welche Vorstellungen der Architekt von seinem Beruf hat.

Gruppe 2: Die Frau des Architekten (TA, S. 64 – 76)

7 „Noch heute denkt sie, wenn jemand vom Krieg spricht, zuerst an den Krieg, den ihr eigener Körper ausgerechnet damals gegen sie zu führen begann, als die ersten Bomben auf Deutschland fielen." (TA, S. 72, Z. 6 – 8) Erläutern Sie, was mit diesem „Krieg" gemeint ist.

8 Geben Sie mit eigenen Worten wieder, was die Frau des Architekten Ende April in dem Haus am See erlebt (s. TA, S. 73, Z. 23 – S. 74, Z. 6).

Gruppe 3: Das Mädchen (TA, S. 79 – 92)

1 In dem Kapitel „Das Mädchen“ wird erzählt, dass Doris zufällig auf dem Schwarzmarkt den Roman „Heimatlos“ entdeckt. Da sie keine Mittel hat, um dieses Buch zu erwerben, liest sie stehend darin, und ist froh, dass der Besitzer des fliegenden Standes sie nicht dabei stört (vgl. TA, S. 87, Z. 21 ff.). Es handelt sich um einen Roman von Hector Malot aus dem Jahre 1878. Informieren Sie sich über den Roman und seinen Inhalt.

2 Auch heißt es an der Stelle im Text, dass Doris' Mutter ihr immer verwehrt habe, den Roman zu lesen. Setzen Sie sich damit auseinander, welche Gründe die Mutter gehabt haben mag, ihrer Tochter die Lektüre zu untersagen.

Gruppe 4: Der Rotarmist (TA, S. 94 – 106)

Die deutsche Wehrmacht begann 1941 mit dem Überfall auf die Sowjetunion.

3 In dem Kapitel „Die Frau des Architekten“ heißt es: „Sie will das Wort nicht denken, mit dem er sie rief“ (TA, S. 73, Z. 23). Klären Sie, welches Wort hier gemeint ist.

Das gesuchte Wort lautet: .

4 Erläutern Sie, welche Vorstellungen von Frauen der Rotarmist in seiner Jugend gewonnen hat. Nehmen Sie dabei auch Bezug auf das Bild unten.

So oder ähnlich könnten die Bilder ausgesehen haben, die der Rotarmist in seiner Heimat gesehen hat und die seine Vorstellung von Frauen geprägt haben.

„Die ersten Kolchosniki im Strahl der Sonne“ von Konstantin Juon (1928)

Gruppe 5: Die Besucherin (TA, S. 127 – 138)

1945/46 hat die Tochter der Besucherin bereits drei Kinder.

Auch dieses Kapitel hat einen erzählerischen Vorlauf in der vorangehenden Gärtner-Episode. Beginnen Sie also Ihre Lektüre auf Seite 125, Z. 20.

5 Charakterisieren Sie die Beziehung zwischen der Besucherin und der Schriftstellerin.

Gruppe 6: Die Unterpächter (TA, S. 142 – 154)

1 Beschreiben Sie die Beziehung der beiden Hauptfiguren zueinander.

2 Der Unterpächter tritt im Laufe seines Lebens einige recht ungewöhnliche Entscheidungen. Charakterisieren Sie die Persönlichkeit des Unterpächters im Lichte dieser Entscheidungen.

Segelboot auf dem Scharmützelsee

Gruppe 7: Der Kinderfreund (TA, S. 157 – 169)

3 Stellen Sie dar, was in dem Holzschuppen passiert ist und welche Auswirkungen dies auf den Kinderfreund hatte.

Der Kinderfreund ist ein Jahr älter als die Enkelin der Schriftstellerin.

Gruppe 8: Die unberechtigte Eigenbesitzerin (TA, S. 172 – 185)

4 Stellen Sie begründete Mutmaßungen darüber an, für wie lange Zeit sich die Enkelin der Schriftstellerin im Haus am See aufhält.

5 Erläutern Sie die Zielsetzung, mit der die unberechtigte Eigenbesitzerin im Haus Aktivitäten entfaltet.

Im **dritten Schritt** wird die Figur des Gärtners erarbeitet. An einer späteren Stelle (vgl. S. 170) wird dieser Protagonist noch einmal unter dem Aspekt „Mystik“ betrachtet.

Der Gärtner

Die Figur des Gärtners unterschiedet sich in vielerlei Hinsicht von allen anderen Charakteren. Die immer wieder zwischen die einzelnen Texte geschobenen Episoden wirken in einer Hinsicht trennend und auf der anderen Seite verbindend. Einige Gärtner-Passagen sind ohne jeden Bezug zu den sie umgebenden Texten, andere schließen unmittelbar an oder bereiten kommendes Geschehen vor. Lesen Sie alle Gärtner-Kapitel hintereinander, um ungestört in diese eigentümliche Welt einzutauchen.

6 Versuchen Sie mit der bereits erprobten Technik, das Geburtsjahr und das Lebensalter des Gärtners zu erschließen.

7 Notieren Sie alle Fähigkeiten, über die der Gärtner verfügt.

8 Im zweiten Gärtner-Kapitel gibt es eine bemerkenswerte Passage (s. TA, S. 30, Z. 17 – S. 31, Z. 12). Erläutern Sie die sprachliche Gestaltung dieser Passage und deuten Sie die damit verbundene Wirkungsabsicht.

Der Gärtner, Doris und die Namenlosen

Die Namensgebung der Figuren untersuchen und interpretieren

Alle 22 Kapitel des Romans „Heimsuchung“ mit Ausnahme von Prolog und Epilog sind mit anonymen Personenbezeichnungen betitelt. Dabei handelt es sich um Berufs- und Funktionskennzeichnungen, nicht um Klarnamen. Nur drei dieser Ausdrücke werden im Textverlauf mit Namen personalisiert. In einigen Kapiteln werden Figurengruppen vorgestellt, in anderen bleibt es bei der unbenamten Einzelfigur.

1 Vervollständigen Sie die Tabelle, indem Sie entsprechend der vorgegebenen Anzahl anonyme und benamte Figuren eintragen.

Die Gärtner-Kapitel gleichen sich sehr. Deshalb gibt es hier nur einen Eintrag.

Kapitel	Anzahl	anonyme Figuren	Anzahl	benamte Figuren
Gärtner		*Gärtner*		
Großbauer			*5*	
Architekt	*3*			
Tuchfabrikant			*9*	
Frau d. Archit.	*7*			
Mädchen				
Rotarmist	*6*			
Schriftstellerin				
Besucherin	*9*			
Unterpächter				
Kinderfreund	*1*		*3*	
Besitzerin	*1*			
gesamt				

Bei den hier vorgegebenen Anzahlen handelt es sich um Vorschläge. Das Problem der Zählung besteht darin, dass verschiedene Figuren in mehreren Kapiteln erscheinen, und dann entschieden werden muss, wo sie gezählt werden. Außerdem kann es unterschiedliche Auffassungen darüber geben, wer als Figur gezählt werden soll und wer nicht (Beispiel: Gartenarchitekt, TA, S. 30 f.).

2 ***Lernarrangement***

a) Teilen Sie Ihren Kurs in Arbeitsgruppen und vergleichen Sie die Einträge in Ihren Tabellen.
b) Verständigen Sie sich über Unklarheiten und Differenzen.
c) Diskutieren Sie die Vorgehensweise der Autorin, ihre Figuren zu benamen. Beachten Sie dabei besonders ihre Vorgehensweise im Kapitel „Das Mädchen“ (TA, S. 79–92). Folgende Leitfragen sind für eine Strukturierung hilfreich: Welche Wirkung auf die Leserschaft haben anonyme Romanfiguren? Welche Wirkung hat die Mischung von anonymen und benamten Figuren? Macht es bei der Textrezeption einen Unterschied, ob nur der Vorname, der volle Name oder nur der Familienname genannt werden?
d) Tauschen Sie sich dann im Plenum über Ihre Ergebnisse aus.

„H – e – i – m. Warte nur, balde!“

Besonderheiten der Gestaltung und des Stils analysieren

Im Folgenden werden einige wichtige Aspekte der sprachlichen und stilistischen Gestaltung des Romans untersucht und analysiert. Dabei geht es um die folgenden Aspekte:

- **Prolog und Epilog**
- **Verschränkung unterschiedlicher Textsorten und Zeitebenen**
- **Die Dorfbevölkerung und das Romangeschehen**
- **Mystik**
- **Komprimierte Darstellung von Dialogen**

Lernarrangement

a) Teilen Sie Ihren Kurs in fünf Gruppen, von denen jede ein Thema übernimmt. Erarbeiten Sie die jeweils folgenden Arbeitsaufträge und beschäftigen Sie sich zum Abschluss mit folgenden Fragen:
   1. Welche Intention liegt dieser Gestaltung des Textes zugrunde?
   2. Wie haben Sie beim Lesen diese Kunstgriffe wahrgenommen?

b) Verfassen Sie anschließend ein Handout mit allen Ergebnissen Ihrer Gruppenarbeit und stellen Sie es dem gesamten Kurs zur Verfügung.

Thema 1: Prolog und Epilog

1 Geben Sie mit eigenen Worten den Inhalt des Kapitels „Prolog“ (TA, S. 9 – 11) wieder und formulieren Sie eine passende Überschrift.

2 Geben Sie mit eigenen Worten den Inhalt des Kapitels „Epilog“ (TA, S. 186 – S. 188) wieder und formulieren Sie eine passende Überschrift.

3 „Bevor auf demselben Platz ein anderes Haus gebaut werden wird, gleicht die Landschaft für einen kurzen Moment wieder sich selbst“ (TA, S. 188, Z. 26 ff.). Erläutern Sie diesen Satz und erschließen Sie seine Bedeutung für den ganzen Roman.

Thema 2: Verschränkung unterschiedlicher Textsorten und Zeitebenen

In drei Kapiteln des Romans wird das Gestaltungsmittel der Verschränkung unterschiedlicher Textsorten verwendet: 1. Der Großbauer und seine vier Töchter (TA, S. 14 – 26), 2. Der Kinderfreund (TA, S. 157 – 169, drei Passagen) und 3. Die unberechtigte Eigenbesitzerin (TA, S. 172 – 185, neun Passagen). Für das Kapitel „Der Großbauer und seine vier Töchter“ haben Sie bereits Vorarbeit geleistet (s. S. 164, Aufgabe 3)

4 Geben Sie für die Kapitel „Der Kinderfreund“ und „Die unberechtigte Eigenbesitzerin“ wieder, worin der Inhalt dieser eingefügten Passagen besteht, bzw. womit sie sich thematisch beschäftigen.

5 Das Gestaltungsmittel der Verschränkung unterschiedlicher Zeitebenen wird in dem Kapitel „Der Tuchfabrikant“ verwendet. Sie haben mit Aufgabe 1 (S. 163) und mit Aufgaben 5 und 6 (S. 164) wesentliche Vorarbeit geleistet. Reflektieren Sie die Wirkungsabsicht der Verschränkung unterschiedlicher Zeitebenen und Ihr Leseerlebnis.

Thema 3: Die Dorfbevölkerung und das Romangeschehen

In dem Roman „Heimsuchung" wird die Formulierung „im Dorf wird erzählt" (oder ähnlich) verwendet (vgl. TA, S. 13, 28, 125, 140, 155 und 170). Auf diese Weise werden ganz unterschiedliche Sachverhalte mitgeteilt.

1 Stellen Sie zusammen, um was es in den Berichten der Dorfbevölkerung geht, und deuten Sie die Funktion dieser Berichte für das Romanganze.

2 Erläutern Sie die Erzählsituation, die mit diesen Berichten vom Gerede der Dorfbevölkerung geschaffen wird.

Thema 4: Mystik

An drei Stellen des Romans gleitet der Erzählfluss in mystische Entrücktheit: 1. bei der Herkunft und dem Ende des Gärtners, 2. bei der Darstellung von Klaras Traum- oder Wahnvorstellungen und 3. bei der Beschreibung der Vorstellung von Doris (s. TA, S. 80, Z. 13 – Z. 25). Klaras Traum ist schon umfangreich erarbeitet worden. Daher konzentrieren sich die folgenden Arbeitsaufträge auf den Gärtner und auf Doris.

3 Sammeln Sie alle Umstände und Ereignisse, die darauf hinweisen, dass es sich bei dem Gärtner um eine realistische Figur handelt, oder darauf, dass der Gärtner eher eine mystische Erscheinung ist. Wählen Sie drei Adjektive aus, die Ihrer Meinung nach die Figur des Gärtners treffend charakterisieren.

4 Beschreiben Sie Doris' Vorstellung einer Unterwasserwelt (s. TA, S. 80, Z. 13 – 25) und beurteilen Sie die Atmosphäre: Ist sie angsteinflößend, neutral oder harmonisch-beglückend?

5 Da im märkischen Meer niemals ein Dorf untergegangen oder überflutet wurde, handelt es sich um eine Fantasievorstellung von Doris. Stellen Sie Überlegungen an, was Doris veranlasst haben könnte, in ihrer Lage diese Fantasie zu entwickeln.

Thema 5: Komprimierte Darstellung von Dialogen

Im Roman gibt es zwei Stellen, an denen Dialoge komprimiert wiedergegeben werden:
1. im Kapitel „Die Frau des Architekten" (TA, S. 68, Z. 7 – 15) und
2. im Kapitel „Die Unterpächter" (TA, S. 147, Z. 20, bis S. 148, Z. 10).

6 Erläutern Sie die Situation, in der die Architektin und ihr Mann gemeinsam eine Geschichte erzählen, und untersuchen Sie, ob rekonstruierbar ist, worum es geht.

7 Analysieren Sie das Erzählverhalten und die Erzählhaltung dieser Passage und setzen Sie Ihr Ergebnis in Bezug zum letzten Satz des Kapitels „Die Frau des Architekten" (TA, S. 76, Z. 14).

8 Geben Sie wieder, worum es in dem Telefongespräch im Kapitel „Die Unterpächter" geht, und beurteilen Sie, ob in diesem Falle die Komprimierung eine vollständige Rekonstruktion verunmöglicht oder nicht.

9 Legen Sie dar, welcher Zusammenhang zwischen der (komprimierten) Darstellung und der inhaltlichen Bedeutung des Telefongesprächs besteht.

Wer spricht denn da? – Gesamtbetrachtung der Erzählung

Multiperspektivität und Themenvielfalt des Romans im Zusammenhang betrachten

Etwa vierzig Figuren können in dem Roman bestimmt werden. Das legt nahe, von multiperspektivischem Erzählen zu sprechen. Die Frage ist aber: Aus welchen Perspektiven erzählt die Erzählinstanz letztendlich wirklich? Und was hat die erzähltechnische Gestaltung mit der Themenvielfalt zu tun?

Um diesen Fragen nachzugehen, nehmen Sie zwei Systematisierungen vor:

1. ein Überblick über die Themen des Romans in Verbindung zum Figurenpersonal,
2. eine Gesamtbetrachtung der erzähltechnischen Gestaltung des Romans.

1 Rekapitulieren Sie die Ergebnisse der Erarbeitung zum Modell des Erzählens nach Petersen (s. S. 155 ff.).

2 ***Lernarrangement***

Bilden Sie mehrere Arbeitsgruppen.

a) Besprechen Sie in Ihrer Gruppe Themenkreise bzw. thematische Zusammenhänge, die im Roman angesprochen werden. Legen Sie eine Tabelle nach dem nachfolgenden Muster an und sichern Sie die Themenkreise zunächst in der linken Spalte der Tabelle.

b) Ordnen Sie den Themenkreisen Figuren zu, deren Perspektive auf die Zusammenhänge dargestellt wird.

c) Erläutern Sie die Art und Weise der erzähltechnischen Darstellung anhand der Kategorien von Petersen in komprimierter Form (Erzählverhalten/-perspektive, dominante Darbietungsform).

d) Präsentieren Sie Ihre Ergebnisse im Plenum.

Themenkreise	Figuren, deren Perspektive auf die jeweiligen Themenkreise dargestellt werden	Art und Weise der erzähltechnischen Darstellung
1. Verfolgung und Ermordung der Juden	*Doris, ...*	
...		

3 ***Lernarrangement***

a) Vergleichen Sie die erzähltechnische Gestaltung des Prologs, Epilogs und der Gärtner-Kapitel mit der Gestaltung der stärker handlungsorientierten Kapitel des Binnenteils. Nehmen Sie dafür für alle Kapitel eine erzähltechnische Beschreibung anhand der Kategorien von Petersen vor. Gibt es Gemeinsamkeiten zwischen Prolog, Epilog und Gärtner-Kapiteln? Gibt es Unterschiede dieser Teile zu den restlichen Kapiteln? Haben die restlichen Kapitel Gemeinsamkeiten? Gibt es Unterschiede?

b) Erläutern Sie vor dem Hintergrund dieser Erarbeitung die erzähltechnische Gesamtgestaltung des Romans „Heimsuchung".

4 Nehmen Sie vor dem Hintergrund der Ergebnisse Stellung zu folgender Behauptung: „Die einzige Klammer, die alle Figuren zusammenhält, ist das Haus am See."

Johann Wolfgang Goethe (*28.08.1749 †22.03.1832), Dichter, Politiker und Naturforscher

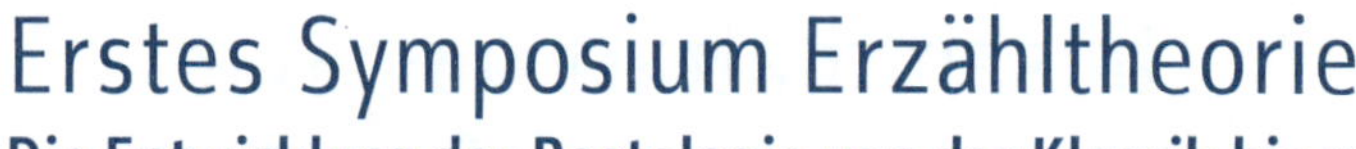

Erstes Symposium Erzähltheorie

Die Entwicklung der Poetologie von der Klassik bis zur großen Krise des Erzählens nachvollziehen

Solange es Literatur gibt, gibt es auch Überlegungen, nach welchen Regeln sie verfasst werden und welchen Zweck sie erfüllen soll. „Das Buch der Poetik" wurde von Aristoteles wohl um 335 v. u. Z. verfasst und hat das europäische Literaturgeschehen stark beeinflusst. Wie sich die Zeiten ändern, ändern sich auch die Vorstellungen über die Rolle der Literatur. Dem wird Rechnung getragen, indem hier im ersten Symposium die Entwicklungsgeschichte der Poetologie betrachtet wird (Poetologie = Wissenschaft von der Dichtkunst). In der Klassik gibt es erste, ernstzunehmende Bemühungen, Konzepte für episches Erzählen zu erstellen. Darauf folgt eine Stellungnahme von Theodor Fontane, der an der Schwelle zur Moderne steht. Der Beitrag von Irmgard Scheitler beleuchtet die gesamte Moderne und charakterisiert den Unterschied zur traditionellen Erzählkunst.

Friederich Schiller (*10.11.1759 †09.05.180), Dichter, Philosoph, Historiker und Arzt

J. W. Goethe und F. Schiller

Über epische und dramatische Dichtung (1797)

Der Epiker und Dramatiker sind beide den allgemeinen poetischen Gesetzen unterworfen, besonders dem Gesetz der Einheit und dem Gesetz der Entfaltung; ferner behandeln sie beide ähnliche Gegenstände, und können beide alle Arten von Motiven brauchen; ihr großer wesentlicher Unterschied beruht aber darin, dass der Epiker die Begebenheit als vollkommen vergangen vorträgt, und der Dramatiker sie als vollkommen gegenwärtig darstellt. Wollte man das Detail der Gesetze, wonach beide zu handeln haben, aus der Natur des Menschen herleiten; so müsste man sich einen Rhapsoden und einen Mimen, beide als Dichter, jenen mit seinem ruhig horchenden, diesen mit seinem ungeduldig schauenden und hörenden Kreise umgeben, immer vergegenwärtigen, und es würde nicht schwer fallen zu entwickeln, was einer jeden von diesen beiden Dichtarten am meisten frommt, welche Gegenstände jede vorzüglich wählen, welcher Motive sie sich vorzüglich bedienen wird; ich sage vorzüglich: Denn, wie ich schon zu Anfang bemerkte, ganz ausschließlich kann sich keine etwas anmaßen.

Rhapsode Fahrender Sänger im alten Griechenland
frommen nützlich, hilfreich sein
vorzüglich vorzugsweise

Die Gegenstände des Epos und der Tragödie sollten rein menschlich, bedeutend und pathetisch sein: Die Personen stehen am besten auf einem gewissen Grad der Kultur, wo die Selbsttätigkeit noch auf sich allein angewiesen ist, wo man nicht moralisch, politisch, mechanisch, sondern persönlich wirkt. Die Sagen aus der heroischen Zeit der Griechen waren in diesem Sinne den Dichtern besonders günstig.

Selbsttätigkeit hier im Sinne von unabhängige Position

Das epische Gedicht stellt vorzüglich persönlich beschränkte Tätigkeit, die Tragödie persönlich beschränktes Leiden vor; das epische Gedicht den außer sich wirkenden Menschen: Schlachten, Reisen, jede Art von Unternehmung, die eine gewisse sinnliche Breite fordert; die Tragödie den nach innen geführten Menschen, und die Handlungen der echten Tragödie bedürfen daher nur weniges Raums.

Gedicht hier im Sinne von Dichtung

Der Motive kenne ich fünferlei Arten:

Motiv hier im Sinne von Handlungsstrang

1) Vorwärtsschreitende, welche die Handlung fördern; deren bedient sich vorzüglich das Drama.
2) Rückwärtsschreitende, welche die Handlung von ihrem Ziele entfernen; deren bedient sich das epische Gedicht fast ausschließlich.
3) Retardierende, welche den Gang aufhalten, oder den Weg verlängern; dieser bedienen sich beide Dichtarten mit dem größten Vorteil.
4) Zurückgreifende, durch die dasjenige, was vor der Epoche des Gedichts geschehen ist, hereingehoben wird.

5) Vorgreifende, die dasjenige was nach der Epoche des Gedichts geschehen wird, antizipieren; beide Arten braucht der epische so wie der dramatische Dichter, um sein Gedicht vollständig zu machen.

Die Welten, welche zum Anschauen gebracht werden sollen, sind beiden gemein:

Vergleichen Sie zu **„Welten"** den Text Michael Neumann: Die fünf Ströme des Erzählens (S. 153)

Lokal
Raum, Örtlichkeit

1) Die physische, und zwar erstlich die nächste, wozu die dargestellten Personen gehören und die sie umgibt. In dieser steht der Dramatiker meist auf einem Punkte fest, der Epiker bewegt sich freier in einem größeren Lokal; zweitens die entferntere Welt, wozu ich die ganze Natur rechne. Diese bringt der epische Dichter, der sich überhaupt an die Imagination wendet, durch Gleichnisse näher, deren sich der Dramatiker sparsamer bedient.
2) die sittliche ist beiden ganz gemein, und wird am glücklichsten in ihrer physiologischen und pathologischen Einfalt dargestellt.
3) die Welt der Phantasien, Ahnungen, Erscheinungen, Zufälle und Schicksale. Diese steht beiden offen, nur versteht sich, dass sie an die sinnliche herangebracht werde; wobei denn für die Modernen eine besondere Schwierigkeit entsteht, weil wir für die Wundergeschöpfe, Götter, Wahrsager und Orakel der Alten, so sehr es zu wünschen wäre, nicht leicht Ersatz finden.

pathologisch
hier: zwanghaft

Einfalt
Schlichtheit

Alten
gemeint sind die Griechen

Die Behandlung im ganzen betreffend, wird der Rhapsode, der das vollkommen Vergangene vorträgt, als ein weiser Mann erscheinen, der in ruhiger Besonnenheit das Geschehene übersieht; sein Vortrag wird dahin zwecken, die Zuhörer zu beruhigen, damit sie ihm gern und lange zuhören, er wird das Interesse egal verteilen, weil er nicht im Stande ist, einen allzu lebhaften Eindruck geschwind zu balancieren, er wird nach Belieben rückwärts und vorwärts greifen und wandeln, man wird ihm überall folgen, denn er hat es nur mit der Einbildungskraft zu tun, die sich ihre Bilder selbst hervorbringt, und der es auf einen gewissen Grad gleichgültig ist, was für welche sie aufruft.

zwecken
hier: die Absicht verfolgen

egal
zu gleichen Teilen

Der Rhapsode sollte als ein höheres Wesen in seinem Gedicht nicht selbst erscheinen, er läse hinter einem Vorhang am allerbesten, so dass man von aller Persönlichkeit abstrahierte und nur die Stimme der Musen im Allgemeinen zu hören glaubte. Der Mime dagegen ist gerade in dem entgegengesetzten Fall, er stellt sich als ein bestimmtes Individuum dar, er will, dass man an ihm und seiner nächsten Umgebung ausschließlich Teil nehme, dass man die Leiden seiner Seele und seines Körpers mitfühle, seine Verlegenheiten teile und sich selbst über ihn vergesse. Zwar wird auch er stufenweise zu Werke gehen, aber er kann viel lebhaftere Wirkungen wagen, weil bei sinnlicher Gegenwart auch sogar der stärkere Eindruck durch einen schwächeren vertilgt werden kann.

Mime
Schauspieler

Der zuschauende Hörer muss von Rechts wegen in einer steten sinnlichen Anstrengung bleiben, er darf sich nicht zum Nachdenken erheben, er muss leidenschaftlich folgen, seine Phantasie ist ganz zum Schweigen gebracht, man darf keine Ansprüche an sie machen, und selbst was erzählt wird muss gleichsam darstellend vor die Augen gebracht werden.

1 Markieren Sie in dem Text alle Angaben, die ausschließlich für das Drama maßgeblich sind, und alle Angaben, die ausschließlich für die Epik maßgeblich sind, in unterschiedlichen Farben. Geben Sie die markierten Informationen in einer Gegenüberstellung wieder.

2 Goethe und Schiller imaginieren die Rezeption der Epik als unmittelbaren Vorgang: Es wird vorgetragen bzw. vorgelesen und es wird zugehört.
Erläutern Sie die Bedeutung des individuellen Leseaktes in Gegenüberstellung zum kollektiven Ereignis eines Theaterbesuchs.

Hier können Sie Ihre Kenntnisse vertiefen, die Sie bei der Erarbeitung des dramatischen Textes „Der zerbrochne Krug" erworben haben.

Theodor Fontane (*30.12.1819 †20.09.1898), deutscher Schriftsteller und Journalist

Theodor Fontane

Was verstehen wir unter Realismus? (1853)

Die schlesischen Weber von Carl Hübner 1844

[...] Vor allen Dingen verstehen wir nicht darunter das nackte Wiedergeben alltäglichen Lebens, am wenigsten seines Elends und seiner Schattenseiten. Traurig genug, dass es nötig ist, derlei sich von selbst verstehende Dinge noch erst versichern zu müssen. Aber es ist noch nicht allzu lange her, dass man (namentlich in der Malerei) Misere mit Realismus verwechselte und bei Darstellung eines sterbenden Proletariers, den hungernde Kinder umstehen, oder gar bei Produktionen jener sogenannten Tendenzbilder (schlesische Weber, das Jagdrecht u. dgl. m.) sich einbildete, der Kunst eine glänzende Richtung vorgezeichnet zu haben. Diese Richtung verhält sich zum echten Realismus wie das rohe Erz zum Metall: die Läuterung fehlt.

Wohl ist das Motto des Realismus der Goethe‘sche Zuruf: Greif nur hinein ins volle Menschenleben, wo du es packst, da ist‘s interessant, aber freilich, die Hand, die diesen Griff tut, muss eine künstlerische sein. Das Leben ist doch immer nur der Marmorsteinbruch, der den Stoff zu unendlichen Bildwerken in sich trägt; sie schlummern darin, aber nur dem Auge des Geweihten sichtbar und nur durch seine Hand zu erwecken. Der Block an sich, nur herausgerissen aus einem größeren Ganzen, ist noch kein Kunstwerk, und dennoch haben wir die Erkenntnis als einen unbedingten Fortschritt zu begrüßen, dass es zunächst des Stoffes, oder sagen wir lieber des Wirklichen, zu allem künstlerischen Schaffen bedarf. [...] (Realismus) ist die Widerspiegelung alles wirklichen Lebens, aller wahren Kräfte und Interessen im Elemente der Kunst [...]. Er umfängt das ganze reiche Leben, das Größte wie das Kleinste: den Kolumbus, der der Welt eine neue zum Geschenk machte und das Wassertierchen, dessen Weltall der Tropfen ist; den höchsten Gedanken, die tiefste Empfindung zieht er in seinen Bereich, und die Grübeleien eines Goethe wie Lust und Leid eines Gretchen sind sein Stoff. Denn alles das ist wirklich.

1 Fassen Sie zusammen, was nach Meinung Fontanes als Stoff für die Literatur in Frage kommt.

2 Erklären Sie, was unter „Läuterung“ (Z. 17) zu verstehen ist.

3 Erörtern Sie die Vorstellung Fontanes, dass nur durch die Hand „des Geweihten“ (Z. 22) ein literarisches Kunstwerk erschaffen werden kann.

Lord Chandos, fiktives Dichtergenie, den Hugo von Hofmannsthal (1874–1929) 1603 einen Brief an den Philosophen und Naturwissenschaftler Francis Bacon schreiben lässt. Der darin zum Ausdruck kommende Sprachverlust kennzeichnet die kulturelle Krise um 1900, die in Literatenkreisen zu einer grundsätzlichen Auseinandersetzung mit Sprachkritik und Sprachskepsis führte.

Irmgard Scheitler

Erzähltheorie der Gegenwartsprosa (2001)

Als Hofmannsthals Lord Chandos den Verlust der Fähigkeit, „über irgendetwas zusammenhängend zu denken oder zu sprechen“, konstatierte, hat die moderne Literatur immer weniger zusammenhängende Geschichten erzählt [...]. Nehmen wir als Gegenbeispiel ein Werk wie Fontanes Effi Briest und gestatten uns um der schärferen Konturierung willen eine etwas vereinfachte Sicht: Fontane präsentiert in seinem Roman einen Weltausschnitt oder ein Modell von Welt, in das der Leser mit den

Irmgard Scheitler
Germanistin

ersten Sätzen eintaucht und das er während seiner Lektüre nicht zu verlassen braucht, denn diese Romanwelt operiert mit dem, was dem Leser plausibel erscheinen kann, und ist in sich stimmig und geschlossen. Innerhalb seiner konstruierten Welt diskutiert der Roman am Beispiel von individuellen Problemen der fiktiven Figuren exemplarische Fragen von mehr oder weniger zeitgebundenem Charakter. Ob er für diese Probleme eine Lösung anbietet, mag dahingestellt bleiben; jedenfalls enthält der Text dank auktorialer Eingriffe wie Rezeptionslenkung und Fokussierung einen starken Appell an den Leser, Situationen und Konstellationen von der Art der dargestellten als problemträchtig zu erkennen und nach Lösungswegen zu streben.

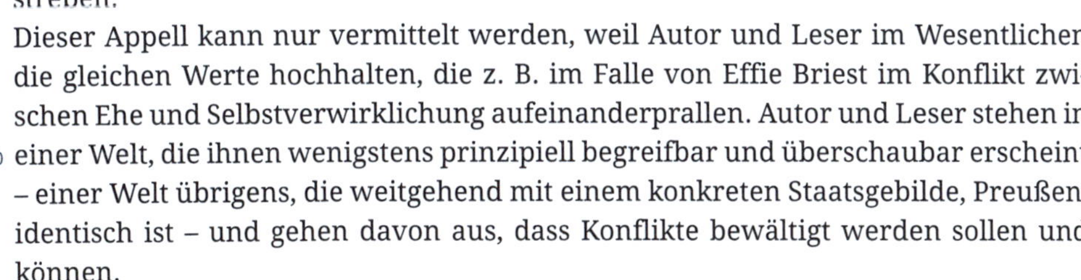

Dieser Appell kann nur vermittelt werden, weil Autor und Leser im Wesentlichen die gleichen Werte hochhalten, die z. B. im Falle von Effie Briest im Konflikt zwischen Ehe und Selbstverwirklichung aufeinanderprallen. Autor und Leser stehen in einer Welt, die ihnen wenigstens prinzipiell begreifbar und überschaubar erscheint – einer Welt übrigens, die weitgehend mit einem konkreten Staatsgebilde, Preußen, identisch ist – und gehen davon aus, dass Konflikte bewältigt werden sollen und können.

Diese Voraussetzungen sind nicht mehr vorhanden. Da für das einzelne Individuum die Welt undurchschaubar geworden ist, lehnen auch Autoren es ab, die Welt als eine verfügbare in Erzählungen einzufangen, die sich als „Modell von Welt" präsentieren. Da nirgends mehr Verlässlichkeit zu erwarten ist und da man im Grunde kaum etwas über sich selbst weiß, wird auch die Illusion von einem allwissenden, treulich berichtenden Autor absurd. In einer Gesellschaft, die vom Pluralismus zur Wertfreiheit fortgeschritten ist, sollte auktoriale Sympathielenkung nicht mehr einengen. Angesichts von Identitätsverlust und Brüchigkeit des Ich lassen sich keine konsistenten Figuren mehr herzeigen.

Wo der Zufall regiert, wird auch eine konsequent und final erzählte Geschichte unmöglich. Der Roman muss notwendig seine Funktion exemplarischer Problembewältigung einbüßen.

Auch von der Hoffnung, eine Verbesserung von Zuständen durch Literatur herbeiführen zu können, hat sich die Gemeinde der Autoren und Leser weitgehend entfernt, obwohl es in diesem Punkt in den letzten Jahrzehnten verschiedene Tendenzen gab.

Wesentliche Merkmale der heutigen Literatur sind inzwischen seit 100 Jahren geläufig. Die Erzählrevolutionen seit der sog. Moderne zersetzten Stück für Stück die Einheit eines Textes und die epische Illusion. Verloren ging die sog. Welthaltigkeit zugunsten von Innenperspektive und stream of consciousness, der allwissende Erzähler wurde von einer Fülle von Perspektiven abgelöst, an die Stelle der Geschlossenheit trat das offene Ende, an die Stelle der Einheitlichkeit die Montage. Mit dem Abschied von realistischer Darstellung büßte das Erzählen Linearität, Konsistenz und Mimesis ein […] Mit dem fortschreitenden Verzicht auf Rezeptionslenkung durch den Erzähler entfiel auch der moralische Aspekt: die Vermittlung von Werten, v. a. durch ein Werte bestätigendes Ende. Stattdessen suchte sich Literatur eine andere Basis: sich selbst und ihr eigenes Verfahren.

Mimesis
nachahmende Darstellung der Natur

1 Fassen Sie zusammen, was laut Scheitler charakteristisch für die moderne Literatur ist, und untersuchen Sie, inwieweit diese Merkmale für den Roman „Heimsuchung" zutreffen.

2 Erläutern Sie, was mit der Formulierung im letzten Satz gemeint ist, dass sich die Literatur eine andere Basis gesucht habe: „sich selbst und ihr eigenes Verfahren" (Z. 50).

3 Nehmen Sie Stellung zu der Darstellung der Autorin über den literarischen Umgang mit „Werten" (Z. 30 und 49) und Wertordnungen: Ist die „Verbesserung von Zuständen" (Z. 36) durch die Rezeption von Literatur grundsätzlich möglich?

Heimat als Gefühl

Fünf Dimensionen von „Heimat" kennenlernen und anwenden

In einem Interview aus dem Jahre 2008 sagt die Autorin Jenny Erpenbeck auf die Frage, warum sie den Titel „Heimsuchung" gewählt habe:

„Ich habe diesen Titel gewählt, weil er in zwei Richtungen gleichzeitig führt. Einmal zu einer Heimat hin, die man sucht und einmal in Richtung auf einen selbst – dass man heimgesucht wird. Speziell für mein Buch hatte ich das Gefühl, dass viele von den Figuren von der eigenen Suche nach Heimat heimgesucht werden. Ich meine damit, dass sie von dem, was sie hoffen, verfolgt werden. Das Hoffen selbst ist dann sozusagen schon der Fehler."

Diese doppelte Bedeutung des Titels ist richtungsweisend für die weitere Vorgehensweise in diesem Arbeitsbuch: In einem ersten Schritt untersuchen Sie, in welcher Art und Weise die Figuren ihre Heimat suchen (und finden?). Später betrachten Sie die Heimsuchungen, die die Figuren daran hindern, eine Heimat zu finden, und ihrem Leben einen völlig anderen Verlauf aufzwingen. Als Grundlage dient Ihnen der folgende Text von Lena Gorelik. Sie wurde in Sankt Petersburg geboren, lebt nun in Deutschland und stellt die Frage: Was ist Heimat?

Lena Gorelik (*01.02.1981 in Leningrad), Journalistin und Schriftstellerin

Lena Gorelik

Was ist Heimat? (2021)

[...] Meine Heimat ist schwarz-weiß, und sie ist grau, aber sie ist nicht dieses Grau, das aus der Mischung von Schwarz und Weiß entsteht. Sie ist subjektiv, sie ist die meine, und sie braucht keine Definition, weil sie kein Begriff ist; sie ist ein Gefühl. Das Schwarz-Weiß ist die Birkenrinde, ein schlechtes Klischee, das die russische Seele zu erzählen versucht. Ich bin in Sankt Petersburg, in Russland, hinter dem Eisernen Vorhang geboren und bis zu meinem elften Lebensjahr aufgewachsen, da, wo für mich alles nach Heimat riecht. Das Grau meiner Heimat ist das der Beton-Hochhäuser. Sie gelten als Symbolbild der inhumanen Städteplanung im Osten, ich weiß um diese Bedeutung, aber ich fühle sie nicht. [...] Heimat ist Gefühl, das Gefühl ist subjektiv, es ist privat wie intim, individuell ist es auch. [...] Und einen Streitwert hat es aufgrund des Persönlichen nicht.

Heimat [...] muss mit Heim nichts zu tun haben, mehr noch, Heimat und Heim können und dürfen geradezu Antonyme sein. In meiner Heimat waren graue Hochhäuser Geborgenheit, Gemeinschaft und Gefühl, und da, wo ich zuhause bin, nämlich hier, in Europa, in Deutschland, in Bayern werden ihnen sozialer Abstieg, Kriminalität und Trostlosigkeit angedichtet. Dass Heimat und Heim buchstäblich wie im übertragenen Sinne einander fern wie fremd sein können, ist eine ebenso persönliche These wie jede Definition dieses Begriffs seit jeher war und immer sein wird.

Antonym Gegensatzpaar

Die Definition verfasse und fühle ich in der deutschen Sprache, einer Sprache, die nicht meine Muttersprache, aber mein Zuhause ist. Die Sprache gehört mir: Die Worte geben sich mir hin. Wenn sie es nicht tun, so zwinge ich sie. [...] Man könnte sagen, wir stehen miteinander in einer Beziehung, in einer, in der ich fliegen und fallen kann, und man könnte mich fragen: Ist Sprache nicht Ihre Heimat? [...] Ich würde innehalten und den Kopf schütteln als Erkenntnis: Zuhause ist, wo ich mich frei und nackt und mit allem, was ich bin, bewege.

Aber Zuhause muss nicht zwingend in der Heimat liegen, und Heimat kann manchmal ganz fremd sein. Wenn ich nach Russland fahre, so fahre ich mit den Fingern über schwarz-weiße Birkenrinde, und ich spüre Geborgenheit, wenn ich gen Himmel schaue und graue Hochhäuser mir den Blick verstellen. Aber ich spreche dort in einer mir inzwischen fremden Sprache, und die Art, wie ich denke, verstehen die Menschen dort nicht. […]

Wenn etwas schwer zu fassen ist, versucht man, das Ganze gemeinhin in Einzelteile zu zerlegen. Heimat hat, wenn man diesen Versuch unternimmt, eine räumliche, eine zeitliche, eine soziale, eine emotionale und eine kulturelle Dimension.

Das wirft Fragen auf: Ist Heimat ein Haus, ein Ort, eine Region, ein Land? Hat Heimat somit auch Grenzen? Die wer, jemand anders, gezogen hat, einfach so? Ist Heimat da, wo alle die humorvollen Feinheiten meiner Sprache verstehen, ist Heimat da, wo ein Lied das Herz zur Rührung bringt? Ist Heimat, wenn Erinnerungen das Jetzt überlagern, oder ist sie da, wo die wichtigen Menschen sind, deren Lachen man einzuordnen weiß? Ist all diesen Dimensionen die Geborgenheit – die der Familie, der Freunde, der Sprache, der Gerüche, der Niederschlagsstärke, der Blätterfarbe an den Bäumen, der Witze, der Höflichkeitsfloskeln – immanent? […]

Fragen: Wenn Heimat ein persönliches Gefühl ist, wenn es nichts ist, was verordnet werden kann durch neue politische Konstellationen oder Grenzen, kann es denn überhaupt etwas Statisches sein? Kann und darf sich Heimat nicht auch verändern? Meine hat sich verändert, so sehr, dass ich sie nicht wiedererkenne, und so wie ich sie gerade sehe, auch nicht wiedererkennen will. Muss Heimat ein Singular bleiben, darf sie nicht wachsen, ein Plural werden, dürfen wir nicht Heimaten haben? […]

Man neigt in Zeiten wie diesen – in denen Geflüchtete im Mittelmeer darauf warten, irgendwo […] an Land gehen zu dürfen – bei diesem Plural Heimaten dazu, an z. B. Deutschland und ein sehr weit entferntes, auf den ersten Blick nichts mit der hiesigen Heimat gemeinsam habendes Land zu denken. Man muss nicht so weit denken: Was ist mit jemandem, der in Unterfranken aufgewachsen ist und nach Hessen zieht, sich in den dortigen Dialekt […] verliebt; darf er von zwei, vielleicht sogar noch mehr Heimaten sprechen?

Das Leben, das meine Eltern gezwungen hat, mit mir und meinem Bruder auszuwandern, hat mich meiner Heimat, der simplen Geborgenheit meiner Kindheit, die keiner großen Begriffe wie Heimat bedurfte, beraubt. Und jetzt weiß ich nicht, darf das Land, in dem ich lebe, in dem ich in der Sprache, die ich als meine Heimat bezeichnen würde, schreibe, schimpfe, zweifle und liebe, darf das mehr als mein Zuhause, darf das meine Heimat sein?

1 Die Autorin nennt fünf Dimensionen von Heimat. Vervollständigen Sie den Kasten mit eigenen Beispielen.

Dimensionen	Beispiel
1 räumlich	*Meine Heimat ist das Sauerland.*
2 zeitlich	
3 sozial	
4 emotional	
5 kulturell	

2 Formulieren Sie alle Fragen des Textes in Aussagesätze um. Überprüfen Sie, ob Sie diesen Aussagen zustimmen können.

3 Erläutern Sie die Position der Autorin unter Berücksichtigung der Bedeutung der fünf Dimensionen.

4 Nehmen Sie Stellung zu der Aussage der Autorin:
„Heimat ist Gefühl, das Gefühl ist subjektiv, es ist privat wie intim, individuell ist es auch. […] Und einen Streitwert hat es aufgrund des Persönlichen nicht.“ (Z. 9 ff.)

Was ist Heimat?

Subjektive und intersubjektive Aspekte des Begriffs ergründen

Auf den Seiten 158 und 159 dieses Kapitels wurde bereits mit der Betrachtung des unterschiedlichen Verständnisses von Heimat begonnen. Sie nehmen nun Ihre eigene Definition von Heimat vor.

1 Formulieren Sie individuell einen Satz, der Ihr Verständnis von Heimat zum Ausdruck bringt. Sammeln Sie die Formulierungen aller Kursmitglieder anonym ein und erstellen Sie ein gemeinsames Dokument mit allen Aussagen Ihres Kurses.

2 Machen Sie nun allen Lernenden alle Heimat-Definitionen zugänglich und diskutieren Sie das gesamte Spektrum der Aussagen.

Kommen wir nun zu den Heimat-Vorstellungen der Roman-Figuren. Nicht alle der fast vierzig Auffassungen der Figuren des Romans können erarbeitet werden: Einige sind gar nicht geeignet, weil keine klare Äußerung vorliegt. Deshalb ist es notwendig, eine Auswahl festzulegen.
Zuerst wird die Figur der Schriftstellerin betrachtet. Dies erfolgt als exemplarisches Beispiel für Ihre weitere Vorgehensweise. Außerdem ist diese Figur so komplex, dass sie einer gründlichen Untersuchung unterzogen werden muss. Mit den Ergebnissen der Arbeitsaufträge auf Seite 165 haben Sie bereits wichtige Vorarbeit geleistet.

3 Einige Charakterzüge und Verhaltensweisen der Schriftstellerin wirken ungewöhnlich. Das haben Sie bereits im Zusammenhang mit der Charakterisierung der Figur der Besucherin herausgearbeitet (vgl. S. 166, Aufgabe 5). Suchen Sie nach Begriffen, mit denen man diese Verhaltensweise bezeichnen könnte, und bewerten Sie das Verhalten der Schriftstellerin.

4 Erläutern Sie, was die Schriftstellerin meint, wenn sie davon spricht, körperlichen Ekel zu empfinden (vgl. TA, S. 119, Z. 14 ff.). Wann tritt dieser Ekel auf? Woran macht er sich fest?

5 Markieren Sie alle Textstellen in dem Kapitel „Die Schriftstellerin“ (TA, S. 112 – 123), die Aufschluss darüber geben, worin der „große Traum“ der Schriftstellerin besteht. Formulieren Sie nach nochmaligem Lesen dieser Stellen, was dieser Traum beinhaltet.

6 Beurteilen Sie, inwieweit es Übereinstimmung oder Unterschiede zwischen dem großen Traum der Schriftstellerin und der folgenden Aussage von Ernst Bloch gibt.

Ernst Bloch
(*08.07.1885
†04.08.1977)

Genesis
Schöpfung

Ernst Bloch

Das Prinzip Hoffnung (1954)

„Der Mensch lebt noch überall in der Vorgeschichte, ja alles und jedes steht noch vor der Erschaffung der Welt, als einer rechten. Die wirkliche Genesis ist nicht am Anfang, sondern am Ende, und sie beginnt erst anzufangen, wenn Gesellschaft und Dasein radikal werden, das heißt sich an der Wurzel fassen. Die Wurzel der Geschichte aber ist der arbeitende, schaffende, die Gegebenheiten umbildende und überholende Mensch. Hat er sich erfasst und das Seine ohne Entäußerung und Entfremdung in realer Demokratie begründet, so entsteht in der Welt etwas, das allen in die Kindheit scheint und worin noch niemand war: Heimat.“

1 ***Lernarrangement***

a) Einigen Sie sich im Kurs darüber, welche Figuren des Romans hinsichtlich ihrer Auffassung von Heimat untersucht werden sollen und verteilen Sie diese Auswahl. Berücksichtigen Sie dabei auch immer die Figur der Schriftstellerin.
b) Arbeiten Sie in Partner- oder Gruppenarbeit heraus, welche Vorstellung Ihre Roman-Figur von „Heimat" hat.
c) Formulieren Sie für die Romanfigur, die Sie gewählt haben, einen kurzen Text, aus dem hervorgeht, welche Vorstellung von Heimat bei ihr besteht.
d) Diskutieren Sie abschließend im Plenum die Bandbreite aller Auffassungen von Heimat bei den von Ihnen bearbeiteten Romanfiguren.

Brockhaus

Heimat

Heimat [...], eine teils vorgestellte, teils real angebbare Gegend (Land, Landschaft oder Ort), zu der – aufgrund tatsächlichen Herkommens oder vergleichbarer „ursprünglicher" Verbundenheitsgefühle – eine unmittelbare und für die jeweilige Identität konstitutive Vertrautheit besteht. Diese Erfahrung ist zunächst an den Erlebnisraum und die Erfahrungswelt von Individuen gekoppelt, sie wird zugleich aber auch von größeren Kollektiven (Gruppen, Regionen, Stämmen, Nationen, Völkern) in Anspruch genommen und dabei als Vorstellung eines räumlich bestimmbaren gemeinsamen Herkommens – im Ablauf der Generationen – an die Angehörigen dieser Kollektive weitergegeben, z. B. durch die Familie und andere Sozialisationsinstanzen oder auch durch politische und sonstige Programme. Im allgemeinen Sprachgebrauch ist Heimat zunächst auf den Ort (auch als Landschaft verstanden) bezogen, in den der Mensch hineingeboren wird, wo er frühe, in der Regel prägende Sozialisationserfahrungen macht, die weitgehend Identität, Charakter, Mentalität, Einstellungen und schließlich auch unter Umständen Weltauffassungen prägen. [...] Ein solcher mehrdimensionaler, aber immer mit den gefühlsbetonten Komponenten „erster Erfahrungen" versehener Begriff kann dann auch spätere „Beheimatungen" im Erwachsenenalter, eine geistige, kulturelle und sprachliche, nicht zuletzt politische Heimat bezeichnen. [...] Der Nationalsozialismus stellte insbesondere das rückwärtsgewandte Moment von Heimat heraus, wenn er auch aufgrund der einerseits zentralisierenden, andererseits expansionistischen Tendenzen und unter den Anforderungen von Parteidiktatur, Gleichschaltung industrieller und rüstungswirtschaftlicher Interessen insgesamt weit weniger heimatfreundlich als angenommen war. [...]

Nach den Exzessen der Heimatpropaganda und den u. a. auch mit dem Bezug auf Heimatverteidigung gerechtfertigten und inszenierten Verbrechen der Zeit des Nationalsozialismus galt Heimat [...] bis weit in die 1960er-Jahre als ein Konstrukt nationalkonservativer Provenienz [...].

Wie andere kulturelle Konzepte wurde auch der Heimatbegriff durch die SED von Anfang an ideologisch und politisch instrumentalisiert. [...] Zunächst galt Heimat vor dem Hintergrund der antifaschistischen Orientierung der „neuen" DDR als „reaktionäre" Vorstellung [...]. Eine zentrale Bedeutung erlangte der Gedanke von der „sozialistischen Heimat" jedoch erst nach dem Amtsantritt E. Honeckers (1971). Regionale Traditionen wurden nunmehr im Versuch der Bestimmung eines „sozialistischen Vaterlandes DDR", aber auch im Versuch, die Bürger angesichts wirtschaftlicher Schwäche und verstärkten Ausreisebegehrens neu für den Sozialismus zu motivieren, in ihren heimatbindenden und identitätsstiftenden Funktionen „wiederentdeckt" und erfuhren, zumal in den 1980er-Jahren, zunehmend staatliche Förderung.

Vergleichen Sie zum Plural von **„Beheimatungen"** den Text von Lena Gorelik auf S. 176 f.

Provenienz Herkunft

2 Erörtern Sie, inwieweit diese Definition vereinbar ist mit der Aussage von L. Gorelik: „Heimat ist ein Gefühl."

Ludwig Ganghofer (*07.07.1855 †24.07.1920), bayrischer Schriftsteller, ist bekannt für seine Heimatromane. Sein Werk „Waldrausch" gilt als ein typisches Beispiel für Heimatliteratur.

Heimatroman und Romanfigur ohne Heimat

Darstellung von Heimat in der Literatur kennenlernen und beurteilen

Ludwig Ganghofer

Waldrausch (1908)

Tonele Kurzform für Toni

Brosle, Brosi Kurzform für Ambros

In ihrem ganzen Leben waren die zwei Kameraden noch nie so weit in die Welt hinausgekommen wie an diesem Morgen. Von ihrer Heimat war nur noch die Kirchturmspitze zu sehen, die nadelfein heraufragte über den blauträumenden, das ganze Tal durchquerenden Buchenwald. [...] Dennoch wanderten die beiden Kameraden noch immer weiter hinaus in die fremde, wundersame Welt. Jede neue Bergzinne, die sich mit silbernen Schneefeldern heraushob über die steilen Wälder, war ihnen wie ein unerhörtes Ding, bei dessen Anblick man Herzklopfen bekommt. Sie standen und guckten. Und schritten weiter mit jenem Mute, der ein Nieerlebtes zu erleben hofft. Da tauchte hinter hohen Wälderwogen ein mächtiger Felskoloss heraus, schimmernd in der Sonne, so steil, dass kein Schnee mehr auf ihm haftete [...]. Tief atmend fragte der eine der beiden Knaben: „Tonele, wie heißt der Berg?"

„Ich weiß nimmer. Der Vater selig hat mir's gsagt amal. Jetzt weiß ich's nimmer."

Sie spähten zu dem Berg hinauf, der wie eine steinerne Riesenfaust in das Blau des Himmels griff. Und der kleinere von den zweien, ein fünfjähriges Bürschl, sagte keck: „Da möcht ich hinauf einmal!"

„Und tätst abifallen! Und tot sein."

„Du vielleicht! Ich tät hinaufkommen!"

Dem siebenjährigen Tonele ging ein gutmütiges Lächeln um den weichen, roten Kindermund. Wie in freundlicher Barmherzigkeit sah er den kleinen Brosi an. Das war ein feines, zierliches Bübchen mit einem lichtblonden Ringelwust um das blühende Gesicht, in dem die blauen Augen sehnsüchtig strahlten. Die Füßchen und die runden Waden waren nackt, aber nicht so von der Sonne abgebrannt wie beim Tonele. Der trug außer dem kurzen, verwachsenen Lederhöschen nur ein Hemdl, das nimmer recht sauber war, während der kleine Brosi ein Gewand von städtischem Schnitt hatte, Pumphöschen und Bluse aus braunem Samt. [...] Die Sonnenwärme lockerte das Blondhaar des Bübchens, so dass sich die wirren Ringeln immer leise bewegten. Die gespreizten Füße waren eingewühlt in den Staub der Straße. Immer spähte der kleine Kerl zu der steilen Felszinne hinauf. Dann entdeckte er in der Ferne des blühenden Wiesentales wieder ein geheimnisvolles Ding, das seinen Mut reizte. Dort schlossen die Berge das Tal, und mit sanften Wogen erhob sich ein Fichtenwald; [...] das war anzusehen, als wäre das Schattenblau von schimmerig gezahnten Goldborten durchzogen. Flüsternd sagte der kleine Brosi: „Tonele! Da geh ich hinein. In den tiefen, dunkeln Wald!"

Auch dem Tonele brannte ein neugieriger Durst in den nussbraunen Augen. Sein schlankes, kräftiges Körperchen streckte sich, als wäre auch in ihm der Wille zu einer kühnen Tat erwacht. Gleich aber huschte ihm wieder jenes gutmütige Lächeln über das sonnverbrannte Gesicht. Halb mahnend, halb scherzend sagte er: „Brosle! Das sollst lieber bleiben lassen. In dem tiefen, finsteren Wald, da fressen dich die Füchs."

Brosi blickte nachdenklich gegen den Wald mit den goldleuchtenden Wipfeln hinaus. Trotziger Eigensinn erwach-

te in seinen großgeöffneten blauen Augen. „Wenn du dich fürchten tust, so geh halt heim! Ich geh in den finstern Wald hinein. Ich tu's!"
Er schloss die Händchen zu Fäusten und wanderte mutig die sonnige Straße hin, dem gefährlichen Wald entgegen, der mit seinem samtdunkeln, glanzgebänderten Grün im Dufte des Vormittags lag, wie das Leben mit seinen geheimnisvollen Schatten und lockenden Helligkeiten vor dem Blicke aller Jugend liegt. Der Tonele besann sich ein bisschen, schob lächelnd die Hände in die Taschen seines Lederhöschens und ging gemütlich hinter dem Brosi her. Es war bis zu dem dunkeln, tiefen Wald kein allzu weiter Weg. [...]
Noch ehe der Weg zur Hälfte durchschritten war, mahnte der Tonele herzlich: „Geh, sei gscheit! Wir sind schon endsweit von daheim. Da kommst nimmer recht zum Essen. Und dein Mutterl wird schelten."
Brosi schüttelte das blonde Köpfl. „Die hat noch nie gescholten." Er zappelte in der Sonne weiter. [...]
Da schwammen linde Glockentöne über das lange Tal einher. „Brosle! Hörst? Es tut elfe läuten."
„Mir ist alles eins!" [...]
„Geh, Brosle, kehr um!"
Da sah er auf hohem Pfahl eine weiße Tafel mit schwarzer Inschrift. Weil der Tonele sich in der Dorfschule einen langen Winter schon mit dem Buchstabieren geplagt hatte, drum konnte er lesen, was da mit dicken Zeichen angeschrieben stand: ‚Verbotener Weg!' Darunter standen noch drei Zeilen in kleinerer Schrift, dass der zur ‚Großen Not' hinaufführende Jagdsteig für jeden öffentlichen Verkehr gesperrt wäre und dass Zuwiderhandelnde allerlei Unannehmlichkeiten in der Kanzlei der fürstlichen Jagdverwaltung zu gewärtigen hätten. Mit dieser klein geschriebenen Sache befasste sich der Tonele nimmer. Es genügte ihm, die beiden groß gemalten Wörter entziffert zu haben: ‚Verbotener Weg!' Er sprang in die Wiese hinunter und rannte, bis er den kühnen Brosi eingeholt hatte. „Geh nur zu, Brosle, ich tu schon aufpassen!" [...]

Große Not
Name eines Berges

Hand in Hand, die kindlichen Seelen durchzittert von jenem stolzen Rausch, mit dem ein Forscher ein Geheimnis der Ewigkeit entschleiert, schritten sie hinein in die träumende Mittagsstille des Waldes. Es war ein Wald, wie in den Bergen alle Wälder sind, ein Gemenge von Zerstörung und kraftvoller Schönheit, von faulendem Tod und sprossendem Leben. Man spürt da nicht die pflegende Hand, wie sie in den Wäldern der Ebene zu merken ist.
Schweigend schlüpften die beiden Knaben durch die Stauden. Was sie gewahrten, das Nahe und das Ferne, wurde für sie zu einem gruseligen Erlebnis oder zu einer schönen Sache.
Dann kam zu dem Märchen, das in ihren Seelen webte, auch das Geheimnis herangetreten. Sie hörten erst leise, dann immer lauter und näher – scharfe, taktmäßige Klänge wie Hammerschläge auf hartem Gestein. Als sie der Richtung zublickten, aus der diese Töne klangen, entdeckten sie hinter dem Riesengitter der Baumstämme etwas Ungeheuerliches. Brosi meinte, das wäre eine dicke, lange, giftgelbe Schlange, die sich durch den Schatten des Waldes und durch grelle Sonnenflecke hinaufwand gegen die Höhe des Berges.
Aber Tonele sagte mit klugem Lächeln: „Dös is doch bloß a Weg!" Die gelben Schleifen waren die Serpentinen des Reitweges. Brosi ließ sich durch diese Klarstellung aus seinem Waldtraum nicht ernüchtern. Er hatte schon wieder ein Geheimnis erspäht, etwas Goldrotes und Silberweißes, das sich bei jenen wunderlichen Hammerschlägen mit Geschimmer bewegte, immer wieder verschwand, immer wieder erschien. Was konnte das sein? Das Haupt der Schlange, der mit Gold und Silber gekrönte Kopf, den das kriechende Wunderwesen immer aufrichtete und wieder hinunterduckte zwischen die Stauden?
Auch dem Tonele verging für eine Weile das kluge Lächeln. Dann sah er, dass der goldrote Schimmer da draußen ein von der Sonne beschienenes Pferd war, das mit

seinen Hufen den harten Grund des Weges schlug und auf seinem Sattel eine Reiterin in weißem, faltig fließendem Kleid wiegte.

Eine vom Gebüsch verhüllte Serpentine des Weges wand sich zu den beiden Knaben heran. Die Stauden verdeckten das Pferd. Nur Kopf und Schultern der Reiterin waren zu sehen. Unter dem Schatten der Hutkrempe leuchtete ein schönes und strenges Gesicht, dessen ruhige Augen über die zwei Knaben wegblickten, als wären der Brosi und der Tonele zwei unscheinbare Steinchen neben dem Wege. Jetzt verschwand die Reiterin. Der kleine Brosi tat einen beklommenen Atemzug. „Das ist die Fey gewesen!"

Fey Fee

„Du Narrle, du!" Der Tonele lächelte; nicht gutmütig. „Dös ist die Prinzessin gwesen, die im Fürstenschlössl hauset. Die tu ich nimmer grüßen. Die passt net auf, ob einer ,s Hütl zieht."

In Brosis blauen Augen war der Kummer eines Träumers, den der Morgen aufrüttelte aus wundersamen Bildern. Aber weil er träumen wollte, klammerten seine Gedanken sich an dieses Märchenwort: „Prinzessin!" Er sagte: „Du! Einmal, da hat mir die Mutter was erzählt. Von einer Prinzessin. Die ist anders gewesen. Die hat ein rotes Seidenkleidl angehabt und sieben weiße Röslein in der Hand. Die hat in einem schönen Garten gehauset, und um den Garten ist eine endsgroße Mauer gewesen, und vor dem Tor, da ist ein endsgroßer Ries' –"

„Komm, Brosle!" Der Tonele fasste die Hand des Kameraden. „Jetzt müssen wir heim. Die Mutter tut schelten. Und mein Bruder haut mich wieder."

Erschrocken sah Brosi am Tonele hinauf, vergaß das Märchen von der roten Prinzessin mit den weißen Rosen und ließ sich führen, wohin der Tonele wollte.

Auerhenne

Ein paar Schritte hatten die Knaben gemacht, als dicht vor ihnen was Unsichtbares mit Geprassel aus einer Staude herausfuhr. Eine Auerhenne. Weil sie hinter der Staude über den Waldboden hinstrich, konnten die Knaben sie nicht sehen. Erschrocken standen sie und hörten, was ihren Schreck noch vermehrte, ein leises, dünnes Gekicher wie von einer Greisenstimme. Als sie nach der Stelle blickten, von der das Kichern herklang, sahen sie eine menschenhohe Säule aus Grün und Blüten; zwischen den grünen Ranken und den tausend weißen, rosig angehauchten Blümchen guckte ein lustiges Runzelgesicht mit weißen Bartstoppeln und grauen Haarzotten heraus. Jetzt lächelte der Tonele wieder und sagte zum Brosl: „Da musst dich net fürchten! Dös ist der Waldrauscher. Der tut uns nix." Den stummen Brosi an der Hand führend, ging er auf die grüne, blühende Säule zu. „Grüß Gott, Waldrauscher! Heut hast aber viel! Magst mich was tragen lassen? Ich hilf dir gern."

„Vergelt's Gott, Tonerl!", klang aus dem Gewirr der Blümchen und Ranken eine dünne Stimme. „Noch allweil hilf ich mir selber." Der Waldrauscher lachte. „Ös Lauserln, wie kommt's denn ös zwei da eini ins Holz?"

Verlegen schwiegen die Knaben. Und der Waldrauscher schien das Verlangen nach einem rastenden Viertelstündchen zu haben. Vorsichtig begann er die vielen, mit Stricken aneinandergekoppelten Rankenbündel abzulegen, die über seinen Kopf hinausragten und fast seine ganze Gestalt mit Grün und Blüten verhüllten. Was der alte Mann im Bergwald gesammelt hatte, war eine offizinelle Pflanze, die Bärentraube. Der gelehrte Botaniker nennt sie Arctostapylus uva ursi. Das Volk gab ihr den Namen ‚Waldrausch'.

offizinell als Arzneimittel geeignet

Die beiden Arbeitsaufträge entsprechen dem **Aufgabentyp I B.**

1 Interpretieren Sie den Text. Arbeiten Sie heraus, wie Heimat hier dargestellt wird. Verwenden Sie dabei die fünf Dimensionen von Heimat, die Sie kennengelernt haben (vgl. S. 176 f.).

2 Vergleichen Sie diesen Text mit dem Kapitel „Der Kinderfreund" (TA, S. 157 – 169) aus dem Roman „Heimsuchung". Arbeiten Sie Unterschiede und Gemeinsamkeiten heraus.

Milena Michiko Flašar

Oben Erde, unten Himmel (2023)

Milena Michiko Flašar (*1980), japanisch-österreichische Schriftstellerin

Nicht, dass ich besonders mürrisch gewesen wäre. Meine Launen, sowohl die guten als auch die schlechten, hielten einander die Waage. Ich fand bloß, Spaßhaben war etwas für Leute, die eine natürliche Begabung dafür besaßen. Sie interessierten sich für den Weg, der vor ihnen lag, und sie teilten ihn mit ihresgleichen. Zusammen bildeten sie Grüppchen, die wiederum Gruppen bildeten.

Wo es notwendig war, tat ich dasselbe. Weder war ich ein extremer Eigenbrötler noch hatte ich eine Rebellion à la *Ich gegen die Welt* im Sinne. Ich wollte ganz einfach in Ruhe gelassen werden. Schon in der Schulzeit investierte ich nur ein Minimum an Aufwand in puncto Freundschaften, und obwohl ich aufgrund meiner Durchschnittlichkeit keine Probleme hatte, mich in die Klasse mit ihren Cliquen einzufügen, baute ich zu keinem meiner Mitschüler ein engeres Verhältnis auf.

Schuld daran war vielleicht mein Phlegma. Kontakte zu pflegen oder überhaupt erst zu knüpfen, empfand ich als lästig. Es erschöpfte mich, jemanden kennenzulernen. All die Gespräche, die man führen musste, um auf eine gemeinsame Schnittmenge zu kommen! All die Missverständnisse und Verstrickungen, die sich dabei ergaben! Wozu die Mühe? Es war schon anstrengend genug, ich selber zu sein. Wenigstens dachte das die pickelige Sechzehnjährige, die ich einmal war, und als ich erwachsen wurde, behielt ich diese Denkweise aus purer Bequemlichkeit bei.

Leben und leben lassen war mein Motto. Intimität überforderte mich. Selten gab ich etwas von mir preis oder war neugierig auf die Geheimnisse eines anderen. Ich hatte keinerlei Bedürfnis danach, sie ihm zu entlocken. Die ideale Beziehung – egal zu wem – bestand meiner Meinung nach darin, nicht zu viel voneinander zu erwarten. Ein bisschen Smalltalk hier und da. Darüber, dass es kalt war.

Und dass man ihn schon roch, den Schnee, der noch nicht gefallen war. Mehr fiel mir nicht ein. Sobald die Rede auf Persönliches kam, schnürte es mir die Kehle zusammen. Ein vertraulicher Tonfall verursachte mir Herzrasen. Ich mochte es leicht und unverbindlich. Bei der Arbeit – ich jobbte als Aushilfskellnerin – galt ich deshalb als unnahbar, und ich unternahm keinerlei Versuch, das Bild von mir richtigzustellen. Ohnehin war ich in den Pausen, die ich im Gemeinschaftsraum verbrachte, allein.

Meine Kolleginnen hatten anfangs noch guten Willen gezeigt. Bei jeder sich bietenden Gelegenheit hatten sie mich in ihre Plaudereien miteinbezogen. Nach und nach aber – weil sie merkten, dass sie mir gleichgültig waren – wurden sie es leid, sich um meinethalben den Mund fusselig zu reden, und so nahm ich bald die Position einer Außenseiterin ein. Mir recht, dachte ich, mittlerweile fünfundzwanzig Jahre alt. Solange Frieden zwischen uns herrschte, mussten wir uns nichts vormachen von wegen *Wir sitzen im gleichen Boot*.

Nach Dienstschluss (und wie ich ihn herbeisehnte, den Moment, in dem ich den Spind zuschlug) war ich die Erste, die sich ihrer rosafarbenen Uniform entledigte, und ich war die Erste, die hinaus auf den Parkplatz trat. Aus dem Restaurant, einem typischen FamiResu im Diner-Stil, fiel warmes Licht auf den Asphalt. Ich sah Kinder in Hochstühlen und Eltern, die sie fütterten. Die Luft roch nach Frittieröl und scharf angebratenem Fleisch. Der Geruch hing auch in meinen Haaren. Bei jedem Schritt wehte er mich an, und ich lief schneller, um ihm zu entkommen. Spätestens beim Bahnhof, von wo ich auf direktem Weg nach Hause fuhr, hatte er sich verflüchtigt.

FamiResu Familien-Restaurant

Das ungefähr war das Leben, das ich führte, und es war nicht das schlechteste. Von mir aus hätte es ewig so weitergehen können. Ich vermisste nichts. Im Gegenteil. Wenn ich im Zug die Augen schloss, breitete sich eine wohlige Dunkelheit in mir aus. Wieder war ein Tag vergangen, und ich war niemandem zur Last gefallen. Ein Tablett nach dem anderen hatte ich an die nummerierten Tische befördert.

Ich hatte vorschriftsgemäß gegrüßt und gelächelt. Vom vielen Lächeln taten mir die Gesichtsmuskeln weh. [...] [N]och ehe ich mich versah, war ich eingenickt. Es war kein tiefer Schlaf. Die Dunkelheit in mir wurde dicker und dicker. Gleichzeitig hatte ich ein überwaches Gespür für noch die kleinsten Regungen meiner Sitznachbarn. Manchmal geschah es, dass wir einander streiften, aber es geschah absichtslos, und die Berührung war keine, die uns zu einer Entschuldigung verpflichtet hätte. Die meisten, stellte ich fest, hatten so wie ich die Augen geschlossen. Und so wie ich waren sie unversehens eingenickt. Manch einer schnarchte. Wir waren ein Zug von Schlafenden. Wir stiegen ein und wieder aus. „Pst!“, las ich auf einer Tafel. Sie hielt die Fahrgäste dazu an, ihre Handys auf stumm zu schalten. Die Regel, nicht durch übermäßig lautes Telefonieren zu stören, befolgte ich gewissenhaft, beziehungsweise befolgte sie sich in meinem Fall von selbst, da ich niemanden kannte, den ich so spät noch hätte anrufen wollen. Nach sechs Jahren in der Stadt hatte ich nur eine Handvoll lose Bekanntschaften in meiner Kontaktliste gespeichert, darunter die Maniküristin, die ich regelmäßig aufsuchte. Sie war von Berufs wegen eine geschwätzige Person, verstand es aber, die Klappe zu halten, wenn sich ihr Gegenüber als mundfaul erwies. Sie versank dann ihrerseits in ein nicht unangenehmes Schweigen. Still feilte sie mir die Nägel, und still schaute ich ihr beim Feilen zu. [...] Bei der Endstation kaufte ich mir ein Bentō. [...] Ich wählte in der Gemüseabteilung knackfrische Karotten. Dann nahm ich noch ein Bier aus dem Kühlregal. Ein Bier genügte.

Betonwüste in Tokyo

In den sich leerenden Straßen hallten meine Schritte wider. Das Viertel, in dem ich wohnte, war verhältnismäßig ruhig. Hier wohnten hauptsächlich Pendler, die nach der Arbeit in ihre Wohnhöhlen zurückkehrten. Müde und gebückt schlurften sie ihrer Wege, und bis auf die berühmte Ausnahme, den Kneipenmusiker mit der Gitarre auf der Schulter oder die aufgetakelte Hostess, die um diese Zeit in ihre Bar aufbrach, schienen alle, denen ich begegnete, zu einer grauen Masse verschmolzen zu sein.

Die eher niedrigen, zum Teil verwahrlosten Gebäude übten einen zusätzlichen Druck auf die Masse aus. Flach am Boden kriechend, wie unter einem diffusen Gewicht, bewegte sie sich heimwärts.

Der Bär steppte jedenfalls woanders, und die Glitzerwelt, deren Lichter den Himmel jenseits des Hügels erhellten, war ein Ort so fern wie der sprichwörtliche Flecken Erde hinter den sieben Bergen. Nach Vergnügungen hielt man vergeblich Ausschau. Es gab ein Sentō und gleich daneben eine Yakitori-Bude, einen Kramladen und einen Handy-Shop. Und das war's auch schon. Nicht gerade die Gegend für jemanden, der Mitte zwanzig war und sein Leben vor sich hatte, aber Leben war eben auch eine Geldfrage. Was mich hierhergebracht hatte, war die günstige Miete gewesen. Für Luxussorgen wie *Gibt es einen Park in der Nähe? Eine leckere Pizzeria? Oder gar Kultur? Konzerte und Events?* hatte ich einfach nicht das nötige Budget beisammen.

Yakitori gegrilltes Hühnerfleisch auf Spießen

Klar gab es meine Eltern, die mir dann und wann unter die Arme griffen. Doch ich wollte ihre Hilfe nicht über Gebühr in Anspruch nehmen. Es kränkte mich eher, wenn sie meinten, ich wäre für immer auf sie angewiesen. Um mich aus ihrer fürsorglichen Umklammerung zu befreien, war ich ja überhaupt vom Land in die Stadt gezogen. Dass ich mein Studium nach nur einem Semester hingeschmissen hatte, war ein sensibles Thema zwischen uns. Wir mieden es.

Zugleich ploppte es wie das Fettauge in einer Suppe an anderer Stelle wieder auf. Unausweichlich waren dann meine Schuldgefühle. Was, wenn ich die Zähne zusammengebissen und fertigstudiert hätte? Was, wenn ich ihnen nach einer angemessen kurzen Karriere ihren zukünftigen Schwiegersohn vorgestellt hätte? Das zweite sensible Thema. Wir rührten es nicht an. Und da wir es nicht anrührten, hatten unsere Telefonate, die seltenen, die wir führten, einen etwas zwanghaften, klammen Unterton angenommen. Indem wir um den heißen Brei herumredeten, drehten wir uns gleichsam um ihn herum, und heraus kam ein Schattentanz, bei dem wir uns zwar nacheinander ausstreckten, es aber nicht schafften, die über Jahre gewachsene Entfernung zu verringern.

Immer war es meine Mutter, die mich anrief, und weil ich mein Handy so gut wie gar nicht benutzte und ich es meistens auf stumm geschaltet hatte, wusste ich sofort, dass sie es war, wenn es vibrierte.

„Was gibt es Neues?“, fragte sie lebhaft.

„Erzähl mal!“

„Ähm.“

Meine Einsilbigkeit pflegte sie dadurch wettzumachen, dass Sie mir alles Mögliche aus ihrem Alltag berichtete. Tante Fumiko war zu Besuch gewesen, und sie hatte wieder einmal – „Was? Wirklich?“, schob ich ein – einen Streit vom Zaun gebrochen. Dabei war es um Großmutter gegangen. „Deine liebe Tante ist der Ansicht, wir sollten Großmutter ins Heim stecken. Als ob sie es wäre, die sich für sie aufopfert! Wer wäscht ihr denn den Hintern? Ich! Und beschwere ich mich darüber? Nein. Also! Warum mischt sie sich ein?“

Ohne eine Pause einzulegen, ließ sich meine Mutter über dieses und jenes aus, und wenn auch nur ansatzweise eine Lücke entstand, atmete sie geräuschvoll aus, wobei ich nicht sicher war, ob sie schnaubte oder schniefte. Letzteres hielt ich für unwahrscheinlich. Meine Mutter gehörte nicht zu den Rührseligen. Inständig hoffte ich, sie würde die Pause füllen, und zum Glück fing sie auch gleich wieder mit Reden an.

„Etwas leiser, bitte!“ Das war mein Vater. Er schaute die Nachrichten.

So ungefähr verliefen unsere Telefonate, und von Zeit zu Zeit kam mir der Gedanke, mein Handy war nur dazu da, um meine Eltern in Sicherheit zu wiegen. Es machte mich erreichbar für sie. Seitdem meine Mutter das Chatten für sich entdeckt hatte, schickte sie mir zudem dauernd irgendwelche Emojis, die keinen Sinn ergaben. Eine Winkekatze! Um ein Uhr nachts! *C'mon!* Was sollte ich damit? Statt zurückzuwinken, reagierte ich mit einem Fragezeichen, das jedoch unbeantwortet blieb.

C'mon
Kurzform für: „come on“
hier im Sinne von: Also wirklich!

1 Beschreiben Sie die Arbeits- und Wohnumwelt der Ich-Erzählerin.

2 Charakterisieren Sie die Protagonistin.

3 Stellen Sie dar, mit welcher Haltung die Ich-Erzählerin ihre Lebensumstände schildert. Erörtern Sie, ob es sich bei ihr um eine verlässliche Ich-Erzählerin handelt.

4 Beurteilen Sie, ob der Begriff „Heimat“ für die im Text dargestellten Umstände verwendet werden kann und soll. Beziehen Sie sich dabei auf den ersten Satz des Brockhaus-Textes (S. 179).

Zweites Symposium Erzähltheorie

Poetologische Konzepte der Moderne kennenlernen und verstehen

Im Zuge tiefgreifender, alle Lebensbereiche betreffender Veränderungen aufgrund von zunehmender Elektrifizierung, neuer Verkehrsformen zu Land, Wasser und Luft, bislang unbekannter Kommunikations- und Unterhaltungsmedien (z. B. Telefon, Funktelegrafie, Radio, Kino), verändert sich das Weltbild der Menschen radikal. Analog zu dieser gesellschaftlichen Umbruchsituation kommt es um die Jahrhundertwende zu einer künstlerischen Umbruchstimmung, die auf Seiten der Schriftstellerinnen und Schriftsteller zu unterschiedlichen Reaktionen führen. Von diesen Hypotheken belastet gehen die deutschen Literatinnen und Literaten in das 20. Jahrhundert.

Gérard Genette (*07.06.1930 †11.05.2018), französischer Literaturwissenschaftler

Steffen Richter: Einladung zur Literaturwissenschaft

Fokalisierungstypen nach Gérard Genette (2003)

Unter dem Stichwort ‚Fokalisierung' beschäftigt sich Gérard Genette in seinen Büchern *Discours du récit* (1972) und *Nouveau discours du récit* (1983) mit der Frage, aus welchem Blickwinkel [...] eine Geschichte erzählt werden kann. [...] [Genette] plädiert für eine Trennung [der] Kategorien (Perspektive und Person), um eine Erzählung in ihrer Komplexität genauer analysieren zu können. [...]
Nach Genette schaltet der Autor den Erzähler als eine Vermittlungsinstanz zwischen die erzählte Geschichte und den Leser ein. So kann er ihn mit verschiedenen „Wissenshorizonten" ausstatten, die es ihm erlauben, die narrativen Informationen mehr oder weniger stark zu filtern.
Je breiter dieser „Wissenshorizont" des Erzählers ist, desto umfangreicher wird auch der Leser über die Geschichte informiert. Die Informationsregulierung erfolgt also durch die Wahl oder auch Nicht-Wahl eines einschränkenden Blickwinkels oder ‚Fokus'.
Die drei unterschiedlichen ‚Fokalisierungstypen' bestimmt Genette als Verhältnis zwischen dem Wissensstand des Erzählers und dem seiner Figuren. Bei der ersten Form, der ‚unfokalisierten' Erzählung (oder auch Erzählung mit einem ‚Null-Fokus') sagt der Erzähler mehr, als alle seine Figuren wissen können. Er erlegt sich keinerlei einschränkenden Blickwinkel auf und kann den Leser umfassend, auch über das Gedanken- und Gefühlsleben der verschiedenen Figuren, informieren.
Im zweiten Fall, bei der ‚internen Fokalisierung', sagt der Erzähler genau so viel wie seine Figur weiß. Sein Blickwinkel ist auf den Horizont einer Figur (‚fest') oder auch verschiedener Figuren (‚variabel') beschränkt.
Der dritte ‚Fokalisierungstyp', die ‚externe Fokalisierung', ist dadurch gekennzeichnet, dass der Erzähler weniger sagt, als die Figur weiß. Er ist gezwungen, sie von außen zu beobachten, ohne ihre Gedanken oder Gefühle zu kennen. Man könnte sagen, er hat in diesem Fall einen sehr undurchlässigen Filter vor Augen. Da diese verschiedenen Möglichkeiten der Informationsregulierung vor allem in längeren Texten selten durchgängig auftreten, ist es angebracht, die jeweils ‚dominante Fokalisierung' zu bestimmen [...].

1 Geben Sie mit eigenen Worten wieder, was unter den drei Fokalisierungstypen zu verstehen ist.

2 Untersuchen Sie, welche dieser drei Typen an welchen Stellen im Roman „Heimsuchung" zu finden sind.

3 Beurteilen Sie, ob die Erzählerin aus dem Roman „Oben Erde, unten Himmel" (S. 183 ff.) in die Kategorie „externe Fokalisierung" fällt.

Juli Zeh

Wir trauen uns nicht (2004)

Juli Zeh
bürgerlich: Julia Barbara Finck (*30.06.1974), deutsche Schriftstellerin, Juristin

Längst ist es ein Standardvorwurf, fast schon ein Stereotyp geworden, dass wir, die schreibende Zunft und vor allem die Jüngeren unter uns, im schlimmsten Sinne unpolitisch seien. Wir halten keine Parteibücher. Wir benutzen unsere Texte nicht als Träger politischer Inhalte. Ob wir wählen gehen und was, wissen bestenfalls unsere engsten Freunde. Falls wir eine Meinung haben, teilen wir sie höchstens in aller Bescheidenheit mit, am liebsten am Wohnzimmertisch und unter kostenfreier Mitlieferung sämtlicher Gegenpositionen.

Ich kenne viele Autoren, die von ihren eigenen Texten oder sogar von der Literatur an sich sagen, sie sei geradezu verpflichtet zu politischer Abstinenz; Kunst und Künstler dürften sich nicht in den Dienst überindividueller Zwecke stellen.

Über solche abstrakten Fragen ist in der Vergangenheit zur Genüge gestritten worden. Einigermaßen neu scheint mir der Umstand zu sein, dass die zeitgenössische Abkehr der Literatur vom Politischen keinesfalls einem ästhetischen Konzept entspringt. Sie hat nichts mit l'art pour l'art zu tun. Sie entspringt auch keinem politischen Konzept. Sie ist – einfach da. Eine Selbstverständlichkeit, zu der es keine Alternative zu geben scheint. [...] Nun will ich keineswegs ins Klagelied von der Politikverdrossenheit einstimmen. Meines Erachtens beruht dieses Phänomen allein auf einem terminologischen Missverständnis: Gemeint ist in Wahrheit gar nicht die Politik- sondern die Parteiverdrossenheit. Die Angehörigen meiner Generation sind echte Einzelgänger; sie mögen sich nicht mit einer Gruppe identifizieren.

l'art pour l'art
französisch: die Kunst um ihrer selbst willen

Wenn einer schon Schwierigkeiten hat, eine Familie zu gründen – wie soll er dann bitte einer Partei beitreten? Wer sich heute als Teil einer Bewegung versteht, gerät schnell in den Verdacht eines Mangels an individueller Persönlichkeit und eines reichlich uncoolen, wenn nicht gar gefährlichen Herdentriebs.

Man mag in Deutschland keine Uniformen mehr, weder stoffliche noch geistige. Dass diese Abneigung in einem Land, dessen Bevölkerung traditionell zu Übertreibungen neigt, schnell zum fanatischen Antikollektivismus mutiert, vermag nicht einmal sonderlich zu überraschen. Folge daraus ist leider die Unfähigkeit, legitime Interessen gemeinsam durchzusetzen und auf diese Weise am demokratischen Leben teilzunehmen. In der Demokratie zählt die Mehrheit, und die Mehrheit ist nun mal in gewissem Sinn eine Gruppe.

Ein Schriftsteller muss aber, um politisch zu sein, nicht nur keiner Partei angehören; er muss nicht einmal politische Literatur schreiben. Er kann Schriftsteller und politischer Denker in Personalunion sein, ohne dass das eine Mittel zum Zweck des anderen würde. Was wäre von ihm zu erwarten?

Er müsste einfach zu bestimmten politischen Themen eine Meinung entwickeln und diese von Zeit zu Zeit öffentlich kundtun. Mehr als jeder andere hat er die Chance, politisch zu agieren und trotzdem seine Herdenphobie zu pflegen. Lässt man nun die lebende Schriftstellergeneration vor dem geistigen Auge vorbeiziehen, wird man sich in den meisten Fällen ergebnislos fragen: War X für oder gegen den Irak-Krieg? Was meint Y zum Reformstau? Wie steht es nach Zs Meinung um die Fortentwicklung der Demokratie?

Befragt man X, Y und Z in der Kneipe bei Bier und Wein, werden sie mit großer Wahrscheinlichkeit zu allen Fragen etwas sagen können. Fragt man sie: Warum schreibt ihr das nicht auf, wie es eurer Profession entspricht?, werden sie Unklares murmeln. Das bringt nichts. Ist nicht mein Job. Ich trenne Politik und Literatur, ich will mich vor keinen Karren spannen lassen. Man hat, unendlich paradox, die Politik zur Privatsache erklärt.

Ich sage Ihnen, warum das so ist. Die öffentliche Meinung hat die Schriftsteller aus dem Dienstverhältnis entlassen, und Letztere haben nicht einmal versucht, Kündigungsschutzklage dagegen zu erheben. Wenn heutzutage ein Bedarf nach Meinung entsteht, fragt man einen Spezialisten. In schlimmen Bedarfsfällen gründet man eine Kommission. Es gibt Balkanspezialisten, Irakspezialisten, Steuer-, Ethik- und Jugendspezialisten, Spezialisten für Demokratie oder Menschenrechtsfragen, und es gibt fast ebenso viele Kommissionen. Die Schriftsteller haben sofort eingesehen, dass sie weder Spezialisten noch eine Kommission sind. Sie sind Experten für alles und nichts, für sich selbst, für Gott und die Welt.

Die moderne Menschheit unterliegt einem fatalen Irrtum, wenn sie vergisst, dass Politik etwas ist, das, im Guten wie im Bösen, von Menschen für Menschen gemacht wird, und nicht etwa eine Wissenschaft, die nur in den Laboratorien der globalen Wirtschaft und des internationalen Verbrechens erforscht und verstanden wird.

Um politisch zu sein, braucht man keine Partei; und man braucht vor allem kein staatlich anerkanntes Expertentum. Vielmehr braucht man zweierlei: gesunden Menschenverstand und ein Herz im Leib. Es ist nicht so, dass uns Schriftstellern diese beiden Dinge abhandengekommen wären. Wir trauen uns nur nicht mehr, sie öffentlich zu gebrauchen. Wir fürchten die Frage: Woher wisst ihr das? [...]

Nach meiner politischen Einstellung befragt, würde ich antworten, dass ich meinen Kinderglauben an die Gerechtigkeit noch nicht verloren habe. Ich würde anführen, dass ich meine juristischen Kenntnisse bislang ausschließlich darauf verwende, ehrenamtlich gegen demokratischen Kolonialismus auf dem Balkan, gegen ugandische Kriegsverbrecher und gegen die Telekom zu kämpfen. Trotzdem gehöre ich keiner Partei an, und niemand, am allerwenigsten ich selbst, wäre in der Lage zu sagen, ob ich „links" bin oder „rechts".

Mehr als rechts und links, rot oder schwarz stützt mich der feste Glaube, dass der Literatur per se eine soziale und im weitesten Sinne politische Rolle zukommt, weil es ein natürliches Bedürfnis der Menschen ist zu erfahren, was andere Menschen – repräsentiert durch den Schriftsteller und seine Figuren – denken und fühlen. Allein deshalb darf die Literatur auf dem Gebiet der Politik nicht durch den Journalismus ersetzt oder verdrängt werden, und sie soll sich nicht hinter ihrem fehlenden Experten- und Spezialistentum verstecken.

Sie steht vielmehr in der Verantwortung, die Lücken zu schließen, die der Journalismus aufreißt, während er bemüht ist, ein Bild von der Welt zu zeichnen. Damit hat sie eine Aufgabe, an der sie wachsen kann, und hier liegt der Weg, den ich einzuschlagen versuche. Ich möchte den Lesern keine Meinungen, sondern Ideen vermitteln und den Zugang zu einem nichtjournalistischen und trotzdem politischen Blick auf die Welt eröffnen.

1 Klären Sie die Begriffe „Kollektiv" und „Kollektivismus" (vgl. Z. 28).

2 Erläutern Sie die politischen Kategorien „links" und „rechts" (Z. 75). Beachten Sie dabei die historische Genese dieser Begriffe, die aktuelle Schwierigkeit, sie eindeutig zuzuordnen, und den Umstand, dass in der deutschen Sprache „links" und „rechts" normativ konnotiert werden.

3 Definieren Sie, was unter „gesundem Menschenverstand" (Z. 65 f.) und unter „ein Herz im Leib" (Z. 66) zu verstehen ist.

4 Beurteilen Sie die Aussage der Autorin, dass die Bevölkerung in Deutschland „traditionell zu Übertreibungen" (Z. 27 f.) neigt.

5 Problematisieren Sie die Verwendung des Begriffs „gefährliche[r] Herdentrieb" (Z. 25) für die Teilnahme an (politischen) Bewegungen. Suchen Sie nach sprachlichem Material, das eine neutrale oder positive Haltung zum Ausdruck bringt.

6 Setzen Sie die Aussage über die politische Rolle der Literatur (Z. 76 – 82) mit der Position von Irmgard Scheitler (vgl. S. 174 f.) in Beziehung.

7 Erläutern Sie, inwieweit die Autorin zwischen der leiblichen Person eines Autors oder einer Autorin und deren literarischen Figuren differenziert.

8 Untersuchen Sie, ob die Position von Juli Zeh in dem Roman „Heimsuchung“ wiederzufinden ist.

Philip J. Dingeldey

Adorno und Celan zur Lyrik nach dem Holocaust (2015)

Philip J. Dingeldey (*1990 in Nürnberg), Journalist und Autor

Über den Holocaust aus literarischer Perspektive zu schreiben ist schwer, obgleich zahlreiche Werke der deutschen Nachkriegsliteratur genau das versuchten. [...] Ließe sich dann nicht wenigstens mit dem literarischen Genre der Lyrik darüber schreiben? Theodor W. Adorno hat dies in seinem Buch *Kulturkritik und Gesellschaft* verneint, denn in einer totalen kapitalistischen Gesellschaft der Massenkultur und Kulturindustrie sei der Geist absolut verdinglicht. Die weltberühmte, zahlreich zitierte und rezipierte Stelle aus diesem Werk lautet: *„Kulturkritik findet sich der letzten Stufe der Dialektik von Kultur und Barbarei gegenüber: nach Auschwitz ein Gedicht zu schreiben, ist barbarisch, und das frisst auch die Erkenntnis an, die ausspricht, warum es unmöglich ist, heute ein Gedicht zu schreiben.“*

In selbstgenügsamer Kontemplation sei der kritische Geist der Verdinglichung nicht mehr gewachsen. Dieses Verdikt Adornos wurde von vielen kritisiert oder auch – fälschlicherweise – als pure Provokation abgetan, wurde aber in jedem Fall stark mystifiziert und missinterpretiert. Als praktische Antithese dessen können jedoch die Gedichte des Poeten Paul Celan fungieren, der selbst eine Zeit lang als Jude in einem Arbeitslager interniert war. Der deutlichste Versuch, Lyrik nach Auschwitz über Auschwitz zu schreiben, ist dabei Celans Gedicht *„Die Todesfuge“* [...] (1952), die versucht, mit neuen lyrischen Mitteln das erlebte Leid von Auschwitz auf einer abstrakten Ebene zu beschreiben, mit Chiffren, wie *„Schwarze Milch der Frühe wir trinken sie abends/wir trinken sie mittags und morgens wir trinken sie nachts/wir trinken und trinken/wir schaufeln ein Grab in den Lüften da liegt man nicht eng“*, ständigen sich neu anordnenden Redundanzen, und tief schürfenden Metaphern, wie dem Mann, der im Haus mit den Schlangen spielt oder dem Ausspruch *„Der Tod ist ein Meister aus Deutschland“*, der mehrmals brutal mitten in die Verse geworfen wird. [...]

mystifizieren einer Sache ein geheimnisvolles, Gepräge geben

Antithese Gegenstück, Gegenbeweis

Paul Celan (*1920 Rumänien †1970 Paris), deutschsprachiger Lyriker

Das Problem des Gegensatzes zwischen Adornos Lyriktheorie und Celans Lyrikpraxis ist aber wohl auch Adornos zu reduzierte Sicht auf die Lyrik selbst, die gerade die einzige literarische Gattung war, für die er dezidiert ausschloss, noch schreibbar zu sein, ohne barbarisch zu werden. [...] Adorno betrachtete Lyrik scheinbar im rein klassischen Sinne als eine Literaturform, die komprimiert und erhaben eine Art metaphysische Katharsis hervorrufen könnte, dabei die Emotionen oder Erlebnisse in einer metaphorischen Weise verarbeitet und vielleicht sogar noch heiter und unterhaltsam ist.

Natürlich hat Adorno insofern recht, als dass romantische Gedichte, etwa im kitschigen Stile von Joseph von Eichendorff, nach Auschwitz tatsächlich einen bitteren Beigeschmack, eine banale bis barbarische Konnotation erhalten, da sie die wirkliche Problematik vielmehr verdecken statt thematisieren. Als heitere Kunstform ist Lyrik tatsächlich nach Auschwitz absolut ungeeignet.

Doch Lyrik ist ja keinesfalls obligatorisch heiter, geschweige denn metaphysisch, kann sich als *sui generis* sehr wohl der Verdinglichung partiell entziehen, vielleicht noch eher als üblicher Weise konkretere Literaturformen, wie das Drama oder der Roman. Barbarisch war der Holocaust, barbarisch ist auch eine totale Gesellschaft, aber die Lyrik als Ganzes ist nicht barbarisch!

Nach Auschwitz konnte Lyrik nicht mehr in der vorherigen Form verfasst werden, ohne ignorant oder barbarisch zu sein. Das bedeutet aber, dass es einer neuen Form der Lyrik bedürfte, die etwa Celan, Nelly Sachs und viele andere in unterschiedlicher Qualität gefunden haben.

sui generis nur durch sich selbst eine Klasse bildend; einzig, besonders, von eigener Art

Nelly Sachs *1891 Berlin †1970 Stockholm jüdische deutsch-schwedische Lyrikerin Nobelpreisträgerin

Schließlich sah dies auch Adorno ein und schränkte diesbezüglich sein Verdikt ein, indem er in seinen Noten zur Literatur schrieb: *„Der Satz, nach Auschwitz ließe sich kein Gedicht mehr schreiben, gilt nicht blank, gewiss aber, dass danach, weil es unmöglich war und bis ins Unabsehbare unmöglich bleibt, keine heitere Kunst mehr vorgestellt werden kann."*

Erschwert wird eine Lyrik nach Auschwitz nicht nur durch den Verlust von Heiterkeit oder Metaphysik, sondern auch die Utopie (oder Dystopie) sei darin unmöglich, da das Unvorstellbare, das thematisiert werde, bereits eingetreten ist. Ebenso kann das überlebende Opfer nie Adornos Diktum komplett widerlegen, da sich nie und mit keinen Worten – egal, wie brillant und einfühlsam sie gewählt sein mögen – das volle Ausmaß des Geschehenen auf allen Ebenen, abseits der bloßen Narration der Vergangenheit, explizieren und implizieren lässt. Als Gegenargument könnte man ein Zitat (erstaunlicher Weise aus dem Film Star Trek 3) anführen: *„Heißt das, man kann mit Ihnen nur über den Tod reden, wenn man selbst schon einmal tot war?"*

Dystopie
fiktionale, in der Zukunft spielende Erzählung mit negativem Ausgang

Mit diesem erheblichen Mangel – den Holocaust unvollständig aufzubereiten, meist auch für Leser, die diesen nicht erlitten – muss eine Lyrik nach Auschwitz über Auschwitz leben, aber das macht sie nicht unmöglich! Man könnte also unterstellen, dass Adornos Lyrikbild zu reduziert und weniger kreativ war, als das aktive Dichter, die den Holocaust am eigenen Leib erleben mussten.

Viele davon haben neue, unvollkommene, aber dennoch sehr eindringliche Wege gefunden, das Thema Holocaust zumindest partiell zu behandeln, die bis ins Mark gehende aufgeklärte Barbarei ansatzweise zu beschreiben. [...]

Gerade wegen des Holocausts, der alles bislang da gewesene Grauen in den Schatten stellt, war es so wichtig, das Schweigen der Opfer zu brechen, das Vergessen zu verhindern und auf allen ihm noch möglichen Wegen das Thema aufzugreifen und zu verarbeiten [...]. Auch gerade die Lyrik kann, durch eine erhöhte Abstraktion, sich noch am ehesten der totalen Verdinglichung nach Auschwitz widersetzen und subversiv agieren. [...]

(Text leicht verändert)

1 ***Lernarrangement zur Vertiefung des Textverständnisses***

a) Teilen Sie Ihren Kurs in vier Gruppen. Jede Gruppe beschäftigt sich mit einer der folgenden Fragen und verfasst eine kurze schriftliche Definition:
   1. Was ist unter „Massenkultur" (Z. 5) und „Kulturindustrie" (Z. 6) in einer „totalen kapitalistischen Gesellschaft" (Z. 5) zu verstehen?
   2. Was bedeutet es, dass der „Geist absolut verdinglicht" (Z. 6) ist?
   3. Was ist unter „Dialektik von Kultur und Barbarei" (Z. 8) zu verstehen?
   4. Was ist unter „selbstgenügsamer Kontemplation" (Z. 11) zu verstehen?

b) Präsentieren Sie Ihre Ergebnisse und setzen Sie die Klärung im Plenum fort.

2 Erläutern Sie, welche Auffassung Adorno laut P. J. Dingeldey von Lyrik und deren Wesen und Wirkung hat.

3 Stellen Sie dar, welche Haltung der Autor des Textes zu der Frage hat, wie der Holocaust literarisch – besonders im Hinblick auf Lyrik – verarbeitet werden kann.

4 Recherchieren Sie, wer Paul Celan und Nelly Sachs waren, und präsentieren Sie Ihre Ergebnisse in Form eines Referats.

5 ***Lernarrangement***

T. W. Adorno hat seine Aussage zurückgenommen (Z. 8 ff. und Z. 48 ff.). Aber er muss einen Grund gehabt haben, sie zu tätigen.

a) Diskutieren Sie in Partnerarbeit, worauf sich die Vorstellung gegründet haben mag, dass der Holocaust sprachlich nicht dargestellt werden kann (vgl. Z. 5).

b) Formulieren Sie Ihre Ergebnisse als Thesen und präsentieren Sie diese dem Plenum.

Die Heimsuchenden werden heimgesucht

Die tiefgreifenden Ereignisse der deutschen Geschichte im Romantext aufspüren und dem Vergessen entreißen

In einem Interview mit der Zeitung „Standard“ äußert sich Jenny Erpenbeck zur Flüchtigkeit des Erinnerns und zur Gründlichkeit des Vergessens.

Jenny Erpenbeck (*12.03.1967), Autorin von „Heimsuchung“

Vergleichen Sie zu den **Utopien der Großeltern** die Aufgaben 5 und 6 und den Text von Ernst Bloch auf Seite 178.

Interview mit Jenny Erpenbeck (2009)

Standard: Soeben erschien der Band „Dinge, die verschwinden“ – ein „Buch des Abschieds“, das auch Erinnerungen an die DDR heraufbeschwört. Wollen Sie die DDR, in der Sie lebten, festhalten?

Erpenbeck: Ich weiß nicht, ob ich sie festhalten will. Das Verschwinden interessiert mich grundlegend. Die DDR ist dafür ein gutes Beispiel, gerade angesichts solcher Utopien wie die, denen meine Großeltern gefolgt sind. Man hofft immer auf etwas, das über die eigene leibliche Existenz hinausragt und bleibt. Meine Großeltern hatten ihr Leben lang diese Hoffnung. Dennoch wird das jetzt so nivelliert. Das wirft die Frage auf, was man als Mensch erreichen kann – wie weit man auf Dauer über seine Existenz hinauswachsen kann.

Standard: Haben Sie Angst vor dem Vergessen?

Erpenbeck: Jede Sekunde verwandelt sich in der nächsten Sekunde in Vergangenheit. Das heißt, das ganze Leben verwandelt sich fortwährend in Vergangenheit und, bestenfalls, in Erinnerung. Wenn Sie jetzt hinausgehen, dann sind Sie bei mir gewesen. Sie haben nur noch die Erinnerung. Während man lebt, produziert man Erinnerung. Man hat ja ein sehr komplexes Leben. Wenn dieser Alltag an irgendeiner Stelle ein Loch bekommt, etwa durch einen Todesfall, würde man sich gerne an die ganze Komplexität, die der Alltag gehabt hat, erinnern. Das kann man aber nicht. Man erinnert sich an einzelne Bilder, nicht jedoch an das ganze Leben, weil die Erinnerung eben nicht das Leben ist. Die Erinnerung ist immer nur ein Blick zurück. Was man im Moment erlebt, bleibt nur in Bruchstücken übrig, und die Komplexität verschwindet ins Nichts.

1 Erörtern Sie, inwieweit sie der Vorstellung von Jenny Erpenbeck über das Wesen der Erinnerung zustimmen können.

Sie haben bereits auf Seite 171 damit begonnen, die Themenkreise zusammenzutragen, die als Heimsuchungen über die Figuren des Romans „Heimsuchung“ hereinbrechen. Im Folgenden geht es darum, die Bedeutung der Heimsuchungen in hundert Jahren deutscher Geschichte aufzuspüren und nachzuvollziehen, wie sie im Roman in Erscheinung treten.

Durch die Ausstattung mit einigen anderen literarischen Texten soll erreicht werden, möglichst viel von der Komplexität des Lebens vor dem Vergessen zu bewahren.

Folgende Themenkreise bieten sich an:

- Unterdrückung und Entrechtung der Frau durch Gesetz und Tradition
- Sexualisierte Gewalt (als Bestandteil kriegerischer Handlungen)
- Entrechtung und Vernichtung der Juden
- Krieg als Furie der Brutalität und der Barbarei
- Vergleich der Schicksale zweier Frauen als Opfer stalinistischer Kontrolle
- Die DDR und der Traum vom Sozialismus

„Darf und muss, und darf, und muss."

Die Unterdrückung und Entrechtung der Frau durch Gesetz und Tradition als Themenkreis erschließen

Im Roman steht dieser Themenkreis in dem Kapitel „Der Großbauer und seine vier Töchter" (TA, S. 14 – 26) eindeutig im Vordergrund. Alle vier Töchter sind mehr oder weniger Opfer einer Gesellschafts-ordnung, in der per Gesetz und vor allem per Tradition Frauen unterdrückt und ihres Rechtes auf Selbstbestimmung beraubt werden. Arbeiten Sie zu zweit oder in der Gruppe. Verteilen Sie die folgenden Arbeitsaufträge und präsentieren Sie Ihre Ergebnisse im Plenum.

1 Schon an anderer Stelle (vgl. S. 164, Aufgabe 3) haben Sie sich mit den beiden Textblöcken befasst, die das tradierte Brauchtum beschreiben, das bei Heirat und Tod zur Anwendung kommt. Werten Sie dieses Textblöcke dahingehend aus, was bei dem Heiratsbrauchtum ausschließlich die Braut, das Brautpaar, den Bräutigam oder andere betrifft.

2 Stellen Sie Mutmaßungen darüber an, was eigentlich passieren würde, wenn einige oder alle dieser Traditionen nicht vollzogen werden würden.

3 Arbeiten Sie heraus, welche Rolle der Landerwerb bei der Hochzeitsplanung bzw. deren Scheitern spielt.

4 Deuten Sie S. 18, Z. 19 – 30: Warum wird der weitere Lebensweg des Sohnes von Bauer Sandke so ausführlich dargestellt?

5 Beschreiben Sie, was Hedwig und der Besucherin angetan wurde, als sie schwanger waren. Charakterisieren Sie diese Vorgehensweisen der Familien anhand von drei Adjektiven.

6 Erörtern Sie, ob Emma angesichts der Schicksale ihrer älteren Schwestern vorgezogen hat, sich „wie ein Mann" zu verhalten, und ob Klara nur die „Flucht" in den Wahnsinn blieb. Stellen Sie die Eskalationsstufen dieser „Flucht" dar.

7 Sie haben den Inhalt der Fischer-Episode (TA, S. 20, Z. 1 – S. 21, Z. 15) bereits erarbeitet (s. S. 164, Aufgabe 3). Erläutern Sie, in welcher Gefühlslage Klara ist und welche emotionale Atmosphäre in dieser Episode herrscht.

Ein weiterer Aspekt dieses Themenkreises ist in dem Kapitel „Die Frau des Architekten" (TA, S. 64 – 76) zu finden. Nicht von ungefähr legt ja diese Bezeichnung bereits die Wahrnehmung nahe, dass sie eben „nur" die *Frau* des Architekten ist. Verfahren Sie mit den folgenden Arbeitsaufträgen wie bei den vier Töchtern.

8 Erläutern Sie das auf S. 64, 65 und 66 dargestellte Verhältnis der Protagonistin zu ihrem Vater. Beachten Sie auch die sprachliche Gestaltung dieses Verhältnisses. Interpretieren Sie die Episode auf der Eisscholle (TA, S. 66, Z. 21 – S. 67, Z. 2).

9 Interpretieren Sie die Vermutung der Frau des Architekten, der Architekt habe dieses Lachen für immer in das Haus einbauen wollen (vgl. TA, S. 67, Z. 7): Ist das häufige Lachen ein Zeichen von Fröhlichkeit und Stärke oder eher von Unsicherheit und innerer Zerrissenheit?

10 Untersuchen Sie den Zusammenhang zwischen der Aussage: „Dass für Kinder kein Zimmer vorgesehen war, verstand sich für beide von selbst." (TA, S. 67, Z. 24f.) und dem Hinweis, dass sie ihr Haus „jedenfalls keinem Mann vererben" (TA, S. 67, Z. 14) wolle.

11 Deuten Sie die Wahrnehmung der Protagonistin, dass die Frauen während der Mittagspause eher aussehen, „als warteten sie auf irgendetwas, und das Warten fiele ihnen nicht leicht." (TA, S. 69, Z. 19ff.)

Hedwig Courths-Mahler

Gib mich frei (1890)

Lisa stand in dem langschleppenden weißen Brautkleide vor dem Spiegel. Vor zwei Stunden war sie auf dem Standesamt nach Recht und Gesetz die Gattin des Barons Ronald von Stolle-Hechingen geworden. Nun sollte die kirchliche Einsegnung der Ehe stattfinden. Lisas Tante, Frau Konsul Limbach, stand vor ihr und betrachtete sie durch ihre Stiellorgnette mit kritischen Blicken. Sie gab der Jungfer, die noch um Lisa beschäftigt war, in vornehm lispelndem Ton Anweisungen, was noch an dem Kleide geordnet werden musste.

Lisa selbst sagte kein Wort dazu. Sie stand in gerader, gezwungener Haltung da und blickte mit großen, verträumten Augen in den Spiegel. Ein scheues, verklärtes Lächeln huschte zuweilen um ihren Mund, und leise Seufzer entstiegen ihrer Brust, als sei sie zu eng für das, was sie empfand. Sie war keine Schönheit, die blasse, scheue Lisa. Ihre mittelgroße Gestalt war entschieden noch zu schlank und unentwickelt; die Linien entbehrten der Rundung. Dieser Eindruck wurde noch durch eine steife, gezwungene Haltung verschärft.

In ihrem Wesen lag etwas Gedrücktes, Unselbständiges, wie man es bei Menschen findet, die sich nicht frei entwickeln konnten. – Ihr Gesicht war zu farblos und besaß wenig Reiz. Zwar hatte sie wunderschöne dunkelblaue Augen, reiches, braunes Haar und einen hübsch geschnittenen Mund; aber die Lippen lagen meist fest aufeinander, die Augen verbargen sich zu oft unter den Lidern, und das Haar war straff und unkleidsam über die Stirn zurückgenommen. Es bildete am Hinterkopf einen dicken, abstehenden Knoten und gab dem Kopf eine unvorteilhafte Form.

Diese von Frau Konsul Limbach für ihre Nichte gewählte Frisur legte für die Geschmacklosigkeit und den mangelnden Schönheitssinn dieser Dame beredtes Zeugnis ab.

Die Jungfer hatte versucht, der Konsulin wenigstens für heute die Erlaubnis abzuringen, der jungen Braut eine gefälligere, moderne Frisur machen zu dürfen. Sie schlug einen locker fallenden, welligen Scheitel vor, und Lisa hatte bei dieser Bitte mit scheuem Verlangen in die kalten, immer halbgeschlossenen Augen der Tante geblickt. Sie fand ihre eigene Frisur gräulich und unschön und hätte ihr Haar schon längst gern anders geordnet. Aber Tantes Befehl verbot das ein für allemal. [...]

„Frisieren Sie die Frau Baronin wie alle Tage, Minna. Derartige Frisuren passen für Kellnerinnen und Ladenmädchen, oder für Künstlerinnen, – aber nicht für eine wirklich vornehme Dame."

Lisas Lippen zuckten bei diesen Worten. Sie hätte gern gesagt, dass viele Damen der Gesellschaft sich so frisierten, weil es Minna für sie in Vorschlag gebracht; aber ein Blick in Tante Hermines kaltes, strenges Gesicht hielt sie davon ab. Sie wusste ja aus Erfahrung, dass Tante nie von dem abging, was sie bestimmte. Sie nannte das Konsequenz, ihr Gatte bezeichnete es jedoch im stillen als Starrköpfigkeit.

Wie immer, ordnete sich Lisa auch heute dem despotischen Willen der Tante unter. Die Jungfer suchte mitleidig durch Brautkranz und Schleier die strengen Linien der Frisur zu mildern. Dazu lag heute ein leises Rot auf den sonst so blassen Wangen, und die Augen strahlten intensiver. So sah die junge Braut nicht gar so reizlos aus.

Lisa legte auch nicht viel Gewicht auf Äußerlichkeiten. Schließlich war es gleich, ob sie so oder so frisiert war, – ihrem Ronald gefiel sie doch. Er liebte sie, wie sie war; ihm galt ihre Seele mehr als ihr Äußeres. Sonst hätte er sie doch nicht zum Weibe begehrt, – er, ihr höchstes, Bestes im Leben, ihr herrlicher Ronald, ihr Gatte!

Hedwig Courths-Mahler (*18.02.1867 †26.11.1950), Schriftstellerin

Lorgnette Sehhilfe, die an einem Griff vor die Augen gehalten wird

Welch ein wunderbares, unfassbares Glück, dass er sie liebte, sie, die unscheinbare stille Lisa, die weder schön noch glänzend, weder besonders geistreich noch interessant war! Nie wäre es ihr eingefallen, an seiner Liebe zu zweifeln. So unverdient und märchenhaft ihrem bescheidenen Sinn ihr Glück erschien, so demütig sie sich auch vor der Größe desselben beugte, nie suchte sie nach einem anderen Grund für seine Werbung. Dass er sie liebte und zur Frau begehrte, war ihr ein holdes Wunder, dem sie sich mit gläubigem Herzen beugte.

Es kam ihr nie in den Sinn, dass vielleicht ihr Reichtum ihn dazu bewogen haben konnte. Reichtum war ihr so etwas Gewohntes, Gleichgültiges. Weil sie es immer besessen hatte, kannte sie die Macht des Geldes nicht. Sie wusste so wenig vom Leben überhaupt und ahnte nicht, dass Geld ein viel mächtigerer Faktor war als Liebe. Das einzige Gute hatte Tante Hermines Erziehung bei ihr erzielt, dass sie nicht stolz auf die Macht des Geldes pochte wie andere Erbinnen. Lisa wusste wohl, dass ihr die Eltern ein sehr großes Vermögen hinterlassen hatten, dass sie einst auch Onkel und Tante Limbach und auch noch eine Schwester ihres Vaters, Frau von Rahnsdorf, beerben würde. Aber der Begriff, dass sie mit diesen Aussichten eine glänzende Partie war, ging ihr vollständig ab. Dazu hatte sie Tante Hermine viel zu sehr in Bescheidenheit und Demut erzogen. Tante Hermine war einst ein sehr armes adeliges Fräulein gewesen, und obgleich sie bei ihrer Verheiratung sehr wohl mit dem Vermögen ihres Gatten gerechnet hatte, liebte sie es, wegwerfend vom ‚schnöden Mammon' zu sprechen. Sie verherrlichte die Geburtsaristokratie sehr auf Kosten der Geldaristokratie. Da nun Lisa nicht gleich ihrer Tante adeliges Fräulein war, sondern nur ein reiches bürgerliches Mädchen, so fiel es ihr nicht ein, diesen Reichtum als etwas besonders Erstrebenswertes anzusehen.

Baronin Schlassnig (geb. Barreaux) um 1800, unbekannter Künstler

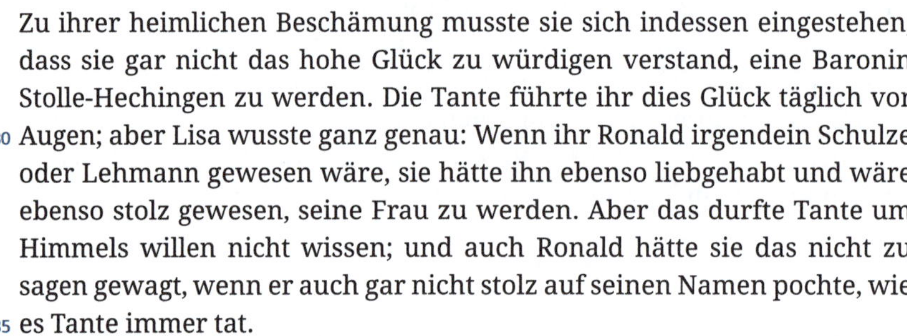

Zu ihrer heimlichen Beschämung musste sie sich indessen eingestehen, dass sie gar nicht das hohe Glück zu würdigen verstand, eine Baronin Stolle-Hechingen zu werden. Die Tante führte ihr dies Glück täglich vor Augen; aber Lisa wusste ganz genau: Wenn ihr Ronald irgendein Schulze oder Lehmann gewesen wäre, sie hätte ihn ebenso liebgehabt und wäre ebenso stolz gewesen, seine Frau zu werden. Aber das durfte Tante um Himmels willen nicht wissen; und auch Ronald hätte sie das nicht zu sagen gewagt, wenn er auch gar nicht stolz auf seinen Namen pochte, wie es Tante immer tat.

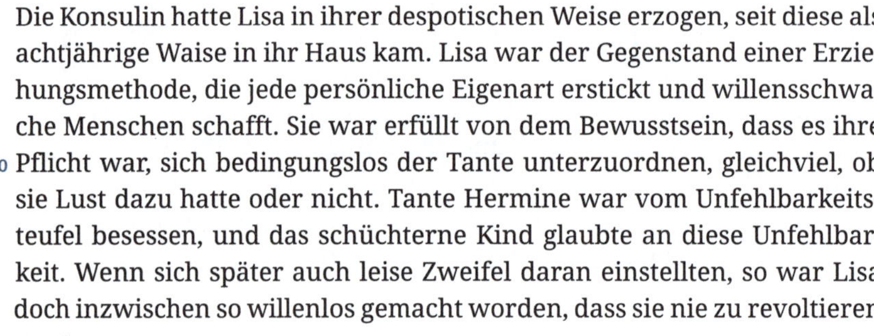

Die Konsulin hatte Lisa in ihrer despotischen Weise erzogen, seit diese als achtjährige Waise in ihr Haus kam. Lisa war der Gegenstand einer Erziehungsmethode, die jede persönliche Eigenart erstickt und willensschwache Menschen schafft. Sie war erfüllt von dem Bewusstsein, dass es ihre Pflicht war, sich bedingungslos der Tante unterzuordnen, gleichviel, ob sie Lust dazu hatte oder nicht. Tante Hermine war vom Unfehlbarkeitsteufel besessen, und das schüchterne Kind glaubte an diese Unfehlbarkeit. Wenn sich später auch leise Zweifel daran einstellten, so war Lisa doch inzwischen so willenlos gemacht worden, dass sie nie zu revoltieren wagte.

Onkel Karl, Frau Herminens Gatte, war viel zu gutmütig, friedliebend und bequem, um seiner Gattin gegenüber seinen Willen zur Geltung zu bringen. Er war zwar mit ihrer Erziehungsmethode gar nicht einverstanden; aber er traute sich doch nicht genug pädagogische Fähigkeiten zu, um einzugreifen. [...] Äußerte er jedoch einmal sein Missfallen an der sklavischen Unterdrückung jeder Willensregung seiner Nichte, dann sah ihn seine Gattin mit dem erstauntesten, kältesten und vornehmsten Blick an, den sie auf Lager hatte, und sagte:

„Lieber Karl," – ‚lieber' wurde stark betont. „Ich wünsche, dass du mir überlässt, Lisa zu einer wahrhaft vornehmen und wohlerzogenen jungen Dame zu erziehen. Davon verstehst du nichts. Da der Himmel uns leider selbst ein Kind versagte, will ich die Tochter deines Bruders mit all der Sorgfalt erziehen, die ich einer eigenen Tochter widmen würde. Ich hoffe, du machst mir mein schweres Amt nicht durch gedankenlose und gefährliche Weichherzigkeiten noch schwerer. Du weißt, ich wurzle noch mit allen Fasern in dem Boden, dem ich entstamme. In meiner Familie, in der Familie der Freiherrn von Schlorndorf, werden alle jungen Damen in dieser wahrhaft vornehmen, bescheidenen Weise erzogen."

Damit wurde Karl Limbach stets zum Schweigen gebracht. Wenn seine Gattin die Geborene von Schlorndorf ins Treffen führte, war er geschlagen. Nicht, weil er diese wohledle Familie so sehr ehrfurchtsvoll zu betrachten pflegte, sondern weil seine Gattin, wenn sie dies Thema anschnitt, überhaupt kein Ende fand und sich so in Selbstberäucherung gefiel, dass er trotz seiner Friedfertigkeit wild wurde. Eheliche Szenen waren ihm aber verhasst; deshalb gab er dann meist lieber Fersengeld. [...]

So war Lisa den Erziehungsprinzipien ihrer Tante auf Gnade und Ungnade überliefert.

Sie besaß zwar noch eine Tante, die energisch genug war, um Frau Hermine nachdrücklich genug den Standpunkt klarzumachen; aber Frau von Rahnsdorf hatte sich vollständig mit ihrer Schwägerin überworfen, und jeder Verkehr zwischen ihnen hatte aufgehört.

Anna von Rahnsdorf war seit Jahren Witwe, und da sie auch keine Kinder besaß, hätte sie Lisa sehr gern zu sich genommen. Hermine hatte das jedoch zu hintertreiben gewusst. Sie nahm Lisa hauptsächlich in ihr Haus, um ihre Schwägerin, die sie hasste, zu ärgern. Dadurch war die Feindschaft der Schwägerinnen noch verstärkt worden.

Zwar hatte Hermine einwilligen müssen, dass Frau von Rahnsdorf zu Lisas Hochzeit eingeladen wurde, aber diese hatte abgelehnt, zu kommen.

Während Lisa noch vor dem Spiegel stand, wurde ein Brief für sie gebracht. Errötend schaute sie auf die Adresse: „Frau Baronin Elisabeth Stolle-Hechingen." Wie sonderbar fremd und doch vertraut ihr dieser neue Name erschien.

„Von wem ist der Brief, Lisa?", fragte die Konsulin ungeduldig. „Du musst dich beeilen, wenn du ihn noch lesen willst."

Lisa öffnete ihn und blickte nach der Unterschrift.

„Von Tante Anna", sagte sie erstaunt.

Die Konsulin machte ein verkniffenes Gesicht, und in ihren kalten Augen zuckte es bösartig auf. Wie unwillkürlich streckte sie die Hand aus, um Lisa den Brief fortzunehmen. In demselben Augenblick wurde sie in einer wichtigen häuslichen Angelegenheit abgerufen. Mit einem unschlüssigen Blick auf den Brief in Lisas Hand rauschte sie hinaus. Die junge Frau las den Brief nur flüchtig durch und faltete ihn dann schnell zusammen, um ihn in einer kleinen Ledertasche zu bergen, die zu ihrer Reisetoilette gehörte. Sie wollte ihn später, auf der Reise vielleicht, noch einmal aufmerksam durchlesen, da ihr der Inhalt wichtig erschien. Jetzt konnte sie sich nicht näher damit befassen, da Tante Hermine jeden Augenblick zurückkehren konnte. Diese durfte den Brief um keinen Preis lesen, weil er durchaus nicht in schmeichelhaften Ausdrücken von ihr sprach.

Die Konsulin kehrte wirklich gleich darauf zurück.

„Nun, wo hast du den Brief, Lisa?", fragte sie hastig.

Die junge Frau blickte scheu und beklommen auf.

„Ich habe ihn schon fortgelegt, Tante; er war nur für mich bestimmt."

„Nur für dich bestimmt? Was soll das heißen?", fragte die Konsulin scharf. Lisa war betreten.

„Es war ein Glückwunsch zu meiner Hochzeit."

Die Konsulin blickte sie misstrauisch an; aber ehe sie noch etwas erwidern konnte, wurde an die Tür geklopft, und eine klare Männerstimme rief draußen: „Bist du fertig, Lisa?“

Ein strahlendes Leuchten flog über das Gesicht der bräutlichen Frau. Sie eilte zur Tür und öffnete. Ein großer, schlanker Offizier stand auf der Schwelle. Lisa sah mit strahlender Innigkeit zu ihm auf. Er war eine vornehme, elegante Erscheinung. Schlanke, sehnige Figur, gebräunter Teint, rassige, festgefügte Züge und klare graue Augen vereinigten sich zu einem sympathischen Ganzen. Der kleine, gestutzte Lippenbart war etwas heller als das soldatisch verschnittene Haupthaar.

Seine Augen fingen den strahlenden Blick Lisas auf, und einen Augenblick zog sich seine Stirn wie im Schmerz zusammen.

„Du bist da“, sagte Lisa mit einem so warmen, jubelnden Ausdruck, dass seine Stirn sich rötete.

Er führte ihre kleine schmale Hand ritterlich an die Lippen. Dann sah er mit einem Lächeln in ihr Gesicht, einem Lächeln, dem sie nicht anmerkte, wie gezwungen es war.

1 Verfassen Sie eine kurze Inhaltsangabe des Textauszugs.

2 Prüfen Sie, ob und ggf. wie die Erzählhaltung, die Irmgard Scheitler in ihrem Text (S. 174 f.) Theodor Fontane für „Effi Briest“ zuweist (Z. 3 – Z. 16), hier zur Anwendung kommt. Suchen Sie nach Beispielen für die auktoriale Sympathielenkung der Leserschaft.

3 ***Lernarrangement***
Teilen Sie Ihren Kurs in Kleingruppen. Charakterisieren Sie Lisa von Stolle-Hechingen und Hermine Limbach. Die eine Hälfte der Kleingruppen beschäftigt sich mit Lisa und die andere mit Hermine.

a) Diskutieren Sie in Ihrer Kleingruppe, wie Sie inhaltlich und sprachlich mit der Sympathielenkung der auktorialen Erzählstimme umgehen wollen und setzen Sie das Ergebnis in Ihrem Text um.
b) Tragen Sie im Plenum Ihre Texte vor und beurteilen Sie die unterschiedlichen Darstellungen.

4 Wenn es bei dem Sohn von Bauer Sandke mit dem Erben geklappt hätte, dann hätte die Hochzeit von Grete Wurrach ebenso stattfinden können wie die von Lena. Vergleichen Sie die beiden Bräute Lena und Grete. Arbeiten Sie Unterschiede und Gemeinsamkeiten heraus. Beachten Sie dabei besonders die Besitzverhältnisse, den sozialen Status und die familiären Verhältnisse.

5 ***Lernarrangement***
Seit der Ersterscheinung im Jahre 1890 wird der Roman „Gib mich frei“ ungebrochen erfolgreich bis heute nachgedruckt und verkauft. Bearbeiten Sie in Partnerarbeit die folgenden drei Aufgaben und präsentieren Sie Ihre Ergebnisse im Plenum.

a) Der Umschlag der Erstausgabe und das aktuelle Buchcover zeigen weibliche Personen von hinten, die in Bewegung sind. Stellen Sie Mutmaßungen darüber an, was der tiefere Hintergrund für diese Motivwahlen sein könnte.
b) Stellen Sie Überlegungen an, wie der Roman zu Ende gehen könnte. Beachten Sie dabei den Imperativ des Titels.
c) Stellen Sie Hypothesen auf, warum der Roman, von dem Sie nur die Anfangsszene kennen, seit über hundert Jahren so erfolgreich ist.

K

Klausurtraining

I A Interpretation eines literarischen Textes mit weiterführendem Schreibauftrag

1 Interpretieren Sie den Auszug aus dem Roman „Die Wohlgesinnten" von Jonathan Littell aus dem Jahre 2008 unter besonderer Berücksichtigung der Haltung des Protagonisten zum Kriegsgeschehen. Gehen Sie dabei auch auf die sprachliche Gestaltung dieser Haltung ein.

2 Nehmen Sie unter Bezugnahme auf Ihre Interpretation und auf Ihre Kenntnisse zu Jenny Erpenbecks Roman „Heimsuchung" Stellung, inwieweit literarische Werke, deren Protagonisten aktiv und überzeugt am Kriegsgeschehen teilnehmen, eine erzieherische Funktion erfüllen können.

Der Ich-Erzähler des Romans „Die Wohlgesinnten" ist Dr. jur. Maximilian Aue, Jahrgang 1913, ein ehemaliger SS-Offizier. Er lebt nach dem Krieg unbehelligt in Frankreich und schreibt seine Erinnerungen an die Zeit bei der SS und während des Zweiten Weltkriegs auf. Er wurde an wichtigen Kriegsschauplätzen an der Ostfront eingesetzt. Die Handlung des Textauszugs spielt im Jahre 1942 in eroberten Teilen der Sowjetunion (Ukraine).

Jonathan Littell

Die Wohlgesinnten (2008)

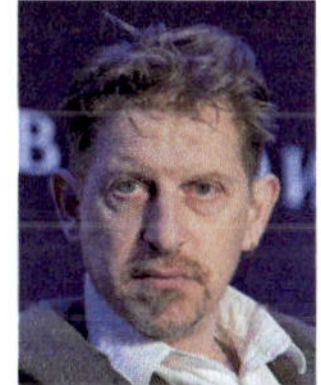

Jonathan Littell (*10.10.1967), französischer Schriftsteller

Die Frauen, vor allem die Kinder, erschwerten uns die Arbeit manchmal sehr, es versetzte einem jedes Mal einen Stich ins Herz. Die Männer beklagten sich unablässig, vor allem die älteren, die Familie hatten. Angesichts dieser wehrlosen Menschen, dieser Mütter, die zusehen mussten, wie ihre Kinder umgebracht wurden, ohne dass sie sie beschützen konnten, die nur mit ihnen sterben konnten, litten unsere Männer unter dem Gefühl extremer Ohnmacht, fühlten auch sie sich wehrlos.

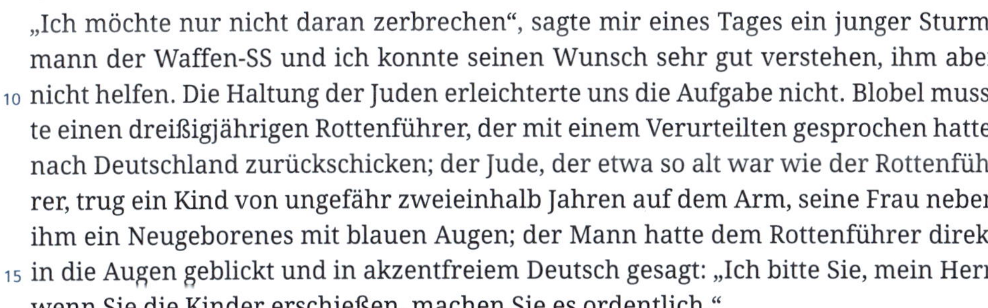

„Ich möchte nur nicht daran zerbrechen", sagte mir eines Tages ein junger Sturmmann der Waffen-SS und ich konnte seinen Wunsch sehr gut verstehen, ihm aber nicht helfen. Die Haltung der Juden erleichterte uns die Aufgabe nicht. Blobel musste einen dreißigjährigen Rottenführer, der mit einem Verurteilten gesprochen hatte, nach Deutschland zurückschicken; der Jude, der etwa so alt war wie der Rottenführer, trug ein Kind von ungefähr zweieinhalb Jahren auf dem Arm, seine Frau neben ihm ein Neugeborenes mit blauen Augen; der Mann hatte dem Rottenführer direkt in die Augen geblickt und in akzentfreiem Deutsch gesagt: „Ich bitte Sie, mein Herr, wenn Sie die Kinder erschießen, machen Sie es ordentlich."

„Er kam aus Hamburg", hatte der Rottenführer später Sperath erklärt, von dem wir die Geschichte dann hörten, „er war fast mein Nachbar, seine Kinder waren so alt wie meine."

Wilhelm Hermann Paul Blobel (*13.08.1894 †07.06.1951), SS-Offizier, Anführer eines Sonderkommandos der Einsatzgruppen zur Vernichtung der jüdischen Bevölkerung in der Ukraine

Ich selbst verlor den Boden unter den Füßen. Bei einer Exekution fiel mein Blick auf einen sterbenden kleinen Jungen in einem Graben: Der Schütze hatte wohl gezögert, jedenfalls hatte die Kugel ihn zu tief, in den Rücken, getroffen. Der Junge zuckte mit den Gliedern, die Augen offen, glasig; und diese grausige Szene überlagerte eine andere aus meiner Kindheit:

Ein Freund und ich spielten mit Blechpistolen Cowboy und Indianer. Das war kurz nach dem Ersten Weltkrieg, mein Vater war zurückgekehrt, ich muss fünf oder sechs Jahre alt gewesen sein, wie der Junge in dem Graben. Ich hatte mich hinter einem Baum versteckt; als mein Freund sich näherte, sprang ich hervor und leerte das Magazin meiner Pistole in seinen Bauch, indem ich schrie: „Paff! Paff!"

Er ließ seine Waffe fallen, griff sich mit beiden Händen in die Magengegend, brach zusammen und krümmte sich. Ich hob seine Pistole auf und wollte sie ihm zurückgeben: „Hier, nimm! Komm, wir spielen weiter." – „Ich kann nicht. Ich bin tot."

Stetl Bezeichnung für Siedlungen mit hohem jüdischen Anteil

Isba (russisch) Holz- oder Blockhütte

gde (ukrainisch) wo?

Salve Folge von Schüssen

Ich schloss die Augen, das Kind vor mir röchelte noch immer. Nach der Aktion besuchte ich das *Stetl*, das jetzt leer und verlassen war, ich betrat die *Isbas*, die niedrigen Hütten der armen Leute, an den Wänden sowjetische Kalender und Bilder, die sie aus Zeitschriften ausgeschnitten hatten, einige religiöse Gegenstände, einfache Möbel. Das hatte ganz gewiss wenig mit dem internationalen Finanzjudentum zu tun. In einem Haus fand ich einen großen Kübel Wasser auf dem Herd, das noch kochte; auf der Erde standen Töpfe mit kaltem Wasser und eine Wanne. Ich schloss die Tür, zog mich aus und wusch mich mit diesem Wasser und einem Stück Kernseife. Ich gab nur wenig kaltes Wasser hinzu: Es war kochend heiß, meine Haut wurde krebsrot. Dann zog ich mich wieder an und ging hinaus; am Ortseingang standen die Häuser bereits in Flammen.

[...] Einmal, am Rande eines anderen Massengrabes, fasste mich ein kleines Mädchen von vielleicht vier Jahren vertrauensvoll an der Hand. Ich versuchte mich loszumachen, aber es klammerte sich fest. Vor uns erschoss man die Juden. „Gde Mama?“, fragte ich die Kleine auf Ukrainisch. Sie zeigte mit dem Finger in die Grube. Ich streichelte ihr Haar. So blieben wir einige Minuten. Alles drehte sich um mich, ich wollte weinen.

„Komm mit mir“, sagte ich auf Deutsch zu ihr, „hab keine Angst, komm.“ Ich wandte mich dem Eingang der Grube zu; sie blieb stehen, hielt mich an der Hand zurück, folgte mir dann. Ich hob sie hoch und reichte sie einem SS-Mann: „Seien Sie lieb zu ihr“, sagte ich völlig idiotisch zu ihm. Ich hatte eine schreckliche Wut im Bauch, wollte sie aber weder an der Kleinen noch an dem Soldaten auslassen. Der stieg, das Mädchen auf dem Arm, in die Grube hinab, ich wandte mich abrupt ab und ging in den Wald. Es war ein hoher, heller Kiefernbestand, zwischen den weiträumig stehenden Bäumen herrschte weiches Licht. Hinter mir krachten die Salven.

Zu Aufgabe 1

Die Aufgabenstellung erwartet von Ihnen eine Interpretation des Romanauszugs unter einem vorgegebenen Gesichtspunkt, der Haltung des Protagonisten zum Kriegsgeschehen. Außerdem sollen Sie die sprachliche Gestaltung berücksichtigen. Nach einer ersten Lektüre ist Ihnen sicher nicht verborgen geblieben, dass der Protagonist aktiv und verantwortlich leitend an der Erschießung von Zivilpersonen hinter der Front beteiligt ist. Diese Position ist für eine literarische Figur sehr ungewöhnlich und es liegt nahe, dass der Protagonist sehr extremen Gefühlsregungen unterworfen sein muss. Für eine systematische Erarbeitung bietet sich folgende Vorgehensweise an:

Schritt 1: Einleitende Angaben (Autor, Titel, Textsorte); kurze Inhaltswiedergabe

Schritt 2: Zusammenstellung der aussagekräftigen Textstellen und erste Kommentierung

Schritt 3: Analytische Darstellung der Ergebnisse der Arbeit am Text

Schritt 4: Bilanzierende Schlussbemerkung mit Deutung in Bezug auf den Schwerpunkt

Schritt 1

Sie nennen die Basisdaten: den Autor Jonathan Littell, den Titel „Die Wohlgesinnten“, die Textsorte Auszug aus einem Roman, und das Erscheinungsjahr 2008. Den Inhalt des Romanauszugs geben Sie mit knappen Sätzen wieder: *Der Ich-Erzähler erinnert sich an Erschießungsaktionen von Zivilisten und der jüdischen Bevölkerung in der Ukraine. Er ist immer unmittelbar in das Geschehen involviert und reflektiert seine Empfindungen. Zwischendurch erzählt er die Erinnerung an eine Szene in seiner Kindheit.*

Schritt 2

Machen Sie sich parallel zum Lesevorgang Notizen z. B. in Form einer Tabelle:

Nr.	Zeile	Text und Textgestalt	Haltung
1	1	erschwerten [...] die Arbeit	betont sachliche Sprache
2	1	uns	diffuser Hinweis auf ein Kollektiv
3	1	es	diffuse Zusammenfassung
4	2	einem	unpersönliche Bezeichnung (statt: mir)
5	2	jedes Mal; unablässig	Hinweis auf Häufigkeit des Geschehens
6	2	Stich ins Herz	Hinweis auf empathische Anteilnahme (Opfer)
7	2	die Männer	diffuser Hinweis auf ein Kollektiv
8	4	Kinder umgebracht wurden	Unmissverständlich klare Bezeichnung
9	6 f.	fühlten auch sie sich wehrlos	Gleichsetzung von Opfern und Tätern
10	9	Wunsch sehr gut verstehen	Hinweis auf hohe Empathiebereitschaft (Täter)
11	10	erleichterte	Parallele zu „erschweren" in Zeile 1
12	11	Verurteilten	Imagination eines (gerechtfertigten) Urteils
13	14	mit blauen Augen	entspricht nicht den angeblichen „Rassemerkmalen"
14	15	akzentfreiem Deutsch	ungewöhnlich für die Einwohner Russlands
15	15	Ich bitte Sie, mein Herr	unerwartet höfliche Sprache
16	16	machen Sie es ordentlich	Hinweis auf das Bizzare der Situation
17	20	verlor den Boden unter den Füßen	Hinweis auf empathische Anteilnahme (Opfer)
18	22 f.	zuckte [...], die Augen offen, glasig	Hinweis auf empathische Anteilnahme (Opfer)
19	23	grausige Szene überlagerte	ungenau (verwirrt?): Szene *erinnert*
20	27	wie der Junge in dem Graben	Hinweis auf empathische Anteilnahme (Opfer)
21	28 f.	leerte das Magazin	In der Erinnerung ist er der Täter
22	29	Paff! Paff!	Verdeutlichung des kindlichen Spiels
23	32	spielen weiter [...] Ich bin tot.	bizzare Parallele zur Wirklichkeit
24	33	nach der Aktion	Sachliche Umschreibung der endgültigen Exekution
25	33 f.	besuchte ich das Stetl	Unverfängliche, touristische Formulierung
26	37	gewiss wenig mit [...] Finanzjudentum	angedeutete Zweifel: Judenvernichtung illegitim?
27	38 f.	das noch kochte	Hinrichtung ohne jeglichen Rechtsakt, spontan
28	40	zog mich aus und wusch mich	pietätlose Handlung angesichts des Erlebten
29	44	eines anderen Massengrabes	Hinweis auf die Häufigkeit der Ermordungen
30	45 f.	Ich versuchte mich loszumachen	Hinweis auf Scham? Ekel? Hilflosigkeit?
31	46	erschoss man die Juden	Anonymisierung der Täter
32	48 f.	Alles drehte sich, ich wollte weinen	Hinweis auf empathische Anteilnahme (Opfer)
33	52 f.	Seien Sie lieb zu ihr	völlig unpassende Formulierung
34	53	völlig idiotisch	Einsicht in die eigene, verwirrte Gespaltenheit
35	53	Wut im Bauch	Ursache der Wut bleibt unklar
36	57	Hinter mir krachten die Salven	Hinweis auf den weiteren Fortgang des Mordens

Schritt 3

Systematisieren Sie nun die notierten Textstellen und deren erste Kommentierung. Dabei tritt die Schwierigkeit auf, dass nicht eindeutig klar ist, ob der Ich-Erzähler den Krieg und die Vernichtung der Juden (eindeutig) befürwortet oder (eindeutig) ablehnt. Für beide Positionen gibt es Hinweise und Argumente.
Hinweise für die eindeutige Zustimmung: Nr. 1; 3; 5; 11; 16; 24; 29; 28; 29

Alle anderen Textstellenweisen weisen auf den ersten Blick darauf hin, dass der Ich-Erzähler Krieg und Vernichtung der Juden (eher) ablehnt. Aber hier schwingt auch immer eine gewisse Unaufrichtigkeit mit, die an Selbstmitleid und Larmoyanz (Weinerlichkeit) erinnert.
Im ersten Teil Ihres Textes sollten Sie diese Problematik darstellen und Ihre Entscheidung argumentativ untermauern. Im Prinzip sind beide Varianten möglich. Eindeutig für eine *bewusste* Täterschaft und eine *uneingeschränkte* Befürwortung von Krieg und Judenvernichtung sprechen die beiden zentralen Textstellen 1 und 11. Alle anderen Textstellen können eher als Zeichen von Selbstmitleid, Überforderung, Exkulpation (Schuldbefreiung) oder Verwirrung gewertet werden.
Als Besonderheit dieses Romanauszugs fällt die eingeschobene Szene aus der Kindheit des Protagonisten auf. Für sie ist eine Interpretation notwendig, sowohl ihrem Inhalt nach wie auch hinsichtlich ihrer Funktion für den Gesamttext. Verwirrend ist die Einleitung dieser Szene (vgl. Nr. 19). Eigentlich würde man beim Lesen erwarten, dass der Ich-Erzähler ausführt, dass ihn die derzeitige Szene des sterbenden Jungen an eine Begebenheit in seiner Kindheit *erinnert*. Die merkwürdige Formulierung „überlagerte" lässt den Rückschluss zu, dass der Protagonist sich hier in eine Erinnerung flüchtet.
Die Erinnerung selbst beinhaltet den Erzähler als „Täter", der darauf beharrt, dass es sich um ein Spiel handelt, bei dem weitergespielt werden kann, auch wenn man gerade „erschossen" wurde. Aber der Spielkamerad verweigert diese Spielregel und reklamiert, dass er tot sei.
Der unbewusste Wunsch, dass die Wirklichkeit ein Spiel sei, wird also konterkariert. Übrig bleibt die „Wahrheit", dass der Ich-Erzähler ein Täter ist, der seine Opfer in den Bauch schießt und dabei das ganze Magazin der Pistole verwendet. So oder ähnlich können Sie diese Episode interpretieren und dann Ihre Sichtweise in einer separaten Textpassage ausbreiten.

Schritt 4

Ihre abschließende bilanzierende Bemerkung weist immer auf die Unschärfe der Schilderung der Ereignisse und auf die Doppeldeutigkeit der Erinnerungs-Episode hin.

Zu Aufgabe 2

Ihre Vorgehensweise bei der Bearbeitung der zweiten Aufgabe ergibt sich aus der Analyse der Aufgabenstellung:

Schritt 1: aufgabenbezogene Überleitung

Schritt 2: Eingrenzung der Stellungnahme

Schritt 3: Mobilisierung des Vorwissens und Definition des Kerngedankens

Schritt 4: Stellungnahme – Erfüllung einer erzieherischen Funktion

Schritt 5: abschließende Kontrolle

Schritt 1

Die aufgabenbezogene Überleitung zur zweiten Aufgabe fällt vielen Schülerinnen und Schülern oft schwer. Entweder wird etwas hilflos die Aufgabenstellung wiederholt oder die einleitende Passage wird mit Gedanken überfrachtet, die in den Hauptteil der Stellungnahme gehören.
Hier ist beispielhaft ein Überleitungstext formuliert, der Ihnen als Anleitung dienen kann. Machen Sie sich die nutzbringende Mühe, eine eigene Anmoderation der zweiten Aufgabe zu verfassen:

Erzählende Literatur, die sich mit dem Zweiten Weltkrieg und der Gewaltherrschaft der Nationalsozialisten beschäftigt, schwebt nicht im luftleeren Raum. Wenn sich deren Protagonisten aktiv und überzeugt am Kriegsgeschehen beteiligen, stellt sich die Frage, ob sie eine erzieherische Funktion erfüllen kann. Dabei muss zwischen aktiver und überzeugter Teilnahme an einem Verteidigungskrieg und aktiver und überzeugter Teilnahme an einem Angriffskrieg unterschieden werden.

Schritt 2

In dem Roman „Heimsuchung“ ist die Figur des Rotarmisten das Pendant zum Ich-Erzähler im vorliegenden Romanauszug. Der Rotarmist erlebt als Jugendlicher die Vernichtung seiner Familie, die Zerstörung seines Heimatortes und Bedrohung seines Heimatlandes durch die Deutsche Wehrmacht.
Er wird Soldat und nimmt am Verteidigungskriegsgeschehen teil in der Überzeugung, den Tod seiner Familie zu sühnen und die Angreifer zu vertreiben. Mit der Überschreitung der Grenze des Deutschen Reiches geht dieses Kriegsgeschehen gewissermaßen in einen Angriffskrieg über.
Genau spiegelverkehrt verhält es sich im vorliegenden Auszug aus dem Roman „Die Wohlgesinnten“: Der Ich-Erzähler nimmt aktiv und überzeugt am Angriffs- und Vernichtungskrieg des Deutschen Reiches gegen die Sowjetunion teil. Als Ziele erzieherischer Wirkung können benannt werden:

- Pazifismus, Ablehnung kriegerischen Handels
- Berechtigung kriegerischen Handelns zum Zwecke der Verteidigung und Vertreibung der Angreifer
- Menschlichkeit, egalitäres Verständnis beim Zusammenleben
- Ablehnung aller Vorstellungen über genetische oder charakterliche Höher- oder Minderwertigkeit
- Gewährleistung des körperlichen und geistigen Reifungsprozesses aller Jugendlichen unbeeinflusst durch totalitäre (staatliche) Gewalt
- Förderung der Geschlechtergleichheit in allen gesellschaftlichen Bereichen (Gewalt als Problem von Männlichkeit)

Die aufgeführten Aspekte der Stellungnahme sind alle sehr komplex. Ihre Argumentation wird sich also notgedrungen auf einer recht abstrakten Ebene bewegen müssen.

Schritt 3

Sie mobilisieren Ihr Vorwissen und definieren den Kerngedanken. Sie legen die Variablen der Kriegsteilnahme fest:

- Teilnahme an einem Angriffs- und Vernichtungskrieg
- Teilnahme an Vernichtungsaktionen von Zivilpersonen und von der jüdischen Bevölkerung
- Teilnahme an einem Verteidigungskrieg gegen die Angreifer im eigenen Land
- Teilnahme an der Eroberung und Besetzung des Landes, von dem die Aggression ausging
- Herrenmenschen-Denken und die Akzeptanz der Notwendigkeit, „minderwertiges“ Leben zu vernichten
- Heimatliebe und Rachegedanken als Motive des Kampfes gegen die Aggressoren
- Vorstellungen von Menschlichkeit und Wertschätzung jeglichen Lebens als Gegenpol

Schritt 4

Achten Sie bei der Abfassung Ihrer Stellungnahme auf eine klare gedankliche Struktur, auf die Gewichtung der Argumente und auf eine relativierende Sprachführung. Benennen Sie Möglichkeiten und Wahrscheinlichkeiten, vermeiden Sie holzschnittartige Verlautbarungen. Trauen Sie sich, die naheliegende Beschränktheit erzieherischer Einflussnahme durch Romanlektüre zu benennen:

- Lesen von Literatur ist nicht die Hauptbeschäftigung von Jugendlichen.
- Computerspiele verharmlosen und banalisieren Gewalt jeglicher Art gegen Menschen.
- Das Einstehen für Überzeugungen steht häufig im Widerspruch zur Akzeptanz in der Peergroup.
- Bewusste Beteiligung an Lern- und Erziehungsprozessen ist (zumindest anfangs) anstrengend und steht im Gegensatz zu einer hedonistischen Lebensauffassung.
- Der Krieg in der Ukraine ist eine erschreckend reale Projektionsfläche für diese Thematik.

Schritt 5

Überprüfen Sie abschließend Ihren Text auf sprachliche Richtigkeit (Rechtschreibung und Zeichensetzung), Kohärenz (Bezüge, Satzübergänge, Verbindung der einzelnen Gliederungspunkte, Erfüllung der Aufgabenstellung) und auf inhaltliche und sprachliche Korrektheit.

Der Geruch nach Pfefferminz und Kampfer

Die Darstellung sexualisierter Gewalt in erzählenden Texten analysieren und vergleichen

Mit den Ereignissen im Wandschrank aus Sicht der Frau des Architekten haben Sie sich bereits auseinandergesetzt (vgl. S. 165, Aufgabe 8). Erst im Kapitel „Der Rotarmist“ wird der Leserschaft etwas deutlicher, was passiert ist. Die Darstellung ist dort unerwartet drastisch und detailliert. Im Folgenden wird anhand von drei literarischen Texten die Bandbreite der Darstellungsmöglichkeiten sexualisierter Gewalt aufgezeigt.

Heinrich von Kleist (*18.10.1777 †21.11.1811), Dramatiker, Erzähler, Lyriker, Publizist

Heinrich von Kleist

Die Marquise von O.... (1808)

Eben als die russischen Truppen, unter einem heftigen Haubitzenspiel, von außen eindrangen, fing der linke Flügel des Kommandantenhauses Feuer und nötigte die Frauen, ihn zu verlassen. Die Obristin, indem sie der Tochter, die mit den Kindern die Treppe hinabfloh, nacheilte, rief, dass man zusammenbleiben, und sich in die unteren Gewölbe flüchten möchte; doch eine Granate, die, eben in diesem Augenblicke, in dem Hause zerplatzte, vollendete die gänzliche Verwirrung in demselben. Die Marquise kam, mit ihren beiden Kindern, auf den Vorplatz des Schlosses, wo die Schüsse schon, im heftigsten Kampf, durch die Nacht blitzten, und sie, besinnungslos, wohin sie sich wenden solle, wieder in das brennende Gebäude zurückjagten. Hier, unglücklicher Weise, begegnete ihr, da sie eben durch die Hintertür entschlüpfen wollte, ein Trupp feindlicher Scharfschützen, der, bei ihrem Anblick, plötzlich still ward, die Gewehre über die Schultern hing, und sie, unter abscheulichen Gebärden, mit sich fortführte. Vergebens rief die Marquise, von der entsetzlichen, sich unter einander selbst bekämpfenden, Rotte bald hier, bald dorthin gezerrt, ihre zitternden, durch die Pforte zurückfliehenden Frauen, zu Hülfe. Man schleppte sie in den hinteren Schlosshof, wo sie eben, unter den schändlichsten Misshandlungen, zu Boden sinken wollte, als, von dem Zetergeschrei der Dame herbeigerufen, ein russischer Offizier erschien, und die Hunde, die nach solchem Raub lüstern waren, mit wütenden Hieben zerstreute. Der Marquise schien er ein Engel des Himmels zu sein. Er stieß noch dem letzten viehischen Mordknecht, der ihren schlanken Leib umfasst hielt, mit dem Griff des Degens ins Gesicht, dass er, mit aus dem Mund vorquellendem Blut, zurücktaumelte; bot dann der Dame, unter einer verbindlichen, französischen Anrede den Arm, und führte sie, die von allen solchen Auftritten sprachlos war, in den anderen, von der Flamme noch nicht ergriffenen, Flügel des Palastes, wo sie auch völlig bewusstlos niedersank. Hier – traf er, da bald darauf ihre erschrockenen Frauen erschienen, Anstalten, einen Arzt zu rufen; versicherte, indem er sich den Hut aufsetzte, dass sie sich bald erholen würde; und kehrte in den Kampf zurück. [...]

Die Marquise von O...

Hauke Goos

Der berühmteste Gedankenstrich der deutschen Literatur (2019)

Hauke Goos (*1966), Journalist, Redakteur, Reporter

Eine Frau erwartet ein Kind. Sie weiß nicht von wem; das kommt vor. Sie weiß nicht, wann und wie es passiert ist, wie es überhaupt passieren konnte; das ist selten. Denn es ist ja nicht so, dass es zu viele Kandidaten gäbe. Es gibt keinen einzigen. Die Marquise, verwitwet und „von vortrefflichem Ruf", hat keinerlei Erklärung für ihre Umstände, das hat es nicht gegeben, seit Maria mit Jesus schwanger ging.
Heinrich von Kleists „Die Marquise von O..." erzählt eine unerhörte Begebenheit. Ist es denkbar, dass eine Frau schwanger wird, ohne davon das Geringste mitzubekommen? Und wenn es denkbar ist: Wie erzählt man das? Wie erzählt man das zu Beginn des 19. Jahrhunderts, im sittenstrengen Deutschland, ohne einen Skandal zu verursachen?
Kleist schildert also eine Kriegsszene. Soldaten erstürmen eine Zitadelle, Frauen geraten in Bedrängnis, die Marquise verliert das Bewusstsein. Auftritt ein russischer Graf, der die Ohnmächtige beschützt, rettet, bewahrt.
Und dann: ein Gedankenstrich. Der berühmteste Gedankenstrich der deutschen Literaturgeschichte. An einer Stelle, wo keiner sein müsste, das ist der erste Eindruck. Ein Gedankenstrich ist ja nichts anderes als ein Platzhalter, eine Auslassung. [...] Wo aber hätte hier ein Gedanke Platz, in dem schmalen Raum zwischen dem „Hier" und dem „traf er ... Anstalten"?
Der zweite Eindruck (und es braucht, das gehört zur Magie dieser Erzählung, einige Seiten, bis er entstehen kann): Dieser Gedankenstrich ist so zwingend, dass es einen schwindelt. Ein Satzzeichen, das einen Abgrund aufreißt. Denn ausgerechnet der Retter erweist sich als der Vater des Kindes. Hat er die ohnmächtige Marquise vergewaltigt? Und, wenn ja: Wie ginge es danach weiter? Auf den ersten Blick also: nichts. Und auf den zweiten Blick: alles. Ein Gedankenstrich, der eine Welt umstürzt.
Durch den Gedankenstrich schafft Kleist eine Leerstelle, um die er herumschreiben kann. Kleist schweigt, aber er macht das Schweigen hörbar. Schreiben heißt meistens zu sagen, was ist. Gut schreiben heißt manchmal, nicht sofort alles zu sagen, was man weiß. Manches, was im Vorbeilesen wahrgenommen wird, erhält erst später seinen Sinn. [...]
Wenn Filme starke Gefühle zeigen, dann filmt die Kamera die Darsteller häufig von hinten. Eine bebende Schulter wirkt stärker als jedes verzerrte Gesicht, weil nicht der Schauspieler die Arbeit macht, sondern die Fantasie des Zuschauers.
Kleist schreibt, wie Hitchcock filmt: mit dem Rücken zum Publikum. Der Gedankenstrich ist eine Respektsbezeugung, weil Kleist uns zutraut, dass wir den ausgesparten Raum mit Bedeutung füllen. Vor allem aber ist er eine zur Meisterschaft gebrachte Finesse: eine schöne, aufregende Zumutung.

1 Recherchieren Sie den Inhalt der gesamten Novelle „Die Marquise von O..." von Kleist. Geben Sie dann mit eigenen Worten wieder, was in dem Textauszug passiert.

2 Geben Sie die Kerngedanken des Textes von Hauke Goos wieder.

3 Im Text von Hauke Goos heißt es: „Gut schreiben heißt manchmal, nicht sofort alles zu sagen, was man weiß." (Z. 27 f.) Beurteilen Sie diese Behauptung und nehmen Sie dabei Bezug auf die unterschiedliche Darstellung der Ereignisse im Wandschrank durch die Frau des Architekten und durch den Rotarmisten.

4 Hauke Goos nennt den Gedankenstrich eine „Respektsbezeugung" (Z. 34). Problematisieren Sie diese Bezeichnung unter Bezugnahme auf die Frage, ob es auch „Respektlosigkeit" gegenüber der Leserschaft geben kann und wovon diese abhängt.

5 Recherchieren Sie den Inhalt des Romans „Der Prozess" von Franz Kafka.

Herr K. hat Fräulein Bürstner um ein Gespräch gebeten. Es ist schon Nacht. Herr K. berichtet ihr, drei Herren seien in das Zimmer eingedrungen und hätten dort Unordnung geschaffen. Dieser Besuch stehe im Zusammenhang mit seiner Verhaftung, aber er könne auch nicht sagen, was man ihm vorwerfe.

Franz Kafka (*03.07.1883 †03.06.1924), Schriftsteller

Franz Kafka

Der Prozess (1915)

„Dann haben Sie sich also einen Spaß aus mir gemacht", sagte Fräulein Bürstner übermäßig enttäuscht, „es war höchst unnötig, sich diese späte Nachtzeit dazu auszusuchen." Und sie ging von den Photographien weg, wo sie so lange vereinigt gestanden hatten.

„Aber nein, Fräulein", sagte K., „ich mache keinen Spaß. Dass Sie mir nicht glauben wollen! Was ich weiß, habe ich Ihnen schon gesagt. Sogar mehr als ich weiß, denn es war gar keine Untersuchungskommission, ich nenne es so, weil ich keinen andern Namen dafür weiß. Es wurde gar nichts untersucht, ich wurde nur verhaftet, aber von einer Kommission." Fräulein Bürstner saß auf der Ottomane und lachte wieder.

„Wie war es denn?", fragte sie.

„Schrecklich", sagte K., aber er dachte jetzt gar nicht daran, sondern war ganz vom Anblick des Fräulein Bürstner ergriffen, die das Gesicht auf eine Hand stützte – der Ellbogen ruhte auf dem Kissen der Ottomane – während die andere Hand langsam die Hüfte strich. [..]

K. stellte das Tischchen in die Mitte des Zimmers und setzte sich dahinter. „Sie müssen sich die Verteilung der Personen richtig vorstellen, es ist sehr interessant. Ich bin der Aufseher, dort auf dem Koffer sitzen zwei Wächter, bei den Photographien stehen drei junge Leute. [...] Der Aufseher ruft, als ob er mich wecken müsste, er schreit geradezu, ich muss leider, wenn ich es Ihnen begreiflich machen will, auch schreien, es ist übrigens nur mein Name, den er so schreit."

Fräulein Bürstner, die lachend zuhörte, legte den Zeigefinger an den Mund, um K. am Schreien zu hindern, aber es war zu spät. K. war zu sehr in der Rolle, er rief langsam: „Josef K.!", übrigens nicht so laut, wie er gedroht hatte, aber doch so, dass sich der Ruf, nachdem er plötzlich ausgestoßen war, erst allmählich im Zimmer zu verbreiten schien. Da klopfte es an die Tür des Nebenzimmers einige mal, stark, kurz und regelmäßig. Fräulein Bürstner erbleichte und legte die Hand aufs Herz.

K. erschrak deshalb besonders stark, weil er noch ein Weilchen ganz unfähig gewesen war, an etwas anderes zu denken als an die Vorfälle des Morgens und an das Mädchen, dem er sie vorführte. Kaum hatte er sich gefasst, sprang er zu Fräulein Bürstner und nahm ihre Hand.

„Fürchten Sie nichts", flüsterte er, „ich werde alles in Ordnung bringen. Wer kann es aber sein? Hier nebenan ist doch nur das Wohnzimmer, in dem niemand schläft."

„Doch", flüsterte Fräulein Bürstner an K.s Ohr, „seit gestern schläft hier ein Neffe von Frau Grubach, ein Hauptmann. Es ist gerade kein anderes Zimmer frei. Auch ich habe es vergessen. Dass Sie so schreien mussten! Ich bin unglücklich darüber."

„Dafür ist gar kein Grund", sagte K. und küsste, als sie jetzt auf das Kissen zurücksank, ihre Stirn.

„Weg, weg", sagte sie und richtete sich eilig wieder auf, „gehen Sie doch, gehen Sie doch, was wollen Sie, er horcht doch an der Tür, er hört doch alles. Wie Sie mich quälen!"

„Ich gehe nicht früher", sagte K., „als Sie ein wenig beruhigt sind. Kommen Sie in die andere Ecke des Zimmers, dort kann er uns nicht hören."

Sie ließ sich dorthin führen. „Sie überlegen nicht", sagte er, „dass es sich zwar um eine Unannehmlichkeit für Sie handelt, aber durchaus nicht um eine Gefahr. Sie wissen, wie mich Frau Grubach, die in dieser Sache doch entscheidet, besonders da der Hauptmann ihr Neffe ist, geradezu verehrt und alles, was ich sage, unbedingt glaubt. Sie ist auch im Übrigen von mir abhängig, denn sie hat eine größere Summe von mir geliehen. Jeden Ihrer Vorschläge über eine Erklärung für unser Beisammen nehme ich an, wenn es nur ein wenig zweckentsprechend ist, und verbürge mich, Frau Grubach dazu zu bringen, die Erklärung nicht nur vor der Öffentlichkeit, sondern wirklich und aufrichtig zu glauben. Mich müssen Sie dabei in keiner Weise schonen. Wollen Sie verbreitet haben, dass ich Sie überfallen habe, so wird Frau Grubach in diesem Sinne unterrichtet werden und wird es glauben, ohne das Vertrauen zu mir zu verlieren, so sehr hängt sie an mir."

Fräulein Bürstner sah, still und ein wenig zusammengesunken, vor sich auf den Boden. „Warum sollte Frau Grubach nicht glauben, dass ich Sie überfallen habe?", fügte K. hinzu.

Vor sich sah er ihr Haar, geteiltes, niedrig gebauschtes, fest zusammengehaltenes, rötliches Haar. Er glaubte, sie werde ihm den Blick zuwenden, aber sie sagte in unveränderter Haltung: „Verzeihen Sie, ich bin durch das plötzliche Klopfen so erschreckt worden, nicht so sehr durch die Folgen, die die Anwesenheit des Hauptmanns haben könnte. Es war so still nach Ihrem Schrei, und da klopfte es, deshalb bin ich so erschrocken, ich saß auch in der Nähe der Tür, es klopfte fast neben mir. Für Ihre Vorschläge danke ich, aber ich nehme sie nicht an. Ich kann für alles, was in meinem Zimmer geschieht, die Verantwortung tragen, und zwar gegenüber jedem. [...] Aber nun gehen Sie, lassen Sie mich allein, ich habe es jetzt noch nötiger als früher. Aus den wenigen Minuten, um die Sie gebeten haben, ist nun eine halbe Stunde und mehr geworden."

K. fasste sie bei der Hand und dann beim Handgelenk: „Sie sind mir aber nicht böse?" sagte er.

Sie streifte seine Hand ab und antwortete: „Nein, nein, ich bin niemals und niemandem böse." Er fasste wieder nach ihrem Handgelenk, sie duldete es jetzt und führte ihn so zur Tür. Er war fest entschlossen, wegzugehen. Aber vor der Tür, als hätte er nicht erwartet, hier eine Tür zu finden, stockte er, diesen Augenblick benützte Fräulein Bürstner, sich loszumachen, die Tür zu öffnen, ins Vorzimmer zu schlüpfen und von dort aus K. leise zu sagen: „Nun kommen Sie doch, bitte. Sehen Sie" – sie zeigte auf die Tür des Hauptmanns, unter der ein Lichtschein hervorkam – „er hat angezündet und unterhält sich über uns."

„Ich komme schon", sagte K., lief vor, fasste sie, küsste sie auf den Mund und dann über das ganze Gesicht, wie ein durstiges Tier mit der Zunge über das endlich gefundene Quellwasser hinjagt. Schließlich küsste er sie auf den Hals, wo die Gurgel ist, und dort ließ er die Lippen lange liegen. Ein Geräusch aus dem Zimmer des Hauptmanns ließ ihn aufschauen.

„Jetzt werde ich gehen", sagte er, er wollte Fräulein Bürstner beim Taufnamen nennen, wusste ihn aber nicht. Sie nickte müde, überließ ihm, schon halb abgewendet, die Hand zum Küssen, als wisse sie nichts davon, und ging gebückt in ihr Zimmer. Kurz darauf lag K. in seinem Bett. Er schlief sehr bald ein, vor dem Einschlafen dachte er noch ein Weilchen über sein Verhalten nach, er war damit zufrieden, wunderte sich aber, dass er nicht noch zufriedener war [...].

1 Fassen Sie kurz zusammen, was in dem obenstehenden Textauszug geschieht.

2 Analysieren Sie die sprachliche Gestaltung des sexuellen Übergriffs: Wird etwas verschwiegen? Fehlt etwas? Welche Bedeutung hat das Verhalten von Fräulein Bürstner (vgl. Z. 12 ff.)? Welche Bedeutung hat die Metapher des „durstige[n] Tier[es]" (Z. 80)? Welche Bedeutung hat der Hinweis auf die Gurgel (vgl. Z. 81)?

3 Charakterisieren Sie das Verhalten von Herrn K. Beachten Sie dabei das Wechselverhältnis von Unterwürfigkeit und Dominanz und die Aussage in der letzten Zeile.

4 Für die spezifische Atmosphäre in den Werken von Franz Kafka wurde die Bezeichnung „kafkaesk" geprägt. Informieren Sie sich über den Bedeutungshorizont dieses Begriffs. Überprüfen Sie, ob er auch für den hier vorliegenden Textauszug angewendet werden kann.

Marta Hillers (1911 – 2001)

Dieser Text beschreibt eine Situation in Berlin in den letzten Tagen des Aprils 1945.

Hier finden Sie Hintergrundinformationen zu dem Buch:

WES-169088-054

Anonyma (Marta Hillers)

Eine Frau in Berlin (1954)

Samstagnachmittag gegen 15 Uhr schlugen zwei mit Fäusten und Waffen gegen die Vordertür, brüllten rau, traten gegen das Holz. Die Witwe öffnete. Sie zittert jedes Mal um ihr Türschloss. Zwei Grauköpfe, taumelnd, betrunken. Sie stoßen ihre Automatengewehre in die letzte heile Flurscheibe. Klirrend fallen die Scherben in den Hof hinab. Dann reißen sie das Verdunklungsrollo in Fetzen herunter, treten gegen die alte Standuhr.

Der eine greift nach mir, treibt mich in das vordere Zimmer, nachdem er die Witwe aus dem Weg gestoßen hat. Der andere baut sich an der Vordertür auf, hält die Witwe in Schach, stumm, mit dem Gewehr drohend, ohne sie zu berühren.

Der mich treibt, ist ein älterer Mensch mit grauen Bartstoppeln, er riecht nach Schnaps und Pferden. Klinkt sorgfältig hinter sich die Tür zu und schiebt, als er keinen Schlüssel im Schloss findet, den Ohrensessel gegen die Füllung. Er scheint die Beute gar nicht zu sehen. Um so erschreckender sein Stoß, der sie zum Lager treibt. Augen zu, Zähne fest zusammengebissen.

Kein Laut, bloß als das Unterzeug krachend zerreißt, knirschen unwillkürlich die Zähne. Die letzten heilen Sachen.

Auf einmal Finger an meinem Mund, Gestank von Gaul und Tabak. Ich reiße die Augen auf. Geschickt klemmen die fremden Hände mir die Kiefer auseinander. Aug in Auge. Dann lässt der über mir aus seinem Mund bedächtig den angesammelten Speichel in meinen Mund fallen.

Erstarrung. Nicht Ekel, bloß Kälte. Das Rückgrat gefriert, eisige Schwindel kreisen um den Hinterkopf. Ich fühle mich gleiten und fallen, tief, durch die Kissen und die Dielen hindurch. In den Boden versinken – so ist das also.

Wieder Aug in Auge. Die fremden Lippen tun sich auf, gelbe Zähne, ein Vorderzahn halb abgebrochen. Die Mundwinkel heben sich, von den Augenschlitzen strahlen Fältchen aus. Der lächelt.

Er kramt, bevor er geht, etwas aus seiner Hosentasche, schmeißt es stumm auf den Nachttisch, rückt den Sessel beiseite, knallt hinter sich die Tür zu. Das Hinterlassene: eine verkrumpelte Schachtel mit etlichen Papyrossen darin. Mein Lohn.

Papirossa russische Zigarette mit Pappmundstück

Als ich aufstand, Schwindel, Brechreiz. Die Lumpen fielen mir auf die Füße. Ich torkelte durch den Flur, an der schluchzenden Witwe vorüber ins Bad. Erbrechen. Das grüne Gesicht im Spiegel, die Brocken im Becken. Ich hockte auf der Wannenkante, wagte nicht nachzuspülen, da immer wieder Würgen und das Wasser im Spüleimer so knapp. [...]

Sind wir allein, so schreckt uns jeder Laut, jeder Tritt. [...] Stundenlang hocken wir in dem finsteren, eiskalten Zimmer, Iwan hat uns tief unten. Zum Teil wörtlich; denn es gibt in unserem Block noch unentdeckte Hausgemeinschaften, Familien, die seit Freitag im Keller leben und nur frühmorgens ihre Wasserholer ausschicken. Unsere Männer so scheint es mir, müssen sich noch schmutziger fühlen als wir besudelten Frauen. In der Pumpenschlange erzählte eine Frau, wie in ihrem Keller ein Nachbar ihr zugerufen habe, als die Iwans an ihr zerrten: „Nu gehen Sie doch schon mit, Sie gefährden uns ja alle!“ Kleine Fußnote zum Untergang des Abendlandes.

Immer wieder ekelt es mich in diesen Tagen vor meiner eigenen Haut. Ich mag mich nicht anrühren, kaum noch anschauen. Muss daran denken, was mir die Mutter so oft erzählt hat von dem kleinen Kind, das ich einmal war. Ein Baby so weiß und rosa, wie es stolze Eltern freut. Und als der Vater 1916 Soldat werden musste, hat er am Bahnhof beim Abschied der Mutter noch eingeschärft, dass sie niemals vergessen möge, mir das schattende Spitzenhäubchen aufzusetzen, bevor sie mich in die Sonne brächte. Lilienweiß sollten Hals und Gesicht bleiben, wie es damals Zeit und Mode von gut gehaltenen Töchtern verlangten. So viel Liebe, so viel Aufwand mit Häubchen Badethermometern und Abendgebet für den Unflat, der ich jetzt bin.

1 Geben Sie wieder, was in diesem Textauszug passiert.

2 Analysieren Sie die sprachliche Gestaltung der Gewaltszene (Z. 13 – 26). Suchen Sie nach Adjektiven, die Ihrer Meinung nach diese Gestaltung treffend charakterisieren.

3 Charakterisieren Sie die Selbstwahrnehmung der Ich-Erzählerin. Beachten Sie dabei besonders die letzten beiden Absätze.

Die **Ereignisse im Wandschrank** werden mit unterschiedlichen Formulierungen bedacht. Für den Rotarmisten heißt es lapidar: „Eigentlich hat er nur einen Schrank aufgemacht. Jetzt macht er den Schrank wieder zu" (TA, S. 104, Z. 3 f.). Die Frau des Architekten sagt, sie sei „endlich zum Feind übergelaufen" (TA, S. 74, Z. 1). Auch ist ihr Gefühl für Zeit stark verändert: „Und dabei rinnt nun schon seit sechs Jahren durch das Loch, das der Russe gegen Ende des Krieges in ihre Ewigkeit gebohrt hat, die Zeit fortwährend aus" (TA, S. 75, Z. 3 ff.).

4 Klären Sie die Bedeutung der beiden Formulierungen, die im Kapitel „Die Frau des Architekten" (TA, S. 64 – 76) benutzt werden: Was bedeutet das Adverb „endlich"? Wer ist mit „Feind" gemeint? Was ist unter „ihre Ewigkeit" zu verstehen? Beschreibt die Metapher des Lochbohrens eine Verletzung oder eine Befreiung? Beachten Sie in diesem Zusammenhang auch das Satzgefüge, in dem immer das Verb „rinnt" verwendet wird (TA, S. 75, Z. 14 – S. 76, Z. 2).

Martin Halter bezeichnet die Ereignisse im Wandschrank in der Frankfurter Allgemeinen Zeitung (FAZ) als „Politpornographie" und Kristina Maidt-Zinke vermutet in der Süddeutschen Zeitung bei Jenny Erpenbeck einen Faible für „pornographischen Kitsch".

5 ***Lernarrangement***

a) Verständigen Sie sich in Kleingruppen, was unter den beiden oben zitierten Begriffen zu verstehen ist. Nehmen Sie dafür die Definition des BGH für „Pornographie" zur Kenntnis.
b) Beurteilen Sie, ob diese begrifflichen Zuweisungen zutreffend und angemessen sind.
c) Tragen Sie Ihre Ergebnisse im Plenum vor. Diskutieren Sie widersprüchliche Auffassungen.

Definition der Pornografie durch den Bundesgerichtshof (BGH) 2014

Pornografie ist die Vermittlung sexueller Inhalte, die ausschließlich oder überwiegend auf die Erregung eines sexuellen Reizes beim Betrachter abzielt und dabei die im Einklang mit allgemeinen gesellschaftlichen Wertvorstellungen gezogenen Grenzen des sexuellen Anstandes überschreitet („Darstellung entpersönlichter sexueller Verhaltensweisen, die die geschlechtliche Betätigung von personalen und sozialen Sinnbezügen trennt und den Menschen zum bloßen – auswechselbaren – Objekt geschlechtlicher Begierde oder Betätigung macht") (1 StR 485/13, NJW 2014, 1829)

Ihnen liegen vier verschiedene literarische Texte vor, in denen sexualisierte Gewalt geschildert wird. Die Texte stammen aus unterschiedlichen Epochen und haben dementsprechend die jeweils geltenden moralischen und ästhetischen Parameter berücksichtigt.

6 Treffen Sie eine individuelle Wahl, welche Form der Darstellung Ihrer Meinung nach angemessen ist. Betrachten Sie die Ergebnisse des ganzen Kurses und diskutieren Sie darüber.

In dem Kapitel „Der Kinderfreund" (TA, S. 157 – 169) wird ebenfalls ein Akt sexualisierter Gewalt dargestellt. In diesem Fall berichtet die Erzählstimme aus der Position des (unfreiwilligen) Zuschauers.

7 Erläutern Sie dieses Zitat: „Dass man an einen Ort durch gemeinsame Gier und Scham gründlicher festgeknüpft wird als durch gemeinsames Glück, das hätte er gern niemals gelernt" (TA, S. 165, Z. 22 ff.).

8 Interpretieren Sie das Kapitel „Der Kinderfreund" in Bezug auf die Fragestellung, inwieweit die Figur traumatisiert ist. Nutzen Sie dafür die Informationen aus dem QR-Code.

Hier finden Sie Informationen über die Bedeutung kindlicher Traumata:

WES-169088-022

„Sie, Doris Tochter von Ernst und Elisabeth zwölf Jahre alt geboren in Guben"

Die Bedeutung der Literatur für die Bewahrung des Wissens über den Holocaust kennenlernen und würdigen

Die Ermordung von über sechs Millionen Jüdinnen und Juden und anderer Menschen, die von den Nationalsozialisten als minderwertig angesehen wurden, erfolgte mit industrieller Präzision und Effektivität. Der einzige Grund dafür war die Zugehörigkeit zu einer Religionsgemeinschaft bzw. zu einer Volksgruppe. Damit stellt der Holocaust in der Geschichte der Menschheit ein Verbrechen von ungekannter Brutalität und Singularität dar. Es ist ein Gebot der Menschenwürde, der Opfer zu gedenken, und dafür einzutreten, dass sich so etwas nicht wiederholt.

Shoah („Katastrophe", „großes Unglück") nationalsozialistischer Völkermord an den Juden Europas

Hier finden Sie den akustischen Stolperstein über Doris Kaplan:

WES-169088-031

Fast achtzig Jahre nach Auschwitz wird es bald keinen lebenden Menschen mehr geben, der als Augenzeuge von der Shoah berichten kann. Damit fällt der Literatur die wichtige Aufgabe zu, das Wissen über den Holocaust zu bewahren und dazu beizutragen, dass kommende Generationen verantwortlich handeln und das Zusammenleben der Menschen unter dem Gebot der Menschlichkeit und der Menschenwürde fördern und bewahren.

Das Kapitel über das Mädchen Doris nimmt in dem Roman „Heimsuchung" eine besondere Rolle ein: Es befindet sich in der Mitte des Gesamttextes und spielt als einziges an einem anderen Ort. Außerdem ist das Buch Doris Kaplan gewidmet. Sie haben bereits auf den Seiten 166 und 170 Aufgaben bearbeitet, die die Figur der Doris als Mittelpunkt hatten und im zweiten Symposium Erzähltheorie die Bedeutung der Literatur für die Bewahrung des Wissens über den Holocaust theoretisch erörtert (Text von P. J. Dingeldey, S. 189f.). Sie lernen nun zwei literarische Texte kennen, die bezüglich der Bewahrung des Wissens möglicherweise eine wichtige Funktion haben könnten.

Jurek Becker

Jakob der Lügner (1969)

Jurek Becker (*30.09.1937 †14.03.1997), Schriftsteller, Drehbuchautor. Kam 1944 mit seiner Mutter in das KZ Ravensbrück und später nach Sachsenhausen. Nach Kriegsende fand ihn sein Vater, der im KZ-Außenlager Königs Wusterhausen überlebt hatte, wieder. Seine Mutter war – bereits in Freiheit – an Unterernährung gestorben.

Dann fahren wir.

In dem Waggon ist es sehr eng und stickig, die Juden hocken oder sitzen neben ihren fünf Kilogramm auf dem Boden, mindestens dreißig, meine ich. Das Schlafen in der Nacht, falls die Reise so lange dauert, wird ein Problem, denn hinlegen können sich alle auf einmal nicht, man wird es schichtweise tun müssen.

Dunkel ist es auch, die wenigen schmalen Luken dicht unter dem Dach geben nur spärliches Licht, außerdem sind sie fast ständig besetzt. Gespräche sind kaum zu hören, die meisten sehen aus, als hätten sie über schrecklich wichtige und ernste Dinge nachzudenken, dabei könnte man sich unter dem Geräusch der rollenden Räder unbelauscht unterhalten, trotz der Enge, wenn man nur wollte.

Ich sitze auf einem karierten Kopfkissenbezug, in dem mein ganzer Plunder steckt, und langweile mich, neben mir weint eine steinalte Frau, rücksichtsvoll leise. Die Tränen sind ihr schon längst ausgegangen, dennoch zieht sie von Zeit zu Zeit so gewaltig durch die Nase hoch, als wären ganze Ströme zurückzuhalten. Und ihr Mann, mit dem sie sich den Koffer teilt, blickt dabei jedes Mal entschuldigend in die Runde, weil es ihm wohl peinlich ist, weil er zu verstehen geben will, dass sich die Sache seinem Einfluss entzieht.

Links neben mir, wohin ich notgedrungen meine Aufmerksamkeit richte, hat Jakob einen Lukenplatz erobert, aber ich kann versichern, dass diese Nachbarschaft rein zufällig ist. Ich habe mich nicht neben ihn gedrängt, ich gehe nicht so weit wie einige Dummköpfe, die ihm eine Art Mitschuld an dieser Reise geben, doch ich kann nicht leugnen, dass ich einen ungerechten Groll gegen ihn spüre, weil alle Häuser, die ich auf die von ihm gelieferten Fundamente gebaut habe, zusammengestürzt sind. Ich habe mich nicht neben ihn gedrängt, mir ist es gleichgültig, neben wem ich fahre, es hat sich einfach so ergeben. Durch Jakobs Beine hindurch sehe ich Lina, die ich bisher nur vom Hörensagen kannte, sie sitzt auf dem Rucksack. Lina macht ihn mir wieder sympathischer, ich denke, welcher andere hätte schon ein Kind auf sich geladen, und ich denke, das wiegt mindestens so schwer wie meine Enttäuschung. Ich würde gerne mit ihr Bekanntschaft schließen, durch Augenzwinkern oder Grimassenschneiden, wie man das so tut, aber sie nimmt mich gar nicht zur Kenntnis. Sie blickt versonnen auf die Erde, bestimmt beschäftigen sie solche Gedanken, die allen anderen jetzt fremd sind, denn sie lächelt manchmal vor sich hin. Oder ihre Lippen formen lautlose Worte, oder sie zieht ein Gesicht, als wäre sie ihrer Sache nicht sicher, es macht Spaß, ihr zuzusehen. Ich finde auf dem Boden ein rundes Steinchen, das schnipse ich ihr gegen den Arm. Sie taucht aus ihren Überlegungen auf, schaut, wer das gewesen sein könnte, überallhin, nur nicht zu mir. Dann sieht sie auf zu Jakob, der, über jeden Verdacht erhaben, unbeweglich vor der Luke steht, seine ganze Aufmerksamkeit gehört dem draußen vorüberziehenden Land. Sie pocht gegen seine Wade.

Lina ist ein Waisenkind im Ghetto. Ihre Eltern wurden von der Gestapo abgeholt, als sie gerade im Hinterhof spielte. Jakob kümmert sich um sie und will sie nach der Zeit im Ghetto adoptieren.

Er blickt nach unten und fragt: „Was ist?“
„Erinnerst du dich an das Märchen?“, fragt Lina.
„An welches?“
„Von der kranken Prinzessin?“
„Ja.“
„Ist das wahr?“

Linas **erste** Frage (s. Aufgabe 2)

Man kann deutlich in seinem Gesicht lesen, dass er es seltsam findet, woran sie gerade jetzt denkt.
„Natürlich ist das wahr“, sagt er.
„Aber Siegfried und Rafi haben es mir nicht geglaubt.“
„Vielleicht hast du schlecht erzählt?“
„Ich habe genauso erzählt wie du. Aber sie sagen, so etwas gibt es auf der ganzen Welt nicht.“
„Was gibt es nicht?“
„Dass man wieder gesund werden kann, wenn man ein Stück Watte bekommt.“
Jakob beugt sich zu ihr und hebt sie an das Fensterchen. Ich stehe auch auf, denn die Räder machen doch einen ordentlichen Lärm, und ich möchte hören, wie es weitergeht.

Waggon der Deutschen Reichsbahn für den Transport von Menschen nach Auschwitz

„Aber das stimmt?“, sagt Lina. „Die Prinzessin wollte ein Stück Watte, so groß wie ein Kissen? Und als sie es bekam, wurde sie wieder gesund?“

Ich sehe, wie Jakobs Mund breiter wird, er sagt: „Nicht ganz. Sie wünschte sich eine Wolke. Der Witz ist, dass sie dachte, Wolken sind aus Watte, und nur deswegen war sie mit der Watte zufrieden.“

Lina sieht eine Weile hinaus, mir will scheinen verwundert, bevor sie ihn fragt: „Aber sind denn Wolken nicht aus Watte?“

Linas **zweite** Frage (s. Aufgabe 2)

Zwischen ihren Köpfen erkenne ich ein Stück Himmel mit wenigen Wolken darin, und ich muss zugeben, dass die Ähnlichkeit tatsächlich verblüffend ist, sie sehen aus wie Wattebäusche.

Linas **dritte** Frage (s. Aufgabe 2)

„Woraus sind Wolken sonst?“, fragt Lina.

Doch Jakob vertröstet sie mit der Antwort auf später, wohl auch, weil sie ihm allmählich zu schwer wird, er setzt sie zurück auf den Rucksack und lässt dann weiter die Bilder an sich vorbeiziehen.

Jetzt halte ich meine Stunde für gekommen. Ich setze mich auch, rücke näher an sie heran und frage, ob sie von mir erklärt haben möchte, woraus Wolken sind. Natürlich will sie das, und ich erzähle ihr von Flüssen und Seen und vom Meer, vom ewigen Kreislauf des Wassers, von der kaum glaublichen Sache mit der Verdunstung, wie das Wasser unsichtbar in den Himmel fließt, in winzigen Tröpfchen, sich dort zu Wolken sammelt, die irgendwann so schwer und nass wie vollgesogene Schwämme werden, bis sie die Tropfen als Regen wieder verlieren.

Ich lasse auch den Dampf nicht aus, von Lokomotiven beispielsweise und Schornsteinen und allen möglichen Feuern, sie hört mir aufmerksam zu, aber skeptisch, ich weiß, dass die ganze lange Geschichte nicht mit einer Lektion zu erledigen sein wird. Ich sehe auch, wie Jakob mich freundlich ins Auge fasst, vielleicht ist meine Schulstunde schuld daran, dass er mir wenige Tage später eine viel verrücktere Geschichte erzählt, ausgerechnet mir. Denn dass ich als einer von wenigen überlebe, steht nicht in meinem Gesicht geschrieben.

Als mein Wissen um die Entstehung und Zusammensetzung der Wolken erschöpft ist, sage ich Lina, sie soll getrost fragen, wenn sie etwas nicht verstanden hat. Aber sie macht keinen Gebrauch von dieser Offerte, sie stützt den Kopf in beide Hände und überlegt sich die Angelegenheit noch einmal in aller Ruhe. Immerhin muss sie über einen schwerwiegenden Irrtum hinwegkommen, Wolken sind nicht aus Watte.

„Du weißt nicht, worauf du dich da einlässt“, flüstert mir Jakob ins Ohr.

„Warum?“

„Weil du keine Ahnung hast, was für Fragen dieses Kind stellen kann.“

Ich schaue sie an und sage: „So schlimm wird es schon nicht werden.“

Seine Augen antworten „warte ab“, dann fragt er mich, ob ich ein wenig an die Luke möchte.

„Gerne“, sage ich.

Ich stehe erwartungsvoll auf und sehe hinaus, bis es Nacht wird. Ich sehe Dörfer und Äcker, einmal sogar eine kleine Stadt von weitem, an einem halb zugewachsenen Teich sehe ich eine Gruppe von Soldaten, die zwischen Lastwagen, Geschützen und Kühen ausruht. Und ich sehe ein paar verschlafene Stationen mit Bahnsteigen und Schranken und Eisenbahnerhäuschen, an denen grüne Kästen von Blumen überlaufen, ich frage mich, ob diese Kästen Dienstvorschrift sind, weil sie an jedem der Häuschen hängen und alle grün. Und Leute sehe ich, die unserem Zug nachschauen und deren Gesichter ich nicht erkennen kann, vor allem aber sehe ich Bäume, die ich fast schon vergessen hatte, obwohl ich noch ein junger Kerl bin, Unmengen von Bäumen. Buchen und Erlen und Birken und Weiden und Kiefern, du lieber Gott, was sehe ich für Bäume, die Bäume hören nicht auf.

Ein Baum war schuld daran, dass ich nicht Geiger werden durfte, und unter einem Baum bin ich ein richtiger Mann geworden, die Wildschweine kamen zu spät, um es zu verhindern.

Und an einem unbekannten Baum ist mir meine Frau Chana verlorengegangen, und eine Verordnung wollte mir Bäume für alle Zeiten verbieten. Manche sagen, die Bäume verwirren meinen Sinn, ich stehe und stehe, mitunter setze ich mich heute noch in einen Zug, auf besonders waldreicher Strecke, am liebsten habe ich Mischwald. Bis ich Jakobs Stimme höre: „Willst du nicht endlich schlafen?“

„Lass mich noch ein bisschen stehen“, sage ich.

„Aber du siehst doch gar nichts mehr“, höre ich ihn sagen.

„Doch.“

Denn ich sehe noch die Schatten von Bäumen, und schlafen kann ich nicht, wir fahren, wohin wir fahren.

Der Roman „Jakob der Lügner“ spielt in einem namenlosen Ghetto in Polen wenige Wochen vor seiner Räumung. Durch Zufall kann Jakob auf der Wache der Deutschen eine Meldung im Radio hören, die vom Näherkommen der Roten Armee handelt. Radiohören und Radios zu besitzen ist bei Todesstrafe verboten. Jakob erzählt vom Heranrücken der Roten Armee und erfährt, dass bei den Bewohnerinnen und Bewohnern des Ghettos die Hoffnung auf baldige Befreiung aufkeimt. Das veranlasst ihn, die Lüge in die Welt zu setzen, er habe selber ein Radio und könne Nachrichten empfangen. Er erfindet laufend Nachrichten, die die Juden hoffen lassen, die aber auch vielfältige andere Verwicklungen hervorbringen. Das Ende des Romans besteht darin, dass das Ghetto aufgelöst und alle Bewohnerinnen und Bewohnern in Vernichtungslager deportiert werden. Der hier wiedergegebene Text ist die Schlussszene des Romans. Die unglaubliche Geschichte, die Jakob dem Ich-Erzähler mitteilt, ist die Geschichte seiner Lüge.

Nutzen Sie hier Ihre Kenntnisse, die Sie sich über das Warschauer Ghetto angeeignet haben.

1 Geben Sie wieder, was in diesem Romanauszug geschieht.

2 ***Lernarrangement***

a) Teilen Sie Ihren Kurs in Gruppen. Erschließen Sie den Inhalt des Märchens, den Hintergrund der ersten Frage, die Lina stellt (Z. 44), und den Hintergrund der zweiten (Z. 63) und der dritten Frage (Z. 67).

b) Erläutern Sie, welche Bedeutung das Märchen und Linas Fragen in dieser Schlussszene des Romans haben. Formulieren Sie Ihre Ergebnisse in Gestalt von Thesen.

c) Präsentieren Sie Ihre Ergebnisse dem Plenum.

3 ***Lernarrangement***

a) Beurteilen Sie in Tandemarbeit die literarische Verarbeitung des Holocaust, wie sie in den Romanen „Jakob, der Lügner“ und „Heimsuchung“ im Kapitel „Das Mädchen“ vorgenommen wird. Vergleichen Sie Ihre Ergebnisse und arbeiten Sie Unterschiede und Gemeinsamkeiten heraus. Halten Sie Ihre Ergebnisse in Gestalt von Thesen fest.

b) Präsentieren Sie Ihre Ergebnisse dem Plenum.

Ginette Kolinka (geb. Cherkasy, *1925 in Paris), französische Überlebende des KZ Auschwitz-Birkenau und Zeitzeugin des Holocaust

Ginette Kolinka

Rückkehr nach Birkenau (2020)

16. April 1944: Endlich hält der Zug. Ich habe das Gefühl, die ganze Zeit vor mich hingedämmert zu haben. Hinter der Tür hört man Geschrei und Hundegebell, das Geräusch der entriegelnden Schlösser: Frische Luft strömt in den Waggon, herrlich! Nach all den Stunden, die wir im stinkenden Halbdunkel zusammengepfercht gewesen sind. [...] Bei mir sind mein Vater, mein kleiner Bruder Gilbert und mein Neffe. [...] Mein Vater ist 61. Das ist heutzutage kein Alter. Dem armen Mann ist es gelungen, vor unserem Aufbruch zwei Decken zu klauen. Er ist so mager, dass er sie sich in die Hose gesteckt hat. Wir sitzen darauf, so gut es eben geht. Auf dem Boden liegt ein bisschen Stroh. Es ist ein geschlossener Güterzug, ohne Fenster oder Gitter. [...] Wir werden von den Scheinwerfern geblendet. Soldaten springen in den Waggon. Sie brüllen: *Schnell!* Sie treiben uns zusammen, zerren uns hoch, wir sollen aussteigen. [...] Geschrei, Gedränge, Befehle auf Deutsch. Auf dem Bahnsteig bellen die Hunde. Ich verstehe nichts. Jemand übersetzt: „Wir müssen zu Fuß ins Lager, aber bis zum Lager ist es weit. Für die Schwächsten gibt es Lastwagen."

Dieser Satz hallt noch siebzig Jahre später in mir nach. „Für die Schwächsten gibt es Lastwagen." In meiner Naivität, die für mich womöglich Rettung, für sie Verhängnis ist, denke ich an meinen Vater, der von den zurückliegenden Wochen ausgezehrt und von der Reise erschöpft ist, ich denke an Gilbert, meinen kleinen Bruder, der erst zwölf ist, an seinen kleinen Struwwelkopf. Und ich höre, wie ich ihnen zurufe: „Papa, Gilbert, nehmt den Lastwagen." Das erspart ihnen wenigstens den Weg zu Fuß. Ich verabschiede mich nicht von ihnen. Sie verschwinden.

Sie verschwinden.

Ich bleibe zusammen mit meinem Neffen auf dem Bahnsteig stehen, von den Lichtern geblendet. Der Morgen dämmert. Jemand ruft: „Die Männer auf die eine Seite, Frauen und Kinder auf die andere!" Ich will meinen Neffen bei mir behalten, er ist 14 und noch ein Kind, selbst wenn er älter aussieht.

Aber [...] im Zug hat er sich mit ein paar älteren Jungs angefreundet und bleibt lieber bei ihnen. Ich verstehe ihn, schließlich bin ich auch erst 19 und hätte genauso gehandelt. Auch von ihm verabschiede ich mich nicht.

„Geh schon zu den anderen, bis nachher."

Wir werden in Fünfergruppen eingeteilt. Jede Riege geht an Soldaten vorbei, die uns aussortieren und durch eine imaginäre Linie voneinander trennen. Ich kann noch laufen, die anderen klettern auf die Lastwagen, auch wenn sie sich sträuben. [...]

Ich sehe Rauch, wahrscheinlich den Fabrikschlot, ja, dort drüben arbeiten Frauen. Je näher wir kommen, desto sonderbarer wirken sie, kahlköpfig, ungewöhnlich mager, fast wie Irre. Ich habe noch einen klaren Verstand und frage mich in diesem Moment, ob es in der Umgebung vielleicht ein Lager für Geistesgestörte gibt. Sie mustern uns verstohlen, ich sehe ihre verlorenen, tief in den Höhlen liegenden Augen.

Nach circa einem Kilometer Fußmarsch biegen wir links ab und betreten ein weitläufiges Gebäude. An der Längsseite des Raums sind Tische aufgestellt, und hinter diesen Tischen warten Frauen auf uns, jeweils zu zweit. Wir stehen. „Zieht euch aus!", befehlen sie.

Manche von uns haben noch ihren Mantel oder ihre Jacke an, ich trage nur eine Strickjacke. Ich ziehe sie aus, falte sie zusammen und lege sie auf den Boden.

Schnell! Schnell!

Ich mache weiter, ziehe mein Kleid oder meinen Rock aus, ich weiß nicht mehr genau, und bleibe so stehen, im Unterrock. Das ist immer noch zu viel, also schlüpfe ich aus dem Unterrock, und behalte nur noch meine Unterwäsche an. Ich bin die jüngste von sechs Schwestern, wir schlafen jeden Abend zusammen, im selben Zimmer, zu dritt in einem Bett, und ich habe sie noch nie nackt gesehen. So hat uns unsere Mutter erzogen. [...] Ich öffne meinen Büstenhalter und ziehe meinen Schlüpfer aus. Ich versuche, mit der einen Hand mein Geschlecht zu verbergen, mit der anderen meine Brüste. Ich senke den Blick, aber gegen meinen Willen sehe ich, und was ich sehe, hätte ich mir niemals ausgemalt: eingefallene Brüste auf faltigem Fleisch, Haut, die vom Bauch bis auf die Oberschenkel hängt ... Wir müssen vor den Tisch treten. [...] Eine der beiden Frauen packt mich am Arm, ich bin ihr ausgeliefert. Sie tätowiert mich: Registrierungsnummer 78599. Angeblich schreien manche vor Schmerz, vor Überraschung oder Entsetzen. Ich weiß nicht einmal, ob es weh tut, so stark, so bitter ist die Scham der Nacktheit. Ich spüre nichts anderes. [...]

Kaum tätowiert, werden wir nackt in einen anderen Raum geleitet. Dort rasieren uns Frauen. Sie rasieren uns vor allen anderen. Nicht nur den Kopf, auch die Schamhaare. Wie pervers man dafür sein muss ... Wer sind sie? Polinnen? Deutsche? Deportierte? Sprechen sie Jiddisch? Oder Deutsch? Manche von uns verstehen sie und bedrängen sie mit Fragen, flehen sie an: „Mein Sohn ist in einen Lastwagen gestiegen, wo ist er jetzt?“ [...] Sie scheinen schon lange dort zu sein, also müssen sie es wissen. Und hämisch antworten diese Frauen, während sie weiter ihre Arbeit verrichten: „Seht ihr den Rauch da draußen? Da sind sie! Da werden ihre Körper, eure Familien, verbrannt!“ Das schleudern sie uns entgegen, aber niemand glaubt ihnen. Wie sollten wir auch? Ich jedenfalls glaube ihnen nicht. [...]

Stellen Sie sich das vor.

Eine große Baracke. Der Boden besteht aus nacktem Lehm, glaube ich zumindest. Es riecht so stark, dass sogar die offenen Türen nichts bewirken. Soweit das Auge reicht, sitzen in dieser Baracke Frauen Seite an Seite, Rücken an Rücken auf Holzbrettern und verrichten ihre Notdurft. Alle gemeinsam. Ein Po neben dem anderen. Bei einer hat der Hintern alle möglichen Farben: gelb, rosa, bläulich. Aber das eigentlich Schockierende ist das, was sie tut: Sie uriniert in ihre Hände und reibt sich damit den Po ein. Neben ihr sehe ich diese andere Frau, die Wirbelsäule sticht durch die Haut, Beckenknochen wie bei einem Skelett, ich muss an die anatomischen Bildtafeln in der Schule denken. Wie ist das möglich? [...] Wer sich nicht hinsetzen will, wird aus purer Gehässigkeit runtergedrückt. Wer nicht aufstehen will, wird verjagt. Und jetzt gerade sollen alle aufstehen, vielleicht, weil wir da sind. Wer nicht fertig ist, hat Pech gehabt, wird weggeschubst und verscheucht, wenn nicht von der Kapo, dann von einer anderen Deportierten. Was gerade aus ihr kommt, kommt weiter heraus, tropft an den Beinen herunter, Kot und Urin, auf die Kleider, auf den Boden.

Ich schaue auf meine Füße. [...]

Ich erzähle, sehe alles vor mir und denke, dass es unmöglich ist, das überlebt zu haben. [...]

Es ist merkwürdig: Die Gymnasiasten, die ich seit Anfang der 2000er Jahre nach Auschwitz und Birkenau begleite, und selbst die Kleinsten, die Viertklässler, die in den Schulen meine Geschichte hören wollen, stellen mir viele kluge Fragen, aber nie nach dem Hunger. Dabei ist das Lager purer Hunger. Ich glaube sogar, er ist das Einzige gewesen, woran ich gedacht habe.

Nie fragen sie: „Was haben Sie gegessen?“ Stattdessen: „Haben Sie Hitler gesehen?“

[...] Den Schülern sage ich immer wieder: Daran ist der Hass schuld, der Hass

Kapo
Bezeichnung der Position eines Funktionshäftlings in einem Konzentrationslager in der Zeit des Nationalsozialismus. Ein Kapo wurde zu einem Mitarbeiter der Lagerleitung und musste andere Häftlinge beaufsichtigen. Ein Kapo musste für die SS die Arbeit der Häftlinge anleiten und war für die Ergebnisse verantwortlich.

Haupttor des ehemaligen Konzentrationslagers Auschwitz

im Reinzustand. Die Nazis haben sechs Millionen Juden vernichtet. Erinnert euch an das, was ihr für unvorstellbar gehalten habt. Wenn ihr hört, wie Eure Eltern, Verwandte oder Freunde rassistische, antisemitische Äußerungen von sich geben, fragt sie, warum. Ihr habt das Recht zu diskutieren, sie von ihrer Meinung abzubringen, ihnen zu sagen, dass sie sich täuschen. Ob sie es wirklich tun? [...]

Als ich zusammen mit Papa und Gilbert mit dem Transport Nr. 71 in Birkenau ankam, hielt der Zug in einem Kilometer Entfernung vom Lagereingang, eine Straße durch ein aschgraues Feld. Heute kann man diese Haltestelle besichtigen, die Judenrampe. Längs der Bahngleise sind Einfamilienhäuser gebaut worden.

Ich weiß nicht, wie man das zulassen konnte: Familien dort einziehen zu lassen, wo Tausende und Abertausende von Kindern angekommen und ermordet worden sind.

In den Gärten dieser Häuser stehen Klettergerüste, Schaukeln, Rutschbahnen.

Jedes Mal, wenn ich an die Judenrampe komme, denke ich an sie, an meinen Vater, an meinen kleinen Bruder Gilbert und an meinen Neffen. Beim letzten Mal, 2019, achtzig Jahre nach Kriegserklärung, dachte ich: Jetzt ist es fast auf den Tag genau fünfundsiebzig Jahre her, dass ich sie aus dem Zug habe steigen sehen. Ich habe mich noch nicht mal von ihnen verabschiedet.

Ich hoffe, Sie denken wenigstens nicht, dass ich übertrieben habe?

Diese beiden Arbeitsaufträge entsprechen dem **Aufgabentyp II A.**

1 Analysieren Sie den Auszug aus dem Bericht „Rückkehr nach Birkenau“ von Ginette Kolinka aus dem Jahre 2020 inhaltlich und sprachlich. Achten Sie dabei besonders auf die Bedeutung und die Darstellung der verschiedenen Zeitebenen.

2 Der Literaturwissenschaftler Geoffrey Hartman prägte angesichts der immer älter werdenden Zeitzeugen den Begriff der „intellektuellen Zeugenschaft“.
Damit möchte er *„eine aktive Rezeption bezeichnen, die für uns heute ebenso wie für die Zukunft relevant ist und eine bestimmte Gemeinschaft und die Öffentlichkeit als Ganzes mit gleicher Kraft anzusprechen vermag. [...] Das Gespräch, das [er] als wesentlich für den intellektuellen Zeugen erachte[t], beinhaltet folgende Fragen: [...] Können wir das Unheil des Holocaust betrachten, ohne den geringsten Trost aus der [...] künstlerischen Darstellung zu beziehen? [K]ann diese Katastrophe in einem vergleichenden Kontext von Völkermorden betrachtet werden? Kann man aus dem Holocaust moralische Lehren ziehen, die mehr sind als ein vager Appell an humanitäre oder demokratische Werte?“* (Geoffrey Hartmann: Intellektuelle Zeugenschaft und die Shoah)
Nehmen Sie Stellung, inwieweit „Rückkehr nach Birkenau“, „Jakob der Lügner“ oder der Roman „Heimsuchung“ dazu beitragen können, eine „intellektuelle Zeugenschaft“ im Sinne von G. Hartman aktiv auszugestalten und wahrzunehmen.

Auf Seite 140 in dem Roman „Heimsuchung“ redet die Dorfbevölkerung (ca. 1973) von der „ehemaligen Parzelle der Juden“. Auf Seite 173 spricht die Enkelin der Schriftstellerin (2018!) ganz selbstverständlich von einer „jüdischen“ Parzelle.

In dem Roman „Heimsuchung“ gibt es zwei Passagen, in denen die Art und Weise, wie „arische“ Menschen über ihre Mitbürger jüdischen Glaubens denken bzw. sprechen, dargestellt werden. Es handelt sich um die Gedanken des Architekten im Jahre 1951 (TA, S. 43, Z. 11 – S. 44, Z. 23) und den Dialogausschnitt aus der Zeit vor 1945 (TA, S. 71, Z. 1 – 10).

3 ***Lernarrangement***

a) Arbeiten Sie in Kleingruppen. Geben Sie wieder, was der Architekt über seinen jüdischen Nachbarn denkt. Charakterisieren Sie die Haltung des Architekten zum Judentum, die in seinen Gedanken zum Ausdruck kommt.
b) Erläutern Sie, was der Filmregisseur über die Schwierigkeiten der Maskenabteilung berichtet. Charakterisieren Sie die Haltung des Filmregisseurs zu den geschilderten Ereignissen.
c) Tragen Sie im Plenum Ihre Arbeitsergebnisse vor. Setzen Sie sich mit der Frage auseinander, welche Wirkungsabsicht mit den beiden Passagen erzielt werden soll.

„Sie schwamm im Brunnen, das Gesicht nach oben."

Die Darstellung des Krieges als Furie der Brutalität und der Barbarei analysieren

In dem Kapitel „Die Frau des Architekten" werden zentrale Ereignisse des Zweiten Weltkrieges als Zeitmarken genannt: Kapitulation der sechsten Armee vor Stalingrad (TA, S. 72, Z. 14), Vorstoß der Roten Armee auf Polen (TA, S. 72, Z. 18), Landung der Allierten in der Normandie (TA, S. 72, Z. 21) und die Schlacht bei den Seelower Höhen (TA, S. 73, Z. 16). Unmittelbares Kriegs- oder Kampfgeschehen wird an keiner Stelle des Romans geschildert. Trotzdem ist der Krieg an mehreren Stellen als Hintergrundgeschehen präsent.

1 Stellen Sie alle Textstellen des Romans zusammen, die direkt oder indirekt etwas mit dem Kampfgeschehen im Zweiten Weltkrieg zu tun haben.

Im Klausurtraining (S. 197 ff.) geht es um die Frage, welchen Beitrag Literatur leisten kann, eine Erziehung zum Frieden und zur Ablehnung militärische Gewalt erfolgreich zu fördern. Zu diesem Thema folgen nun zwei weitere Texte zum Thema „Krieg" mit sehr unterschiedlichem Charakter.

Lew Kopelew

Aufbewahren für alle Zeit! (1976)

Wir fuhren durch ein anderes brennendes Dorf, sahen an der Landstraße eine Kuhherde. In diesen Tagen gab es auf allen ostpreußischen Straßen Herden schwarzweißer Kühe, ohne Hirten, ungefüttert, ungemolken, brüllend.

Mich quälte und erbitterte die Vorstellung, dass bei uns zu Hause in den verbrannten, verödeten Dörfern das gepflegte ostpreußische Herdbuch-Vieh einen märchenhaften Schatz bedeuten würde. So dachte ich und wurde darüber böse und traurig. Irgendwo, tief innen, machte mich das Mitleid mit den ostpreußischen Bauern beklommen, die ja nicht nur keine Kühe, sondern auch keine Heimat mehr hatten – wir wussten damals schon, dass Polen und wir das Land behalten würden. Doch dieses Mitleid war dumpfer, schwächer, vager als der unmittelbare scharfe, nagende Zorn über die Sinnlosigkeit der Vergeudung hier, während dort, bei uns, so entsetzliches Elend herrschte. Dort in den verwüsteten Brandstätten am Ilmensee, bei Smolensk und Minsk – überall, überall, wo der Krieg gewütet hatte. Ja, auch dort, wohin er nicht gelangt war, wo er aus der Ferne unsichtbar Brot und Blut verschlang, wo Frauen auf den Äckern sich selbst vor den Pflug spannen mussten wie Wolga-Treidler, wo ein Stück Zucker ein sehnsüchtig erträumter Genuss war, wo großäugige, bläulich-blasse Kinder mühsam das erdschwarze, säuerlich-bittere, der Teufel weiß woraus zusammengebackene Brot herunterwürgten. [...]

Gegen Abend kamen wir nach Neidenburg. Brände erhellten die Stadt. Straßenzüge standen in Flammen. Die Unsrigen hatten sie in Brand geschossen. Dennoch waren viele Häuser verschont geblieben. Große, breitästige Bäume säumten die Straßen. In einer Seitenstraße lag an der Zierhecke eines Hauses, das vom Trottoir durch ein hohes Gitter getrennt war, die Leiche einer alten Frau: Ihr Kleid war zerrissen, zwischen ihren mageren Schenkeln stand ein Telefonapparat, der Hörer war ihr, so gut es ging, in die Scheide gestoßen. Auf den Straßen streunten Soldaten herum. Gemächlich schlenderten sie von Haus zu Haus, einige hatten Bündel oder Koffer bei sich. Einer von ihnen erklärte redselig, die Deutsche da sei eine Spionin gewesen; sie hatten sie beim Telefon erwischt, da ließ man sie nicht erst lange kreischen. [...]

Die Häuser waren leer, viele bis auf den Grund zerstört. Wir wateten durch Glasscherben und zerbrochenes Geschirr, durch Berge von Gerümpel. Mich zog es magisch zu den Bücherschränken und Schreibtischen. Im Haus des Amtsrichters entdeckte ich eine prachtvolle Bibliothek. Schränke bis zur Zimmerdecke. Im einen Philosophie, im anderen Geschichte, im dritten juristische Werke. Ein Schrank

Lew Kopelew (*09.04.1912 †18.06.1997), Germanist und Schriftsteller

Herdbuch Zusammenstellung beglaubigter Abstammungsnachweise von Zuchttieren

„wir" Damit sind die Soldaten der Roten Armee gemeint

Hier finden Sie Informationen über Lew Kopelew:

WES-169088-094

Lomonossow Scholochow russische Schriftsteller

Thomas Mann Heinrich Mann L. Feuchtwanger Leonhard Frank deutsche Schriftsteller

enthielt Werke über Napoleon, ein anderer Hunderte von Büchern russischer Autoren in deutschen Übersetzungen von Lomonossow bis Scholochow; dann ein Schrank mit Emigrantenliteratur: Thomas und Heinrich Mann, Lion Feuchtwanger, Leonhard Frank usw. Außerdem hatte dieser Amtsrichter eine hervorragende Plattensammlung besessen: klassische Musik ebenso wie Aufnahmen der Reden Kaiser Wilhelms, Eberts, Hindenburgs und Hitlers. Im Schreibtisch fand ich die säuberlich nummerierten Briefe seines Sohnes. Er war in Kanada, in englischer Gefangenschaft. Dies alles musste sichergestellt und abtransportiert werden. [...]

Aber wichtiger als all das war unser eigentlicher Auftrag, der im Marschbefehl so formuliert war: „Durchführung politischer Erkundung, Studium des politisch-moralischen Zustandes der Feindbevölkerung und der Tätigkeit des faschistischen Untergrunds." Wir hatten also mit den Menschen zu sprechen, mit der Feindbevölkerung. Der erste Tag unseres Aufenthalts in Ostpreußen ging zur Neige, und ich hatte bloß ein paar Leichen gesehen.

Da fiel mir in einer Gruppe von Soldaten eine alte Frau auf. Sie trug einen langen, sehr abgetragenen Plüschmantel mit einem räudigen Pelzkragen undefinierbarer Spezies, um ihren Hut hatte sie einen Schal gebunden. Ich sprang aus der Fahrerkabine, lief hinüber. Die Soldaten waren gutmütig aufgelegt, radebrechten: „Soldatt, Soldatt, gutt, gutt."

Ich sprach die Frau an. Sie sah verschreckt aus, verwirrt, misstrauisch, antwortete unzusammenhängend, stockend: „Ich suche die Tochter – meine Tochter mit den Kindern, ich hab' doch die Lebensmittelkarten. Sie haben Hunger ..." Dann, etwas ruhiger geworden, erzählte sie, sie sei Witwe, ihre Tochter auch. Der Mann der Tochter war in Afrika gefallen, sie seien arme Leute.

„Wo wohnen Sie? Wo ist Ihre Tochter? Kommen Sie, ich begleite Sie hin."

Sie geht zögernd, fürchtet sich sehr. Murmelt etwas. „Wir sind arme Leute, bei uns können Sie nichts holen. Die Tochter ist krank ..."

Ich beruhige sie: „Niemand tut Ihnen was Böses. Ich will Sie nur sicher nach Hause bringen, Sie können nicht auf der Straße bleiben."

Die Alte humpelt eilig los, verhaspelt sich in ihrem zu langen Plüschmantel, presst ihr Täschchen eng an sich. Ich gehe neben ihr. Der LKW folgt uns. [...]

Kreisleitung unteres Organ der NSDAP

Die Alte spricht allmählich zusammenhängender. Niemand hatte die Russen so bald erwartet; die Herren von der Kreisleitung hatten immerzu beruhigt, und dann auf einmal hatten sie sich Hals über Kopf davongemacht. „Aber die kleinen Leute, warum sollten die denn fliehen?"

[...] Schließlich kommen wir zu einem Haus am Stadtrand. [...] Vor dem Haus Militärfahrzeuge, ein paar Soldaten, am Tor ein Posten.

„Hier wohnt meine Tochter!"

Der Posten sagte, weder in diesem Haus noch in der Nachbarschaft befänden sich Einheimische: „Wenn hier noch eine einzige Frau wäre, dann wüssten wir es – aber todsicher!"

Die Alte begriff nichts und wollte nicht glauben, dass ihre Tochter nicht mehr hier sei, flehte, man möge sie doch ins Haus lassen. Ich erklärte ihr, dass es nicht gehe: Hier sei jetzt ein Stab einquartiert worden. Wir gehen zur Stadt zurück, vielleicht ist die Tochter zu Bekannten gegangen. Ich lade sie ein, in unseren Wagen zu steigen. Wieder fängt sie an, wirr zu stammeln. Immer wieder von der Tochter, den Lebensmittelkarten, den Kindern.

Beljajew Mitglied der Gruppe um Kopelew

[...] Der Wagen fährt an, gerät in eine Schneewehe, bleibt stecken. [...] Beljajew, böse und entschieden: „Sie hat uns absichtlich in die Irre geführt. Sie ist eine Spionin. Hast du ihre Papiere kontrolliert?" Er reißt ihr das Täschchen weg. Sie kreischt erschrocken auf. Er knipst die Taschenlampe an, schmeißt allen möglichen Kram aus dem Täschchen heraus: Sicherheitsnadeln, Brotmarken.

„Meine Karten! Meine Karten für Brot!“, jammert sie.

Beljajew zieht kurzentschlossen seine Pistole: „Die ist Spionin. Erschießen, los! Verdammt noch mal!“

„Mensch, bist du des Teufels? Bist du völlig übergeschnappt?“ Ich packe ihn an der Hand. Ich drehe mich um. Der jüngste unserer Passagiere hat die Alte schon in den Schnee gestoßen, schießt nun aus unmittelbarer Nähe auf sie. Sie fiept wie ein Kaninchen. Ich brülle, nun völlig außer mir: „Was machst du da, du Schweinehund?“ Er schießt munter drauflos, noch und noch und noch. Im Schnee liegt ein dunkler, unbeweglicher Klumpen. Das Soldaten-Bengelchen beugt sich darüber, nimmt sich den räudigen Pelzkragen. [...]

unsere Passagiere Soldaten der Gruppe um Kopelew

Ich bin schon nicht mehr erregt, sondern zu Tode erschöpft, absolut schlaff: ein niederträchtiges Gefühl. Und gleichzeitig der schäbige, beschwichtigende Gedanke: Du hättest ja doch nicht helfen können. Die Alte wäre sowieso umgekommen, wenn nicht morgen, dann übermorgen; und dann vielleicht qualvoller, vielleicht hätte sie noch Furchtbares über ihre Tochter erfahren müssen. [...]

Und wieder fahren wir durch die Straßen, in der flimmernden, zuckenden Beleuchtung des Feuerscheins ungezählter Brände. [...] Wir erkundigen uns bei entgegenkommenden Soldaten, wo der Stadtkommandant einquartiert und wo noch deutsche Bevölkerung zu finden sei.

In der Kommandantur beschrieb man uns Straße und Haus, in dem noch „ein paar deutsche Weiber“ seien. Es war ein einstöckiges Haus, mit einer Ziegelmauer umgeben, am Ufer eines Sees oder Teichs. Der Zugang führte durch einen umzäunten Hof. [...] Wir gingen zu dritt: Beljajew, Sidorytsch und ich. Alles war dunkel. Im Korridor hörten wir etwas wie Ächzen oder Stöhnen. Beljajew wich sofort zurück.

Ich erschrak auch, knipste die Taschenlampe aus, rief: „Wer da? Hände hoch und rauskommen!“ und zog den Revolver. Sidorytsch stand ruhig neben mir, entsicherte seine MP. Dann wieder leises winselndes Ächzen. Es wurde ungemütlich. Vielleicht lag hier irgendwo ein Verwundeter. [...] [Ich] knipste die Lampe an, stieß mit dem Fuß eine Zimmertür auf. Leer. Das Stöhnen kam von nebenan. Sidorytsch ging schweigend mit. Im Zimmer stand ein Tisch mit unordentlich zusammengeschobenem Geschirr. In einem Alkoven stand ein großes Bett, von dort kam das Stöhnen. Im Lichtkegel sahen wir eine Frau mit einer Pelzmütze auf dem Kopf, zugedeckt mit Decke und schwerem Federbett. Das Gesicht fahl, die Augen geschlossen. Stockend kam ihr winselndes Stöhnen. Ich spreche sie an. Sie stöhnt. Ich hebe das Federbett hoch. Mir schien, als liege sie im Mantel: Das Laken ist blutig. Sie liegt auf dem Rücken in einer Blutlache. Neben ihr ein kurzes Messer mit buntem Kunststoffgriff. [...] Das Blut fließt in mehreren Rinnsalen, aus Stichen in Brust und Bauch.

Alkoven Bettnische Wandbett

[...] Überall Spuren eiliger, oberflächlicher Plünderung. Haufen von Wäsche, alten Kleidern, Geschirr. Bücher gab es kaum, nur die Bibel, einen Kalender und die Psalmen.

„Los, gehen wir, hier gibt‘s nichts Gescheites.“

„Wo denkst du hin, man kann sie doch nicht einfach so liegen lassen?“

„Was soll man denn mit ihr machen? Krepiert ja sowieso. Ist sicher auch Spionin.“

Wieder dieses beschämende Gefühl der Ohnmacht.

„Sidorytsch, erschieß sie!" Das befahl ich. Befahl es aus Mitleid und Ohnmacht, aus feiger Schwäche. Man hätte sie verbinden müssen, einen Sanitäter suchen. Aber wenn man einen findet, würde der überhaupt kommen? Sie war ja schon fast verblutet.

Ich gab den Befehl und ging hinaus [...]. Hinter uns ein kurzer Feuerstoß. Wir rauchten im Hof. Sidorytsch kam nicht. Beljajew kriegte schon wieder Angst: „Was ist bloß mit dem?" Schrie: „Sidorytsch!" Der kam mit einem Bündel.

„Was hast du da geholt?"

„Nu ja, hatte da Stiefel gesehn. Sind zwar getragen, aber noch ganz fest."

1 Geben Sie mit eigen Worten wieder, worum es in diesem Text geht.

2 Erläutern Sie die Haltung, die der Ich-Erzähler zum Kriegsgeschehen und dessen Folgen hat.

Im Roman **„Heimsuchung"** räsoniert der Rotarmist: „Je mehr deutsche Häuser sie betraten, desto schmerzhafter stellte sich ihnen die Frage, warum die Deutschen nicht hatten dort bleiben können, wo ihnen zum Bleiben nichts, aber auch wirklich nicht das Allergeringste fehlte" (S. 95, Z. 4–8).

In dem Roman „Heimsuchung" reflektiert der Rotarmist seine derzeitige Situation: *„[I]rgendwann war aus dem Vertreiben ein Einnehmen geworden, und aus der Verteidigung der Heimat ein Wüten in der Fremde, die er sonst sicher niemals in seinem Leben betreten hätte"* (TA, S. 95, Z. 20–23).

3 Erläutern Sie, was sich grundlegend ändert, wenn ein Verteidigungskrieg in einen Angriffskrieg übergeht.

Der Roman „Ostpreußen im Fegefeuer" erschien im Jahr 1973 und ist seitdem ein Klassiker der sogenannten „Vertriebenenliteratur". Es wurden immer wieder Neuauflagen gedruckt. Das Buch verkauft sich bis heute erfolgreich. Die hier wiedergegebene Szene spielt im nördlichen Ostpreußen Februar 1945.

Emmerich Vondran

Ostpreußen im Fegefeuer (1973)

Vorsichtig probierte Thimm an der Haustür. Aber die war verschlossen – wahrscheinlich von innen verriegelt. Weil er wusste, dass die Bauernhäuser meist einen zweiten Eingang haben, schlich er mit dem Gefreiten Keil ums Haus in den Garten. Von dort aus führten fünf oder sechs Stufen hinab zu einer Tür. Und die ließ sich öffnen. Die beiden Männer sahen sich plötzlich in einem niedrigen ungepflegten Raume, den die Hausbewohner vermutlich zum Wäschewaschen benutzten. Im Lichtkegel von Thimms Taschenlampe standen Töpfe jeder Größe, Wannen und Zuber herum. Die Tür, die wahrscheinlich in den eigentlichen Keller führte, gab aber nicht nach.

Thimm schickte Keil zum Wagenschuppen, in dem sich der Rest seiner Gruppe versteckt hielt. Bis auf zwei Mann befahl er die andern zu sich in die Waschküche. Zwei mussten aber im Schuppen zurückbleiben und von dort aus die Haustür im Auge behalten.

Rehner und Keil, die beiden Draufgänger in Thimms Gruppe, lehnten sich mit aller Gewalt gegen die unnachgiebige Tür und bekamen wahrhaftig etwas Luft.

„Die ist nicht verschlossen", flüsterte Rehner, „die ist verbarrikadiert. Komm, Anton, drücke du mal mit! Da liegt nur was dahinter."

Zu dritt gelang es ihnen, die Tür so weit aufzudrücken, dass sich Rehner durch den Spalt hindurchzwängen konnte.

„Mensch, was ist denn hier los?", flüsterte er, „reich mir doch die Taschenlampe mal durch! Einige Augenblicke später ließ sich die Tür öffnen, und alle sahen, was dort hinter der Tür lag: ein umgestürztes Regal mit zerschlagenen Flaschen und Konservengläsern.

Thimm befahl, dass Lenz und Bornhoff in der Waschküche zurückblieben und von hier aus den hinteren Hauseingang sicherten. Mit Keil und Rehner wollte er weiter

Hier finden Sie Informationen über Krieg und Flucht in Ostpreußen:

WES-169088-075

nach oben vordringen. Fielen Schüsse im Haus, hatten Lenz und Bornhoff sofort zu Hilfe zu eilen. Das war den beiden eingeschärft worden.

Hinter der nächsten Kellertür stießen die drei auf den ersten Toten, einen graustoppelbärtigen Alten. Mit Nacken und Hinterkopf gegen die Mauer gestürzt, lag er da – recht unbequem, wie es Rehner erscheinen wollte. „Genickschuss“, stellte er fest, indem er den Mann von der Mauer abdrehte. Langsam wie ein Minutenzeiger legte der Tote sich nun auf den Boden nieder, als sei das erst die rechte Erlösung für ihn.

Schon wenige Schritte weiter, dort, wo es die Kellertreppe hinaufging, entdeckten sie den nächsten, einen Jungen von etwa vierzehn – so, als sei er die Steinstufen herabgestürzt und tot auf ihnen liegengeblieben.

„Genickschuss“, flüsterte Rehner, der sich den Jungen besehen hatte. „So eine Saubande!“, zischelte er durch die Zähne.

Thimm gab seinen Leuten Winke und schlich mit ihnen zurück in den Kellergang, in dem das umgestürzte Regal lag. Er wollte dort mit ihnen die Lage noch einmal kurz besprechen und sie vorbereiten auf das, was sie oben im Hause erwarten würde.

„Das ist euch doch klar“, flüsterte Thimm, „dass wir die Saukerle in den Betten der Frauen überraschen. Die Männer, die ihnen im Wege waren, die haben sie sich kurzerhand vom Halse geschafft. Alles deutet darauf hin, dass sie sich auf ihrem Nachtlager sicher fühlen. Unser Erscheinen wird sie also überraschen. Darin besteht unser Vorteil ihnen gegenüber. Handeln wir dazu schnell und entschlossen, dürften wir leichte Arbeit haben. MPi aber nur dann, wenn es nicht anders geht.“

„Lass das uns beide besorgen, Anton“, flüsterte Rehner. „Das mit der MPi überlassen wir dir. Den Feuerschutz wirst du uns also geben. Auch das Licht mit der Taschenlampe ... Ich verlasse mich also ganz auf meinen Spaten und deine MPi. Und Otto Keil empfehle ich, das auch so zu halten.“

Den Finger am Abzug seiner automatischen Pistole, so schleicht Thimm auf leisen Zehen die Steinstufen der Kellertreppe hinauf. Die Tür von dort zum Hausflur ist nur angelehnt. Als er sie vorsichtig aufmacht, schlägt den dreien Weingeruch entgegen. [...]

Thimm tritt vor die Tür und winkt die beiden aus dem Wagenschuppen zu sich herein ins Haus. Er postiert sie nun in der Küche. Von hier aus können sie Eingang und Hausflur im Auge behalten. Die Männer hören plötzlich ein furchtbares Stöhnen. Sie starren abwechselnd auf eine der beiden Türen. Es klingt, als läge da jemand im Sterben. Sonst aber bleibt alles ruhig. Nur in Abständen immer wieder dieses stöhnende Klagen. [...]

MPi
Maschinenpistole

Thimm hält sein Ohr prüfend zuerst an die eine und dann an die andere Tür. [...] Dann nimmt Thimm die Klinke fest in beide Hände, drückt sie vorsichtig nieder und zieht. Sie gibt nach. [...] Im vollen Mondenschein, der durchs Fenster hereinfallt, steht das Bett. Und wahrhaftig – es liegt auch jemand darin. Das Stöhnen aber kommt nicht von daher. [...]

Den Lauf seiner MPi hatte Thimm schon vorher in den Türspalt geschoben. Nun schleicht er als erster in die Stube. Den beiden andern gibt er ein stummes Zeichen, ihm zu folgen. Jetzt hat Keil das Pech. Er stößt mit dem Fuß an eine Flasche, die da irgendwo herumsteht. Die Flasche fällt um. Auf dem hohlen Dielenboden tut das einen dumpfen Schlag.

Und gerade, als löse dieser Schlag draußen im Dorf eine Kettenreaktion aus, fängt ein MG an zu bellen – ein russisches. Gleich fällt ihm ein deutsches ins Wort. Thimm kennt's an der schnelleren Schussfolge. Ein zweites deutsches mischt sich ein. Eine Geschossgarbe trifft auf die nahe Wand des Stalles, so dass Mörtel und Steinmehl gegen die Fenster des Wohnhauses fliegen. Zwei Salven aus einer Maschinenpistole machen den Schluss. Dann ist es wieder still.

Den Schläfer da aber hat's vom Lager gerissen. Fluchend tappt er nach seinen Siebensachen, die am Bettpfosten hängen. Rehner kommt ihm aber zuvor, schlägt zweimal zu, wirft das Koppelzeug des Russen und dessen MPi mitten in die Stube und stürmt hinter seinen Kameraden her. Denn die sind schon im Nebenzimmer und machen sich dort zu schaffen.

Keil hat den Schalter erwischt und das Deckenlicht angeknipst. Da sieht er, wie sich zwei verdutzte Russen von einer Strohschütte aufrappeln wollen. Aber schon erheben sie ihre Arme über den Kopf. Sie sehen, dass sich Keil ihrer Maschinenpistolen bemächtigt hat, die sie greifbar auf die Türklinke über der Strohschütte gehängt hatten.

Inzwischen sind Thimm und Rehner auch schon mit dem feisten Kerl fertig geworden, der da quer über den zwei nebeneinanderstehenden Betten gelegen hat. Halb auf der Frau hat er gelegen, die mit Armen und Beinen an die vier Bettpfosten gefesselt ist.

Weil Rehner Rücksicht auf die Gefesselte nehmen musste, hatte er nicht gewagt, mit dem Spaten auf den Russen loszugehen. So hatten Thimm und Rehner hart zugreifen müssen, um den Mann erst einmal von der Frau loszureißen. Der hatte sich wie ein Wilder gebärdet, als ihm klar wurde, mit wem er es so plötzlich zu tun bekommen hatte.

Aber bald stand auch er neben den beiden anderen Kahlköpfen auf der Strohschütte, hatte wie sie die Hände hinter dem Kopfe verschränkt und starrte mit ihnen zusammen die Blümchentapete der Bauernstube an.

Sobald die Frau von ihrer Folterbank befreit war, fing sie an zu schluchzen, und das furchtbare Stöhnen verstummte.

Ostpreußen 1945: Vier sowjetische Kriegsgefangene werden von zwei Soldaten der deutschen Wehrmacht abgeführt.

Und nun kam das Schlimmste für die Männer: Die Weinende verlangte nach ihren Leuten – auch nach der Tochter Herta fragt sie. Der Lauf der Ereignisse ersparte ihnen aber, darüber zu reden.

Weil die Frau davon spricht, dass einer der Russen ihre Herta auf die Lucht hinauf geschleppt haben müsse, will Thimm auf die Kahlköpfe an der Wand aufpassen und Rehner und Keil einmal hinaufschicken. In diesem Augenblick prasselt im Hausflur eine MPi einmal kurz los und schweigt auch gleich wieder.

Thimm springt über die Strohschütte an den drei Russen vorbei, reißt die Tür auf, die vor drei Minuten noch verschlossen gewesen war, als er an ihr von außen probierte, und sieht einen Hemdärmligen vor der ersten Treppenstufe liegen, – und dicht neben dem Leblosen eine MPi. An der altmodischen Trommel erkennt Thimm sofort, dass es eine russische ist.

„Ich konnte nicht anders", entschuldigt sich Wenzel, der die tödlichen Schüsse abgegeben hat. „Der kam doch die Treppe heruntergeschlichen und hatte die MPi im Anschlag. Was sollte ich anderes machen?"

Thimm stieg mit Rehner die Treppe hinauf und kam schon nach kurzer Zeit zurück. Sie brachten Herta mit, die ein ganz verschwollenes Gesicht hatte und nur zusammengekrümmt gehen konnte.

Während Rehner der Mutter die Tochter zuführte und ihr schonend beibrachte, was mit dem alten Vater und dem Jungen geschehen war, sorgte Thimm dafür, dass den Frauen der Anblick der Toten erspart blieb. Die beiden Russen, die sich so schnell ergeben hatten, mussten ihre toten Kameraden in die Scheune schaffen – gleich darauf auch den toten Vater und den Jungen aus dem Keller.

Dann machte Thimm der Frau klar, dass er von nun an nichts mehr für sie tun könnte, weil er mit seinen Leuten sofort weitermüsste. Ihr und Herta wäre nichts Besseres zu Sommerfeld raten, als einen der Wagen, die im Schuppen stehen, zu bespannen, das Allernötigste aufzupacken und in Richtung Norden zu trecken. Wenn Sommerfeld in dieser Nacht auch von einigen hundert Russen befreit wird, so meinte er, über kurz oder lang würden Tausende von ihnen nachrücken.

Jetzt kam Lenz aus der Waschküche und meldete Thimm, die verabredeten Leuchtkugeln seien eben geschossen worden – die Schule und der russische Stab also in deutscher Hand.

Sofort schickte Thimm Bornhoff und Wenzel los, dass sie die drei Gefangenen und die erbeuteten Waffen dort ablieferten.

Lucht
Dachboden

Sommerfeld
Siedlung im ehem. Landkreis Friedland/Bartenstein, Ostpreußen heute Gruschewka Rajon Prawdinsk, Oblast Kaliningrad, Russland

1 Verfassen Sie eine Inhaltsangabe dieses Romanauszugs.

2 Stellen Sie dar, welche Eigenschaften und Fähigkeiten den deutschen Soldaten in diesem Text zugeschrieben werden. Erläutern Sie, mit welchen sprachlichen und gestalterischen Mitteln diese Zuweisungen bewerkstelligt werden.

3 Charakterisieren Sie anhand des Textes die Eigenschaften und Verhaltensweisen der sowjetischen Soldaten.

4 Erörtern Sie mögliche Wirkungsabsichten der Gestaltung des Romans. Beziehen Sie sich dabei auf das Stichwort „Heimatverteidigung" im Text aus dem Brockhaus (S. 179) und auf die Erläuterungen zu Aufgabe 3 zum Text von Lew Kopelew (S. 215 ff.).

5 Diskutieren Sie abschließend im Plenum, ob Texte wie die von Littell, Kopelew und Vondran geeignet sind, eine eindeutig ablehnende Haltung gegen Krieg und Gewalt zu erzeugen bzw. zu festigen. Nehmen Sie dabei Bezug auf die Aussage von Irmgard Scheitler:
„Auch von der Hoffnung, eine Verbesserung von Zuständen durch Literatur herbeiführen zu können, hat sich die Gemeinde der Autoren und Leser weitgehend entfernt, obwohl es in diesem Punkt in den letzten Jahrzehnten verschiedene Tendenzen gab." (S. 175, Z. 36 ff.)

Hier finden Sie Informationen über den Stalinismus:

WES-169088-037

„Manches, woran sie sich erinnert, schreibt sie nicht."

Die Schicksale zweier Frauen als Opfer stalinistischer Kontrolle analysieren und vergleichen

Die Schriftstellerin aus dem Roman „Heimsuchung" beabsichtigt, ihre Lebenserinnerungen aufzuschreiben. Dabei entschließt sie sich, vier markante Episoden zu verschweigen. Sie ist der Meinung, „dieses Schweigen war nach allen Entbehrungen das größte Geschenk an ihren Traum" (TA, S. 118, Z. 17 ff.). Sie haben sich bereits mit diesem „großen" Traum auseinandergesetzt (vgl. S. 178, Aufgabe 5) und seinen Inhalt erarbeitet.

Die **vier Episoden** finden Sie im Roman auf den Seiten 117/118.

1 Erläutern Sie, um welche vier Episoden aus dem Leben der Schriftstellerin es sich handelt.

2 Stellen Sie dar, welche Rolle die Schriftstellerin jeweils bei diesen vier Episoden gespielt hat, und begründen Sie, warum die Schriftstellerin es vorzieht, sie im Hinblick auf ihren „großen" Traum zu verschweigen.

Die Publizistin Margarete Buber-Neumann hat in der ersten Hälfte ihres Lebens einen Lebensweg, der dem der Schriftstellerin sehr ähnelt. Allerdings entwickeln sich die Dinge im Moskauer Exil dann völlig anders.

Margarete Buber-Neumann (*21.10.1901 †06.11.1989), Publizistin

NKWD Volkskommissariat für Innere Angelegenheiten, bis 1954 allein zuständig für die staatliche Sicherheit der Sowjetunion

Margarete Buber-Neumann

Als Gefangene bei Stalin und Hitler (1949)

Jetzt werden drei Maifeiertage kommen, die Gefängnisschalter geschlossen sein, und ich kann ihn nicht suchen. Immer wieder kommt mir die Erinnerung an die Nacht vom 27. zum 28. April. So gegen 1 Uhr nachts klopfte es dröhnend an unsere Zimmertür. Ich sprang aus dem Bett, knipste das Licht an. Die Schläge gegen die Tür wiederholten sich. „Heinz, um Gotteswillen, wach doch auf!" Er drehte sich lächelnd auf die andere Seite.

Zitternd öffnete ich die Tür. In ihrem Rahmen standen drei uniformierte NKWD-Beamte und der Kommandant des „Lux". Die Worte, die sie an mich richteten, drangen nicht bis zum Bewusstsein. Es dröhnte, es hämmerte, es sang in den Ohren. Meine Stimme versagte mir den Dienst.

Knarrende Stiefel erfüllten unser Zimmer. Sie umstanden das Bett des friedlich schlafenden Delinquenten. Erst das „Nejman stawaitje!" (Neumann stehen Sie auf!) ließ ihn hochfahren. „Haben Sie Waffen?", war die nächste Frage. Nur einige Sekunden war ein fast kindliches Entsetzen auf seinem Gesicht, dann, als ob er erwache, wurde es grau und mager, entschlossen, um das Leben zu kämpfen. Seine Faust fuhr über die Bettdecke. „Ich protestiere gegen meine Verhaftung!"

„Das können Sie später machen", erwiderte höhnisch der Natschalnik (Anführer) des Kommandos. Er trug eine randlose Brille, die ihm das Aussehen eines Intellektuellen gab.

„Ziehen Sie sich an!", war das nächste Kommando. Dann trat er ans Fenster, schloss es und zog die Gardinen sorgfältig vor. Der Kommandant des Hotels, Gurewitsch, saß mit von sich gestreckten Beinen in einem Sessel, während die drei anderen die Durchsuchung des Zimmers begannen.

„Mach' doch nicht ein so entsetztes Gesicht." Ohne Zittern in der Stimme, ohne ein Zeichen von Verzweiflung oder Angst, begann Heinz mich zu trösten. Der Natschalnik unterbrach uns: „Es ist verboten, in deutscher Sprache miteinander zu reden." Einer von den drei NKWD-Leuten, ein kleiner, runder, der damit beschäftigt war, die tausend Bände unserer Bibliothek zu durchsuchen und jedes einzelne Buch durchblätterte, schleppte wie ein apportierender Hund einen interessanten Fund nach dem andern zu seinem Vorgesetzten. Auf dem Fußboden häuften sich Bücher trotzkistischen, sinowjewistischen, radekistischen, bucharinistischen Inhalts. Aufgeregt überbrachte er einen Brief Stalins an Neumann aus dem Jahre 1926, der in irgendeinem Band gesteckt hatte. In diesem Schreiben fordert Stalin Neumann auf, in der „Roten Fahne“, dem damaligen Zentralorgan der KPD, einen politischen Angriff gegen Sinowjew zu starten. Der Bebrillte las ihn aufmerksam und äußerte dann kühl und geschäftlich: „Um so schlimmer.“ Bald war das Zimmer in eine Staubwolke gehüllt. Am Schreibtisch saß der Natschalnik und räumte ihn bis auf den letzten Zettel aus. Jede Fotografie, die Briefe meiner Kinder, alles wurde beschlagnahmt.

Das Hotel Lux in Moskau

Trotzki
Sinowjew
Radek
Bucharin
Kamenjew
führende Revolutionäre aus der Lenin-Epoche, die den „Säuberungen“ zum Opfer fielen

Wir saßen uns gegenüber. Meine Knie wollten nicht aufhören zu zittern. Heinz fügte zwischen russische Sätze kurze deutsche ein. Wir sprachen unsere eigene Sprache. „Stalin trägt die Verantwortung für unzählige Verbrechen. Wenn du am Leben bleiben solltest und noch einmal ins Ausland kommst, geh zu Friedrich Adler ...“ Und dann immer wieder Tröstendes: „Sei nicht so verzweifelt, vielleicht sehen wir uns doch irgendwann wieder ...“

Langsam wurde es hinter den Gardinen Tag. Die Geräusche des großen Hotels drangen zu uns. Aber dieses Tageslicht und dieser Morgen waren nicht für uns bestimmt. Unsere letzten Stunden waren gekommen, ich war ausgelöscht, keiner Worte fähig. Dann setzte der NKWD-Natschalnik das Protokoll der Durchsuchung auf: „Sechzig Bücher trotzkistischen, sinowjewistischen, kamenjewistischen, bucharinistischen Inhalts, einen Koffer voller Manuskripte, Briefe, Schriftstücke.“

Heinz nahm Mantel und Mütze. Ich hielt mich am Bücherbrett fest, drückte die Fingernägel ins Fleisch, biss auf die Lippen, um nicht zu weinen. Wir umarmten uns. Da kamen die Tränen. „Du darfst nicht weinen!“ – „Beeilen Sie sich! Los!“ Heinz ging zur Tür, drehte sich noch einmal um, lief zurück, küsste mich: „Weine nur, ach, es ist ein Grund zu weinen!“

Das Zimmer war leer, das Licht brannte. Aufgerissene Schubladen, überall Bücher und Papierfetzen ...

Und als sei noch etwas zu retten, eilte ich die Treppe hinunter zum Zimmer des Leiters der Kaderabteilung der Komintern, zu Alichanow, einem alten Bekannten von Heinz. Seine Frau öffnete. Alichanow saß im Bett, schweißüberströmt. Als ich ihm mitteilte, man habe soeben Heinz verhaftet, nickte er nur und wischte sich Stirn und Gesicht ab. Auf meine schluchzende Frage, ob er nicht helfen könne, blickte er hoffnungslos, versicherte aber, alles tun zu wollen, was in seiner Macht stehe. Er ging einige Monate später denselben Weg wie Heinz. [...]

An dieser Stelle will ich einiges über das Leben in Moskau erzählen, so wie es war, noch bevor ich eine „Hinterbliebene“ wurde. Wir waren politisch Geächtete, da Neumann im Winter 1931/32 wegen politischer Abweichungen von der Komintern-linie in Fragen des Kampfes gegen die Nationalsozialisten von seiner Funktion als Mitglied des Politbüros der Kommunistischen Partei Deutschlands abberufen worden war und trotz ständiger Aufforderung durch die Komintern keine „befriedigende Erklärung“ abgegeben hatte, in der er seine Fehler „kritisierte“, die Richtigkeit der Kominternlinie betonte, und aus der hervorging, dass er sich „der Schwere seines politischen Vergehens bewusst“ war und in der er in jeder erdenklichen Form zu Kreuze kroch. Gleiches wie wir erlebten in jenen Jahren in der Sowjetunion viele, viele Menschen. Das Schicksal der deutschen Kommunisten und ihre Liquidierung war zugleich das Schicksal einer ganzen Generation von ehemaligen Revolutionären.

Plakat aus dem Jahre 1935; der Text lautet: „Lasst uns beständige Söhne und Töchter unserer großen Partei von Lenin und Stalin sein!“

Wir kamen im Mai 1935 nach Moskau. Neumann war aus dem Schweizer Zuchthaus Regensdorf, in dem er als Auslieferungsgefangener an Hitler-Deutschland saß, bis die Schweizer Regierung nach sieben Monaten das Auslieferungsbegehren zurückwies, unter Polizeibewachung auf ein russisches Transportschiff in Le Havre gebracht worden. Schon auf dem Schiff hatte er zu mir gesagt: „Vielleicht wird man mich in Leningrad verhaften." Es kam nicht so. Wir erhielten sogar in Moskau ein Zimmer im Hotel „Lux", dem Gemeinschaftshaus der Komintern, was aber scheinbar ein Versehen war, denn schon am Tage nach unserer Ankunft telefonierte Wilhelm Pieck, der damalige Parteisekretär der KPD, und forderte uns auf, sofort in das Emigranten-Hotel im Stadtteil „Baltschuk" zu übersiedeln. Wir kamen diesem „Befehl" jedoch nicht nach.

In Moskau war die Atmosphäre zum Ersticken. Ehemalige politische Freunde wagten nicht mehr einander zu besuchen. Das Hotel „Lux" konnte man nur mit einem „Propusk" (Durchlassschein) betreten. Jeder Besucher wurde registriert. Dadurch hatte die NKWD eine vorzügliche Kontrolle. Die Telefone in den einzelnen Zimmern des Hotels wurden überwacht. Immer wieder bemerkten wir ein knackendes Geräusch, nachdem die Verbindung hergestellt war. Die Post unterlag selbstverständlich einer Kontrolle. Die Furcht vor Bespitzelung nahm solche Formen an, dass sich gute Freunde, wenn sie es doch gewagt hatten, zu Besuch zu kommen, zuflüsterten: „Habt ihr euer Zimmer auch genau durchsucht, ob man nicht irgendwo einen Abhörapparat einmontiert hat? Ist nicht vielleicht irgendwo ein Mikrophon angebracht? Etwa in der Lampe? Vielleicht im Telefon?" Ich erlebte, dass jemand alle Steckkontakte abmontiert hatte und sie nach einer Membrane untersuchte.

Am 27. April 1937 wurde **Heinz Neumann** verhaftet, am 26. November 1937 zum Tode verurteilt und noch am selben Tag erschossen. 1938 wurde **Margaret Buber-Neumann** als „sozial gefährliches Element" verhaftet und zu fünf Jahren Lagerhaft verurteilt.

Es gab kaum einen der dort lebenden Emigranten, der nicht einmal während der letzten zehn Jahre eine „Abweichung von der Linie der Komintern" gehabt hätte, und damit hielt die „Kaderabteilung der Komintern" oder die „Internationale Kontrollkommission" jeden an der Gurgel. „Gib eine befriedigende Erklärung ab. Bekenne deine politischen Fehler. Folge dem Gebot der ‚Wachsamkeit' und decke jegliche kritische Haltung der Menschen, mit denen du verkehrst, schonungslos auf! Gib zu ‚Protokoll' jede Äußerung in deiner Umgebung, die nach ‚Abweichung' schmeckt! Nur dann werden wir überzeugt sein von deiner Parteitreue und dich in die Arbeit einreihen." [...]

Im Untersuchungsgefängnis

Als ich im Morgengrauen in einem Fordauto, den Koffer vor mir, zwischen zwei NKWD-Beamten durch die Straßen Moskaus in der Richtung zur Lubjanka fuhr, war eine beleuchtete Normaluhr und die Feststellung „Sowas wirst du lange nicht mehr sehen" mein letzter Eindruck in der Freiheit, die ich nun für sieben Jahre verlieren sollte. Dann fuhren wir in den Hof der Lubjanka ein; man führte mich durch irgendeine Pforte in eine kleine Zelle mit Tischchen und Schemel. Gleich darauf wurde mir ein langer Fragebogen, Tinte und Feder überbracht. Die Aufnahmeformalitäten begannen. Nachdem alles ausgefüllt war, führte mich ein Soldat in einen sogenannten „Sobatschnik" (Hundehütte). Das ist eine schmale Zelle ohne Fenster, mit einer Bank, auf der sitzend man mit den Knien fast die Tür berührt. Der „Spion", ein kleines Guckloch in der Tür, wurde alle zwei Minuten geöffnet, und das Auge eines Soldaten war zu sehen. Die Zelle hatte Licht. Von Zeit zu Zeit schaltete man irgendwo einen Ventilator ein, er brauste und durch ein Loch über der Tür strömte kühle, merkwür-

Lubjanka
zentrales Gefängnis und Archiv des sowjetischen Geheimdienstes

dig riechende Luft in die Zelle. Nach kurzer Zeit war ich tief eingeschlafen und erwachte erst, als man die Zellentür aufschloss und ich kopfüber herauspurzelte. Ein Soldat führte mich wieder über Korridore. Alles war mit Fliesen belegt, und die Schritte klapperten wie in einem Hallenbad.
In einem Raum stand eine Frau mit weißer Schürze. Ihr Gesicht war eine Mischung von Krankenschwester und Marketenderin. Schüttere, dunkle Haare, wie eine aufgelockerte Rosshaarmatratze, bedeckten die Stirn, und eine hektische Röte überzog die Backenknochen. Dort erlebte ich meine erste Körpervisitation. Da wurde man genauso behandelt wie eine Prostituierte.
Wenn man sich auch noch so viele Monate mit dem Gedanken vertraut gemacht hat, dass man eingesperrt wird, was es wirklich bedeutet, weiß man erst, wenn man hinter einer Tür ohne Klinke sitzt; aber was ein Häftling ist, was es heißt, über seinen Körper verfügen lassen zu müssen, das weiß man nach der ersten Körpervisitation in der Lubjanka. Von da ab war ich kein normaler Mensch mehr, hatte nur den Wunsch, mich zu rächen, nur einmal mit dem Absatz in dieses Gesicht treten zu können, in diese Fratze mit den Rosshaaren.

Marketenderin begleitet militärische Truppen und versorgt die Soldaten mit Waren des täglichen Bedarfs

1 Erläutern Sie die Ereignisse, von denen die Autorin berichtet, in chronologisch korrekter Abfolge.

2 ***Lernarrangement***
a) Lesen Sie sich in Einzelarbeit den Infokasten zu Margarete Buber-Neumann durch.
b) Suchen Sie in Partnerarbeit fünf bis sechs Adjektive, die Ihrer Meinung nach am besten die Persönlichkeit der Autorin und ihre Lebensentscheidungen beschreiben. Diese können und sollen widersprüchlich sein.
c) Vergleichen Sie im Plenum Ihre Auswahl und diskutieren Sie Abweichungen und Übereinstimmungen.
d) Problematisieren Sie, ob Ihre getroffene Auswahl an Adjektiven auch deckungsgleich für die Schriftstellerin aus dem Roman „Heimsuchung“ gelten könnte.
e) Diskutieren Sie Unterschiede und Gemeinsamkeiten zwischen Margarete Buber-Neumann sowie der Schriftstellerin aus dem Roman „Heimsuchung“

Margarete Buber-Neumann

Margarete Buber-Neumann politisiert sich schon als Jugendliche während des Ersten Weltkriegs; über die Jugendbewegung kommt sie zum Sozialistischen Jugendbund, und allmählich eignet sie sich kommunistisches Gedankengut an, träumt wie viele junge Kommunist/-innen von der Befreiung vom ausbeuterischen Kapitalismus durch die Weltrevolution. Nach Ablegung eines Lehrerinnenexamens arbeitet sie kurze Zeit als reformpädagogisch orientierte Lehrerin, doch bald widmet sie sich ausschließlich im Untergrund der Arbeit für die kommunistische Partei Deutschlands. Dabei lernt sie den ebenfalls idealistischen Kommunisten Rafael Buber, Sohn des Religionsphilosophen Martin Buber, kennen und heiratet ihn. Aus der 1929 geschiedenen Ehe gehen zwei Töchter hervor, die erst noch bei ihr, dann bei seinen Eltern leben und schließlich als Halbjüdinnen nach Israel fliehen müssen. Margarete Buber-Neumann [...] spielt [...] eine eher unkonventionelle Rolle, denn ihr Hauptinteresse gilt der Arbeit für die KP: Anwerben von Arbeiter/-innen und Angestellten für die Partei, Verteilen von Flugblättern, Abhalten von Parteischulungen. Sie lernt Heinz Neumann kennen. [...] Neumann, hochgebildet, intellektuell und agitatorisch gewandt, fasziniert sie sehr, und sie wird seine Mitarbeiterin. Sie heiraten und arbeiten gemeinsam für die kommunistische Partei in Deutschland, Spanien und Frankreich. Unter der stalinistischen Diktatur zerbrechen allmählich ihre Hoffnungen und Ideale. Parteistreitigkeiten, zunehmende Kommunismusfeindlichkeit, Faschismus und Nationalsozialismus zwingen sie, 1933 unter falschem Namen nach Moskau zu flüchten. Dort leben sie wie viele europäische kommunistische Emigrant/-innen im Hotel Lux. Nächtlich werden immer öfter angeblich nicht parteilinientreue Freunde verhaftet. 1937 wird Heinz Neumann verhaftet, nie wieder hört sie etwas von ihm. Kurz darauf wird Margarete Buber-Neumann für zwei Jahre in ein Arbeitslager nach Sibirien verbannt. 1940, nach dem Stalin-Hitler-Pakt wird sie nach Deutschland ausgeliefert und von den Nazis ins Konzentrationslager Ravensbrück gebracht. [...] Margarete Buber-Neumann hat sieben Jahre lang Zwangsarbeit leisten müssen, hat gelitten unter Hunger, Kälte, Hitze, Krankheiten, Ungeziefer, Prügelstrafe, wochenlanger Dunkelhaft und grausamen Demütigungen. Sie hat es überlebt. Nie hörte sie nach ihrer Befreiung 1945 auf, als Publizistin gegen Inhumanität und diktatorische Systeme zu kämpfen. (Text leicht verändert)

„Das Segeln ist eine schöne Sache“
Die Darstellung der DDR untersuchen und analysieren

Sie haben bereits für verschiedene Figuren des Romans „Heimsuchung“ herausgearbeitet, dass sie mit der Politik und dem System der DDR nicht einverstanden sind: Der Architekt flieht 1951, weil ihm eine fünfjährige Haftstrafe droht, die Schriftstellerin beklagt sich über die Vorgehensweise der Gemeindeverwaltung, der Unterpächter unternimmt einen Fluchtversuch, der misslingt und für den er schwer bestraft wird. Die Autorin J. Erpenbeck äußert sich dazu folgendermaßen in einem Interview mit der Zeitung „Standard“ im Jahr 2009:

Interview mit Jenny Erpenbeck (2009)

Das Gute an der Zeit, in der ich aufgewachsen bin, war, dass wir eine große Distanz zu unserer Regierung hatten. Jeder fand diese Mannschaft senil und unfähig und wartete darauf, dass Honecker abtritt. In der Stasi-Akte meines Vaters steht bereits Anfang der 80er-Jahre, dass er findet, das System müsse umgestürzt und besser gemacht werden. Die Frage war nur, ob man auf Seiten derer stand, die oppositionell tätig waren, oder so wie meine Eltern, die in der Partei waren, von innen durch Kritik eine Änderung zu erreichen versuchte. Wir haben es bis zum Mauerfall nicht für möglich gehalten, dass das hier einfach alles aufhört.

Im Roman „Heimsuchung“ wird über das Ende der DDR nichts erzählt. Lediglich an einer Stelle tauchen die Formulierungen „nach dem Fall der Berliner Mauer“ (TA, S. 143, Z. 29) und „kurz nach der Grenzöffnung“ (TA, S. 159, Z. 11) auf.
Im Folgenden soll betrachtet werden, wie sich das Ende der DDR vollzog und ob die Formulierung zutrifft, „dass das hier einfach alles aufhört“ (Erpenbeck, s. o.).
Der Roman „Nikolaikirche“ spielt in der Zeit zwischen März 1985 und dem 9. Oktober 1989 in Leipzig. Beide Ausschnitte finden im Lagezentrum des Ministeriums für Staatssicherheit (MfS) statt. Die Schlussszene ist geprägt von den immer stärker werdenden Montagsdemonstrationen. Die Demonstrierenden versammelten sich in den Kirchen und zogen dann in einem breiten Strom auf die Straßen, die den Stadtkern umgeben. An diesem Montag, den 9. Oktober, spitzt sich die Lage in Leipzig zu. In der Einsatzzentrale laufen alle Ton- und Bild-Verbindungen zu den neuralgischen Punkten zusammen.

Erich Loest (*24.02.1926 †12.09.2013) Schriftsteller

Erich Loest
Nikolaikirche (1995)

1985, März Der Raum hatte die Form eines Rugbyballs. Türen verbanden die gewölbte Längsseite zum Ring hin mit einem dekorativen Balkon, und Türen führten von den Schmalseiten zu Vorzimmern, Korridoren und Treppen, einem Labyrinth immer neuer Anbauten, die tief in den Hügel gegraben waren [...]. Der Tisch reichte für zwanzig Personen. An der Stirnseite saß der General, links von ihm einer seiner Vertreter, daneben Hauptmann Alexander Bacher. Rechts hatten zwei Berliner Genossen ihre Papiere ausgebreitet. „Die neue Maßnahme“, begann der General, „ist nirgends so wichtig wie in Leipzig. Wir müssen herausfinden, was sich im Umkreis der Kirchen abspielt, wer subversive Aktionen betreibt oder dahintersteckt. Nach gründlichen Beratungen sind wir zu der Meinung gekommen, dass Sie, Genosse Bacher, dafür der Richtige sind.“
Alexander Bacher neigte den Kopf leicht zur Seite, als ob er damit freudige Aufmerksamkeit und auch Dankbarkeit ausdrücken wollte. Etwas Neues geschah endlich, und, nach dem mittleren Bahnhof hier, sogar auffällig Wichtiges. Einer der Obersten aus Berlin berichtete über Identifizierungsmaßnahmen gegenüber negativ-feind-

lichen Personen, die in Berlin und Potsdam erprobt worden waren […]. „Knien Sie sich vor allem da rein, Genosse Bacher. Ziel der Maßnahmen ist, über alle wichtigen Personen im Sektor der ideologischen Diversion einen lückenlosen Überblick zu gewinnen und zu wissen, wen wir im Ernstfall aus dem Verkehr ziehen müssen.“

Diversion
Zersetzung

„In welcher Größenordnung?“

Der General blickte seinen Vertreter an, der brummte, sicherlich hätten sie mit hundert bis zweihundert Personen die Gefährlichsten im Sack. Als Schwerpunkte Nikolaikirche, Michaeliskirche, Theologisches Seminar und das Dorf Königsau, dazu Gruppen und Grüppchen, die neuerdings aus dem Boden schössen. […]

Bacher schaute zum General, der saß starr aufrecht, ein Mann von bestenfalls einsfünfundsechzig, die Unterarme parallel auf der Tischplatte. Ein Mann mit phantastischem Datengedächtnis, ein blendender Organisator. Sein Gönner – diese Maßnahme hätte auch jemand anderem übertragen werden können. Der Stellvertreter erläuterte die Ausstattung der neuen Position. „Genosse Bacher, für die Spürhunde müssen Sie sicherlich Genossen von der Kripo rüberziehen. Vielleicht sollten Sie vom Objekt in Leutzsch aus operieren. Als Spielwiese schlage ich Königsau vor. Dort haben sie schon vor zehn Jahren mit diesem Friedensgesülze angefangen. Überlegen Sie, was Sie an Leuten und an Technik brauchen.“

„Erster Bericht in vier Wochen, Genossen, noch Fragen?“ Da schüttelten alle die Köpfe, so mochte es der Leiter der Bezirksverwaltung: Sein Gespür dafür, wann ein Thema erschöpft war, sollte jeder für untrüglich halten. Wer dann noch nachklapperte, wurde abgebürstet. […]

Eine neue Aufgabe. Bacher räumte seinen Schreibtisch auf und gab Unterlagen ab, er sah sich im Objekt Leutzsch um, dort musterte er Schäferhunde mit leiser Scheu, und sie musterten ihn. Er besorgte sich Material über die Gemeinde Königsau mit ihrem aufsässigen, todkranken Pfarrer. Schließlich umrundete er neugierig die Nikolaikirche. Das Haupttor war verschlossen, wahrscheinlich musste es repariert werden. Jeden Montag beteten sie nun da drin für den Frieden. Einmal sicherlich bald, würde er sich dazusetzen. Er müsste als Fremdkörper auffallen, alle würden den Braten riechen, selbst wenn er sich in Jeans und Pullover einschlich. Er war stämmiger als diese Burschen und ohne Bart. Sein Haarschnitt war der normalste der Welt, keine Chance, ein Büschel mit einem Gummi zusammenzubinden. Vielleicht hing bei Mutter noch einer von Vaters Mänteln. Der müsste ihm zu weit sein, genau richtig so. Er würde Mutter mitnehmen, sie sollte sich so altmodisch wie möglich herausputzen. Ein etwas wunderlicher Sohn am Arm seiner Mama. Sie würden die Hände falten, wenn es die anderen taten, aufstehen und sich setzen wie sie. Einmal hier, einmal in der Michaeliskirche. Auch in diesem Nest Königsau, Mutter am Stock. […]

Nikolaikirche in Leipzig

Dunkel war der Stein der Kirche, ruß- und abgasgeschwärzt. Mit ihren Nischen und Anbauten war sie kaum höher als die Häuser rundum, wenn man vom Turm absah. Die Unikirche war von den Genossen im Mai '68 weggesprengt worden, hundert Meter entfernt hatte Nikolai womöglich ihren Geist aufgesogen. Das schien vorstellbar, wenn man sich auf die Denkweise von Christen einließ: Den Herrn Jesus hatten die Genossen vom Karl-Marx-Platz verjagt, nun igelte er sich in dieser Bastion ein. Zeigte seine Stacheln. Die der Dornenkrone. Fast musste Bacher lachen: Ein Hauptmann vom MfS war am wenigsten berufen, den Pfarrern Gedanken für ihre Predigten zu liefern. […]

Er sollte abhauen. Er sollte nie wieder hierherkommen. Ein Befehlshaber gehörte nicht in den Schützengraben, und ein MfS-Offizier hatte von seinem Objekt aus den Kampf zu leiten.

1989, 9. Oktober Glockengeläut, das von St. Thomas war am lautesten und überlagerte das von der Reformierten Kirche. Bacher ließ den Blick durch den Raum schweifen, vierzehn Männer, sechs rauchten, einer zog gerade eine Zigarettenschachtel aus der Tasche. [...]

letzte Montage Gemeint sind die Montagsdemonstrationen

Raumton Alle Gespräche sind über Lautsprecher im Raum hörbar

Die große Stunde des Mannes an den Telefonen begann. An den letzten Montagen waren neue Elemente erprobt worden, auch der Raumton. Der Oberstleutnant kannte Fernsehbilder von gewaltigen Kombinationen: Raumfahrtzentrum in den USA, Gipfeltreffen von Reykjavik, Olympiaden. Er meldete über den Kopf des Generals hinweg: „Nikolai.“ Orgelmusik. Nie war der General dort gewesen, nie in St. Thomas, zweimal in der Unikirche vor der Sprengung. Er stellte sich Hunderte von Genossen in Holzbänken vor, in Mänteln, mit Aktentaschen. Wo ein Genosse ist, ist die Partei. Jetzt saßen fünf- oder siebenhundert bewährte Parteimitglieder aus Behörden und der Uni dort, was bedeutete dagegen schon ein Pfaffe. Wenn einer aufstand und verkündete: Die Partei lässt sich nicht foppen!

„Immer noch Nikolai“, meldete der Oberstleutnant.

„Liebe Gemeinde, ich habe den Eindruck, viele Menschen wollen unsere Gesellschaft nachdrücklich verändern, in der wir vierzig Jahre lang gelebt und nicht nur gelitten haben. Es ist so, als ob wir uns unter den Zwang stellen, jetzt Sieger werden zu müssen. Haben wir unsere Kräfte nüchtern eingeschätzt? Wollen wir etwas um jeden Preis mit Blut und Tränen erreichen? Gott will uns helfen! Die Reformen, die schon vor Jahren fällig waren, werden kommen, wenn wir den Geist der Friedfertigkeit, der Ruhe und der Toleranz in uns einkehren lassen. Wer vor Gott kniet, für den wird der Pazifismus zum Handlungsfeld, zur Richtschnur. Der Friedensgeist muss aus diesen Mauern wirken. Achtet darauf, dass die uniformierten Männer nicht angepöbelt werden. Sorgt dafür, dass keiner Lieder oder Losungen anstimmt, die die Staatsmacht provozieren. Legt die Steine aus der Hand. Nur beim Herrn gibt es Hilfe und Schutz! Amen.“

VP Volkspolizei

Bacher sah, dass sich die Kiefer des Generals gegeneinander bewegten [...]. „Die VP“, befahl der General. Der Oberstleutnant wechselte die Hörer. Dass er den Raumton nicht abschaltete, wertete Bacher weniger als Versehen, sondern als Reaktion auf die neue Situation: Kollektiv müsste entschieden werden, nichts war es mehr mit der alten MfS-Klarheit: „Ich befehle!“

„Diese Massen. Es hat alles nichts geholfen, die Leute drängen ja doch ins Zentrum.“

„Wie viele?“

Grimmaische Straße in Leipzig

Kampftruppen bewaffnete Betriebsgruppen

„An die zwanzigtausend, der Karl-Marx-Platz ist zur Hälfte voll. Ich hab‘ die Grimmaische vorn absperren lassen durch Kampfgruppen und Bereitschaft, aber ich weiß nicht, ob ich das so lassen soll. Über den Stadtfunk wird immerfort ein Aufruf gesendet. Dialog mit der Regierung und so weiter. Hast *du* das initiiert?“

„Ich?“, schrie der General. „Mich fragt doch keiner!“ Erschießen, im nächsten Dämmergrauen müsste ein Peloton aus MfS-Offizieren die Aufwiegler abknallen, hinter den Pferdeboxen von Markkleeberg oder in der Wüste von Böhlen, unter der Förderbrücke, aus dem Himmel stürzten Erde und Sand und begruben die Verräter.

Der Oberstleutnant schaltete zur Thomaskirche. Orgelmusik. Eine Frau: „Ich habe mich am Morgen von meinen Kindern verabschiedet und bitte Gott, sie am Abend gesund wiederzutreffen. Behütet vom Herrn Jesus Christ.“ Der Oberstleutnant schaltete zum Punkt aller Punkte, „Fichtelberg“: Vom Flachdach über der Universitätsbuchhandlung war Sicht auf Nikolai, sozusagen in die Wohnung des Pfarrers hinein, außerdem in die Universitätsstraße und über die Grimmaische hinweg auf einen guten Teil des Karl-Marx-Platzes. Ein Oberst wachte dort mit zwanzig Genossen an den Kameras. „Die Lage?“

zuführen verhaften

„Was so reinpasst, sechstausend. Kaum Bewegung. Vorhin hab’ ich Sprechchöre gehört: ‚Schämt euch!‘ Vielleicht sollte zugeführt werden. Aber das hat wohl keinen Sinn mehr.“ Was hat Sinn? Maschinengewehre dort oben und Dauerfeuer aus den Kästen, die berühmte chinesische Lösung.

„Noch mal Thomas?“, fragte der Oberstleutnant. Er wartete keine Antwort ab, schaltete. „Gehen Sie heute bitte durch die Gottschedstraße nach Hause, nicht durch die

Innenstadt. Ich wünsche Ihnen Frieden auf dem Nachhauseweg, dass Gott Sie beschütze."

„Fichtelberg."

„In fünf Minuten ist in Niko Schluss. Alle stehen wie erstarrt. Die Sperre am Ausgang der Grimmaischen ist weg, die Genossen sind in die Uni zurückgezogen worden."

„Die Partei."

Der Stellvertreter musste auf den Anruf gewartet haben. „Ja", sagte er sofort, „ich frage in Berlin an, Genosse Krenz, ich werde dich – alles klar!"

Eine halbe Minute lang war es still im Raum, die letzten beiden Worte klangen nach wie Hohn.

„In die Lemminge kommt Bewegung", meldete der Späher vom „Fichtelberg". Dieses Wort hatte sich festgesetzt für eine unübersehbare Menschenzahl mit unbestimmbarer Drangrichtung. Der Vergleich stammte von einem berühmten Dichter des Landes, er hatte es den Flüchtlingen, die über Stock und Sumpf die Grenze von Ungarn zu Österreich überwanden, schmähend nachgerufen. „In Niko ist Schluss, zweieinhalbtausend wollen raus." Fünfhundert Genossen dabei, dachte Bacher.

„Druck von Niko her in die Grimmaische, unter uns Stau. Auch in der Reformierten ist Schluss, die Leute schieben über den Ring ins Zentrum. Tausend Lemminge ungefähr von dort. Unten schreien sie: Weitergehen! Alle blicken in die Grimmaische, genau unter uns ist jetzt ..."

[...] Bacher musste fast lachen bei der Vorstellung, die Spitze seines Politbüros hätte vor einer Stunde beschlossen, Sekt und Häppchen auf Meißner Porzellan, an denen sich die letzten Delegierten der Bruderparteien noch einmal labten, stehenzulassen und per Hubschrauber an die Front zu eilen. Hinter der Thälmannstraße sprangen sie in Panzer mit heißen Motoren, Honecker stand im Turm des ersten, Stoph des zweiten, dem Axen hatten sie eine Gemüsekiste untergeschoben, auf dass sein Kopf aus dem Turm rage. Und so, die Faust geballt, rote Banner schwingend, donnerten sie zum Ostknoten. Die Massen erkannten ihre Parteiführer, wie am Ersten Mai jubelten sie ihnen zu. Hoch schwangen die Kampfgrüppler ihre Kalaschnikows wie einst Budjonnys wilde verwegene Jagd die Säbel.

18 Uhr 11. „Die Partei!" „Der Genosse Krenz hat noch nicht zurückgerufen."

„Die VP!"

„Ich habe Kampfgruppen zum Georgiring geschickt." Der VP-General hörte sich an, als beschwere er sich bei einer Schicksalsmacht.

Egon Rudi Ernst Krenz (*19.03.1937), Sekretär des ZK der SED für Sicherheitsfragen

Willi Stoph (*09.07.1914 †13.04.1999), Vorsitzender des Ministerrates der DDR

Hermann Axen (*06.03.1916 †15.02.1992), Sekretär des ZK der SED

Semjon Michailowitsch Budjonny (*25.04.1883 †26.10.1973), Marschall der Sowjetunion; im russischen Bürgerkrieg (1918–1921) führte er größere Kavallerieverbände, deren Kampferfolge zur Legende wurden

Hier erfahren Sie etwas über die friedliche Revolution in Leipzig im Oktober 1989:

WES-169088-089

Operationsgruppe: „Friedensgebet in Michaelis beendet. Personen verlassen grüppchenweise die Kirche. Abgangsrichtung noch nicht festgestellt." 18 Uhr 22: „Demonstration formiert sich in Grimmaischer Straße. Der Stadtfunk ist eingeschaltet. Pfarrer in Nikolai hat angeboten, die Kirche nachts über offen zu lassen." Hauptmann Zindel, Borna: „Lage im Verantwortungsbereich ohne Vorkommnisse." Genosse Schubert: „Veranstaltung in Reformierter beendet. Zirka 1500 Personen, größter Teil Abgangsrichtung Innenstadt." Operationsgruppe: „Im Bereich Hauptbahnhof Osthalle zirka 1500 Personen mit Bewegungsrichtung Stadtzentrum. Weiterer Zulauf Richtung Innenstadt. Vor der Westhalle zirka 200 Personen ohne Aktivitäten." 18 Uhr 39: „Im Bereich Nikolai Sprechchöre und Rufe: ‚Gorbi, Gorbi' und ‚Neues Forum zulassen'."

18 Uhr 49: „Vor der Hauptpost Formierung eines Demo-Zuges in Richtung Hauptbahnhof. Rufe ‚Gorbi, Gorbi'. Der harte Kern in Höhe Jugendmodezentrum. Absingen der Internationale." 19 Uhr 02, Operationsgruppe: „Spitze Demo am Ostknoten. Harter Kern ruft: ‚Erich, mach die Schnauze zu'."

Jetzt wieder der Polizeigeneral: „Gerade schwenken sie ein. Ich habe meinen Einheiten Rücknahme und Eigensicherung befohlen"

„In zwanzig Minuten", sagte der General, „sind sie hier."

1 Geben Sie den Inhalt des Textabschnitts „1985, März" (Z. 1 – 70) wieder.

2 Charakterisieren Sie das in diesem Abschnitt dargestellte Selbstverständnis des Protagonisten.

3 Fassen Sie die Ereignisse des zweiten Abschnitts „1989, 9. Oktober" (Z. 71 – 177) prägnant zusammen.

4 Erklären Sie die Absicht, die mit der Ansprache in der Nikolaikirche (Z. 86 – 96) verfolgt wird.

5 Erläutern Sie, was mit der „neue[n] Situation" (Z. 100) gemeint ist.

6 In dem Text gibt es drei Passagen, in denen Wunschvorstellungen entwickelt werden (vgl. Z. 108 – 111; Z. 122/123; Z. 146 – 155). Erläutern Sie diese Wunschvorstellungen und beurteilen Sie deren Realisierbarkeit.

7 Diskutieren Sie abschließend im Plenum: Halten Sie die Formulierung von Jenny Erpenbeck im Interview für angemessen? Was könnte Jenny Erpenbeck veranlasst haben, die Ereignisse der Wende im Roman völlig auszusparen? Welche Kenntnisse hat Ihre Jahrgangskohorte von den Ereignissen 1989/90?

Albert Speer (*19.03.1905 †01.09.1981), Architekt, seit 1942 Reichsminister für Bewaffnung und Munition

Hier erfahren Sie etwas über die „Welthauptstadt Germania":

WES-169088-065

Speer oder nicht Speer?

In dem Roman „Heimsuchung" wird an zwei Stellen Bezug auf Albert Speer genommen. Der Architekt erinnert sich seiner (vgl. TA, S. 41, Z.14) und die Immobilienmaklerin erwähnt ihn (vgl. TA, S. 80, Z. 16 / S. 182, Z. 19).

8 Informieren Sie sich über die Person Albert Speer und über das Projekt Germania.

9 Erläutern Sie, in welchem Zusammenhang sich der Architekt an seine Beziehung mit Speer erinnert, und was die Immobilienmaklerin mit dem Hinweis auf die „Gruppe Albert Speer" bezweckt.

10 Stellen Sie Hypothesen bezüglich der mit diesen beiden kurzen Hinweisen auf Albert Speer verbundenen Wirkungsabsichten auf.

„Heimsuchung“ als eigenwillig-brüchige Chronik

Eine Rezension des Romans analysieren und bewerten

Katharina Granzin

Zwischen Streben und Ausgeliefertsein (2008)

Katharina Granzin (*1966), Literaturkritikerin und Kulturjournalistin

Jenny Erpenbeck ist die Favoritin für den Preis der Leipziger Buchmesse. Ihr Roman „Heimsuchung“ erzählt die Geschichte des vergangenen Jahrhunderts anhand eines Ferienhauses.

Um einen Roman zu schreiben, der ein ganzes Jahrhundert umfasst, würden andere Autoren an die tausend Seiten brauchen. Jenny Erpenbeck bleibt locker unter zweihundert. Als Titel für ihren Jahrhundertroman genügt ihr genau ein Wort. Dieses Wort aber schillert bereits so seltsam, zeigt es doch zwei gegensätzliche Richtungen der Bewegung an. In seine beiden Teilworte zerlegt, kann „Heim-suchung“ einerseits ein aktives Streben implizieren, an Menschen denken lassen, die sich ein Zuhause schaffen. Auch davon handelt der Roman, immer wieder.

Es ist ein Haus am See in märkischer Landschaft, an dem der Roman die Personen umkreist, die im Laufe mehrerer Jahrzehnte auf diesem Flecken Erde ihr Zuhause aufschlagen. Doch dies ist nur die zweite, schon willentlich konstruierte semantische Ebene des Begriffs „Heimsuchung“, der in seiner primären Bedeutung ja vom genauen Gegenteil des aktiven Suchens handelt, nämlich davon, wie Menschen gegen ihren Willen eingeholt werden von einer Außenwelt, die in ihren privaten Raum einbricht und dies durchaus nicht in freundlicher Absicht tut. Eine „Heimsuchung“ ist eine schicksalhafte Bedrohung, der man schutzlos ausgeliefert ist, eine Urgewalt, der nichts entgegengesetzt werden kann. Und auch dies ist das Thema dieses nur äußerlich schmalen Romans; das Geworfensein des Menschen in die Welt. [...]

Ein Hauch von deutscher Romantik liegt über Erpenbecks poetischem Existenzialismus. Dessen Bühne ist die deutsche Geschichte des letzten Jahrhunderts, eingefangen in einem einfachen Symbol: Haus mit Garten. Das Haus steht an einem See, unter Bäumen, vor allem natürlich einer großen Eiche, irgendwo in eiszeitlich geprägter märkischer Hügellandschaft. Auch Letzteres ist wichtig, denn das Buch beginnt allen Ernstes in der Eiszeit und vergegenwärtigt das Entstehen der Landschaft vor (mit Erpenbeckscher Präzision) vierundzwanzigtausend Jahren. Erst dann werden nach und nach das Haus und seine Bewohner vorgestellt. Der letzte Satz wird wieder lauten: „Bevor auf demselben Platz ein anderes Haus gebaut wird, gleicht die Landschaft für einen kurzen Moment wieder sich selbst“, was sehr trocken die Bedeutungslosigkeit menschlichen Strebens umreißt.

Wie zum Trotz, oder auch gerade deswegen, lesen sich die einzelnen Schicksale, die Jenny Erpenbeck in ihrer eigenwillig-brüchigen Chronik, in zeitlich mal vor-, mal nacheinander zu verortenden Geschichtssplittern poetisch vergegenwärtigt, wie besonders kostbare Preziosen. Das Erscheinen der Menschen ist flüchtig, doch auch die kleinsten ihrer alltäglichen Handlungen haben in dem Moment, da sie geschehen, ihr Gewicht, werden durch sorgfältig detaillierte Beschreibungen zu beziehungs- und bedeutungsreicher Aktivität.

Preziose Kostbarkeit

Als der Erbauer und erste Besitzer des Hauses, ein Architekt, zum ersten Mal ins Bild tritt, tut er dies allerdings mit einer wenig alltäglichen Handlung. Wir begegnen ihm, als er sich anschickt, das Haus für immer zu verlassen, um in den Westen auszureisen. Vorher aber vergräbt er die wertvolleren Teile seines Hausrats im Garten. Im weiteren Verlauf des Buches werden diese Dinge nach und nach wieder zutage treten; und auch Erpenbecks Verfahren gleicht sehr dem Bergen dieser vergrabenen Schätze. Hier findet sich eine Kiste Silberbesteck, dort eine Reihe Zinnkrüge. Sie werden von Erde befreit, gereinigt, sorgsam zu facettenreichem Glanz gebracht und zur genauen Betrachtung dargeboten: Menschen und ihr Leben. Alles Einzelstücke.

Da gibt es den Dorfschulzen, der das Seegrundstück zu Beginn des 20. Jahrhunderts besessen hatte, und seine leicht verrückte jüngste Tochter, die das Grundstück hätte erben sollen, doch vorher entmündigt wird und sich umbringt, als der Vater es verkauft. Es folgen der Architekt, der sein Talent nacheinander in den Dienst dreier sehr unterschiedlicher deutscher Regierungen stellen wird, und seine Frau, die allein im Wandschrank versteckt ist, als die Russen kommen.

Auch die Familie des jüdischen Tuchfabrikanten, Besitzer des Nachbargrundstücks mit darauf befindlichem Badehäuschen, das der Architekt sich in den Dreißigerjahren für die Hälfte des Verkehrswertes unter den Nagel reißt, bekommen wir vorgestellt. Es ist zu lesen, wie das Mädchen Doris, eine Enkelin des Fabrikanten, im KZ ermordet wird. [...]

Das Schicksal der kleinen Doris, vom Umfang her nicht mehr als eine Episode, fällt deutlich aus dem Rahmen. Die Autorin gestattet ihrer Erzählung hier, sehr nah heranzukommen an die Figur, stellt ihren lyrischen Ton ganz in den Dienst auch der kleinsten Wahrnehmungen des dem Tod geweihten Kindes. Die Doris-Perspektive verliert niemals die Bodenhaftung, hält sich bis zum Schluss erinnernd fest an jenem kleinen Paradies am See. Das kann das Mädchen nicht retten, aber es kann sie bis in den Tod begleiten. [...]

Ab hier, auch rückwirkend für alles vorher Gelesene, wird das Schicksal der ermordeten Doris zum Bezugspunkt, der erst so recht deutlich macht, wie sehr die Existenz und das Überleben aller anderen Personen zufällig sind. Die meisten von ihnen, wenngleich durchaus als Individuen porträtiert, treten denn auch eher als überindividuelle Figuren auf. Der exemplarische Charakter ihrer Lebensläufe spiegelt sich in ihrer Anonymität, denn zumeist erhalten sie keine Namen, sondern sind „der Architekt", „die Frau des Architekten", „die Hausherrin", „die Besucherin". [...]

Das Haus altert im Unterschied zum stets wandelbaren Garten wie ein Mensch. Wenn die letzte „Hausherrin" genannte Person das Haus einer gründlichen, heimlichen Reinigung unterzieht, bevor es an Investoren verkauft wird, gleicht das einer rituellen Totenwaschung. Die letzte Heimsuchung des Romans, der Abriss, befällt das Haus selbst, das für niemanden mehr ein Heim sein wird.

Dieses Ende ist traurig und offen zugleich. Etwas ist unwiderruflich vorüber. Doch jedes Ende, so zeigt der Gärtner in seinem nimmermüden Wirken, birgt auch den Anfang von etwas Neuem. Dass man sich den Gärtner als einen glücklichen Menschen vorstellen muss, versteht sich von selbst. Und wer kein Gärtner ist, kann doch immerhin wieder von vorne zu lesen beginnen.

1 Erklären Sie, was unter „poetische[m] Existenzialismus" (Z. 21 f.) zu verstehen ist.

2 Erklären Sie, was mit der „Bedeutungslosigkeit menschlichen Strebens" (Z. 31) gemeint ist.

3 Überprüfen Sie, ob die Aussage, dass „die Existenz und das Überleben aller anderen Personen zufällig sind" (Z. 67 f.), in dieser Allgemeinheit zutrifft.

4 Die Anonymität der meisten Figuren (vgl. Z. 71) wird als Hinweis darauf verstanden, dass es sich um „überindividuelle Figuren" (Z. 69 f.) handele. Klären Sie, was damit gemeint ist. Überprüfen Sie anhand der einzelnen anonymen Figuren, ob diese Behauptung zutreffend ist. Vergleichen Sie dazu Ihre Arbeitsergebnisse zu Aufgabe 2 auf Seite 168.

5 Problematisieren Sie den Begriff „Jahrhundertroman". Liegt ein rein zeitliches Verständnis zugrunde in dem Sinn, dass sich die Handlung des Romans über hundert Jahre erstreckt? Wird ein bestimmtes Jahrhundert gemeint?

6 Erörtern Sie, inwieweit der Roman politisch ist im Sinne des Textes von Juli Zeh (vgl. S. 187 f.).

Das Ende der großen Erzählungen?

Die Ergebnisse der Unterrichtseinheit Epik abschließend reflektieren

J. F. Lyotards Diagnose über das postmoderne Zeitalter (2016)

Jean-François Lyotard (1924–1998), französischer Philosoph und Literaturtheoretiker

Der französische Philosoph Jean François Lyotard veröffentlichte vor zwanzig Jahren das Buch *La condition postmoderne* (Das postmoderne Wissen), in dem er das Wissen der höchstentwickelten Gesellschaften analysierte. Sein Fazit: Früher wurde wissenschaftliches und philosophisches Wissen stets im Rahmen von großen Erzählungen vorgetragen wie die des Fortschritts, der Emanzipation des Menschen, des Buchs der Natur oder der Einheit eines weltumspannenden Sinns. Seit dem Beginn des 20. Jahrhunderts haben alle diese großen Erzählungen an Boden verloren. Heute triumphiert der Dissens über den Konsens, und das sei gut so. Das Einzelne werde nicht mehr vom Allgemeinen terrorisiert. Erst mit dem ‚Ende der großen Erzählungen' werde Pluralität verwirklicht.

1 Erläutern Sie den Begriff „Erzählung", wie er von J. F. Lyotard laut des obenstehenden Textes verwendet wird. Arbeiten Sie auch den Unterschied zum Begriff „Erzählung" heraus, der bisher für Sie im Literaturunterricht gängig ist.

Die Ärzte

Sohn der Leere (2012)

Da ist nicht so viel
Regeln ohne Spiel.
Bis zum Horizont
Ist niemand, der hier wohnt

Es braucht ja auch kein Wort
Es ist niemand an diesem Ort
Nord, Süd, Ost und West
Nicht mal ein kleiner Rest!

Das große Ungenie
Der Meister der Amnesie.
Habe die Ehre
Ich bin der Sohn der absoluten Leere

Früher waren hier noch Wiesen
Elfen, Einhörner und Riesen.
Dann kam der große Knall
Und alles verschwand im All

Das große Ungenie
Der Meister der Amnesie.
Habe die Ehre
Ich bin der Sohn der absoluten Leere

Die Toten Hosen

Wünsch dir was (1993)

Ich glaube, dass die Welt sich noch mal ändern wird
Und dann Gut über Böse siegt
Dass irgendjemand uns auf unseren Wegen lenkt
Und unser Schicksal in die Hände nimmt
Ja, ich glaube an die Ewigkeit
Und dass jeder jedem mal vergibt
Alle werden wieder voreinander gleich
Jeder kriegt, was er verdient

Ich glaube, dass die Menschheit mal in Frieden lebt
Und es wahre Freundschaft gibt
Und der Planet der Liebe wird die Erde sein
Und die Sonne wird sich um uns drehen

Das wird die Zeit
In der das Wünschen wieder hilft

Es wird einmal zu schön
Um wahr zu sein
Habt ein letztes Mal Vertrauen
Das Hier und Heute ist dann längst vorbei
Wie ein alter, böser Traum
Es wird ein großer Sieg für die Gerechtigkeit
Für Anstand und Moral
Es wird die Wiederauferstehung vom heiligen Geist
Und die vom Weihnachtsmann

Es kommt die Zeit
In der das Wünschen wieder hilft

2 Analysieren Sie die beiden Song-Texte und setzen Sie Ihr Ergebnis in Beziehung zu der These Lyotards, dass die großen Erzählungen der Menschheit an Boden verloren hätten.

„Magie und Macht der Sprache“

Sprache

Sprache, Denken und Wirklichkeit: Verhältnis von sprachlichen Zeichen, Vorstellung und Gegenstand; Sprachskepsis

Sprachvarietäten und ihre gesellschaftliche Bedeutung: Dialekte, Soziolekte

Sprachgeschichtlicher Wandel: Veränderungstendenzen der Gegenwartssprache, gesteuerte und ungesteuerte Formen

Texte

Komplexe pragmatische Texte: Textsorte, Inhalt und gedanklicher Aufbau/Argumentationsgang, Leserlenkung, sprachliche Gestaltung und Intention

Kommunikation

Kommunikationssituation und -verlauf: rhetorisch gestaltete Kommunikation

Kommunikationsrollen und -funktionen: symmetrische und asymmetrische Kommunikation, Verständigung und Manipulation

Medien

Information: Darbietungsformen, Verbreitungsweisen, Prüfung von Geltungsansprüchenn

Dimensionen der Partizipation: individuelle und gesellschaftliche Verantwortung; Möglichkeiten der politischen Willensbildung, der gesellschaftlichen Einflussnahme und Mitgestaltung

Klausurtraining

II B Vergleichende Analyse pragmatischer Texte

IV A Materialgestütztes Verfassen informierender Texte

Sprache in politisch-gesellschaftlichen Verwendungszusammenhängen

Kompetenzen

Um die Erwartungen an eine erfolgreiche Auseinandersetzung mit der folgenden Unterrichtsreihe erfüllen zu können, müssen Sie im Unterricht insbesondere folgende Kompetenzen erwerben:

- komplexe Sachverhalte unter Berücksichtigung der Kommunikationssituation, der Adressaten und der Funktion sprachlich differenziert darstellen;
- selbstständig die sprachliche Darstellung in Texten mithilfe von Kriterien (u. a. stilistische Angemessenheit, Verständlichkeit, syntaktische und semantische Variationsbreite) überarbeiten;
- komplexe pragmatische Texte, auch unter Berücksichtigung der Textfunktion und des Modus, vor dem Hintergrund ihres jeweiligen gesellschaftlichen-historischen Kontextes analysieren;
- Texten und Materialdossiers zielgerichtet relevante Informationen und Argumente entnehmen;
- sprachliches Handeln in rhetorisch gestalteter Kommunikation unter Einbezug einzelner Kommunikationsmodelle analysieren;
- in der Analyse rhetorisch gestalteter Kommunikation verbale, nonverbale und paraverbale Aspekte in Beziehung zueinander deuten;
- Merkmale verständigungsorientierter und manipulativer Kommunikation erläutern;
- die Qualität von Informationen aus verschiedenartigen Quellen (u. a. Grad an Fiktionalität, Seriosität, fachliche Differenziertheit) beurteilen;
- Möglichkeiten und Gefahren der politischen Willensbildung und der gesellschaftlichen Einflussnahme in verschiedenen medialen Zusammenhängen beurteilen (u. a. Verbreitung von Falschmeldungen, Hate Speech);
- verschiedenartige Texte mithilfe digitaler Werkzeuge, auch in kollaborativen Verfahren, verfassen und überarbeiten.

Rebus

Ein Thema auf der Grundlage von Bildern erschließen

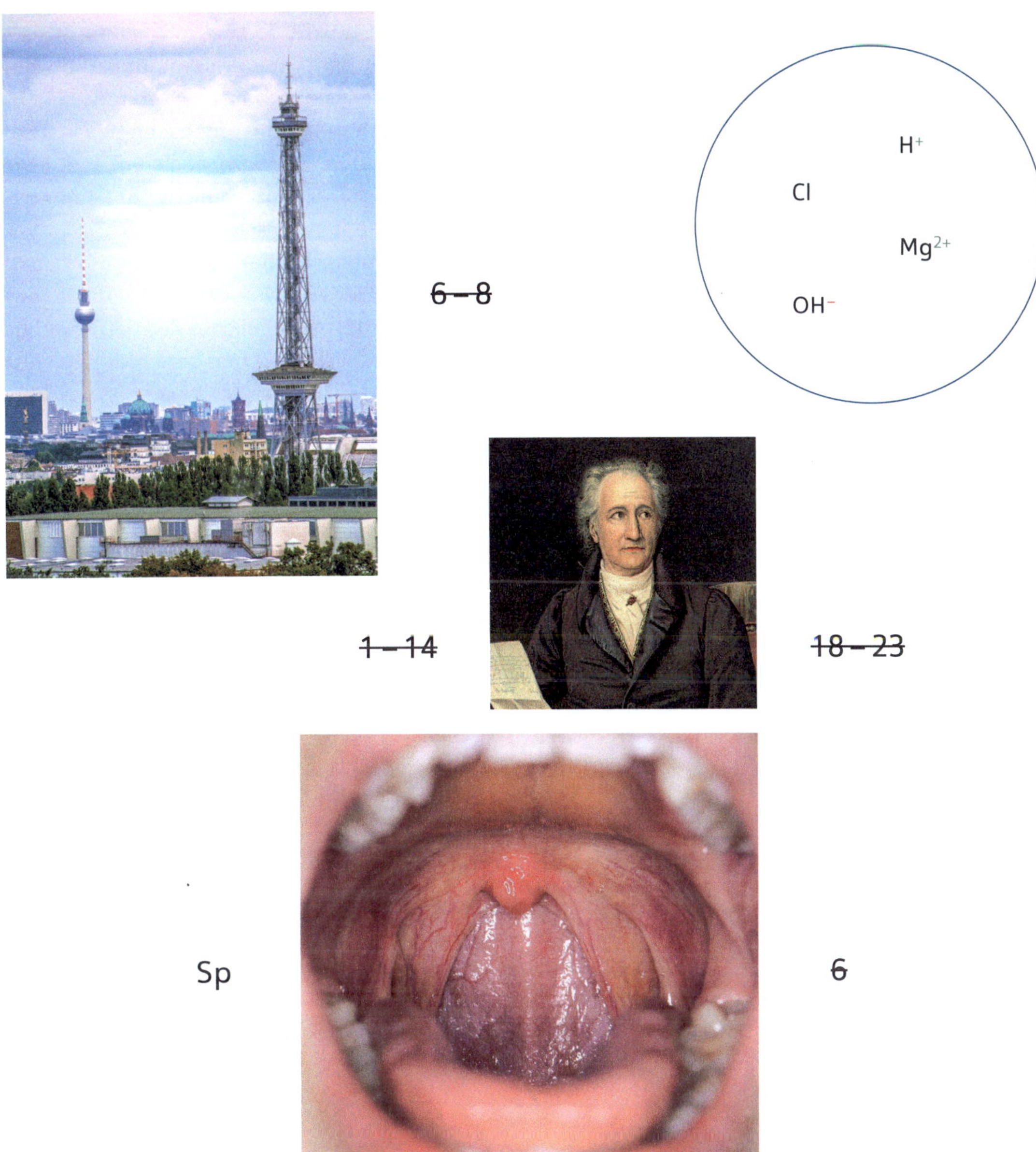

Lösung: ______________________________

1 Bilden Sie in Ihrem Kurs Kleingruppen aus drei bis vier Schülerinnen und Schülern.

2 Recherchieren Sie den Begriff *Rebus* und erklären Sie möglichst prägnant seine Bedeutung.

3 Lösen Sie innerhalb Ihrer Gruppe das oben dargestellte Bilderrätsel.

4 Erläutern Sie in Ihrer Gruppe auf der Grundlage Ihrer bisherigen Kenntnisse den im Rebus dargestellten Sachverhalt.

5 Halten Sie Ihre Ergebnisse schriftlich fest.

Grundlagen der Kommunikation

Zentrale Aspekte sprachlicher Interaktion auf der Basis vorhandener Kenntnisse darstellen und um weiterführende Aspekte ergänzen

Sie haben sich während Ihrer schulischen Laufbahn schon mit dem Thema Kommunikation beschäftigt. Insbesondere **während der Einführungsphase** sollten Sie sich intensiv mit zwischenmenschlicher Interaktion und den damit zusammenhängenden Verständnisprozessen beschäftigt haben. Hierbei ging es nicht nur um gelingende Kommunikation, sondern auch um mögliche Störungen und deren Ursachen. Letztere Phänomene finden sich bekanntlich nicht nur in alltagsweltlichen Kontexten, sie werden vielfach auch in literarischen Texten verarbeitet.

Organon grch. für Werkzeug

In seinem als „Organon-Modell" bezeichneten Grundschema menschlicher Kommunikation stellt Karl Bühler die Wechselbeziehung dar zwischen Sender, Empfänger sowie der Welt von Gegenständen und Sachverhalten, über die Sender und Empfänger mittels sprachlicher Zeichen kommunizieren. Je nachdem, auf welchen Faktor des Modells das sprachliche Zeichen gerichtet ist, weist Bühler dem sprachlichen Zeichen eine zentrale Funktion zu.

Karl Bühler (1879 – 1963), studierte zunächst Humanmedizin, dann Psychologie, promovierte in beiden Fächern; er erhielt in Wien 1922 eine Professur für Psychologie und emigrierte 1940 in die USA; er war verheiratet mit Charlotte Bühler, einer bekannten Jugendpsychologin. Sein Arbeitsgebiet war die Sprach-, Denk- u. Entwicklungspsychologie.

1 Weisen Sie den – nach Bühler – am Kommunikationsprozess beteiligten Faktoren *Sender*, *Empfänger* sowie *Gegenstände und Sachverhalte* die Ihrem Verständnis nach entsprechende Funktion *Ausdruck*, *Darstellung* sowie *Appell* zu.

2 Ordnen Sie nun die von Ihnen in Aufgabe 4 (S. 235) erarbeiteten Funktionen von Sprache in das folgende Schema von Bühlers Organon-Modell bei den entsprechenden Faktoren ein.

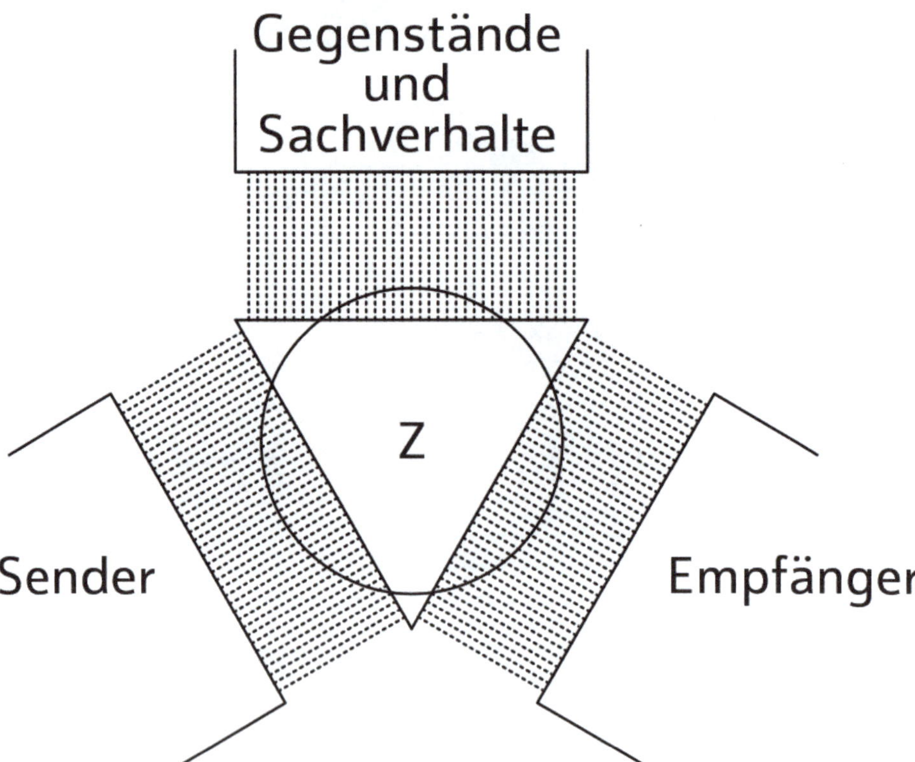

3 Beschreiben Sie den Aufbau von Bühlers Organon-Modell sowie dessen Funktionszusammenhang in einem zusammenhängenden Text.

Roman Ossipowitsch Jakobson (1896 – 1982) war ein bekannter russischer Sprachwissenschaftler und Zeichentheoretiker. Seine Forschungen galten der Erkenntnis der gesetzmäßigen Zusammenhänge, nach denen die Sprache funktioniert. 1926 wurde er Mitbegründer des Prager Linguistenkreises, 1933 erhielt er eine Professur an der Universität in Brünn. Beim Einmarsch der deutschen

Truppen 1939 floh Jakobson zunächst nach Skandinavien, 1941 übersiedelte er in die USA, wo er in den Folgejahren verschiedene Professuren übernahm, u. a. an der Columbia University sowie in Harvard. Sein besonderes Interesse galt der Entwicklung der Kindersprache, außerdem widmete er sich der Erforschung der Aphasie, einer erworbenen Störung durch die Schädigung des Gehirns, wie z. B. nach einem Schlaganfall.

Roman Jakobson

Linguistik und Poetik (1960)

Die Sprache muss in Bezug auf die ganze Vielfalt ihrer Funktionen untersucht werden. Bevor wir die poetische Funktion besprechen, müssen wir ihren Standort unter den anderen sprachlichen Funktionen festlegen. Die Skizzierung dieser Funktionen verlangt eine kurze Übersicht der konstitutiven Faktoren in jedem Sprechereignis, in jedem verbalen Kommunikationsakt. Der SENDER macht dem EMPFÄNGER eine MITTEILUNG. Um wirksam zu sein, bedarf die Mitteilung eines KONTEXTS, auf den sie sich bezieht (Referenz in einer anderen, etwas mehrdeutigen Nomenklatur), erfassbar für den Empfänger und verbal oder verbalisierbar; erforderlich ist ferner ein KODE, der ganz oder zumindest teilweise dem Sender und dem Empfänger (oder m. a. W. dem Kodierer und dem Dekodierer der Mitteilung) gemeinsam ist; schließlich bedarf es auch noch eines KONTAKTS, eines physischen Kanals oder einer psychologischen Verbindung zwischen Sender und Empfänger, der es den beiden ermöglicht, in Kommunikation zu treten und zu bleiben. Diese für die sprachliche Kommunikation unabdingbaren Faktoren ergeben folgendes Schema:

Die **Linguistik** (von lat. Lingua: „Zunge", „Sprache"), gleichbedeutend mit Sprachwissenschaft, widmet sich der wissenschaftlichen Untersuchung der menschlichen Sprache, ihrer Struktur und Geschichte sowie ihres Erwerbs und Gebrauchs im kommunikativen Zusammenhang.

KONTEXT

____
Funktion

MITTEILUNG

____
Funktion

SENDER
____
Funktion

EMPFÄNGER
____
Funktion

KONTAKT

____
Funktion

KODE

____
Funktion

Jede dieser sechs Komponenten bedingt eine verschiedene sprachliche Funktion. Obwohl wir sechs grundlegende Aspekte der Sprache unterscheiden, gibt es wohl kaum eine sprachliche Mitteilung, die nur eine Funktion erfüllt. Die Vielfalt beruht nicht auf der getrennten Verwirklichung der einzelnen Funktionen, sondern auf ihrer unterschiedlichen hierarchischen Anordnung. Die jeweils dominierende Funktion bestimmt die Struktur der Mitteilung.

1 Markieren Sie die Faktoren in Jakobsons Kommunikationsmodell, die Ihnen aus Bühlers Organon-Modell bereits bekannt sind.

2 Unterstreichen Sie die Faktoren, die über Bühlers Ansatz hinausgehen, mit einer anderen Farbe.

3 Benennen Sie die sprachlichen Funktionen, die Jakobson in Anlehnung an Bühlers Organon-Modell den drei „konstitutiven Faktoren" – Sender, Empfänger und Kontext – beimisst, an den dafür vorgesehenen Stellen (s. S. 236).

In der Fortführung seines Kommunikationsmodells geht der russische Sprachtheoretiker genauer auf die seine Zeichentheorie näher bestimmenden sprachlichen Funktionen ein, indem er zunächst die gemeinsamen Aspekte mit Bühlers Modell vorstellt, um daran anschließend seine eigenen inhaltlichen Erweiterungen zu thematisieren.

Das traditionelle Sprachmodell, das vor allem Bühler entwickelte, beschränkte sich auf diese drei Funktionen – emotiv, konativ und referentiell – und die drei Grundpfeiler dieses Modells – die erste Person des Senders, die zweite Person des Empfängers und „die dritte Person", eigentlich jemand oder etwas, von dem man spricht. Einige zusätzliche sprachliche Funktionen können leicht aus diesem triadischen Modell gewonnen werden. [...]
Es gibt jedoch noch drei weitere konstitutive Komponenten in der verbalen Kommunikation und drei ihnen entsprechende sprachliche Funktionen.
Einige sprachliche Botschaften verfolgen in erster Linie den Zweck, Kommunikation zu erstellen, zu verlängern oder zu unterbrechen, zu kontrollieren, ob der Kanal offen ist [...], die Aufmerksamkeit des Angesprochenen auf sich zu lenken oder sich [des aktiven Zuhörens des Empfängers, d. V.] zu vergewissern. [...] Diese Einstellung auf den KONTAKT, oder [...] die PHATISCHE Funktion, offenbart sich in einem überschwänglichen Austausch ritualisierter Formeln oder zieht sich durch ganze Dialoge hindurch mit dem bloßen Zweck, Kommunikation zu verlängern.
In der modernen Logik werden zwei Ebenen der Sprache auseinandergehalten, „Objektsprache", die sich auf außersprachliche Entitäten bezieht, und „Metasprache", die sich auf Sprache bezieht. Doch die Metasprache ist nicht nur ein unabdingbares wissenschaftliches Werkzeug für Logiker und Linguisten; sie spielt auch eine wichtige Rolle in unserer Alltagssprache. [...] Wenn der Sender und/oder der Empfänger kontrollieren wollen, ob beide denselben Kode gebrauchen, orientiert sich die Rede am KODE: sie vollzieht eine METASPRACHLICHE (d. h. erläuternde) Funktion.

emotiv Emotionen enthaltend, i. S. v. ausdrucksvoll, expressiv

konativ von lat. conari streben, sich anstrengen im Hinblick auf eine zielgerichtete Aktivität

referentiell die Referenz betreffend, auf den Kontext bezogen

phatisch von grch. phatos („gesagt"), im Sinne von kontaktknüpfend u. -erhaltend

Entität fachsprachlicher Ausdruck für Größe, Einheit

metasprachlich Sprache, die zur Analyse und Beschreibung von Sprache selbst verwendet, also verobjektiviert wird

Lernarrangement

1 Untersuchen Sie die zentralen Aussagen des Textes von Roman Jakobson hinsichtlich der Komponenten seines Kommunikationsmodells sowie den sich daraus ergebenden sprachlichen Funktionen und geben Sie diese prägnant mit eigenen Worten wieder.

2 Ordnen Sie in das Schema der Faktoren von Roman Jakobsons Kommunikationsmodell die entsprechenden sprachlichen Funktionen ein (s. S. 237).

3 Bilden Sie Gruppen von maximal vier Schülerinnen und Schülern und entwerfen Sie in Ihrer Gruppe gemeinsam drei mögliche Kommunikationsverläufe, in denen Sie die referentielle, die phatische und die metasprachliche Funktion von Sprache nach Jakobson deutlich machen.

Wir haben bis jetzt – außer der Botschaft selber – alle sechs Komponenten, die den Sprechvorgang konstituieren, besprochen. Die *Einstellung* auf die BOTSCHAFT als solche, die Ausrichtung auf die Botschaft um ihrer selbst willen, stellt die POETI-

SCHE Funktion der Sprache dar. Diese Funktion kann nur nutzbringend untersucht werden, wenn sie einerseits zusammen mit den allgemeinen, sprachlichen Problemen behandelt wird. Anderseits verlangt die Erforschung der Sprache eine gründliche Berücksichtigung der poetischen Funktion. Jeder Versuch, die Sphäre der poetischen Funktion auf Dichtung zu reduzieren oder Dichtung auf die poetische Funktion einzuschränken, wäre eine trügerische Vereinfachung. Die poetische Funktion stellt nicht die einzige Funktion der Wortkunst dar, sondern nur eine vorherrschende und strukturbestimmende und spielt in allen anderen sprachlichen Tätigkeiten eine untergeordnete, zusätzliche, konstitutive Rolle. Indem sie das Augenmerk auf die Spürbarkeit der Zeichen richtet, vertieft diese Funktion die fundamentale Dichotomie der Zeichen und Objekte. Aus diesem Grunde darf sich die Linguistik, wenn sie die poetische Funktion untersucht, nicht nur auf das Gebiet der Dichtung beschränken.

Dichotomie (grch.) Zweiteilung, hier bezogen auf das besondere Verhältnis zwischen (sprachl.) Zeichen und Objekt

4 Erläutern Sie den Stellenwert der poetischen Funktion innerhalb Jakobsons Kommunikationsmodell. Beachten Sie hierbei auch, dass der Autor an dieser Stelle von der „Botschaft um ihrer selbst willen" (S. 238, Z. 3) spricht.

5 Lesen Sie Goethes Gedicht „Wanderers Nachtlied II" aus dem Jahr 1780 (s. S. 36). Analysieren Sie das Gedicht im Hinblick auf Jakobsons Aussage von der „Spürbarkeit der Zeichen" (s. S. 239, Z. 13).

6 Benennen Sie über die Dichtung hinaus weitere Textsorten, in denen die poetische Funktion vorzufinden ist.

Im folgenden Textauszug seines Aufsatzes „Linguistik und Poetik" gibt der Autor zwei Beispiele zur Veranschaulichung der von ihm postulierten poetischen Funktion. Diese entstammen nicht dem Bereich dichterischer Intuition oder Planung, sondern spiegeln Phänomene alltagssprachlicher Kommunikation, die einem eher unbewussten Umgang mit Sprache zuzurechnen sind.

Paronosomie rhetorische Figur, verbindet Wörter in einer Art Wortspiel, die von ihrer Bedeutung oder Herkunft nicht zusammengehören, aber vom Klang her sich ähnlich sind, z. B. „Eile mit Weile", „Wer rastet, der rostet"

„Warum sagst du immer Ruth und Hildegard und nie Hildegard und Ruth? Hast du Ruth etwa lieber als ihre Zwillingsschwester Hildegard?" „Überhaupt nicht, es tönt einfach glatter." Wenn Probleme des Ranges keine Rolle spielen, nimmt der Sprecher bei der Kombination zweier Eigennamen den kürzeren als optimale Anordnung voraus, obwohl er seine Vorliebe nicht erklären kann.
Ein Mädchen pflegte vom „ekligen Erik" zu sprechen. „Warum eklig?" „Weil ich ihn hasse." „Aber warum nicht scheußlich, schrecklich, furchtbar, fies?" „Ich weiß nicht wieso, aber eklig passt besser zu ihm." Intuitiv hielt sie sich an das poetische Verfahren der Paronomasie.

1 Überprüfen Sie, inwieweit Ihnen die Hinweise Jakobsons plausibel erscheinen, und formulieren Sie alternative Erklärungsansätze.

In dem folgenden Beispiel zur poetischen Funktion der Sprache, die für ihn durch die Mitteilung bzw. Botschaft bedingt wird, bezieht sich R. Jakobson auf einen Wahlslogan, der 1952 während des US-amerikanischen Wahlkampfs von den republikanischen Vertretern für Dwight David „Ike" Eisenhower kreiert wurde, um dessen Kandidatur als neuer Präsident der USA zu unterstützen. Im Zuge dieser Kampagne kam es überall in den USA zur Bildung von „I-like-Ike"-Clubs. Eisenhower gewann die Wahl mit deutlichem Vorsprung vor seinem demokratischen Rivalen Adlai E. Stevenson, dessen Namen er während des gesamten Wahlkampfs – zumindest öffentlich – nie ausgesprochen hat. Er blieb für zwei Wahlperioden der 34. Präsident der Vereinigten Staaten von Amerika.

Dwight D. „Ike" Eisenhower, 1890–1969

2 Der Wahlslogan zur Unterstützung Eisenhowers lautet: „I like Ike". Stellen Sie anhand von vier Adjektiven dar, wie dieser Slogan auf Sie wirkt.

1952 in den USA weit verbreiteter Meinungsbutton der Republikaner

Der Bau des bündigen Wahlslogans I like Ike /ay layk ayk/, besteht aus drei Einsilbern und weist dreimal den Diphthong /ay/ auf, der symmetrisch von einem Konsonanten gefolgt wird /..l..k..k/. Die Komposition der drei Wörter richtet sich nach dem Prinzip der Variation: keine konsonantischen Phoneme im ersten Wort, zwei umschließen das zweite und ein Konsonant steht am Ende des dritten. [...]

Kolon (altgrch., Plural: Kola, Begriff aus der Rhetorik bzw. Metrik), Wortgruppe oder rhythmische Sprecheinheit, wird durch Atempausen bestimmt und bildet eine syntaktische bzw. semantische Einheit

Beide Kola der dreisilbigen Formel *I like/Ike* reimen sich, und das zweite der beiden Reimwörter ist im ersten vollständig enthalten (Echoreim), /layk/ -- /ayk/, ein paronomastisches Bild eines Gefühls, das sein Objekt vollständig umschließt. Beide Kola alliterieren und das erste der beiden Alliterationswörter ist im zweiten enthalten: /ay/ -- /ayk/, ein paronomastisches Bild des liebenden Subjekts, umfangen vom geliebten Objekt. Die sekundäre poetische Funktion verstärkt die Eindrücklichkeit und Wirksamkeit dieses Wahlslogans.
Die linguistische Untersuchung der poetischen Funktion hat also einerseits die Grenzen der Dichtung zu sprengen, und anderseits darf sich die linguistische Untersuchung der Dichtung nicht nur auf die poetische Funktion beschränken. Die Eigenarten der verschiedenen poetischen Genres implizieren eine gestaffelte Teilnahme der anderen sprachlichen Funktionen, an deren Spitze die poetische Funktion steht. In der epischen Dichtung, die sich an der dritten Person orientiert, kommt besonders die referentielle Funktion der Sprache zum Zuge; Lyrik, die sich an die erste Person richtet, ist eng mit der emotiven Funktion verbunden; richtet sich eine Dichtung an die zweite Person, so ist sie von der konativen Funktion durchdrungen und nimmt sich entweder anflehend oder ermahnend aus, je nachdem ob die erste Person der zweiten oder die zweite der ersten untergeordnet ist. Soweit die sechs grundlegenden Faktoren der verbalen Kommunikation.

1 Erläutern Sie den gedanklichen Zusammenhang des vorletzten Satzes des Textauszugs (Z. 22 – 27) im Hinblick auf die unterschiedlichen literarischen Gattungen mit eigenen Worten.

2 Erklären Sie unter Bezug auf den dargestellten Wahlslogan den Standpunkt Jakobsons, dass „sich die linguistische Untersuchung der poetischen Funktion“ nicht allein auf die Dichtung und andererseits „die linguistische Untersuchung der Dichtung nicht nur auf die poetische Funktion beschränken“ darf (Z. 17 – 19).

3 Untersuchen Sie Julius Cäsars Siegesbotschaft „Veni, vidi, vici“ analog zu Jakobsons linguistischer Analyse des Wahlslogans „I like Ike“.

4 Beurteilen Sie auf der Grundlage Ihrer Kenntnisse zum Kommunikationsmodell Jakobsons, inwiefern Cäsars Aussage die Kriterien der poetischen Funktion erfüllt.

Was ist das empirische linguistische Kriterium der poetischen Funktion? Anders gesagt, worin besteht die unabdingbare Eigenschaft eines Dichtwerks? Um diese Frage zu beantworten, müssen wir uns die beiden grundlegenden Operationen vergegenwärtigen, die jedem verbalen Verhalten zugrunde liegen, nämlich Selektion und Kombination. Wenn „Kind“ das Thema einer sprachlichen Botschaft bildet, wählt der Sprecher aus den gegebenen, mehr oder weniger ähnlichen Hauptwörtern Kind, Baby, Knirps, Bengel etc., die alle in einer bestimmten Hinsicht gleichwertig sind, eines aus und wählt dann, um das Thema auszuführen, ein semantisch passendes Verb wie schläft, döst, schlummert, etc. Die beiden ausgewählten Wörter werden zu einer Aussage kombiniert. Die Selektion vollzieht sich auf der Grundlage der Äquivalenz, der Ähnlichkeit und Unähnlichkeit, der Synonymie und Antinomie, während der Aufbau der Sequenz auf Kontiguität basiert. *Die poetische Funktion projiziert das Prinzip der Äquivalenz von der Achse der Selektion auf die Achse der Kombination.* Die Äquivalenz wird zum konstitutiven Verfahren der Sequenz erhoben. In der Dichtung wird eine Silbe einer anderen Silbe angeglichen; Wortakzent gleicht Wortakzent, das Fehlen des Akzentes gleicht einem Fehlen; prosodische Länge gleicht Länge, Kürze gleicht Kürze; Wortgrenze gleicht Wortgrenze, das Fehlen einer Grenze dem Fehlen einer Grenze; syntaktische Pause gleicht syntaktischer Pause, das Fehlen einer Pause gleicht dem Fehlen einer Pause. [...]

Synonymie Bedeutungsentsprechung von Wörtern

Antinomie gegensätzliche Wortbedeutung

Kontiguität Angrenzung von Wortbedeutungen

prosodisch lautliche Eigenschaften der Sprache, z. B. an Intonation, Satzmelodie, Tempo u. Rhythmus gebunden

5 Erläutern Sie den im Textauszug dargestellten Zusammenhang von Selektion, Äquivalenz sowie Kombination mit eigenen Worten.

6 Erweitern Sie die beiden von Jakobson angesprochenen Wortfelder zum Nomen „Kind" und „schlafen" um zusätzliche Nomen bzw. Verben.

Wortfeld **„Kind"**	Wortfeld **„schlafen"**

7 Wählen Sie nun Nomen-Verb-Kombinationen aus, die
a) Ihrer Meinung nach – dem Prinzip der Äquivalenz entsprechend – zueinander passen oder
b) nach Ihrem Empfinden eher eine unpassende Sequenz bilden.

Die poetische Funktion erfüllende Nomen-Verb-Kombinationen:

____

____

Die poetische Funktion eher nicht erfüllende Nomen-Verb-Kombinationen:

____

____

8 Begründen Sie kurz Ihre Auswahl.

Jakobsons Aufgabe, die Darstellung der Beziehung zwischen Linguistik und Poetik, die seinem Aufsatz aus dem Jahr 1960 auch den Titel gegeben hat, verfolgt letztlich das Ziel, die folgende Frage zu klären:

Was macht eine verbale Botschaft zu einem Kunstwerk?
Da nun das zentrale Thema der Poetik in der *differentia specifica* der Wortkunst zu anderen Künsten und zu anderen Arten verbalen Verhaltens liegt, nimmt die Poetik in der Literaturwissenschaft eine führende Rolle ein.
Die Poetik befasst sich mit den Problemen der sprachlichen, die Analyse der Malerei mit denen der bildlichen Struktur. Die Linguistik als umfassende Wissenschaft der Struktur der Sprache behandelt die Poetik als einen integralen Bestandteil ihres Forschungsgebietes. [...]
Zusammenfassend können wir sagen, dass die Analyse des Verses vollkommen innerhalb der Kompetenz der Poetik liegt, und diese kann als jener Teil der Linguistik definiert werden, welche die poetische Funktion in ihrer Beziehung zu den anderen Funktionen der Sprache untersucht. Im weiteren Sinne des Wortes befasst sich die Poetik mit der poetischen Funktion nicht nur in der Dichtung, wo sie alle anderen Funktionen dominiert, sondern auch außerhalb der Dichtung, wenn eine andere Funktion der poetischen den Vorrang abnimmt.

1 Erläutern Sie den Zusammenhang der sechs Funktionen in Jakobsons Kommunikationsmodell an zwei selbst gewählten Beispielen, in denen unterschiedliche Dominanzen einer der sprachlichen Funktionen zugrunde liegen.

2 Poetische Texte wie auch die Malerei sowie die Baukunst, Bildhauerei, Grafik und Fotografie werden zu den bildenden Künsten gezählt. Benennen Sie das Kriterium, das diesen Künsten gemeinsam ist, sowie weitere Merkmale, anhand derer sich diese einzelnen Künste unterscheiden lassen (s. Abbildungen).

3 Informieren Sie sich über den Sammelbegriff der darstellenden Künste und ordnen Sie die unten stehenden künstlerischen Betätigungsfelder den bildenden bzw. darstellenden Künsten zu. Stellen Sie deren *differentia specifica* dar und vergleichen Sie diese mit der der bildenden Künste. Auch hierbei können Sie sich auf die folgenden Bilder beziehen.

Paula Modersohn-Becker: Frau mit Kind, 1902

Hermann Nitsch: Performance oder Aktionskunst

Christo: Installation: Walking on Water, 2016

Die Struktur sprachlicher Zeichen

Komplexe Sachtexte hinsichtlich ihres argumentativen Aufbaus analysieren

Bislang haben Sie sich intensiv mit den Strukturelementen sowie den daraus resultierenden sprachlichen Funktionen des Kommunikationsmodells von Roman Jakobson – ausgehend vom Kommunikationsverständnis Karl Bühlers – auseinandergesetzt. Beide Modelle werden innerhalb der Sprachwissenschaft dem sogenannten Strukturalismus zugerechnet. Ein weiteres Kommunikationsmodell ist Ihnen vielleicht aus dem Deutschunterricht der Einführungsphase bekannt, das sogenannte „Kommunikationsquadrat" von Friedemann Schulz von Thun, das auch als „Vier-Ohren-Modell" bezeichnet wird. Ganz gleich aus wie vielen Faktoren, Funktionen oder Ebenen die unterschiedlichen Kommunikationsmodelle aufgebaut sind, stimmen sie darin überein, dass das Kommunikationsgeschehen in seinem Kern über sprachliche Zeichen erfolgt. Insofern ist es für eine vertiefende Auseinandersetzung mit dem Phänomen Kommunikation unerlässlich, sich diesem zentralen Bereich der Linguistik, nämlich dem ihr eigenen Zeichen, ausführlicher zuzuwenden.

Bernard Imhalsy, Bernhard Marfurt, Paul Portmann

Zeichen und Sprachzeichen (1979)

Die Struktur von Zeichen

Zeichen und Gegenstand

Dieser Wert [praktischer Zeichen, d. V.] lässt sich charakterisieren als Stellvertreter-Funktion oder, wie es die klassische scholastische (letztlich auf Aristoteles zurückgehende) Zeichen-Definition ausdrückt:

aliquid stat pro aliquo

Etwas steht da (ist, existiert) für etwas anderes. Das Zeichen verweist auf etwas, das nicht es selbst, sondern etwas außer ihm ist. Das ist zunächst recht paradox: Das wesentliche Charakteristikum des Zeichens ist, nicht es selbst, sondern etwas anderes zu sein: Das Zeichen ist die Präsenz von etwas Abwesendem, ‚le Présent de l'Absent' – und damit gewissermaßen auch ‚L'Absent du Présent', indem ja das ‚Eigentliche', ‚Gemeinte' nicht da ist. Wir können also mit dieser ersten Feststellung sagen, dass grundsätzlich alles Zeichen sein kann – vorausgesetzt, es steht für etwas anderes: ein Stück Holz, ein Tintenfleck, eine seltsam geschwungene Linie, eine Farbe in einer bestimmten Flächenausdehnung, ein seltsamer Geruch ... Damit ist das ‚aliquid' also nur dadurch bestimmt, dass es möglich sein muss, es als ‚etwas für etwas' wahrzunehmen.

Wie steht es mit dem ‚aliquo'? Zunächst ist dies sicher die ‚Wirklichkeit' oder in dieser Wirklichkeit ein bestimmter Gegenstand oder Vorgang; auch das ‚aliquo' ist demnach eine unbestimmte Größe: Wie irgendein ‚aliquid' immer Zeichen, kann irgendein ‚aliquo' immer Bezeichnetes sein.

Die einzige Konstante scheint also weder im einen noch im andern zu liegen, sondern in der Beziehung zwischen beiden Größen:

Die Beziehung zwischen diesen Größen lässt sich nun auf je verschiedene Art interpretieren – man könnte sie statisch [...] als ikonische, indexikalische, symbolische Relation beschreiben. Man kann die Beziehung aber auch als dynamische auffassen (den Pfeil als Symbol dafür) und sagen, die Beziehung sei Ausdruck für eine Bezeichnung (‚significatio'), ein Herstellen eines Zeichenbezugs. Damit wäre aber implizit schon die Frage nach dem Ursprung, ‚dem ‚Autor', dieser Setzung aufgestellt – nach dem handelnden Zeichenbenützer also –; dieser Einbezug soll aber vorläufig noch nicht vorgenommen werden.

Symbol, Ikon, Index
Der Sprachforscher Peirce (1839–1914) nennt drei Arten von Zeichen, die sich in der Art ihrer Beziehung zum jeweiligen Gegenstand unterscheiden: Die Relation eines Symbols ist willkürlich in Bezug auf diesen; als Ikon weist es eine gewisse Ähnlichkeit mit ihm auf, z. B. ein Abbild; beim Index ist die Beziehung durch eine Ursache-Folge-Relation gekennzeichnet.

Das Sprachzeichen

Bisher haben wir ganz allgemein über Zeichen gesprochen: Die generelle Zeichendefinition „aliquid stat pro aliquo" gilt für alle bisher erwähnten Zeichenarten (Index, Ikon, Symbol). Nun stellt sich die Frage, ob diese einfache Bestimmung ausreicht, um auch die Eigenarten des sprachlichen Zeichens adäquat zu erfassen.

Wenn ich sage: „Der Mensch von heute ist ein Verbrecher an der Natur", dann verweise ich mit dem Zeichen ‚Mensch' nicht auf einen konkreten Menschen, sondern ich mache eine Aussage, die für die Kategorie Mensch gilt, für den Menschen allgemein, wie man das umgangssprachlich formulieren würde. Viele Leser würden wohl einer solchen Aussage zustimmen – und trotzdem entrüstet sein, wenn man daraus den Schluss zöge:

„... also sind Sie ein Verbrecher".

Ein anderes Beispiel: Wenn ich bei Herodot über eine Einbalsamierung im Ägypten der Pharaonen lese, dann verstehe ich die dabei benutzten Zeichenformen, obwohl diese nicht auf Anwesendes verweisen, sondern auf Ereignisse, die vielleicht vor mehr als 2500 Jahren stattgefunden haben.

Herodot (490/480 – 430/420 v. Chr.), Herodot von Halikarnass(os), bedeutender Geschichtsschreiber der grch. Antike, auch Geograf u. Völkerkundler; Verfasser der „Historien", einer umfassenden Geschichte über das Perserreich im 6. u. 5. Jh., bekannt als „Vater der Geschichtsschreibung"

Die Beispiele zeigen, dass die Funktion von Zeichen nicht nur darin besteht, auf Gegenstände hinzuweisen, sondern auch darin, gedankliche Inhalte zu repräsentieren. Erst über die Verbindung der Zeichen mit einer gedanklichen Größe wird die Beziehung zu einem Gegenstand hergestellt. Man kann also annehmen, dass neben der Relation Zeichen – Gegenstand noch eine zweite Beziehung besteht, nämlich diejenige zwischen dem Zeichen und einer gedanklichen Bezugsgröße, die man Vorstellung, Begriff, Inhalt nennen kann:

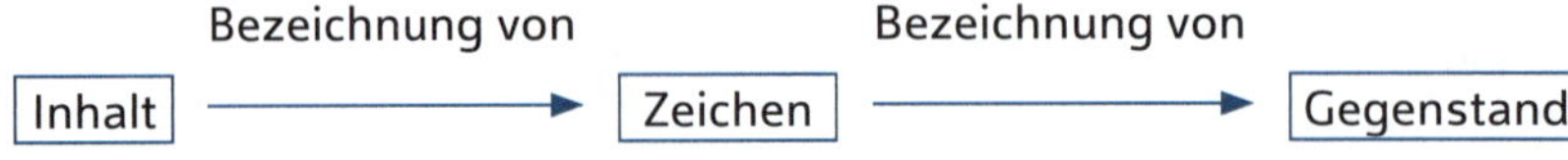

Das oben formulierte Paradox – Zeichen als ‚Anwesenheit des Abwesenden' – erhält nun seine Erklärung durch die Feststellung, dass das Zeichen in zwei Richtungen gesehen werden kann:

- einmal ist es Repräsentation, also Feststellung der Abwesenheit eines Gegenstandes;
- dann ist es Ausdruck, d. h. Feststellung der Anwesenheit eines Gegenstandes (im Medium der Vorstellung).

Zeichenform und Zeicheninhalt

Nun stellt sich allerdings die Frage, was denn nun die eigentliche Qualität des Zeichens sei. Wenn man von den beiden Größen, mit denen das Zeichen in Zusammenhang gebracht wurde, abstrahiert, bleibt nicht mehr viel zurück: Eine grafische Form, eine Körperbewegung, eine Lautfolge bleiben sinnlos, wenn sie nichts bezeichnen und nichts bedeuten. Was bleibt, ist die Tatsache, dass sie sich als Zeichen*formen* auf etwas beziehen *können*. Alles, was von einer Lautfolge wie /schaaliin/ ausgesagt, d. h. verstanden werden kann, ist, dass sie etwas bedeuten könnte, dass es eine Zeichen*form* sein könnte für etwas, was es nicht gibt oder was einem deutschsprachigen Hörer unbekannt ist.

Zeichen müssen also *mehr sein als nur Zeichenformen*. Heißt das nun, dass die bisher eingeführten Bezugsgrößen vielleicht Teil sind des Zeichens? Der *Gegenstand* ist sicher nicht ein Teil des Zeichens; das ergibt sich schon daraus, dass verschiedene Gegenstände – z. B. Pappeln, Arven, Pinien, Birken usw. – von einem einzigen Zeichen (‚Bäume') repräsentiert werden können und dass das Zeichen sich nicht verändert, wenn neue Bäume wachsen oder alte gefällt werden. Auch gibt es Zeichen für Dinge, die es nicht gibt – z. B. ‚Einhorn'.

Arven (Sing. Arve), anderer Begriff für Zirbelkiefer, die in den Alpen u. Karpaten wächst, wird auch als Arbe, Zirbe o. Zirbel bezeichnet

Wie steht es mit der andern Bezugsgröße, dem *Inhalt*? Hier kann man feststellen, dass man davon tatsächlich nicht absehen kann und dass die ‚leeren' Zeichenformen deshalb keine Zeichen sind, weil ihnen kein gedanklicher (kognitiver) Inhalt ent-

spricht: Aufgrund ihrer formalen Eigenart könnten sie durchaus Sprachzeichen sein; sie sind es nicht, weil sie in der Vorstellung nur kognitive *Leerstellen*, sozusagen leere Sprechblasen erzeugen, aber keine *bestimmte* Vorstellung.
Dies führt zu einer Korrektur der bisherigen Aussagen, indem die *Relation Zeichenform-Inhalt* als eine notwendige und *das Zeichen erst konstituierende* Beziehung erscheint und die Bezugsgröße ‚Inhalt‘ somit als Bestandteil des Zeichens.
Diese Tatsache hat Saussure vielleicht am klarsten ausgedrückt, als er die Zeichenform als *signifiant*, den Zeicheninhalt als *signifié* bestimmte und feststellte, dass erst beide Größen und ihre gegenseitige Beziehung das ausmachen, was man ‚Zeichen‘ nennen kann [...]. Das ‚signifiant‘ ist ohne das ‚signifié‘ eine leere Form; das ‚signifié‘, bleibt ohne Ausdruck eine nicht benennbare Größe. Das Schema kann demnach folgendermaßen korrigiert werden:

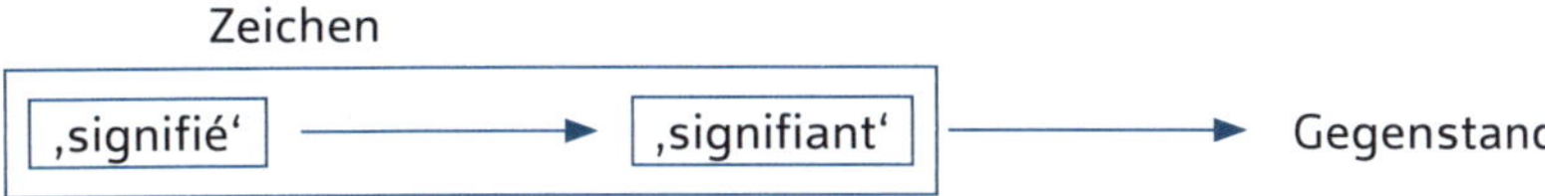

Arbitrarität der Zuordnung von ‚signifiant‘ und ‚signifié‘
Während die Beziehung zwischen dem Zeichen und dem Gegenstand verschiedenartig sein kann [...], betont Saussure wie auch die gesamte klassische Semiotik nach Aristoteles, dass die Beziehung zwischen Zeichenform und Zeicheninhalt eine zwar notwendige, aber nichtsdestoweniger *willkürliche* sei (‚arbitraire‘) [...]:
Zwar besteht eine totale gegenseitige *Abhängigkeit* beider Elemente – Saussure vergleicht signifiant und signifié einprägsam mit der Vorder- und Rückseite eines Blattes Papier [...] –, trotzdem ist *die Zeichenform durch den Inhalt in keiner Weise bestimmt*. Dies ist unmittelbar einleuchtend, wenn man einen Blick auf andere Sprachen wirft und sieht, dass sie gleiche Zeicheninhalte je verschieden ausdrücken; gleichzeitig aber wirft diese Deutung sofort die Frage auf, wie denn Kommunikation noch möglich sein kann, wenn die Beziehung zwischen Ausdrucksseite und Inhaltsseite von Zeichen vollkommen willkürlich ist [...].

1 Erläutern Sie die im Text genannte Gefährdung des Kommunikationsgeschehens (Z. 103 – 105) an einem konkreten Beispiel.

2 Stellen Sie auf der Grundlage Ihres Beispiels die diesem zugrunde liegende Problematik in allgemeiner Form dar.

3 Überprüfen Sie alternative begriffliche Lösungen, um die dargestellte Gefährdung von Kommunikation vermeiden zu können.

Hans Glinz

Genauere Bestimmung von „arbitraire“ (1971)

Es hat sich als unpraktisch erwiesen, den Saussure'schen Fachausdruck „arbitraire“ durch „willkürlich“ oder auch durch „beliebig“ [...] zu übersetzen, weil dadurch leicht Missverständnisse entstehen. Das sprachliche Zeichen ist nicht „willkürlich“ oder „beliebig“ in dem Sinne, dass jeder Benützer es jederzeit nach Belieben schaffen oder umschaffen kann. Zum Begriff dieses Zeichens gehört vielmehr, dass es zwar einmal spontan geschaffen wurde, aus einer bestimmten menschlichen Lage heraus, dass es dann aber sozial fest und verbindlich geworden ist und dadurch Verstehen und überhaupt soziale Interaktion ermöglicht. Zwar ist auch in einer entwickelten Sprache jederzeit Umdeutung oder Neuschaffung einzelner Zeichen möglich, aber nur im Rahmen einer Vielzahl von gleichbleibenden anderen Zeichen und ganzen Klassen und Strukturen und nur im

Rahmen einer das Gesamtverstehen (und damit die Übernahme des um- oder neugebildeten Einzelzeichens) ermöglichenden gemeinsamen Situation sowie beim Vorhandensein genügend eingespielter Verstehenstechniken bei den übernehmenden Sprachteilhabern.

1 Erläutern Sie mit eigenen Worten, inwiefern der deutsche Begriff der „Willkürlichkeit" oder „Beliebigkeit" des sprachlichen Zeichens (in Übersetzung von „arbitraire" bei Saussure) missverständlich ist. Was geschieht, wenn sprachliche Zeichen tatsächlich willkürlich oder beliebig verwendet oder umgedeutet werden?

2 Stellen Sie begründend dar, wodurch letztlich sichergestellt wird, dass ein (sprachliches) Zeichen „sozial fest und verbindlich geworden ist und dadurch Verstehen und überhaupt soziale Interaktion" erst möglich macht. (Z. 7f.)

3 Erklären Sie anhand von Ihnen gewählten Wörtern beispielhaft die im Text (Z. 9f.) genannten Prozesse einer
a) „Umdeutung" sowie
b) „Neuschaffung".

Den Zusammenhang sprachwissenschaftlicher Phänomene innerhalb eines literarischen Textes erschließen

Der irische Schriftsteller Jonathan Swift (1667 – 1745) hat den gedanklichen Zusammenhang von sprachlichem Zeichen und zu bezeichnendem Gegenstand in seinem 1726 erschienenen vierteiligen Roman „Gullivers Reisen" satirisch aufgegriffen und literarisch verarbeitet. Vor allem die ersten beiden Teile sind einem breiten jugendlichen Publikum – nicht nur in Deutschland – bekannt: die Reise zu den nur sechs Zoll kleinen Menschen auf Lilliput sowie zu den Riesen im Land Brobdingang. Auf seiner dritten Reise, die den Protagonisten u. a. auf die schwebende Insel Laputa führt, trifft der Ich-Erzähler in deren Hauptstadt Lagado auf Professoren, die den wissenschaftlichen Fortschritt durch die Realisierung absonderlicher Ideen sowie Methoden befördern wollen. So widmen sie sich z. B. der Aufgabe, Sonnenlicht aus Gurken zu gewinnen, neue Nahrung aus Kot zu recyceln oder ein Haus vom Dach aus zu bauen. Bei seinem Rundgang gerät der Protagonist Lemuel Gulliver auch in eine Akademie, die sich abstrusen Sprachprojekten widmet. Während seiner vierten Reise gelangt L. Gulliver schließlich in das Land der Houyhnhnms, wo er einer sonderbaren Tierart, den Yahoos, begegnet, die ihn wegen ihres Fells an Ziegen erinnern, letztlich aber über eine menschliche Gestalt verfügen. Kurz darauf trifft er auf eine Gruppe von Pferden, die Houyhnhnms, die sich in ihrer Sprache unterhalten können und die Yahoos als Haustiere halten, die ihnen z. B. zum Transport von Lasten dienen.

Der durch und durch satirische Roman kann als deutliche Kritik an der aufkommenden Vernunftgläubigkeit im 18. Jahrhundert verstanden werden, richtet sich zugleich aber auch gegen die absolutistischen Herrschaftsformen im damaligen Europa. Schon in der Wahl des Namens des Erzählers und der Hauptfigur, Lemuel Gulliver, in dem sich das englische Adjektiv „gullible" erkennen lässt, das übersetzt so viel wie „naiv", „leichtgläubig" oder „einfältig" heißt, spiegelt sich die satirische Grundhaltung des Romans.

Jonathan Swift

Gullivers Reisen (1726)

3. Teil: Eine Reise nach Laputa, Balnibarbi, Luggnagg, Glubbdubdrib und Japan

Hierauf begaben wir uns in die Sprachschule, wo drei Professoren sich über die zweckmäßigste Methode berieten, ihre Landessprache zu verbessern. Das Projekt des ersten bestand darin, die Rede dadurch abzukürzen, dass man vielsilbige Wörter in einsilbige verwandte, dass man Verben und Partizipien auslasse; alle vorstellbaren Dinge seien in Wirklichkeit nur Hauptwörter.

Das Projekt des zweiten bezweckte die Abschaffung aller Wörter, und dies wurde als eine große Verbesserung der Gesundheit wie der Kürze betrachtet. Denn es ist klar, dass jedes von uns gesprochene Wort eine Verminderung unserer Lungen durch Abnutzung bewirkt, folglich auch die Verkürzung unseres Lebens zur Folge hat. Es wurde deshalb folgendes Auskunftsmittel angeboten: Da Worte allein in Zeichen der Dinge bestehen, sei es passender, wenn die Menschen solche Auskunftsmittel bei sich herumtrügen, die ein besonderes Geschäft bezeichneten, worüber sie sich unterhalten wollten.

Diese Erfindung würde allgemein geworden sein, wenn sich die Weiber nicht mit dem Pöbel und den ungebildeten Menschen verbunden und mit einer Rebellion gedroht hätten, falls ihnen nicht die Freiheit ihrer Zungen nach herkömmlicher Weise verbliebe; der Pöbel ist ja ohnehin der unversöhnliche Feind jeder Wissenschaft.

Die Klügsten und Weisesten jedoch befolgen die neue Methode, sich durch Dinge auszudrücken; die einzige Unbequemlichkeit, die sich daraus ergibt, besteht nur darin, dass ein Mann, dessen Geschäft sehr groß und von verschiedener Art ist, ein Bündel auf seinem Rücken mit sich herumtragen muss, wenn er nicht imstande ist, sich einen oder zwei starke Bediente zu halten.

Zwei dieser Weisen habe ich oft unter ihren Bündeln beinahe zusammenbrechen sehen, wie dies bei Hausierern in England wohl der Fall ist. Wenn sie sich in den Straßen begegneten, legten sie ihre Last nieder, öffneten ihre Säcke und hielten ein stundenlanges Gespräch; alsdann füllten sie ihre Behälter aufs Neue, halfen sich einander, wenn sie die Last wieder auf den Rücken nahmen, und empfahlen sich.

Für ein kurzes Gespräch mag jeder seinen Bedarf in der Tasche oder unterm Arm tragen, weil ihm dann weniger genügt. Zu Hause aber kann niemand in Verlegenheit kommen. Deshalb ist ein Zimmer, wo eine in dieser Kunst gewandte Gesellschaft zusammenkommt, mit allen Dingen angefüllt, die Stoff zu diesem künstlichen Gespräch darbieten.

Ein anderer Vorteil, der sich aus dieser Erfindung ergeben muss, besteht darin, dass dadurch eine allgemeine Sprache erfunden würde, die man bei allen zivilisierten Nationen verstünde, bei denen Güter und Geräte sich glichen, so dass man sich leicht in die verschiedenen Gewohnheiten würde finden können. Somit könnten Gesandte mit fremden Fürsten oder Staatsmännern leicht verhandeln, obgleich sie deren Sprache nicht verstünden.

Ich war auch in der mathematischen Schule, wo die Lehrer nach einer Methode unterrichten, von der man in Europa kaum einen Begriff hat. Satz und Beweis werden mit gehirnartiger Tinktur auf einer dünnen Oblate aufgezeichnet und durch den Mund eingegeben. Der Schüler muss diese schnell hinunterschlucken und dann drei Tage lang nichts als Brot und Wasser genießen. Ist die Oblate verdaut, so steigt die Tinktur ins Hirn und führt dort einen mathematischen Satz ein. Bisher hat aber der Erfolg sich noch nicht

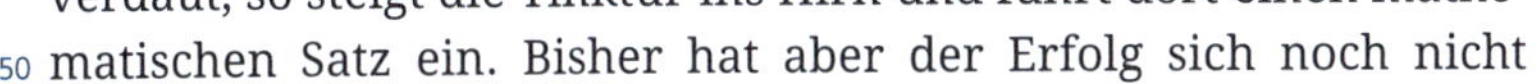

Die schwebende Insel Laputa

erwiesen, ein Umstand, der teilweise aus einem Fehler in der Quantität oder Komposition folgen mag, teilweise auch aus der Störrigkeit der Knaben, denen diese Medizin so ekelhaft ist, dass sie sich gewöhnlich fortstahlen und sich der Dosis von oben entledigten, bevor sie wirken konnte; auch hat man sie bis jetzt nicht überreden können, so lange zu hungern, wie es bei dem Rezept notwendig wäre.

1 a) Wenden Sie die Verständigungsmethode des ersten Professors auf die ersten fünf Textzeilen des Romanauszugs von Swift an.
b) Fassen Sie kurz die Folgen dieser Methode für das Textverständnis zusammen.

2 Benennen Sie mehrere Textstellen, in denen der Autor das rhetorische Mittel der Übertreibung (Hyperbel) anwendet, das häufig in satirischen Texten vorzufinden ist.

3 Nach Aussage des bedeutenden deutschen Schriftstellers Friedrich Schiller (1759 – 1805) stellt die Satire die mangelbehaftete Realität einem Ideal gegenüber. Beschreiben Sie die Wirklichkeit der wissenschaftlichen Welt, die Swift in seinem Textauszug kritisiert.

Gulliver bei den Houyhnhnms.

4 Mit der Plansprache „Esperanto“ wurde 1887 eine Sprache konstruiert, die den internationalen Austausch vereinheitlichen sowie erleichtern sollte.
a) Informieren Sie sich über den Bau und die Verbreitung dieser Sprache oder weiterer künstlich geschaffener Sprachen.
b) Benennen Sie Vor- und Nachteile eines solchen Projekts und
c) formulieren Sie abschließend Ihre Position in einem begründeten Statement.

Wer erzählt wem was wie?

Die Grundstruktur der Autor-Rezipienten-Kommunikation erschließen und auf einen poetischen Text anwenden

Um die Spezifik der Autor-Rezipienten-Kommunikation eines narrativen Textes genauer bestimmen zu können, ist es zunächst wichtig zu wissen, auf welchen unterschiedlichen Ebenen diese besondere Form der Kommunikation überhaupt abläuft.

Wolf Schmid (*1944), Professor für Slavistik und Narratologe an der Universität Hamburg, seit 2009 emeritiert

Wolf Schmid

Modell der Kommunikationsebenen (1973)

Das Erzählwerk, das nicht selbst erzählt, sondern ein Erzählen darstellt, umfasst zumindest zwei Ebenen der Kommunikation: Autorkommunikation und Erzählkommunikation. Zu diesen beiden für das Erzählwerk konstitutiven Ebenen kann eine dritte, fakultative hinzutreten, die Personenkommunikation. Das ist dann der Fall, wenn eine der erzählten Personen ihrerseits als Erzählinstanz, als sekundärer Erzähler auftritt.

Auf jeder dieser drei Ebenen unterscheiden wir eine Sender- und Empfängerseite. Für den Begriff des Empfängers ist allerdings eine nicht unwesentliche Zwiespältigkeit zu beachten, die von den einschlägigen Kommunikationsmodellen oft vernachlässigt wird. Der Empfänger zerfällt nämlich in zwei Instanzen, die funktional oder intensional zu scheiden sind, auch wenn sie material oder extensional zusammenfallen, Adressat und Rezipient. Der Adressat ist der vom Sender unterstellte oder intendierte Empfänger, derjenige, an den der Sender seine Nachricht schickt, den er beim Verfassen als vorausgesetzte oder gewünschte Instanz im Auge hatte, der Rezipient ist der faktische Empfänger, von dem der Sender möglicherweise – und im Fall der Literatur: in der Regel – nichts weiß. Die Notwendigkeit einer solchen Scheidung liegt auf der Hand: Wenn ein Brief nicht vom Adressaten gelesen wird, sondern von dem, in dessen Hände er zufällig gerät, können Unannehmlichkeiten entstehen.

intensional (vom lat. Intension), auf die Bedeutung eines Begriffs, seinen Inhalt bezogen; z. B. Merkmal eines Luftfahrzeugs ist, dass es „fahren" (Ballon) oder „fliegen" kann

extensional (vom lat. Extension), auf den Umfang eines Begriffs bezogen; bspw. umfasst der Begriff Fahrzeug „Land-", „Wasser-", „Luft-" u. „Raumfahrzeuge"

1 Stellen Sie kurz dar, was der Autor unter einem „Erzählwerk" versteht.

2 Erklären Sie die vom Autor vorgenommene Unterscheidung zwischen Adressat und Rezipient.

3 Erläutern Sie, zwischen welchen Arten von Empfängern Schmid unterscheidet.

4 Untersuchen Sie die im Textauszug genannten Kommunikationsebenen eines erzählerischen Textes und bestimmen Sie diese möglichst prägnant.

5 Erstellen Sie eine grafische Übersicht zu den verschiedenen Ebenen der Kommunikation zwischen Sender und Empfängern.

Semantik

Intension und Extension sind Begriffe der Linguistik, die sich mit der Bedeutungslehre – der Semantik – einzelner sprachlicher Zeichen (Wortteile, Wörter) bis hin zu ganzen Sätzen befasst.

Der Begriff Semantik stammt aus dem Altgriechischen und bedeutet ins Deutsche übersetzt so viel wie „etwas bezeichnen", „ein Zeichen geben".

Ist die Semantik ausschließlich auf die Bedeutung sprachlicher Zeichen gerichtet, wird sie zur Sprachwissenschaft gerechnet. Befasst sie sich mit Zeichen jeglicher Art, ist sie ein Teilgebiet der Semiotik oder Semiologie.

Modell der Autor-Rezipienten-Kommunikation (nach Wolf Schmid)

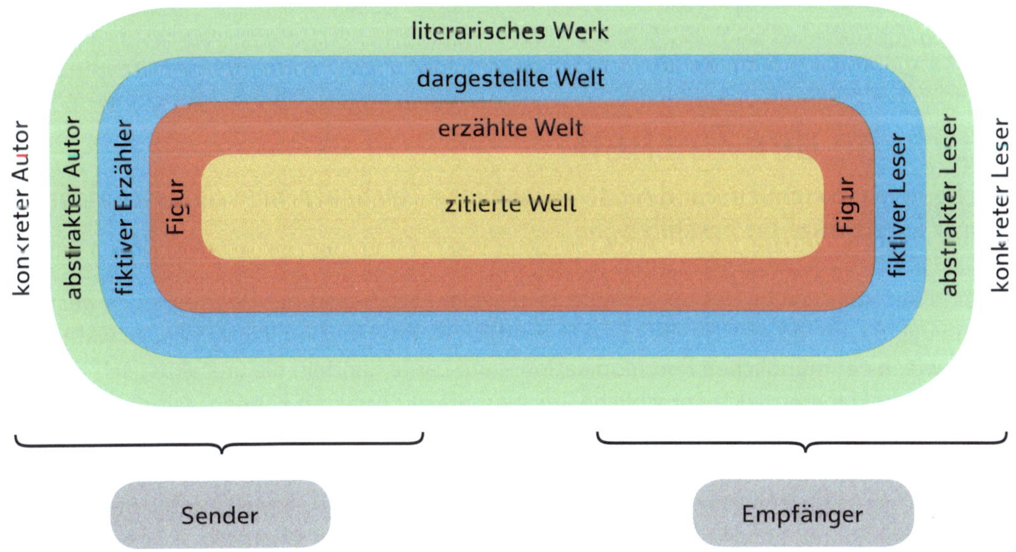

1 Beschreiben Sie mit eigenen Worten auf der Grundlage des Schemas sowie ggf. vor dem Hintergrund Ihrer bisherigen Erfahrungen im Umgang mit Erzähltexten, worin die Unterschiede zwischen den drei im Modell dargestellten literarischen Sphären von Welt bestehen.

dargestellte Welt: ____________________

erzählte Welt: ____________________

zitierte Welt: ____________________

2 a) Bestimmen Sie anschließend die drei verschiedenen Formen eines konkreten bzw. abstrakten Autors sowie des fiktiven Erzählers.

konkreter Autor: ____________________

abstrakter Autor: ____________________

fiktiver Erzähler: ____________________

b) Erklären Sie die Figurenrede im Kontext der zitierten Welt.

Figurenrede: ____________________

3 Erläutern Sie den Unterschied zwischen einem fiktiven, abstrakten und konkreten Leser auf der Empfängerseite.

fiktiver Leser: ____________________

abstrakter Leser: ____________________

konkreter Leser: ____________________

4 Wenden Sie das Modell der Autor-Rezipienten-Kommunikation auf Jonathan Swifts Textauszug aus seinem Roman „Gullivers Reisen“ aus dem Jahr 1726 im Hinblick auf die in den Aufgaben eins und zwei untersuchten Sphären bzw. Instanzen an. Berücksichtigen Sie dabei ggf. auch die vorbereitenden Bemerkungen zu Swifts Leben und Werk.

5 Nehmen Sie Stellung zu möglichen Schwierigkeiten für Sie bei der genaueren Bestimmung der unterschiedlichen Leser-Typen auf der Empfängerseite.

Die Sprache der Zeichen

Sprachliche, parasprachliche und nicht-sprachliche Zeichenformen unterscheiden und in ihrer Funktionalität erschließen

Bislang hat in der Hauptsache das sprachliche Zeichen im Mittelpunkt der Überlegungen gestanden, unabhängig davon, ob es sich hierbei um schriftlich fixierte Zeichen, die wir visuell wahrnehmen, oder – wie in der mündlichen Kommunikation – um Laute handelt, die uns akustisch vermittelt werden. Hinzu kommen auch sprachliche Zeichen, die wir ertasten können, mit denen bspw. Euro-Scheine versehen sind, wenn der optische Sinn nicht ausreichend ausgebildet oder durch eine Erkrankung eingeschränkt ist. In der folgenden Tabelle (1.1) wird zunächst zwischen sprachlichen und nicht-sprachlichen Kommunikationsformen unterschieden, jeweils unter Berücksichtigung der drei genannten Sinneswahrnehmungen visuell, taktil sowie akustisch.

1 Ordnen Sie in das folgende Schema jeweils den drei Formen sinnlicher Wahrnehmung entsprechende Beispiele für Kommunikationsformen zu.

Kommunikationsform / Art der Wahrnehmung	verbal	nonverbal
visuell		
akustisch		
taktil		

Tab. 1.1

2 Beschreiben Sie den Aufbau der untenstehenden Tabelle (1.2) in einem kurzen Text.

3 Tragen Sie beispielhaft in die freien Felder jeweils den Koordinaten entsprechende Zeichenformen ein.
Erläuterung: Mit dem Begriff „parasprachlich“ sind solche Zeichen gemeint, die selbst nicht sprachlich sind und deshalb nur im Zusammenhang mit sprachlichen Zeichen in Erscheinung treten, wie z. B. Lautstärke, Tonhöhe, Sprechgeschwindigkeit, (un)gefüllte Pausen. Insofern bilden sie auch keine eigenständige Kommunikationsform, können grundsätzlich für die Kommunikation aber bedeutsam sein. Informieren Sie sich ggf. vertiefend in den einschlägigen Medien über parasprachliche Zeichen.

Kommunikationsform / Art der Wahrnehmung	verbal	(paraverbal)	nonverbal
visuell			
akustisch			
taktil			

Tab. 1.2

4 Vergleichen Sie abschließend im Kursplenum Ihre Ergebnisse.

5 Erörtern Sie im gemeinsamen Gespräch den Zusammenhang verbaler, paraverbaler sowie nonverbaler Zeichen im kommunikativen Kontext.

Semiotik – Über die Sprache hinaus

Den Zeichenbegriff in seiner universellen Bedeutung erschließen

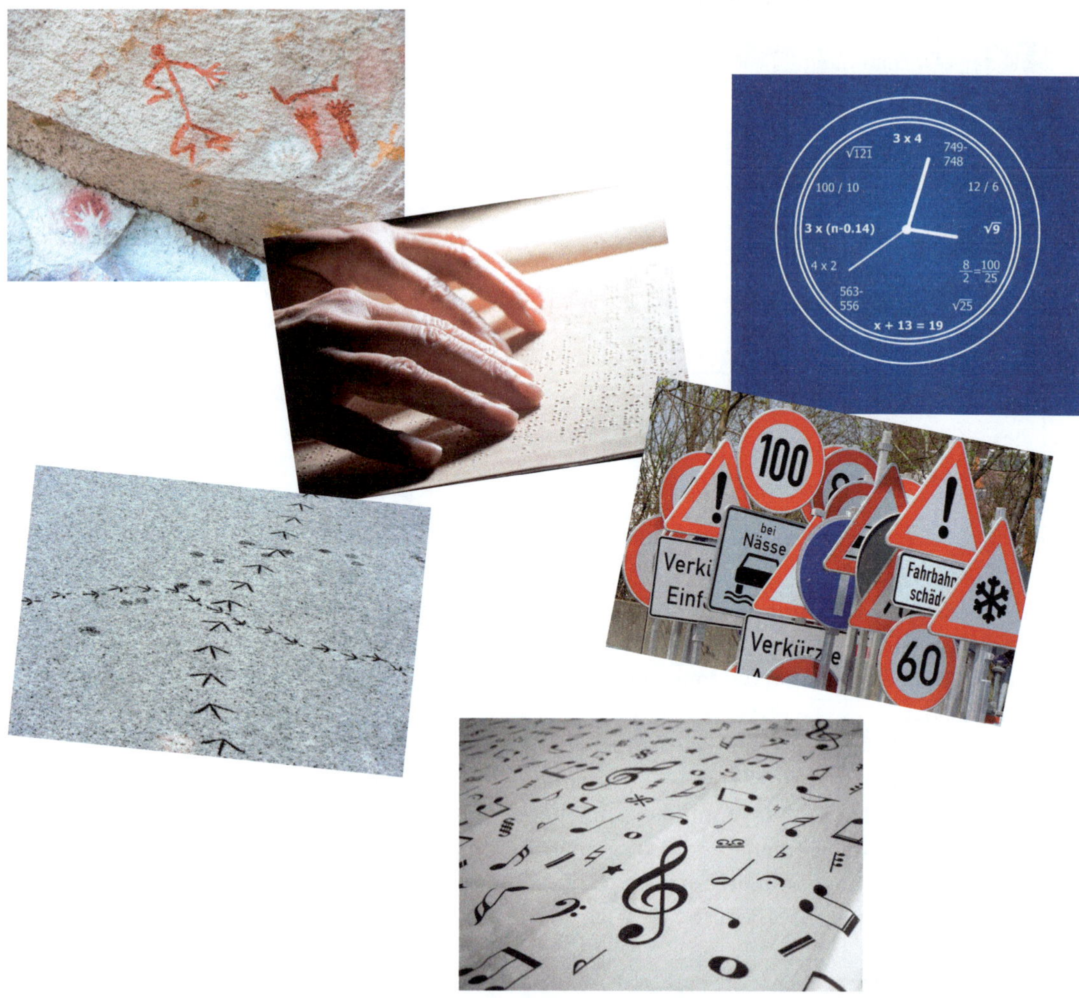

1 Stellen Sie den Inhalt der abgebildeten Fotos kurz mit eigenen Worten dar.

2 Suchen Sie weitere Beispiele, aus denen sich deutlich eine „Stellvertreterfunktion" der dargestellten Zeichen erschließen lässt.

Bis hierher haben Sie sich vorrangig mit sprachlichen Zeichen beschäftigt, was – gemessen an deren Stellenwert für die zwischenmenschliche Kommunikation sowie im Rahmen des Unterrichtsfachs Deutsch – auch sinnvoll erscheint. Dieser Sachverhalt ließe sich noch dahingehend weiter differenzieren, als innerhalb dieses Kommunikationsgeschehens die mündliche Kommunikation der schriftlichen gegenüber einen deutlich höheren Anteil besitzt. Außerdem ist sie die Form der Verständigung zwischen Menschen, mit der sich – so der Medienwissenschaftler K. Hickethier – „die Welt am komplexesten und differenziertesten darstellen" lässt. Unter dem Einsatz der „natürlichen Kommunikation" auf der Basis natürlicher Sprachen – gemeint ist hier die jeweilige Muttersprache – gelingt es dem Menschen schon in seiner frühen Entwicklung, das notwendige Fundament für den Aufbau seiner kognitiven Fähigkeiten zu legen, um sie dann erweitern zu können. Somit gewinnt sie auch zunehmend an Bedeutung für die Eigenkommunikation, wie sie sich auf den unterschiedlichen Stufen des Denkens manifestiert.
Bereits zu Beginn dieser Unterrichtsreihe sind Sie im Rahmen einer Hinführung auf das Inhaltsfeld „Kommunikation" außersprachlichen Zeichen begegnet, nämlich in Form eines Rebus, dessen Botschaft rätselhaft, weil zeichenhaft verschlüsselt war. Somit mussten neue, unkonventionelle Strategien ihrer Decodierung verwendet werden. Entsprechend bedarf es deshalb an dieser Stelle

einer Ausweitung des bisherigen Begriffsverständnisses von Zeichen, das einseitig auf das Phänomen der Sprache bezogen ist. So hat sich im Laufe der Zeit eine eigene Wissenschaftsdisziplin entwickelt, die als „Semiotik" oder „Semiologie" bezeichnet wird. Dadurch wurde es auch ermöglicht, im Zuge der rasanten Entwicklung aufseiten der Medien alle nonverbalen Zeichen „systematisch [zu] erfassen [zu] beschreiben".

Knut Hickethier

Semiotik oder Semiologie (2003)

Semiotik als Theorie der Zeichen versteht sich auf der einen Seite als eine allgemeine, die unterschiedlichsten Zeichen umfassende Theorie, auf der anderen als eine spezielle, die Zeichen eines bestimmten Mediums oder eines Bereichs darstellende Theorie (Filmsemiotik, Radiosemiotik, Theatersemiotik usf.). [...]
Alles kann Zeichen sein, aber nicht alles ist Zeichen. **Das Zeichen steht für etwas anderes**, ist also nicht etwas, das nur für sich steht. Zeichen bestehen deshalb aus Relationen. [...]
Zu unterscheiden sind:

- Zeichen, die nur als Zeichen existent sind (z. B. Buchstaben, Ziffern, Abbildungen etc.) und die als **primäre Zeichen** gelten können, und
- Zeichen, die unabhängig von einer Zeichenfunktion auch noch reale Dinge, Sachverhalte sind und als solche genutzt werden können (**sekundäre Zeichen**).

Umberto Eco (1932 – 2016), ital. Schriftsteller, Philosoph u. Medienwissenschaftler, der durch seinen Roman „Der Name der Rose" (1980) Weltruhm erlangte; Eco erhielt 1975 die erste Professur für Semiotik an der Universität in Bologna

1 Erklären Sie den Unterschied zwischen primären und sekundären Zeichen mit eigenen Worten.

2 Benennen Sie zur Verdeutlichung Ihres Verständnisses jeweils ein Beispiel. Sie können sich dabei auch auf die weiter oben abgedruckten Bilder oder auf von Ihnen selbst ermittelte Zusammenhänge beziehen (s. S. 252).

3 Recherchieren Sie Informationen zu den genannten semiotischen Unterkategorien bezüglich des Films, Radios sowie Theaters und stellen Sie möglichst prägnant deren Aufgabengebiet dar.

4 Erläutern Sie die Aussage K. Hickethiers: „Alles kann Zeichen sein, aber nicht alles ist Zeichen." (Z. 5)

Kommunikation aus soziolinguistischer Sicht

Den Zusammenhang von Sprachhandlungen und sozialer Herkunft untersuchen und überprüfen

Zu den Aufgabengebieten der Sprachwissenschaft gehören über die Erforschung der sprachlichen Struktur hinaus u. a. die der gesellschaftlichen Bedingungen von Sprache und Kommunikation, aber auch die Beantwortung der Frage nach den psychischen Prozessen, die beim Zustandekommen von Sprechakten beteiligt sind. Der erste Bereich wird hauptsächlich von der Soziolinguistik abgedeckt, während der andere vorzugsweise dem Interessensgebiet der Psycholinguistik zuzurechnen ist. Da die Kommunikation als eine Form von sozialer Interaktion zu verstehen ist, an der natürlich Individuen mit ihrer jeweiligen psychischen Verfasstheit beteiligt sind, soll im Folgenden an einem zentralen Beispiel ein soziolinguistisches Thema kurz vorgestellt und – zumindest in Ansätzen – kritisch hinterfragt werden.

Ludwig Helbig

Sprachverhalten und soziale Schichtzugehörigkeit – die frühen Untersuchungen Basil Bernsteins (1979)

Vor allem den Forschungen des Engländers Basil Bernstein ist die Erkenntnis zu verdanken, dass sich Unterschicht und Mittelschicht in ihren sprachlichen Codierungsmöglichkeiten unterscheiden. Auf diese Weise entstehen „Sondersprachen“, die nicht nur Funktionen bestimmter Sozialbeziehungen sind, sondern ihrerseits wiederum die Form sozialer Beziehungen bestimmen.
Bernstein unterscheidet den restringierten Code der Unterschicht vom elaborierten Code der Mittelschicht. Die grundlegenden Unterschiede stellt er an einem Beispiel dar, das Peter Hawkins entwickelt hat: Hawkins legte Kindern eine vierteilige Bildergeschichte vor und forderte sie auf, die Geschichte zu erzählen.

In der Darstellung der Untersuchungen Bernsteins heißt es weiter:

Ein Mittelschichtenkind erzählte die Geschichte wie folgt:
„Drei Jungen spielen Fußball und ein Junge spielt den Ball, und er fliegt durch das Fenster, der Ball zertrümmert die Fensterscheibe und die Jungen schauen zu, und ein Mann kommt heraus und schimpft mit ihnen, weil sie die Scheibe zerbrochen haben, also rennen sie fort, und dann schaut diese Dame aus ihrem Fenster und sie schnauzt die Jungen an.“ (Zahl der Substantive: 13; Zahl der Pronomina: 6)
Die gleiche Geschichte wurde von einem Unterschichtenkind wie folgt wiedergegeben:
Sie spielen Fußball und er schießt ihn und er fliegt rein, dort zertrümmert er die Scheibe und sie schauen zu und er kommt raus und schimpft mit ihnen, weil sie sie zerbrochen haben, deshalb rennen sie weg und dann sieht sie raus und sie schnauzt sie an.“ (Zahl der Substantive: 2; Zahl der Pronomina: 14)
Bei der ersten Geschichte ist es nicht notwendig, dass der Leser auch die vier Bilder sieht, die der Geschichte als Grundlage dienen. Die Geschichte wird relativ kontextungebunden erzählt, die Bedeutungen werden expliziert. Die Sprache des Mittelschichtkindes bringt universale Bedeutungen hervor, d. h., seine Sprache befreit die Bedeutungen vom Zusammenhang und macht sie so für jeden verständlich. Dies sind alles Merkmale des elaborierten (ausgearbeiteten, verfeinerten) Codes.
Bei der zweiten Geschichte versteht der Leser den Zusammenhang ohne die vier Bilder nicht oder nur ungenügend. Die Geschichte wird kontextgebunden erzählt. Die Bedeutungen sind implizit, d. h., das Kind expliziert sie nicht im gleichen Ausmaß wie das erste. Die Sprache des zweiten Kindes schafft partikuläre Bedeutungen in dem Sinne, dass die Bedeutungen eng an den Kontext gebunden sind und nur

dann universal, d.h. für alle verständlich, sind, wenn diese zum Zusammenhang auch Zugang haben (also die Bilder auch vor sich haben).

Restringierte (eingeschränkte) Sprach-Codes lassen sich überall dort feststellen, wo soziale Beziehungen das Bedürfnis nach Verbalisierung individueller Erfahrungen reduzieren, weil eine ausgeprägte Solidarität zwischen den Gruppenmitgliedern besteht. So entstehen restringierte Codes z.B. in Gefängnissen, beim Militär, aber auch etwa in Gottesdiensten mit ihren durchritualisierten Sprechakten. Restringierte Codes sind bestimmt durch eine vorwiegend starre syntaktische Struktur und durch vorgefertigte Begriffe und Wendungen („Worthülsen"), die verschiedenartige Bedeutungen implizit enthalten. Einem Sprecher, der auf einen restringierten Code beschränkt ist, fehlt weitgehend die Möglichkeit, ein individuelles Erlebnis, aber auch bestimmte Intentionen oder Gefühle verbal zu gestalten (vgl. z.B. das in der jugendlichen Subkultur übliche Wort „Klasse", das eine Vielzahl positiver Empfindungen abdeckt).

Dem korrespondiert eine weitgehende Einschränkung der Fähigkeit zu Analyse, Abstraktion und Generalisierung. Der restringierte Code dient vor allem der Betonung des Gemeinsamen, was etwa deutlich wird an der häufigen Verwendung kollektiver Pronomina („wir", „ihr", „sie"). Es handelt sich um eine eher unpersönliche Sprechweise, die die Form der sozialen Beziehung, die mechanische Solidarität, verstärkt, die Bedeutung der Individualität dagegen herabsetzt, die nur durch extraverbale Mittel (Gestik, Mimik, Tonfall usw.) ausgedrückt werden kann.

Der elaborierte Code ist demgegenüber durch eine große Flexibilität gekennzeichnet. Er ermöglicht eine verbale Individualisierung des Einzelnen. Der Sprecher des elaborierten Codes vermag über die Grundlagen seiner Erfahrung zu reflektieren, er hat Zugang zu alternativen Realitäten und einer erweiterten Umwelterfahrung. Durch die Ausnutzung der formalen Möglichkeiten der Sprache erleichtert die Beherrschung des elaborierten Codes die verbale Ausarbeitung einer Intention.

Es muss betont werden, dass die unterschiedlichen Sprachcodes zunächst einmal lebensnotwendig sind für das Leben in der jeweiligen Gruppe, d.h., dass über sie und durch sie soziale Beziehungen und Gruppennormen gelernt werden, die für die jeweilige Gruppe bestandserhaltend sind. Auf der anderen Seite ist aber unsere Kultur an universale Bedeutungssysteme geknüpft, und der elaborierte Code ist insofern der „herrschende", als Führungspositionen in unserer Gesellschaft daran geknüpft sind, dass der Positionsinhaber den elaborierten Code beherrscht.

Lernarrangement

a) Beschreiben Sie – möglichst prägnant – die in der Bildergeschichte dargestellte Abfolge des Geschehens in einem informativen Text.
b) Wechseln Sie nun zur Arbeit mit einem/einer Partner/-in über und stellen sie sich gegenseitig Ihre beiden Darstellungen vor. Besprechen Sie mögliche Unterschiede in Ihren Texten.
c) Lesen Sie nun die beiden Schülererzählungen aus Bernsteins Untersuchung und vergleichen Sie diese hinsichtlich ihrer Vollständigkeit in Bezug auf das Geschehen sowie die sprachliche Ausgestaltung. Fassen Sie schriftlich die Unterschiede zwischen beiden Texten zusammen.
d) Erschließen Sie die einzelnen Aussagen Bernsteins zur Charakterisierung des Unterschieds zwischen restringiertem und elaboriertem Code, indem Sie diese in einer tabellarischen Übersicht einander gegenüberstellen. (Klären Sie mögliche Probleme beim Textverständnis im Rahmen Ihrer Zweiergruppe.)
e) Benennen Sie – über die bereits erwähnten Beispiele für Sprechakte mit restringiertem Code hinaus (Z. 30f.) – weitere kommunikative Situationen, in denen der restringierte Code vorherrschen kann.
f) Ersetzen Sie das im Text genannte Wort „Klasse" (Z. 37) durch einen zeitgemäßeren Ausdruck und stellen Sie die Bandbreite von dessen Bedeutung dar.
g) Zwei bis drei der Gruppen stellen ihre Ergebnisse im Kursplenum vor, die übrigen Kursmitglieder ergänzen gegebenenfalls.

Wenn die Politik den Ton angibt

Die Beziehung von gesteuerter Kommunikation und totalitärer Politik erklären

Claus Müller

Gesteuerte Kommunikation (1975)

Gesteuerte Kommunikation tritt gewöhnlich in politischen Systemen auf, in denen alle sozialen und wirtschaftlichen Institutionen erklärtermaßen den Interessen einer Partei oder einer Gruppe unterworfen sind. Totalitäre Systeme manipulieren bewusst Sprache und Denken mittels rigider Kontrolle der Bildungseinrichtungen und der Massenmedien. Die Errichtung der Ideologie des totalitären Systems geschieht häufig in der Form der Neuinterpretation der vorherigen Geschichte und der Eliminierung jedes Hinweises auf ein anderes Interpretationsschema als das herrschende. Während in fortgeschrittenen kapitalistischen Gesellschaften die Öffentlichkeit offensichtlich entpolitisiert ist, da Überfluss herrscht und die Entscheidungsprozesse politischen und technischen Fachleuten überlassen bleiben, ideologisieren totalitäre Gesellschaften die Öffentlichkeit in einem Ausmaß, dass alle Geschehnisse, selbst die des täglichen Lebens, politische Färbung bekommen. Als Teil einer allgegenwärtigen politischen Totalität „partizipiert" das Individuum am politischen Geschehen, bleibt jedoch politisch ohnmächtig.

In Deutschland sind im Dritten Reich und, nach dem Zweiten Weltkrieg, in der DDR Versuche unternommen worden, die Sprache den Erfordernissen und Zielen der jeweils herrschenden politischen Ordnung anzupassen. Massenkommunikation wurde von oben gesteuert, und die ständige Affirmation des Status quo diente zur Stabilisierung dieser Gesellschaften.

Affirmation Zustimmung, Bejahung

1 Stellen Sie die im Text genannten politisch-ideologischen Maßnahmen dar und ordnen Sie diesen die entsprechenden Kennzeichen des zugrunde liegenden totalitären politischen Systems im Nationalsozialismus zu.

politisch-ideologische Maßnahmen	Kennzeichen eines totalitären politischen Systems

2 Erläutern Sie die individuellen Folgen, die sich für das einzelne Mitglied eines solchen Systems ergeben.

Folgen:

3 ***Lernarrangement***
Bilden Sie Gruppen von max. 5 Schülerinnen und Schülern. Überprüfen Sie im gemeinsamen Gespräch – auf der Grundlage Ihrer bisherigen Kenntnisse über die nationalsozialistische Herrschaft sowie der politischen Verhältnisse in der Deutschen Demokratischen Republik –, inwieweit die vom Autor vorgenommene Zuordnung nachvollziehbar ist. Protokollieren Sie Ihre Ergebnisse.

Faktoren und Formen der Manipulation von und durch Sprache kritisch überprüfen

Claus Müller

Grundlagen der Sprachmanipulation im Dritten Reich (1975)

Die Sprachmanipulation des Dritten Reiches basierte nicht auf einer besonderen Theorie innerhalb der nationalsozialistischen Ideologie; sie ergab sich allein aus pragmatischen Überlegungen. Instrumente der Manipulation waren die Bildungsinstitutionen und die Massenmedien. Ab 1933, kurz nach der Machtübernahme, mussten Oberschüler einen [...] Unterricht besuchen, der die faschistische Ideologie, die politischen Persönlichkeiten des Dritten Reiches und die „geschichtliche Sendung" der nationalsozialistischen Bewegung behandelte. Ein wesentliches Ziel war, die Schüler mit der regierungsoffiziellen Terminologie vertraut zu machen und „auch bis in die Sprachregelung hinein identische Wertungen der Geschehnisse" herzustellen.

Das ideologische Ziel dieses Unterrichts bestand in der Weitergabe festgelegter Interpretationen und Definitionen. Die zentrale Kontrolle und Überwachung der Massenmedien lag beim Reichspropagandaministerium. Das Reichspresseamt war für Periodika zuständig und die Reichsschrifttumskammer überwachte die Produktion von Büchern und Zeitschriften. Unabhängigen oder oppositionellen Ansichten blieben sämtliche Kanäle verschlossen, und zur rigorosen Durchsetzung der Kontrollen wurden Journalisten, die von den Sprachregelungen des Reichspresseamtes abwichen, des Verrates angeklagt. Praktisch sämtliche Publikationen gingen mit der offiziellen Ideologie konform. Selbst akademische Zeitschriften kamen nicht umhin, sich der faschistischen Terminologie zu bedienen. Antiintellektuelle Vorurteile und germanische Traditionen beeinflussten die Sprache von Fachaufsätzen so unterschiedlicher Disziplinen wie der Geschichte und der Medizin. Mit der Auflösung akademischer Gesellschaften und politischer Vereinigungen wurde der Artikulation alternativer Forderungen und oppositioneller Interessen die organisierte Grundlage entzogen.

Wörterbücher und Lexika wurden bearbeitet, indem man Begriffe eliminierte, neue hinzufügte und andere neu definierte. Diese Änderungen stellen einen direkten Eingriff in den Sprachgebrauch dar. [...]

Grundsteinlegung einer Adolf-Hitler-Schule, 1938, Templiner See

Der faschistische Begriff für diesen erzwungenen Konsens ist **Gleichschaltung**.

1 Stellen Sie auf der Grundlage des Textes die systematische Kontrolle durch die staatlichen Einrichtungen ab 1933 in einem Schaubild dar. Berücksichtigen Sie dabei Institutionen und Zuständigkeiten.

2 Beschreiben Sie die Bandbreite der Zielgruppen in der Bevölkerung, die von diesen Maßnahmen betroffen sind.

3 Erläutern Sie die Auswirkungen dieser Manipulation hinsichtlich deren Bedeutung für die öffentliche Meinung sowie der Möglichkeit, seine Meinung frei zu äußern.

Begriffsneubildungen und Umdeutungen hinsichtlich ihrer manipulativen Wirkung erschließen

Im Zuge dieser auch die Sprachverwendung in hohem Maße beeinflussenden Steuerungselemente aus Neubildungen sowie Umdeutungen bereits existierender Begriffe wurden sukzessive alle gesellschaftlichen Bereiche erfasst und in Übereinstimmung mit den herrschenden politisch-ideologischen Vorstellungen von Partei und Staat gebracht.
Anhand der beiden folgenden tabellarischen Übersichten lassen sich diese manipulativen Eingriffe in die öffentliche Kommunikation verdeutlichen.

1. Begriffsneubildungen	
neue Begriffe	**Bedeutung**
Ahnenpass	
Aufartung	
Aufnordung	
Blitzkrieg	
Bräuteschule	
Geburtenkrieg	
Rassenbrei	
Rassenschande	
Volksempfinden	
Volksschädling	

1 Recherchieren Sie Informationen zu diesen Begriffsbildungen und erklären Sie deren Bedeutung.

2. Neudefinitionen bestehender Begriffe (Umdeutungen)		
bereits bestehende Begriffe	**ursprüngliche Bedeutung**	**Bedeutung nach 1933**
Abstammungsnachweis		
Blutschande		
Intellekt		
Zucht		
Züchtung		

3. Konnotation		
	positiv	**negativ**
fanatisch		
hart		
rücksichtslos		

2 Erklären Sie zu jedem Begriff zunächst dessen ursprüngliche Bedeutung. Beschreiben Sie anschließend die Bedeutung, die ihm im „Dritten Reich" jeweils beigemessen wurde.

3 Erläutern Sie die unter 3. genannten Adjektive sowohl hinsichtlich ihrer positiven als auch ihrer negativen Konnotation und ordnen Sie diese dem Verständnis von vor bzw. nach 1933 zu.

Ein Leben im Dienst der Sprache

Die Entlarvung des manipulativen Einflusses von Sprache aus zeitgenössischer Sicht erschließen

Victor Klemperer (1881 – 1960)

Klemperer wurde als Sohn des dortigen Rabbiners in Landsberg an der Warthe geboren. Nach dem Abitur studierte er Romanistik, Germanistik sowie Philosophie in Berlin, München, Genf und Paris; sein Studium schloss er nach mehreren Unterbrechungen erst 1912 ab. Es folgten seine Habilitation in München und eine Tätigkeit als Lektor an der Universität Neapel. Während des Ersten Weltkriegs meldete er sich als Freiwilliger zum Militärdienst an der Westfront. Nach dem Krieg erhielt er eine Professur in Dresden, die er aber nach der Machtergreifung der Nationalsozialisten aufgeben musste, ebenso wie seine Forschungsarbeit.

In dieser Zeit fasste Klemperer den Entschluss, die Zeitumstände in Tagebuchform festzuhalten und sich dabei detailliert und kritisch insbesondere der Sprachverwendung zu widmen. Seine Aufzeichnungen, die er vor dem Zugriff der Gestapo verstecken musste, bildeten die Grundlage für seine LTI (**L**ingua **T**ertii **I**mperii), deren Ertrag unter dem Titel „Ich will Zeugnis ablegen (1933 - 1945)" erst ab 1995 publiziert wurde. 1945 entkamen er und seine Ehefrau Eva nur knapp einer Deportation durch die Gestapo, indem sie aus Dresden flohen. Durch eine minimale Änderung ihres Namens konnten sie jedoch ihre Identität wechseln und in ihr Haus in Dresden zurückkehren.

Nach dem Ende des Krieges gelangte Klemperer an die Humboldt-Universität im Osten Berlins, wo er seine akademische Laufbahn fortsetzen und beenden konnte. Er erhielt verschiedene wissenschaftliche Auszeichnungen. Darüber hinaus engagierte er sich politisch für die neu entstehende DDR, wurde Mitglied der SED und zum Abgeordneten der Volkskammer gewählt (1950 - 1958), nahm aber eine kritische Distanz dem Marxismus gegenüber ein.

1 Recherchieren Sie den neu angenommenen Namen der Klemperer und erläutern Sie die kleine List, derer das Ehepaar sich bediente, um kurzfristig eine neue Identität annehmen zu können.

Victor Klemperer

Die (eigentliche) Sprache des Dritten Reichs (1947)

Denn ebenso wie es üblich ist, vom Gesicht einer Zeit, eines Landes zu reden, genau so wird der Ausdruck einer Epoche als ihre Sprache bezeichnet. Das Dritte Reich spricht mit einer schrecklichen Einheitlichkeit aus all seinen Lebensäußerungen und Hinterlassenschaften: aus der maßlosen Prahlerei seiner Prunkbauten und aus ihren Trümmern, aus dem Typ der Soldaten, der SA- und SS-Männer, die es als Idealgestalten auf immer andern und immer gleichen Plakaten fixierte, aus seinen Autobahnen und Massengräbern. Das alles ist Sprache des Dritten Reichs, und von alledem ist natürlich auch in diesen Blättern die Rede. Aber wenn man einen Beruf durch Jahrzehnte ausgeübt und sehr gern ausgeübt hat, dann ist man schließlich stärker durch ihn geprägt als durch alles andere, und so war es denn buchstäblich und im unübertragen philologischen Sinn die Sprache des Dritten Reichs, woran ich mich aufs Engste klammerte, und was meine Balancierstange ausmachte über die Öde der zehn Fabrikstunden, die Greuel der Haussuchungen, Verhaftungen, Misshandlungen usw. usw. hinweg.

Man zitiert immer wieder Talleyrands Satz, die Sprache sei dazu da, die Gedanken des Diplomaten (oder eines schlauen und fragwürdigen Menschen überhaupt) zu verbergen. Aber genau das Gegenteil hiervon ist richtig. Was jemand willentlich verbergen will, sei es nur vor andern, sei es vor sich selber, auch was er unbewusst in sich trägt: die Sprache bringt es an den Tag. Das ist wohl auch der Sinn der Sentenz: *le style c'est l'homme*; die Aussagen eines Menschen mögen verlogen sein – im Stil seiner Sprache liegt sein Wesen hüllenlos offen.

Charles-Maurice de Talleyrand-Périgord (1754 - 1838), bekannter frz. Staatsmann u. Diplomat zzt. der Frz. Revolution sowie der Napoleonischen Kriege; das Zitat stammt aus einem Gespräch im Jahr 1807 mit dem span. Gesandten Izquierdo u. lautet in der Übersetzung: „Die Sprache ist dem Menschen gegeben, um seine Gedanken zu verbergen."

Es ist mir merkwürdig ergangen mit dieser eigentlichen (philologisch eigentlichen) Sprache des Dritten Reichs.

Ganz im Anfang, solange ich noch keine oder doch nur sehr gelinde Verfolgung erfuhr, wollte ich so wenig als möglich von ihr hören. Ich hatte übergenug an der Sprache der Schaufenster, der Plakate, der braunen Uniformen, der Fahnen, der zum Hitlergruß gereckten Arme, der zurechtgestutzten Hitlerbärtchen. Ich flüchtete, ich vergrub mich in meinen Beruf, ich hielt meine Vorlesungen und übersah krampfhaft das Immer-leerer-Werden der Bänke vor mir, ich arbeitete mit aller Anspannung an meinem Achtzehnten Jahrhundert der französischen Literatur. Warum mir durch das Lesen nazistischer Schriften das Leben noch weiter vergällen, als es mir ohnehin durch die allgemeine Situation vergällt war? [...]

Aber dann traf mich das Verbot der Bibliotheksbenutzung, und damit war mir die Lebensarbeit aus der Hand geschlagen. Und dann kam die Austreibung aus meinem Hause, und dann kam alles Übrige, jeden Tag ein weiteres Übriges. Jetzt wurde die Balancierstange mein notwendigstes Gerät, die Sprache der Zeit mein vorzüglichstes Interesse.

1 Geben Sie die Kritik Klemperers an der Sprache des Dritten Reichs mit eigenen Worten wieder.

2 Erläutern Sie die Äußerungen des Autors über den Zusammenhang von sprachlichen und nichtsprachlichen Symbolen oder Zeichen (vgl. z. B. Z. 25 ff.) anhand von Ihnen ausgewählten Bildmaterialien, die Sie im Unterricht präsentieren.

3 Beschreiben Sie die unterschiedlichen Reaktionen, die Klemperer bis zum Ende seiner beruflichen Karriere im Dritten Reich sowie danach zeigte.

4 Erklären Sie – unter Einbezug seiner Biografie – die Unterschiede in seinen Verhaltensweisen.

Grabstein von Eva und Victor Klemperer auf dem Friedhof in Dresden

Victor Klemperer

Das schleichende Gift der nationalsozialistischen Propaganda (1947)

Was war das stärkste Propagandamittel der Hitlerei? Waren es Hitlers und Goebbels' Einzelreden, ihre Ausführungen zu dem und jenem Gegenstand, ihre Hetze gegen das Judentum, gegen den Bolschewismus?

Fraglos nicht, denn vieles blieb von der Masse unverstanden oder langweilte sie in seinen ewigen Wiederholungen. Wie oft in Gasthäusern, als ich noch sternlos ein Gasthaus betreten durfte, wie oft später in der Fabrik während der Luftwache, wo die Arier ihr Zimmer für sich hatten und die Juden ihr Zimmer für sich, und im arischen Raum befand sich das Radio (und die Heizung und das Essen) – wie oft habe ich die Spielkarten auf den Tisch klatschen und laute Gespräche über Fleisch- und Tabakrationen und über das Kino führen hören, während der Führer oder einer seiner Paladine langatmig sprachen, und nachher hieß es in den Zeitungen, das ganze Volk habe ihnen gelauscht.

Paladine
Angehörige des Heldenkreises am Hofe Karls des Großen;
hier i. S. eines treu ergebenen Anhängers

Nein, die stärkste Wirkung wurde nicht durch Einzelreden ausgeübt, auch nicht durch Artikel oder Flugblätter, durch Plakate oder Fahnen, sie wurde durch nichts erzielt, was man mit bewusstem Denken oder bewusstem Fühlen in sich aufnehmen musste.

Sondern der Nazismus glitt in Fleisch und Blut der Menge über durch die Einzelworte, die Redewendungen, die Satzformen, die er ihr in millionenfachen Wieder-

Distichon (grch., Plural: Distichen), Bezeichnung für einen Zweizeiler bzw. eine zweizeilige Strophenform; Klemperer verweist hier auf die bloße Vereinnahmung der deutschen Sprache im NS ohne eigene schöpferische Leistung; F. Schiller hatte mit den Worten „Weil ein Vers dir gelingt in einer gebildeten Sprache,/Die für dich dichtet und denkt, glaubst du schon Dichter zu sein" den „Dilettanten" gekennzeichnet.

holungen aufzwang, und die mechanisch und unbewusst übernommen wurden. Man pflegt das Schiller-Distichon von der „gebildeten Sprache, die für dich dichtet und denkt", rein ästhetisch und sozusagen harmlos aufzufassen. Ein gelungener Vers in einer „gebildeten Sprache" beweist noch nichts für die dichterische Kraft seines Finders; es ist nicht allzu schwer, sich in einer hochkultivierten Sprache das Air eines Dichters und Denkers zu geben.

Aber Sprache dichtet und denkt nicht nur für mich, sie lenkt auch mein Gefühl, sie steuert mein ganzes seelisches Wesen, je selbstverständlicher, je unbewusster ich mich ihr überlasse. Und wenn nun die gebildete Sprache aus giftigen Elementen gebildet oder zur Trägerin von Giftstoffen gemacht worden ist? Worte können sein wie winzige Arsendosen: sie werden unbemerkt verschluckt, sie scheinen keine Wirkung zu tun, und nach einiger Zeit ist die Giftwirkung doch da. Wenn einer lange genug für heldisch und tugendhaft: fanatisch sagt, glaubt er schließlich wirklich, ein Fanatiker sei ein tugendhafter Held, und ohne Fanatismus könne man kein Held sein.

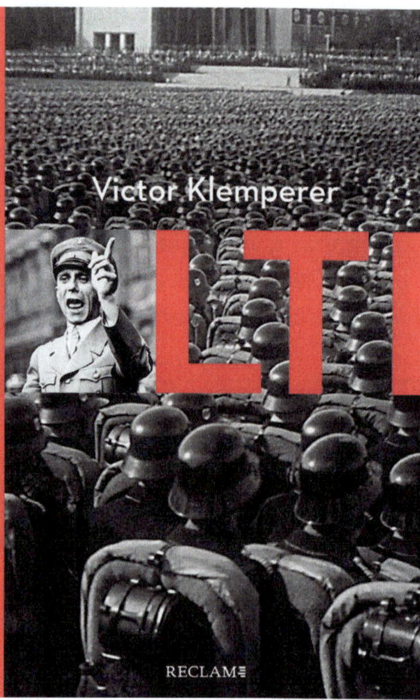

Die Worte fanatisch und Fanatismus sind nicht vom Dritten Reich erfunden, es hat sie nur in ihrem Wert verändert und hat sie an einem Tage häufiger gebraucht als andere Zeiten in Jahren. Das Dritte Reich hat die wenigsten Worte seiner Sprache selbstschöpferisch geprägt, vielleicht, wahrscheinlich sogar, überhaupt keines.

Die nazistische Sprache weist in vielem auf das Ausland zurück, übernimmt das meiste andere von vorhitlerischen Deutschen. Aber sie ändert Wortwerte und Worthäufigkeiten, sie macht zum Allgemeingut, was früher einem Einzelnen oder einer winzigen Gruppe gehörte, sie beschlagnahmt für die Partei, was früher Allgemeingut war, und in alledem durchtränkt sie Worte und Wortgruppen und Satzformen mit ihrem Gift, macht sie die Sprache ihrem fürchterlichen System dienstbar, gewinnt sie an der Sprache ihr stärkstes, ihr öffentlichstes und geheimstes Werbemittel.

Das Gift der LTI deutlich zu machen und vor ihm zu warnen – ich glaube, das ist mehr als bloße Schulmeisterei. Wenn den rechtgläubigen Juden ein Essgerät kultisch unrein geworden ist, dann reinigen sie es, indem sie es in der Erde vergraben. Man sollte viele Worte des nazistischen Sprachgebrauchs für lange Zeit, und einige für immer, ins Massengrab legen.

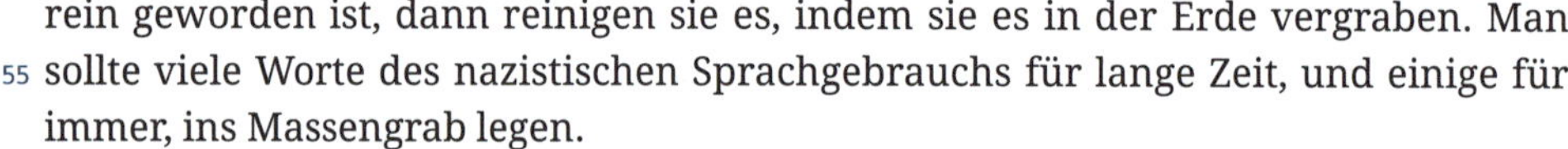

1 Fassen Sie mit eigenen Worten zusammen, worin Klemperer die eigentliche Ursache für die manipulative Wirkung der nationalsozialistischen Propaganda sieht.

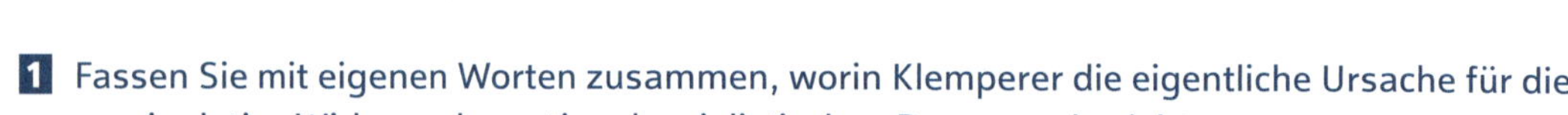

2 Beurteilen Sie die von den Nationalsozialisten direkt nach der Machtübernahme vorgenommene Gleichschaltung von Bildung und Massenmedien hinsichtlich ihrer Wirkung auf alle Teile der Bevölkerung.

3 Vergleichen Sie die beiden Textzusammenstellungen von C. Mueller und V. Klemperer (S. 256 – 262) unter inhaltlichen, sprachlich-argumentativen sowie emotionalen Gesichtspunkten. Formulieren Sie Übereinstimmungen und Unterschiede in einem begründenden Textzusammenhang.

Die Redeanalyse

Notwendige methodische Schritte zur Anfertigung einer Analyse politischer Reden formulieren

Die Analyse einer politischen Rede stellt im Grundsätzlichen keine wesentlich anderen Ansprüche an Sie, als Ihnen aus der Auseinandersetzung mit anderen Textarten wie literarischen – also dramatische, lyrische und epische Texte – sowie mit Sachtexten bereits bekannt sind.
Bevor Sie sich nun der Analyse der folgenden Reden aus der Zeit des Nationalsozialismus zuwenden, sollten Sie in einer vorbereitenden Gesprächsrunde Ihre Vorkenntnisse über die Rede als Kommunikationsformat allgemein und deren kommunikative Situation klären.

1 Wählen Sie einen oder zwei Mitschülerinnen bzw. Mitschüler aus Ihrem Kurs, die im Folgenden Ihr Unterrichtsgespräch moderieren, strukturieren und die Ergebnisse an der Tafel oder mittels eines anderen Mediums stichpunktartig festhalten. Die nachstehenden Aufgabenstellungen können dabei als Orientierungshilfe dienen.

2 Benennen Sie – ausgehend von den abgedruckten Beispielbildern – Ihnen bekannte Erscheinungsformen bzw. Anlässe von Reden im gesellschaftlichen und politischen Bereich.

3 Erläutern Sie, wodurch die spezifische kommunikative Situation dieser Reden in unterschiedlichem Maße und in unterschiedlicher Intensität gekennzeichnet ist.

4 Erläutern Sie mögliche Schwierigkeiten, die für Sie bei der Anfertigung der Analyse einer politischen Rede auftreten können.

5 Entwickeln Sie zu zweit Arbeitsschritte, die Ihnen notwendig erscheinen, um die Analyse einer politischen Rede angemessen bewältigen zu können, und ordnen Sie diese in einer Ihnen sinnvollen Reihenfolge an. (Dieser Arbeitsauftrag gilt auch für das Moderatorenduo.)

6 Stellen Sie Ihre Ergebnisse im Kursplenum vor.

7 Vergleichen Sie Ihre Vorschläge und setzen Sie sich argumentativ mit möglichen Differenzen auseinander.

8 Versuchen Sie gemeinsam, sich auf ein Modell für eine Redeanalyse zu einigen.

Die „Feuerrede“

Einen Redetext hinsichtlich der Wechselwirkung von Inhalt, Form und Sprache interpretieren

Anhand der drei folgenden Redetexte, die insgesamt dem Phänomen der Manipulation durch Sprache in der Zeit der nationalsozialistischen Diktatur folgen, sollen Sie nun mit der Analyse politischer (Rede-)Texte vertraut gemacht werden. Um die Redetexte angemessen in ihren historisch-politischen Kontext einordnen zu können, erhalten Sie jeweils einige dazu notwendige Hintergrundinformationen.

Hintergrundinformationen zur Rede J. Goebbels’ am 10. Mai 1933

Bereits vor dem 10. Mai 1933 war es vereinzelt zur Verbrennung von Schriften solcher Autoren gekommen, deren Publikationen nicht der politisch-ideologischen Gesinnung der neuen Machthaber entsprachen. Mit diesem denkwürdigen Tag wurden solche Aktionen nun systematisch durchgeführt. Infolgedessen wurden in den nächsten Monaten insgesamt über 100 Bücherverbrennungen in mehr als 90 Städten des Deutschen Reichs durchgeführt. Betroffen davon waren Hunderte Autorinnen und Autoren, deren Schriften aus den Buchhandlungen und Bibliotheken entfernt, zusammengetragen und während einer öffentlichen Zeremonie dem Feuer übergeben wurden. Betroffen waren vor allem solche literarischen, wissenschaftlichen und journalistischen Publikationen, deren Verfasserinnen und Verfasser jüdischer Abstammung waren oder politisch als sozialistisch bzw. liberal eingestuft wurden. Bei den nächtlichen Aktionen wurden ihre Namen ausgerufen und unter Verlesen eines ihrem Werk angepassten Feuerspruchs in die Flammen eines Scheiterhaufens geworfen. Somit konnte – in der damals üblichen Diktion – das „undeutsche Schrifttum ausgemerzt“ werden.

Zeitgleich mit der Aktion auf dem Berliner Opernplatz (heute: Bebelplatz) hatte das Propagandaministerium unter Leitung J. Goebbels’ identische Veranstaltungen in ca. 20 weiteren Universitätsstädten geplant und durchführen lassen. Diesen simultanen Bücherverbrennungen, bei denen Tausende Bücher verbrannt wurden, war knapp einen Monat zuvor – am 12. April 1933 – die Plakatierung von zwölf Thesen in der Berliner Universität durch Vertreter des Nationalsozialistischen Deutschen Studentenbundes (NSDStB) vorausgegangen.

Die Thesen stellten einen massiven Angriff auf das deutsch-jüdische Geistesleben dar.

Faksimile (lat. für „mache ähnlich“), originalgetreue Nachbildung

Dies ist ein Faksimile des von den Vertretern des NSDStB verbreiteten Plakats.

1 Fassen Sie möglichst prägnant die zwölf Thesen des NSDStB mit eigenen Worten zusammen.

2 Erläutern Sie, inwiefern diese „Thesen“ ein Beispiel für die Steuerung von Kommunikation darstellen.

3 Stellen Sie die Konsequenzen dar, die sich aus der hier geforderten Durchsetzung dieser Thesen für den jeweils adressierten Personenkreis ergeben.

4 Nehmen Sie kritisch Stellung zu den Aussagen und Forderungen auf dem Plakat, die an die jüdische Mitbevölkerung gerichtet sind.

5 Prüfen Sie die grundsätzliche Bedeutung der Kenntnis fremder Sprachen für die Persönlichkeitsentwicklung des Menschen.

Wider den undeutschen Geist!

1. Sprache und Schrifttum wurzeln im Volke. Das deutsche Volk trägt die Verantwortung dafür, daß seine Sprache und sein Schrifttum reiner und unverfälschter Ausdruck seines Volkstums sind.
2. Es klafft heute ein Widerspruch zwischen Schrifttum und deutschem Volkstum. Dieser Zustand ist eine Schmach.
3. Reinheit von Sprache und Schrifttum liegt an Dir! Dein Volk hat Dir die Sprache zur treuen Bewahrung übergeben.
4. **Unser gefährlichster Widersacher ist der Jude, und der, der ihm hörig ist.**
5. Der Jude kann nur jüdisch denken. Schreibt er deutsch, dann lügt er. Der Deutsche, der deutsch schreibt, aber undeutsch denkt, ist ein Verräter! Der Student, der undeutsch spricht und schreibt, ist außerdem gedankenlos und wird seiner Aufgabe untreu.
6. **Wir wollen die Lüge ausmerzen, wir wollen den Verrat brandmerken, wir wollen für den Studenten nicht Stätten der Gedankenlosigkeit, sondern der Zucht und der politischen Erziehung.**
7. Wir wollen den Juden als Fremdling achten, und wir wollen das Volkstum ernst nehmen.
   Wir fordern deshalb von der Zensur:
   Jüdische Werke erscheinen in hebräischer Sprache. Erscheinen sie in Deutsch, sind sie als Uebersetzung zu kennzeichnen.
   Schärfstes Einschreiten gegen den Mißbrauch der deutschen Schrift.
   Deutsche Schrift steht nur Deutschen zur Verfügung.
   Der undeutsche Geist wird aus öffentlichen Büchereien ausgemerzt.
8. Wir fordern vom deutschen Studenten Wille und Fähigkeit zur selbständigen Erkenntnis und Entscheidung.
9. Wir fordern vom deutschen Studenten den Willen und die Fähigkeit zur Reinerhaltung der deutschen Sprache.
10. Wir fordern vom deutschen Studenten den Willen und die Fähigkeit zur Ueberwindung des jüdischen Intellektualismus und der damit verbundenen liberalen Verfallserscheinungen im deutschen Geistesleben.
11. **Wir fordern die Auslese von Studenten und Professoren nach der Sicherheit des Denkens, im deutschen Geiste.**
12. **Wir fordern die deutsche Hochschule als Hort des deutschen Volkstums und als Kampfstätte aus der Kraft des deutschen Geistes.**

Die Deutsche Studentenschaft.

Joseph Goebbels

Rede anlässlich der Bücherverbrennung auf dem Berliner Opernplatz (10.05.1933)

J. Goebbels während seiner „Feuerrede"

Meine Kommilitonen!
Deutsche Männer und Frauen!
Das Zeitalter eines überspitzten jüdischen Intellektualismus ist nun zu Ende und der Durchbruch der deutschen Revolution hat auch dem deutschen Weg wieder die Gasse freigemacht. Als am 30. Januar dieses Jahres die nationalsozialistische Bewegung die Macht eroberte, da konnten wir noch nicht wissen, dass so schnell und so radikal in Deutschland aufgeräumt werden könnte. Die Revolution, die damals ausbrach, ist von uns – das können wir heute offen gestehen – von langer Hand und planmäßig vorbereitet worden. Und wenn man sich heute darüber wundert, dass wir die Gesetze sozusagen aus dem Ärmel schütteln: das ist kein Wunder, denn wir brauchen ja nur die Gesetzlichkeit unserer eigenen Bewegung auf den Staat zu übertragen.
Diese Revolution kam nicht von oben, sie ist von unten hervorgebrochen. Sie ist nicht diktiert, sondern das Volk selbst hat sie gewollt. Sie ist deshalb im besten Sinne des Wortes der Vollzug des Volkswillens, und die Männer, die diese Revolution organisiert, mobilisiert und durchgeführt haben, stammen aus allen Schichten, Ständen und Berufen des deutschen Volkes. Hier steht der Arbeiter neben dem Bürger, der Student neben dem Soldaten und neben dem Jungarbeiter, hier steht der Intellektuelle neben dem Proletarier: *Ein* ganzes Volk ist aufgestanden!
[...]
Sie [die Revolution] habt auch Ihr Studenten verspürt, die Ihr als Vortrupp eines wirklich revolutionären deutschen Geistes von den Hochschulen heruntergetrieben wurdet, die man Euch, wenn Ihr das Deutschlandlied anstimmtet oder gegen Versailles protestiertet, mit dem Gummiknüppel traktierte, die Ihr vierzehn Jahre lang in schweigender Schmach die Demütigungen dieser November-Republik über Euch ergehen lassen musstet. Die Bibliotheken füllten sich an mit dem Unrat und dem Schmutz dieser jüdischen Asphaltliteraten. Anstatt dass in Deutschland eine *deutsche* Erziehung den *deutschen* Menschen erzog und anstatt dass von den Kanzeln der Universitäten wirkliche *Volks*führer dem Geist der Zeit das Wort redeten, verschanzte sich die hohe Wissenschaft hinter den Paragrafen und hinter den Aktenbündeln und hinter den Pandekten. Und während die Wissenschaft vom Leben allmählich sich isolierte und abschneiden ließ, hat das junge Deutschland längst schon einen neuen und fertigen Rechts- und Normalzustand wiederhergestellt.
[...]
Man täusche sich nicht: Revolutionen, wenn sie echt sind, machen nirgends halt! Es gibt keine Revolutionen, die nur die Wirtschaft oder nur die Politik oder nur das Kulturleben reformierten oder umstürzten. Revolutionen sind Durchbrüche neuer Weltanschauungen. Und wenn eine Weltanschauung wirklich Anspruch erheben kann auf diesen Titel, dann kann sie sich nicht damit begnügen, *ein* Gebiet des öffentlichen Lebens umstürzend umzuwälzen, sondern dann muss der Durchbruch dieser Weltanschauung das ganze öffentliche Leben erfüllen, es darf davon kein Gebiet unberührt bleiben. So, wie sie die Menschen revolutioniert, so revolutioniert sie die Dinge, und am Ende wird dann Masse, Volk, Staat und Nation ein- und dasselbe geworden sein.

gegen Versailles gemeint ist der Friedensvertrag von Versailles, den die Vertreter der deutschen Regierung am 28.6.1919 unterzeichnet hatten. Die Polemik der Demokratiefeinde gegen den „Diktatfrieden" oder „Schmachfrieden" begleitete die gesamte Geschichte der Weimarer Republik.

November-Republik polemische Bezeichnung der Demokratiefeinde für die aus der Novemberrevolution hervorgegangene Weimarer Republik

jüdische Asphaltliteraten Schmähbegriff gegen angeblich „wurzellose Großstadtliteraten" in den 1920er-Jahren

dem Geist der Zeit das Wort reden dem Geist der Zeit eine Stimme verleihen

Pandekten spätantike Sammlung von Schriften römischer Rechtsgelehrter, Kernbestand des lange auch noch in Deutschland angewandten Römischen Rechts

Darüber aber sind wir geistigen Menschen uns klar: Machtpolitische Revolutionen müssen geistig vorbereitet werden. An ihrem Anfang steht die Idee, und erst wenn die Idee sich mit der Macht vermählt, dann wird daraus das historische Wunder der Umwälzung emporsteigen. Ihr jungen Studenten seid Träger, Vorkämpfer und Verfechter der jungen, revolutionären Idee *dieses* Staates gewesen. Und so, wie Ihr in der Vergangenheit das Recht hattet, den *falschen* Staat, den *Unstaat* zu berennen und niederzuwerfen, so, wie Ihr das Recht hattet, den *falschen* Autoritäten dieses Unstaates Euren Respekt und Eure Achtung zu versagen, – so habt Ihr jetzt die Pflicht, in den Staat hineinzugehen, den Staat zu tragen und den Autoritäten dieses Staates neuen Glanz, neue Würde und neue Geltung zu verleihen. Ein Revolutionär muss *alles* können: Er muss ebenso groß sein im Niederreißen der Unwerte wie im Aufbauen der Werte! Wenn Ihr Studenten Euch das Recht nehmt, den geistigen Unflat in die Flammen hineinzuwerfen, dann müsst Ihr auch die Pflicht auf Euch nehmen, an die Stelle dieses Unrates einem wirklichen deutschen Geist die Gasse freizumachen. Der Geist lernt sich im Leben und in den Hörsälen, und der kommende deutsche Mensch wird nicht nur ein Mensch des Buches, sondern auch ein Mensch des Charakters sein.

Und dazu wollen wir Euch erziehen. Jung schon den Mut zu haben, dem Leben in die erbarmungslosen Augen hineinzuschauen, die Furcht vor dem Tode zu verlernen und vor dem Tode wieder Ehrfurcht zu bekommen – das ist die Aufgabe dieses jungen Geschlechts. Und deshalb tut Ihr gut daran, um diese mitternächtliche Stunde den Ungeist der Vergangenheit den Flammen anzuvertrauen. Das ist eine starke, große und symbolische Handlung – eine Handlung, die vor aller Welt dokumentieren soll: Hier sinkt die geistige Grundlage der November-Republik zu Boden, aber aus diesen Trümmern wird sich siegreich erheben der Phönix eines neuen Geistes – eines Geistes, den *wir* tragen, den *wir* fördern und dem *wir* das entscheidende Gewicht geben und die entscheidenden Züge aufprägen!

Phönix Vogel der griech. Mythologie, der am Ende seines Lebens verbrennt und aus seiner Asche wieder neu entsteht; bereits nach altägypt. mythischen Überlieferungen bedeutete dies „der Wiedergeborene, der neugeborene Sohn“

[...]

Wenn Ihr mit dem Arbeiter dasselbe braune Ehrenkleid tragt und wenn Ihr, ohne dass man den Unterschied erkennen könnte, im selben Reih' – in derselben Reihe und im selben Glied marschiert, dann bringt Ihr damit für alle Welt sichtbar zum Ausdruck, dass in Deutschland die Nation sich innerlich und äußerlich wieder geeinigt hat. Das Alte liegt in den Flammen, das Neue wird aus der Flamme unseres eigenen Herzens wieder emporsteigen! *Wo* wir zusammenstehen und wo wir zusammengehen, da fühlen wir uns dem Reich und seiner Zukunft verpflichtet.

Und wie so oft in den Zeiten, da wir noch in der Opposition kämpften, so auch jetzt, da wir die Macht und da wir die Verantwortung in Händen halten, schließen wir uns zusammen in *einem* Gelöbnis – in *dem* Gelöbnis, das wir so oft aus tiefster Qual früher, als wir um die Macht kämpften, in den abendlichen Himmel hinaufgeschickt haben – in demselben Gelöbnis, das heute wieder unter diesem Himmel und umleuchtet von dieser Flamme ein Schwur sein soll: Das Reich und die Nation und unser Führer Adolf Hitler – Heil! [Zuhörer: „Heil!“], Heil! [Zuhörer: „Heil!“], Heil! [Zuhörer: „Heil!“]

1 Stellen Sie kurz die historische Situation dar, in der Goebbels diese Rede gehalten hat.

2 a) Erschließen Sie den inhaltlichen Aufbau des Textes, indem Sie diesen in entsprechende Sinnabschnitte einteilen und deren Inhalte mit einer prägnanten Überschrift versehen.
b) Fassen Sie die zentralen inhaltlichen Aspekte stichwortartig zusammen (Textverweise).

3 Untersuchen Sie den Redeausschnitt im Hinblick auf zwei darin enthaltene metaphorische Bereiche und erläutern Sie diese anhand entsprechender Textverweise.

4 Setzen Sie sich mit dem appellativen Charakter dieser Rede auseinander.

Klausurtraining

II B Vergleichende Analyse pragmatischer Texte

Sie haben bisher grundlegende Aspekte der Kommunikation im Allgemeinen sowie des Kommunikationsmodells von R. Jakobson kennengelernt. Ihre Kenntnisse hierzu haben Sie anschließend im Rahmen politisch motivierter sowie gesellschaftlich bedingter Kommunikationsstörungen erweitert. Hierdurch haben Sie die Voraussetzungen für eine vertiefende Auseinandersetzung mit der Funktion von Sprache im Rahmen der politischen Kommunikation geschaffen. Mehrfach haben Sie sich grundlegend mit dem öffentlichen Sprachgebrauch in der Zeit der nationalsozialistischen Diktatur beschäftigt und sich darüber hinaus mit einer Rede Joseph Goebbels zur Bücherverbrennung auseinandergesetzt. Dabei standen insbesondere der Aufbau der Rede sowie einzelne Aspekte deren sprachlich-rhetorischer Ausgestaltung im Vordergrund.
Auf der Grundlage der von Ihnen bisher geleisteten Arbeit sollen Sie im Rahmen des folgenden Klausurtrainings nun Schritt für Schritt in den Umgang mit den komplexen Aufgabenstellungen einer Beispielklausur eingeführt und Ihre methodischen Kompetenzen damit gefördert werden. Gleichzeitig bietet das Klausurtraining für Sie eine weitere Möglichkeit, unter klausurähnlichen Bedingungen Ihr Textverständnis hinsichtlich appellativer Texte im Vergleich mit Sachtexten zu schärfen.

Der **Aufgabenart II** liegt ein Analysebegriff zugrunde, der auf komplexe Verstehensleistungen abzielt, bei denen beschreibende, deutende und wertende Aussagen schlüssig und nachvollziehbar miteinander verknüpft und aufeinander bezogen werden müssen.

K

Aufgabenstellung

1 Analysieren Sie die vorliegende von Baldur von Schirach 1936 gehaltene Rede hinsichtlich ihres argumentativen Aufbaus sowie der sprachlich-rhetorischen Ausgestaltung.

2 Setzen Sie die Kernaussagen des Textauszugs von Inge Stephan in Beziehung zum Arrangement der Redesituation auf der Zugspitze sowie zum ästhetischen Selbstverständnis der NS-Politik und nehmen Sie abschließend kritisch Stellung zu Veranstaltungen dieser Art unter besonderer Berücksichtigung der Mitglieder der Hitlerjugend.

Baldur von Schirach

Rede zum Fest der Sonnenwende auf der Zugspitze (21.6.1936)

Es ist ein schöner Ausdruck für die Selbstbesinnung der deutschen Nation, dass jahrtausendalte Bräuche wieder zum Leben erwacht sind. Bräuche, die vorübergehend in Perioden ödester materialistischer Aufklärung, aber auch zu Zeiten der Vorherrschaft solcher Mächte, die unserem Volkstum feindlich sind, verspottet und unterdrückt wurden. Es muss aber festgestellt werden, dass die Kraft unseres alten Brauchtums stärker war als jede Gegenbewegung, die es vernichten wollte. So haben denn zu allen Zeiten die Sonnwendfeuer, wenn auch nicht so stark wie heute, von allen Bergen unserer Heimat ins Land geleuchtet und sind zum Wahrzeichen der deutschen Art und zu Symbolen unseres Trotzes geworden. Nach dem Sieg der nationalsozialistischen Bewegung sind die Sonnwendfeuer in Deutschland stärker als je zuvor aufgeflammt. In ihnen und an ihnen bekennen sich Millionen Menschen in unerschütterlicher Treue und Beharrlichkeit zu den alten, heiligen Überlieferungen unseres germanischen Volkstums. So weit die deutsche Zunge klingt, flammen die feurigen Zeichen in den dunklen Himmel und künden die seelische Verbundenheit aller Deutschen in Glück und Leid. Vom höchsten Berg Deutschlands grüße ich in dieser Stunde, die an solchen Feuern stehen. In stolzer Ehrfurcht gedenken wir der unübersehbaren Kette von Generationen, die vor uns an den Sonnenwendstätten die heiligen Feuer entzündeten,

materialistisch vorrangig auf wirtschaftliche und finanzielle Verhältnisse bezogen; häufig abwertend konnotierter Gegenbegriff zu „idealistisch"; im Zusammenhang mit dem Begriff der Aufklärung wird hier eine einseitig an der Vernunft ausgerichtete Haltung kritisiert gedenken in Dankbarkeit ihres tapferen Lebens, der Taten, die sie vollbracht, um die Voraussetzungen für den Lebenskampf derer zu schaffen, denen sie das Feuer des deutschen Schicksals zu treuen Händen überantworteten. Möge uns diese Stunde läutern, dass wir die letzte Reinheit des Wollens gewinnen und die höchste Kraft, das zu vollbringen, was zum Wohle unseres Volkes und seiner Zukunft vollbracht werden muss. Entzünden wir an diesem Feuer unsere eigenen Herzen und steigen wir selber entflammt hinab in die Täler, um die Botschaft unseres lichten Glaubens zu verkünden. So haben wir ein Licht entzündet, das nie verlöschen kann.

Was der Führer einst als Einziger bekannte, es brennt heute in den Herzen eines Siebzigmillionenvolkes, und wir, die Jugend, geben die flammende Wahrheit weiter an die Jüngsten, damit sie als Hüter und Kämpfer in Ehren bewahren, was unser Volk glücklich und stolz gemacht hat. Wir sehen unsere Aufgabe, das darf ich wohl im Namen der deutschen Jugend hier bekennen, in der selbstlosen Hingabe aller Jugend des Reiches an das Werk des Führers und an die Lehre, die er dem deutschen Volke predigt. Generationen werden kommen, kämpfen und niedersinken, aber immer soll sie die gleiche Idee, der wir dienen, miteinander verbinden, nie wieder soll die ältere Generation hoffnungslos und verzweifelt auf die jüngere blicken mit dem Gefühl, dass sie die Aufgabe nicht wird lösen können, die ihr das Schicksal gestellt hat. Aber auch nie wieder soll die jüngere Generation eine ältere vor sich haben, die kein großes Lebensziel mehr erkennt und ein Beispiel der Uneinigkeit und des Bruderkampfes gibt. Alt und Jung haben sich im Bekenntnis zu einer jungen Lehre gefunden. Um ein Feuer stehen sie alle, von den Kindern bis zu den Greisen, und alle sind sie glücklich im Bewusstsein ihrer großen, ihrer heiligen Kameradschaft.

Hier stehen wir und senden Euch allen durch den Äther unseren Schwur. Über uns nichts als die ewigen Sterne, vor uns das Feuer, das weit hineingrüßt nach unten in unser deutsches Land. Hier, wo Deutschland dem Himmel am nächsten ist, öffnen wir unsere Herzen dem Allmächtigen. Erfüllt von ihm und hingegeben dem Manne, den er uns schenkte als unseren Führer zu Ehre und Freiheit, geloben wir Adolf Hitler, die Treuesten der Treuen zu sein.

Schwur beim Eintritt in das Deutsche Jungvolk bzw. die Hitlerjugend: „Ich verspreche im Deutschen Jungvolk/in der Hitlerjugend allzeit meine Pflicht zu tun und Liebe und Treue zum Führer und zu unserer Fahne."

Lange Jahre des Kampfes liegen hinter uns. Viele Erkenntnisse und Erfahrungen haben wir ihnen zu verdanken. Am wertvollsten aber erscheint uns das eine, was wir als Erfahrung aus bitterem Erleben gewannen: Unter allen Tugenden des Menschen ist die Treue die größte Tugend, unter allen Lastern ist die Treulosigkeit das schlimmste Laster. Nicht die intellektuelle Fähigkeit, nicht die Kraft des Verstandes allein bestimmen den Wert eines Menschen. Höher als den schärfsten Intellekt schätzen wir ein treues und tapferes Herz. Die kalten Klugen können irren, allein die Treuen sind immer im Recht. Die Klugheit fragt oft nach dem Vorteil, die Treue kennt keinen Vorteil, sie kennt nur eine Pflicht. Wir Nationalsozialisten siegten, weil wir die Gemeinschaft der Treuesten waren. Wir waren weder ein Verein von Universitätsprofessoren noch ein vornehmer Klub erlauchter Geister, wir kamen von überall her, Bauern und Städter vom Norden und vom Süden, vom Osten, vom Westen – wir wussten vieles nicht, was andere als unerlässliche Voraussetzung politischer Arbeit betrachteten, aber eins wussten wir. Ihr SS-Kameraden habt dieses Wissen zum Wahlspruch Eures Ordens erhoben: Unsere Ehre heißt Treue! So soll dieses Feuer zur Sommersonnenwende ein Feuer der Treue sein zu Führer, Volk und Fahne.

Zur Wintersonnenwende 1935 auf dem Brocken, die so wie unsere Sommersonnenwende hier auf der Zugspitze von Hitler-Jugend und SS gemeinsam gefeiert wurde, übergab der Reichsführer SS das Feuer an die Jugend, damit sie es hüte, bis die längsten Tage des Jahres gekommen seien.

Brocken mit 1141 m der höchste Berg im Harz, volkstümlich auch „Blocksberg" genannt, galt früher als Treffpunkt der Hexen, z. B. in der Walpurgisnacht

Reichsführer SS war vom 6.1.1929 bis zum 29.4.1945 Heinrich Himmler (1900–1945)

Meine Kameraden in der HJ! Wir haben mit großer Freude diese Aufgabe übernommen, in der wir einen schönen Ausdruck der Freundschaft sahen, die Hitler-Jugend und SS seit Jahren miteinander verbindet.

Meine Kameraden in der SS! Ich begrüße Sie hier im Namen der deutschen Jugend und übergebe Ihnen die Wache an diesem Feuer, das Sie hüten sollen bis zum kürzesten Tage des Jahres, an dem wieder wir an Ihre Stelle treten.

Biografische Hinweise zum Redner B. von Schirach sowie Hintergrundinformationen zu seiner auf der Zugspitze am 21. Juni 1936 gehaltenen Rede

Baldur von Schirach (1907–1974) schloss sich während seines Studiums der Germanistik und Kunstgeschichte der nationalsozialistischen Bewegung an. 1928 wurde er Leiter des NS-Studentenbundes, 1931 „Jugendführer" und Reichsleiter der NSDAP und zugleich Gruppenführer der SA. Zwei Jahre später ernannte A. Hitler ihn zum „Jugendführer des Deutschen Reiches", als der er alle Jugendorganisationen auflöste und in der Hitlerjugend gleichschaltete. Von 1940 bis zum Ende des Zweiten Weltkriegs war B. von Schirach Gauleiter und Reichsstatthalter von Wien. Das Internationale Militärgericht verurteilte von Schirach 1946 während der Nürnberger Prozesse zu einer Haftstrafe von 20 Jahren wegen Verbrechens gegen die Menschlichkeit.

Gruppierungen der Hitlerjugend feierten traditionell gemeinsam mit Formationen der SS zweimal im Jahr das Fest der Sonnenwende jeweils im Sommer (um den 21.6.) sowie im Winter (um den 21.12.), also an den Tagen mit dem höchsten bzw. niedrigsten Sonnenstand. Mit diesen Festen wollte man altgermanische Traditionen wieder aufleben lassen. Auch in der ehemaligen DDR waren „Sonnwendfeiern" üblich.

In Deutschland wird heute der Brauch teilweise noch von politisch rechtsorientierten Gruppen gepflegt, was teilweise aber verboten wird. In Skandinavien werden solche Feiern ganz unpolitisch als „Mittsommerfeste" bezeichnet und offiziell veranstaltet.

Inge Stephan

Faschistische Kunst: monumental, ornamental und kultisch

(1994)

Die Tendenz der faschistischen Kunst zum Monumentalen, Ornamentalen und Kultischen wird an den Reichsparteitagen noch deutlicher, die mit größter Präzision als Massentheater inszeniert wurden und dem Thingspiel schließlich den Rang abliefen, weil sie die Formierung von Menschenmassen und deren Verflechtung mit der nationalsozialistischen Ideologie vollendet erreichten. In der Inszenierung der Reichsparteitage liegt die eigentlich „künstlerische" Leistung der Nationalsozialisten. [...]

Bereits 1936 hat Walter Benjamin darauf aufmerksam gemacht, dass die wirklichen ästhetischen und künstlerischen Leistungen des deutschen Faschismus in seiner Politik zu suchen seien, und hat damit das verkehrte Verhältnis von Politik und Kunst im Faschismus aufgedeckt. Diese Perversion von Kunst und Politik und den dahinterstehenden menschenverachtenden Charakter des Faschismus hat Goebbels unmissverständlich ausgedrückt: „Auch die Politik ist eine Kunst, vielleicht die höchste und umfassendste, die es gibt, und wir, die wir die moderne deutsche Politik gestalten, fühlen uns dabei als künstlerische Menschen, denen die verantwortungsvolle Aufgabe anvertraut ist, aus dem rohen Stoff der Masse das feste und gestalthafte Gebilde des Volkes zu formen". [...] Auch Walter Benjamins Äußerungen über die Propagandakunst der Nationalsozialisten lesen sich wie ein Kommentar zu den Masseninszenierungen der Thingspiele bzw. der Reichsparteitage: „Die faschistische Kunst ist eine Propagandakunst. Sie wird also für Massen exekutiert". Eine solche Kunst versetzt „die Exekutierenden ebenso wie die Rezipierenden in einen Bann, unter dem sie sich selber monumental, das heißt unfähig zu wohlüberlegten und selbstständigen Aktionen erscheinen müssen. Die Kunst verstärkt so die suggestiven Energien ihrer Wirkung auf Kosten der intellektuellen und aufklärenden. Die Verewigung der bestehenden Verhältnisse vollzieht sich in der faschistischen Kunst durch die Lähmung der (exekutierenden oder rezipierenden Menschen), welche diese Verhältnisse ändern könnten". Die Massen sind unfähig, über sich selbst und ihre Bedürfnisse nachzudenken, sie werden als Individuen ausgelöscht und sind damit gegen Manipulation und Missbrauch nicht mehr gefeit. Die Formierung der Massen nach den Gesetzen der Schönheit verhilft ihnen zwar kurzfristig zu ihrem „Ausdruck", nicht aber zu ihrem „Recht" (Benjamin).

Thingspiel zzt. des NS neu geschaffene Form mit eigenen Schauplätzen für z.T. mehrere tausend Mitspieler und Zuschauer zum Zweck der Volksbeeinflussung

Walter Benjamin (1892–1940), dt. Philosoph, Kulturkritiker und Übersetzer

Perversion Verfälschung, Verderbung, etwas ins Gegenteil, Ins Negative verkehren

exekutieren vollstrecken, ausführen;

rezipieren etwas als Leser/-in, Hörer/-in, Betrachter/-in in sich aufnehmen

An die Stelle der notwendigen Gestaltung der Gesellschaft nach den Prinzipien von Freiheit, Gleichheit und Gerechtigkeit tritt der ästhetische Schein der Volksgemeinschaft, indem den Massen die Aufhebung der politischen und sozialen Probleme vorgegaukelt wird. Auch das Ziel der faschistischen „Ästhetisierung der Politik" wird von Benjamin benannt: „Alle Bemühungen um die Ästhetisierung der Politik gipfeln in einem Punkt. Dieser eine Punkt ist der Krieg. Der Krieg, und nur der Krieg, macht es möglich, Massenbewegungen größten Maßstabs unter Wahrung der überkommenen Eigentumsverhältnisse ein Ziel zu geben".

Allgemeine Hinweise

Das Anfertigen einer Analyse will gut überlegt und vorbereitet sein. Eine erfolgreiche Klausur hängt wesentlich von Ihrem Zeitmanagement ab.
Zunächst sollten Sie die Anforderungen der Aufgabenstellungen erkennen. In diesem Fall ist es die Analyse eines Sachtextes mit Festlegung bestimmter Untersuchungsaspekte (Aufgabe 1).
Daran anknüpfend wird im folgenden Textvergleich eine differenzierte und gleichzeitig auf ein bestimmtes Phänomen hin fokussierte Darstellung einschließlich einer kritischen Überprüfung im Rahmen einer eigenen Positionierung erwartet (Aufgabe 2).
Während die eigentliche Textanalyse ihren Schwerpunkt auf die Auseinandersetzung mit dem zugrunde liegenden Sachtext legt, in diesem Fall die Rede Baldur von Schirachs zur Sonnenwende vor Vertretern der SS sowie Mitgliedern der Hitlerjugend, müssen bei der weiterführenden Untersuchung des literaturgeschichtlichen Textes im Unterricht zusätzlich erarbeitete Aspekte mit berücksichtigt und eingebracht werden.
Um bei den meist sehr komplexen Aufgabenstellungen nicht den Überblick zu verlieren und einzelne Aufgabenteile nicht zu übersehen, markieren Sie alle Verben bzw. Operatoren und die damit verbundenen inhaltlichen Festlegungen mit zwei unterschiedlichen Farben.

Zu Aufgabe 1

Die Aufgabenstellung der ersten Aufgabe weist zwei unterschiedliche Operatoren auf, die zu zwei verschiedenen Leistungen auffordern:
1.1: die Untersuchung des Aufbaus und der Abfolge der Argumente mit einer entsprechenden Darstellung der Kernaussagen,
1.2: eine genaue Betrachtung der sprachlichen Merkmale im Allgemeinen sowie der rhetorischen Mittel im Besonderen.

zu 1.1: Lesen Sie nun den Text mindestens zwei Mal: beim ersten Lesen können Sie eine Grobgliederung in Sinnabschnitte vornehmen und erste inhaltliche Notizen machen. Falls nötig, können Sie hierbei auch Ihnen zunächst noch unverständliche Aussagen markieren. Deren Verständnis lässt sich häufig nach dem zweiten Lesedurchgang aufgrund Ihres geschärften Kontextwissens klären:
Z. 1 – 12: Kraft zur Selbstbesinnung der deutschen Nation dank Orientierung an alten Bräuchen („Fest der Sonnenwende")
Z. 12 – 29: religiöse Verklärung dieses Festes, die durch die exponierte Lage des Ortes noch zusätzlich unterstützt wird
Z. 30 – 50: Glorifizierung des Führers macht nicht nur die Hinwendung der Jugend zu dessen Überzeugung unabdingbar, sondern zielt auf weite Teile der Bevölkerung ab (Konflikte zwischen den Generationen werden ausgeschlossen); selbstloser „Führerkult" verlangt allerdings auch große Opferbereitschaft
Z. … – Z. …: ______________________________

____

Z. … – Z. …: ______________________________

____

zu 1.2:
Hierzu gehören zum einen die Untersuchung der sprachlichen Ausgestaltung der Rede, also etwa des Satzbaus und der Wortwahl, vor allem unter dem Gesichtspunkt der Angemessenheit des sprachlichen Niveaus in Bezug auf den Kreis der Adressaten, hier insbesondere der Mitglieder der Hitlerjugend.
Darüber hinausgehend ist ebenso die Verwendung rhetorischer Stilfiguren zu untersuchen, d. h. der Mittel, die der Autor einsetzt, um mit seinen Worten die Zuhörer an sich zu binden und von seinen Aussagen zu überzeugen und die u. U. sogar leitmotivisch seinen Vortrag begleiten.
Das vorliegende Redebeispiel wird rhetorisch eindeutig dominiert von einer exzessiven Feuer- und Lichtmetaphorik. Der Autor bedient sich durchgängig in seiner Ansprache dieses Bildbereichs. Realer Ausgangspunkt für seine Rede ist das Sonnenwendfeuer.
Stellen Sie nun einzelne Beispiele dieser Sprachbilder heraus, notieren Sie jeweils die entsprechende Textstelle (Zeilenzahl) und ordnen Sie deren Wirkung zu. Hilfreich ist hierzu, eine tabellarische Übersicht zu wählen:

Feuer- und Lichtmetaphorik		
Zeilenangabe	**Ausdruck**	**Wirkung**
Z. 27 ff.	„Entzünden wir in diesem Feuer [...] steigen wir selbst entflammt [...] die Botschaft unseres lichten Glaubens zu verkünden."	
Z.	„flammende Wahrheit"	
Z.		
Z.		
Z.		
Z.		

Sie sollten aber keinesfalls anstreben, sämtliche Textstellen anzuführen, die dem spezifischen Bildbereich zugeordnet werden können, und diese auf ihre Wirkweise hin zu untersuchen. Dies ist unnötig und kostet Sie – arbeitsökonomisch betrachtet – zu viel Zeit. Belassen Sie es lieber bei einigen aussagekräftigen Beispielen. Außerdem finden sich meist auch noch weitere rhetorische Figuren, die Sie benennen und auf deren Wirkung Sie in Ihrer Klausur im Kontext von Redesituation und -text hinweisen können.
Über die den Feuer- und Lichtmetaphern zuzuordnenden Textstellen hinaus bietet es sich eher an, weitere Bildbereiche in Ihre Analyse rhetorischer Mittel einzubeziehen, die ebenfalls typisch für die Propagandasprache im Nationalsozialismus sind und im vorliegenden Textbeispiel verwandt werden, wie bspw. die Kombination mit religiösen Inhalten. Des Weiteren kann die Analyse auch auf zusätzliche rhetorische Mittel ausgedehnt werden. Wählen Sie auch hierfür, um den Überblick zu behalten, eine klar strukturierte Vorlage.

Verknüpfung mit weiteren metaphorischen Bereichen			
Zeilenangabe	**Ausdruck**	**Bildbereich**	**Wirkung**
Z. 47 f. Z. 21	„öffnen wir unsere Herzen dem Allmächtigen" „die heiligen Feuer entzündeten"	(Pseudo-)Religiosität	
Z. 29		Ewigkeitsgefühl	

Auch hier gilt: Es müssen nicht alle rhetorischen Mittel gefunden und bestimmt werden.

zusätzliche rhetorische Figuren			
Zeilenangabe	**Textstelle**	**Bezeichnung des rhetorischen Mittels**	**Wirkung**
Z. 50	„die Treuesten der Treuen"		
Z. 66	„Treue [...] zu Führer, Volk und Fahne"		

Mit der Zusammenstellung dieser Ergebnisse haben Sie für die Bearbeitung dieser Aufgabe wichtige Vorarbeiten geleistet und können sich nun der Gesamtanalyse zuwenden.

Schritt 1: Klärung der Redesituation sowie des politisch-historischen Hintergrunds
Schritt 2: Inhalt der Rede (Thema, Problemstellung, Kernaussagen)
Schritt 3: Redeabsicht: Intention und Strategien der Vorgehensweise
Schritt 4: Struktur der Rede und sprachlich-rhetorische Ausgestaltung
Schritt 5: Vortrag der Rede und ggf. Wirkung
Schritt 6: Beurteilung und Wertung der Rede

Fertigen Sie zu den noch nicht bearbeiteten Schritten auf Ihrem Konzeptpapier Notizen an, die Ihnen als Grundlage für die Ausarbeitung Ihrer Gesamtanalyse dienen.

Schritt 1

Nun können Sie mit der Analyse beginnen, sollten aber einleitend die Leserinnen und Leser Ihrer Analyse über die „technischen" Daten des Textes in Kenntnis setzen und sie über die gestellten Aufgaben sowie die weitere Vorgehensweise informieren. Hierzu gehören die Nennung des Redners (Baldur von Schirach), sein Amt (Reichsjugendführer), der Anlass seiner Rede (Rede zum Fest der Sonnenwende), der Ort der Rede (Zugspitze), ihr Zeitpunkt (21.6.1936), die Zusammensetzung der Zuhörerschaft (Mitglieder der SS und der Hitlerjugend) sowie das Thema, hier identisch mit dem Anlass.

Eine solche Einleitung in die Redeanalyse könnte folgendermaßen beginnen:
Baldur von Schirach, der damalige Reichsjugendführer, spricht in seiner Rede vom 21.6.1936 auf der Zugspitze vor Vertretern der SS und Mitgliedern der Hitlerjugend anlässlich der Sonnenwende über die wachsende Bedeutung der Brauchtumspflege für das deutsche Volk. Dabei richtet er zum einen den Blick zurück in eine Zeit, in der solche Bräuche vernachlässigt worden sind. Er richtet seinen Blick aber auch in die Zukunft, die große Veränderungen bringen werde und gerade von der Jugend eine große Opferbereitschaft verlange. Die Rede wurde ebenfalls im damaligen Hörfunk übertragen. ...

Formulieren Sie eine eigene Einleitung oder setzen Sie die begonnene in dem Sinne fort, dass Sie den Inhalt der Rede kurz weiter skizzieren.

Schritt 2

Die Weiterführung des Inhalts haben Sie bereits vorbereitet, indem Sie eine Strukturierung des Redetextes in Sinnabschnitte vorgenommen haben, die zudem dessen Kernaussagen enthält.

Schritt 3

Informationen zur Redeabsicht sowie den Strategien, die der Redner mit seiner Ansprache verfolgt, ergeben sich sowohl aus den Zusatzinformationen den Redner betreffend, zum Text der Rede sowie zum Hintergrund des politisch-historischen Kontextes als auch aus der Rede selbst. Die Kenntnisnahme dieser Hinweise ist unerlässlich, da nicht vorausgesetzt werden kann, dass Sie über ein entsprechendes Kontextwissen verfügen.

Schritt 4

Den argumentativen Aufbau sowie die sprachlich-rhetorische Ausgestaltung haben Sie bereits in wesentlichen Teilen vorbereitet. Sie können nun als Grundstock für die Ausformulierung dieses Schritts Ihrer Analyse dienen.

Schritt 5

Das Kriterium des Vortrags sowie der Wirkung ist nicht bei jeder Redeanalyse einzulösen. Insbesondere dann nicht, wenn weder optische noch akustische Aufzeichnungen eines Redevortrags bzw. der Reaktionen des Publikums vorhanden oder verfügbar sind. Dies gilt auch für diese Rede B. von Schirachs. Der Vollständigkeit halber sollte aber hier auf diese beiden Untersuchungsaspekte hingewiesen werden.

Schritt 6

Den Abschluss einer Redeanalyse bilden immer die Beurteilung und Wertung der Rede. Diese sollten sich stringent aus den zuvor erarbeiteten Teilergebnissen ableiten lassen, keinesfalls ihnen widersprechen. Vermieden werden sollten auf jeden Fall Pauschalaussagen wie: *„Die Rede hat mir gut/nicht gefallen …“.*
Erwartet wird eine differenzierte Stellungnahme, in der die eigenen Aussagen begründend vorgestellt werden.

Alle Aussage, die Sie im Rahmen der Analyse treffen, müssen über entsprechende Textverweise akribisch abgesichert werden, ansonsten sind sie wertlos. Insofern macht es bereits bei den Teiluntersuchungen Sinn, den Fundort für solche Textstellen eigens zu notieren.

Zu Aufgabe 2

Die Aufgabenstellung der zweiten Aufgabe weist wiederum eine zweigeteilte Aufgabenstellung mit zwei unterschiedlichen Operatoren auf:
- Setzen Sie die Aussagen des zweiten Textes in Beziehung zur Redesituation und deren Inszenierung sowie zum ästhetischen Selbstverständnis der Nationalsozialisten und
- formulieren Sie eine Stellungnahme hinsichtlich dieser im Nationalsozialismus verbreiteten Art von inszenierten Veranstaltungen

Über die durch die Operatoren benannten Leistungen hinaus müssen jedoch noch vier weitere Erwartungen erfüllt werden:
- Es müssen eine inhaltliche oder methodische Verknüpfung zwischen der ersten und zweiten Aufgabe geschaffen,
- die Kernaussagen des (zweiten) Textauszugs der Autorin (kurz) zusammengefasst,
- diese in Beziehung zur Situation und Inszenierung der Rede B. von Schirachs gesetzt
- und hinsichtlich ihrer Wirkung auf die Anwesenden sowie die Zuhörenden an den Rundfunkgeräten bewertet werden.

Somit empfiehlt es sich, die Bearbeitung der zweiten Aufgabe in fünf Schritten auszuführen, um den Anforderungen gerecht werden zu können:

Schritt 1: Formulierung einer aufgabenbezogenen Überleitung

Schritt 2: Zusammenfassung der Kernaussagen des Textes von I. Stephan

Schritt 3: Benennung von Kriterien, anhand derer sich beide Textauszüge in Beziehung zueinander setzen lassen

Schritt 4: Kriterienorientierte Durchführung des Textvergleichs

Schritt 5: Formulierung einer abschließenden Stellungnahme zur Funktion dieser und ähnlicher Ihnen bekannter Veranstaltungen

Schritt 1

Mit dem Begriff *aufgabenbezogene Überleitung* ist nicht gemeint zu erklären, dass nun die Bearbeitung einer weiteren Aufgabe ansteht, sondern es soll etwa eine thematische Beziehung zwischen den beiden Aufgaben aufgebaut werden. Dies könnte z. B. durch den Hinweis geschehen, dass es über den bisher bearbeiteten sprachlich-rhetorischen Schwerpunkt hinaus auch weitere Bereiche gab, die großen Einfluss auf die Menschen der damaligen Zeit hatten. Vor diesem Hintergrund könnte eine solche aufgabenbezogene Überleitung lauten: *Neben der rhetorisch ausgestalteten Rede und deren sprachlicher Vermittlung verstanden es die Nationalsozialisten, dem deutschen Volk durch eine Vielzahl von Maßnahmen die Überlegenheit ihrer Ideologie zu demonstrieren. Hierzu können beispielhaft die Auswahl besonderer Orte, die Raumgestaltung, Lichteffekte ….*
Formulieren Sie eine eigene aufgabenbezogene Überleitung und erweitern Sie die Auflistung möglicher Bezugsaspekte um drei weitere.

Schritt 2

Fassen Sie die Kernaussagen des Textauszugs von I. Stephan mit eigenen Worten strukturiert zusammen:

1. Benennen Sie vor der inhaltlichen Analyse die „technischen Daten" zum Text, also den Namen der Autorin, die Überschrift des Textauszugs, die Quellenangabe sowie das Erscheinungsjahr.
2. Faschistisches Kunstverständnis ist monumental, ornamental und kultisch ausgerichtet, was sich besonders bei der Inszenierung der Reichsparteitage zeigen lässt (vgl. Z. 1 – 5).
3. Die ästhetischen und künstlerischen Leistungen der Nationalsozialisten zeigen sich für die Autorin vor allem in ihrer Politik, nicht in der Kunst. Deshalb bezeichnet die Autorin das Verhältnis von Kunst und Politik im Faschismus als pervertiert (vgl. Z. 11 f.).
4. ______________________________

   ______________________________ (Z. … – Z. …).
5. ______________________________

   ______________________________ (Z. … – Z. …).
6. ______________________________

   ____

   ______________________________ (Z. … – Z. …).

Vervollständigen Sie die oben begonnene Zusammenfassung der Kernaussagen der Autorin sowie der damit eng verknüpften Folgen für die teilnehmenden Personen.

Schritt 3

Erste Hinweise auf einen kriteriengeleiteten Vergleich beider Texte ergeben sich schon aufgrund der Textüberschrift. Dennoch sollte hier differenziert vorgegangen werden, da nicht alle Elemente der Überschrift im gleichen Maße zutreffend sind, wenn man etwa an die Anzahl der Teilnehmenden an den Reichsparteitagen denkt. Dennoch bietet sich in der Folge eine genauere Betrachtung der beiden exponierten Schauplätze für die Sonnenwendfeste im Sommer (Zugspitze) und Winter (Brocken) an. Ebenso könnte hier auch die Zusammenstellung der Teilnehmergruppen oder die spezifische Bedeutung des Feuers im Dritten Reich aufgegriffen werden.
Beschränken Sie sich im Rahmen der Darstellung des ästhetischen Selbstverständnisses auf zwei bis drei dieser Aspekte, um nicht in Zeitnot zu kommen.
Vervollständigen Sie die Liste möglicher Bezugspunkte.

Schritt 4

Im letzten Schritt wird von Ihnen erwartet, dass Sie die Vorgehensweise der Nationalsozialisten im Hinblick auf die von ihnen damit verfolgten Ziele kritisch betrachten und mit einer eigenen Stellungnahme abschließen. Hierbei können Sie sich auf die im Unterricht besprochenen Zielsetzungen der nationalsozialistischen Propaganda beziehen sowie auch auf andere Reden aus dieser Zeit hinweisen. Grundsätzlich bietet sich an, die Maßnahmen zur schnellen Durchsetzung der Gleichschaltung im Blick zu haben. Die damit verbundene totale Erfassung großer Teile der damaligen Bevölkerung führte vor allem bei den jungen Menschen zu einem immensen Anpassungsdruck, dem sie sich – bis auf wenige Ausnahmen – kaum entziehen konnten.
Damit haben Sie im Hinblick auf den Vergleich der Ansprache von Schirachs mit dem Sachtext von I. Stephan eine breite Basis geschaffen, um eine angemessene Problematisierung durchzuführen. Abschließend können Sie Ihren Klausurtext noch mit einem resümierenden Schlusssatz abrunden. Die restliche Zeit sollten Sie noch für Korrekturen an Ihrem Text nutzen.

Eskalationsrhetorik

Die Strategien der nationalsozialistischen Propaganda beschreiben und hinsichtlich ihrer Wirkung überprüfen

Die Analyse des nun folgenden Redetextes des Propagandaministers Goebbels vermittelt abschließend einen besonderen Einblick in das Phänomen der Sprachlenkung in der Zeit der nationalsozialistischen Diktatur in Deutschland. Die Rede stammt nicht – wie die beiden zuvor behandelten – aus der Zeit des Aufbaus der faschistischen Ära, sondern kennzeichnet den Wendepunkt, der zum Untergang dieses politischen Systems führte und damit den nationalsozialistischen Terror beendete.

Hintergrundinformationen zur Rede J. Goebbels' am 18. Februar 1943

Die zu den bekanntesten Reden Goebbels gehörende Sportpalast-Rede bietet einen guten Abschluss für die kritische Auseinandersetzung mit der „Redekunst" der Nationalsozialisten im Allgemeinen sowie des Propagandaministers im Besonderen.

Die ursprünglich von der deutschen Armee verfolgte Strategie eines Blitzkriegs scheiterte, sodass es für den militärischen Erfolg entscheidend war, welches Land über umfassendere Möglichkeiten der Waffenproduktion verfügte. Hier war die Sowjetunion im Vorteil. Hinzu kamen grundlegende Verschlechterungen der militärischen Lage in Afrika sowie die Kapitulation der deutschen Truppen nach dem erbitterten Kampf um Stalingrad, dem mehrere hunderttausend Zivilisten und Soldaten zum Opfer fielen.

In dieser Situation befürchtete Hitler, dass es zu einer kritischen Situation kommen könnte, da sich insgesamt die Stimmung im Deutschen Reich wegen der zu verzeichnenden Misserfolge verschlechterte. Goebbels setzte auf die Möglichkeit, durch ein beherztes Eingreifen die Zweifel zu beseitigen und die Krise zu überwinden.

Ganz im Sinne der nationalsozialistischen Ästhetik wurde die besagte Veranstaltung im Berliner Sportpalast von Goebbels geplant und bis ins Letzte durcharrangiert. Nicht nur, dass er selbst den Text der Rede entworfen und vor dem Spiegel detailliert einstudiert hat, sondern auch im Hinblick auf die Auswahl der Zuhörer/-innen ging er kein Risiko ein: Sie waren als überzeugte Anhänger/-innen der NSDAP bekannt. Sprechchöre wurden vorab eingeübt, ebenso Textstellen abgesprochen, an denen aus dramaturgischen Gründen applaudiert werden sollte. Um ganz sicher zu gehen, sollte zusätzlich noch Beifall von einer Schallplatte über Lautsprecher in die Halle übertragen werden.

Bolschewismus Sammelbegriff für die Lehre und Praxis der Kommunistischen Partei in Russland und der Sowjetunion

Die Rede begann damit, dass der Propagandaminister zunächst seine Zuhörerschaft aufbaute, indem er dessen Stärke betonte, um dann den Blick in die Zukunft zu richten. Diese sah er durch den Bolschewismus hochgradig gefährdet, dem er unterstellte, das deutsche Volk durch psychologische Tricks („Bluffs") hintergangen zu haben. Allein die deutsche Wehrmacht sei imstande, ganz Europa davor zu schützen, dazu müsse aber rasch und mit den hierfür notwendigen Anstrengungen der bolschewistischen Gefahr begegnet werden.

Im letzten Teil der Rede bindet Goebbels die Zuhörer/-innen mit in seinen Vortrag ein, indem er den Anwesenden die folgenden zehn Fragen stellt. [In den durch eckige Klammern gekennzeichneten Textpassagen werden die Reaktionen der anwesenden Zuhörer/-innen auf die Worte Goebbels' zusammengefasst.]

Die Rede, die zeitgleich im Rundfunk übertragen und in Teilen gefilmt wurde, dauerte etwa 108 Minuten, das von Goebbels verfasste Manuskript hatte einen Umfang von ungefähr 21 eng maschinenbeschriebenen Seiten.

Joseph Goebbels

Rede im Berliner Sportpalast (18.02.1943)

Propagandaminister Joseph Goebbels

Meine deutschen Volksgenossen und Volksgenossinnen!

[...]

Ihr also, meine Zuhörer, repräsentiert in diesem Augenblick die Nation. Und an euch möchte ich zehn Fragen richten, die Ihr mir mit dem deutschen Volke vor der ganzen Welt, insbesondere aber vor unseren Feinden, die uns auch an ihrem Rundfunk zuhören, beantworten sollt. [Nur mit Mühe kann sich der Minister für die nun folgenden Fragen Gehör verschaffen. Die Masse befindet sich in einem Zustand äußerster Hochstimmung. Messerscharf fallen die einzelnen Fragen. Jeder Einzelne fühlt sich persönlich angesprochen. Mit letzter Anteilnahme und Begeisterung gibt die Masse auf jede einzelne Frage die Antwort. Der Sportpalast hallt wider von einem einzigen Schrei der Zustimmung.]

Die Antwort der Nation

Die Engländer behaupten, das deutsche Volk habe den Glauben an den Sieg verloren.

Ich frage euch: Glaubt ihr mit dem Führer und mit uns an den endgültigen totalen Sieg des deutschen Volkes?

Ich frage euch: Seid ihr entschlossen, dem Führer in der Erkämpfung des Sieges durch Dick und Dünn und unter Aufnahme auch der schwersten persönlichen Belastungen zu folgen?

Zweitens: Die Engländer behaupten, das deutsche Volk ist des Kampfes müde.

Phalanx gr. die geschlossene Schlachtreihe

Ich frage euch: Seid ihr bereit, mit dem Führer als Phalanx der Heimat hinter der kämpfenden Wehrmacht stehend diesen Kampf mit wilder Entschlossenheit und unbeirrt durch alle Schicksalsfügungen fortzusetzen, bis der Sieg in unseren Händen ist?

Drittens: Die Engländer behaupten, das deutsche Volk hat keine Lust mehr, sich der überhandnehmenden Kriegsarbeit, die die Regierung von ihm fordert, zu unterziehen.

Ich frage euch: Seid ihr und ist das deutsche Volk entschlossen, wenn der Führer es befiehlt, zehn, zwölf, und wenn nötig vierzehn und sechzehn Stunden täglich zu arbeiten und das Letzte herzugeben für den Sieg?

Viertens: Die Engländer behaupten, das deutsche Volk wehrt sich gegen die totalen Kriegsmaßnahmen der Regierung. Es will nicht den totalen Krieg, sondern die Kapitulation. [Zurufe: Niemals! Niemals! Niemals!]
Ich frage euch: Wollt ihr den totalen Krieg? Wollt ihr ihn, wenn nötig, totaler und radikaler, als wir ihn uns heute überhaupt noch vorstellen können?
Fünftens: Die Engländer behaupten, das deutsche Volk hat sein Vertrauen zum Führer verloren.
Ich frage euch: Ist euer Vertrauen zum Führer heute größer, gläubiger und unerschütterlicher denn je? Ist eure Bereitschaft, ihm auf allen seinen Wegen zu folgen und alles zu tun, was nötig ist, um den Krieg zum siegreichen Ende zu führen, eine absolute und uneingeschränkte?
[Die Menge erhebt sich wie ein Mann. Die Begeisterung der Masse entlädt sich in einer Kundgebung nicht dagewesenen Ausmaßes. Vieltausendstimmige Sprechchöre brausen durch die Halle: „Führer befiehl, wir folgen!“ Eine nicht abebbende Woge von Heilrufen auf den Führer braust auf. Wie auf ein Kommando erheben sich nun die Fahnen und Standarten, höchster Ausdruck des weihevollen Augenblicks, in dem die Masse dem Führer huldigt.]
Ich frage euch als sechstes: Seid ihr bereit, von nun ab eure ganze Kraft einzusetzen und der Ostfront die Menschen und Waffen zur Verfügung zu stellen, die sie braucht, um dem Bolschewismus den tödlichen Schlag zu versetzen?
Ich frage euch siebentens: Gelobt ihr mit heiligem Eid der Front, dass die Heimat mit starker Moral hinter ihr steht und ihr alles geben wird, was sie nötig hat, um den Sieg zu erkämpfen?
Ich frage euch achtens: Wollt ihr, insbesondere ihr Frauen selbst, dass die Regierung dafür sorgt, dass auch die deutsche Frau ihre ganze Kraft der Kriegführung zur Verfügung stellt und überall da, wo es nur möglich ist, einspringt, um Männer für die Front frei zu machen und damit ihren Männern an der Front zu helfen?
Ich frage euch neuntens: Billigt ihr, wenn nötig, die radikalsten Maßnahmen gegen einen kleinen Kreis von Drückebergern und Schiebern, die mitten im Kriege Frie-

Berliner Sportpalast

den spielen und die Not des Volkes zu eigensüchtigen Zwecken ausnutzen wollen? Seid Ihr damit einverstanden, dass, wer sich am Krieg vergeht, den Kopf verliert?

Ich frage euch zehntens und zuletzt: Wollt ihr, dass, wie das nationalsozialistische Parteiprogramm es gebietet, gerade im Kriege gleiche Rechte und gleiche Pflichten vorherrschen, dass die Heimat die schweren Belastungen des Krieges solidarisch auf ihre Schultern nimmt und dass sie für Hoch und Niedrig und Arm und Reich in gleicher Weise verteilt werden?

Ich habe euch gefragt; ihr habt mir eure Antwort gegeben. Ihr seid ein Stück Volk, durch euren Mund hat sich damit die Stellungnahme des deutschen Volkes manifestiert. Ihr habt unseren Feinden das zugerufen, was sie wissen müssen, damit sie sich keinen Illusionen und falschen Vorstellungen hingeben.

Somit sind wir, wie von der ersten Stunde unserer Macht an und durch all die zehn Jahre hindurch, fest und brüderlich mit dem deutschen Volk vereint. Der mächtigste Bundesgenosse, den es auf dieser Welt gibt, das Volk selbst, steht hinter uns und ist entschlossen, mit dem Führer, koste es was es wolle, und unter Aufnahme auch der schwersten Opfer den Sieg kämpfend zu erstreiten. Welche Macht der Welt könnte uns jetzt noch hindern, alles das durchzusetzen und zu erfüllen, was wir uns als Ziel gesteckt haben. Jetzt wird und muss es uns gelingen! Ich stehe hier vor euch nicht nur als Sprecher der Regierung, sondern auch als Sprecher des Volkes. Um mich herum sitzen meine alten Freunde aus der Partei, die hohe Ämter in der Führung von Volk und Staat bekleiden. Neben mir sitzt Parteigenosse Speer, der vom Führer den geschichtlichen Auftrag erhalten hat, die deutsche Rüstungswirtschaft zu mobilisieren und der Front Waffen in Hülle und Fülle zu liefern. Neben mir sitzt Parteigenosse Dr. Ley, der vom Führer den Auftrag erhalten hat, die Führung der deutschen Arbeiterschaft durchzuführen und sie in unermüdlichem Einsatz für ihre Kriegspflichten zu schulen und zu erziehen. Wir fühlen uns verbunden mit unserem Parteigenossen Sauckel, der vom Führer den Auftrag erhalten hat, ungezählte Hunderttausende von Arbeitskräften ins Reich zu bringen, die einen Zuschuss an die nationale Wirtschaft darstellen, der vom Feind überhaupt nicht eingeholt werden kann. Darüber hinaus sind mit uns vereinigt alle Führer der Partei, der Wehrmacht und des Staates.

Albert Speer (1905–1981), Architekt, hat maßgeblich die Architektur im Nationalsozialismus geprägt, seit 1942 Reichsminister für Bewaffnung und Munition

Dr. Robert Ley (1890–1945), Reichsleiter der NSDAP sowie Leiter der Arbeitsfront

Fritz Sauckel (1894–1946), Gauleiter in Thüringen u. Generalbevollmächtigter für den Arbeitseinsatz, einschl. der Zwangsarbeit

Speer, Goebbels und Ley 1943 im Berliner Sportpalast

Wir alle, Kinder unseres Volkes, zusammengeschweißt mit dem Volke in der größten Schicksalsstunde unserer nationalen Geschichte, wir geloben euch, wir geloben der Front, und wir geloben dem Führer, dass wir die Heimat zu einem Willensblock zusammenschweißen wollen, auf den sich der Führer und seine kämpfenden Soldaten unbedingt und blindlings verlassen können. Wir verpflichten uns, in unserem Leben und Arbeiten alles zu tun, was zum Siege nötig ist. Unsere Herzen wollen wir erfüllen mit jener politischen Leidenschaft, die uns immer in den großen Kampfzeiten der Partei und des Staates wie ein ewig brennendes Feuer verzehrte. Nie wollen wir in diesem Kriege jener falschen und scheinheiligen Objektivitätsduselei verfallen, der die deutsche Nation in ihrer Geschichte schon so viel Unglück zu verdanken hat.

Als dieser Krieg begann, haben wir unsere Augen einzig und allein auf die Nation gerichtet. Was ihr und ihrem Lebenskampf dient, das ist gut und muss erhalten und gefördert werden. Was ihr und ihrem Lebenskampfe schadet, das ist schlecht und muss beseitigt und abgeschnitten werden. Mit heißem Herzen und kühlem Kopf wollen wir an die Bewältigung der großen Probleme dieses Zeitabschnittes des Krieges herantreten. Wir beschreiten damit den Weg zum endgültigen Sieg. Er liegt begründet im Glauben an den Führer. So stelle ich denn an diesem Abend der ganzen Nation noch einmal ihre große Pflicht vor Augen.

Der Führer erwartet von uns eine Leistung, die alles bisher Dagewesene in den Schatten stellt. Wir wollen uns seiner Forderung nicht versagen. Wie wir stolz auf ihn sind, so soll er stolz auf uns sein können.

In den größten Krisen und Erschütterungen des nationalen Lebens erst bewähren sich die wahren Männer, aber auch die wahren Frauen. Da hat man nicht mehr das Recht, vom schwachen Geschlecht zu sprechen, da beweisen beide Geschlechter die gleiche Kampfentschlossenheit und Seelenstärke. Die Nation ist zu allem bereit. Der Führer hat befohlen, wir werden ihm folgen. Wenn wir je treu und unverbrüchlich an den Sieg geglaubt haben, dann in dieser Stunde der nationalen Besinnung und der inneren Aufrichtung. Wir sehen ihn greifbar nahe vor uns liegen; wir müssen nur zufassen. Wir müssen nur die Entschlusskraft aufbringen, alles andere seinem Dienst unterzuordnen. Das ist das Gebot der Stunde. Und darum lautet die Parole:

Nun Volk steh' auf und Sturm brich los!

[Die letzten Worte des Ministers gehen in nicht endenwollenden stürmischen Beifallskundgebungen unter.]

„Nun Volk steh' auf und Sturm brich los!“: Mit diesem Schlachtruf bedient sich Goebbels des ersten Verses aus dem Gedicht *Männer und Buben* (1813) von Theodor Körner (1771–1813), der im Original lautet: „Das Volk steht auf, *der Sturm bricht los*.“

1 Beschreiben Sie den Aufbau des hier abgedruckten letzten Teils von Goebbels' Rede.

2 Bilden Sie Thesen darüber, welche Absichten der Redner mit seiner Vorgehensweise bezweckt haben könnte, den Zuhorenden zehn Fragen zu stellen, auf die sie ihm eine Antwort geben sollen.

3 Untersuchen Sie die Abfolge der zehn Fragen hinsichtlich ihrer dramaturgischen Bedeutung

4 Untersuchen Sie beispielhaft die rhetorische Ausgestaltung des Auszugs von Goebbels' Rede.

5 Vergleichen Sie die von Goebbels am Ende seiner Rede geäußerte Parole „Nun Volk steh' auf und Sturm brich los!“ mit dem entsprechenden Vers „Das Volk steht auf, der Sturm bricht los“ aus Körners Gedicht „Männer und Buben“ hinsichtlich der damit jeweils verbundenen sprachlichen Funktionen.

6 Überprüfen Sie den während der Sportpalast-Rede vom Publikum vielfach wiederholten Sprechchor „Führer befiehl, wir folgen!“ im Hinblick auf die nationalsozialistische „Propagandakunst“ und deren Folgen unter Einbezug des von W. Benjamin hergestellten Kontexts von Exekutieren und Rezipieren. (s. S. 269, Z. 17 – 24)

7 Fertigen Sie nach dem Muster der ersten Aufgabe des Klausurtrainings eine Analyse der Rede Goebbels' an.

Gendergerechtes Sprechen und Schreiben – Sprachwandel zwischen Traditionspflege und modernem Leitbild

Einen Sachtext aus unterschiedlichen Perspektiven untersuchen und kritisch Stellung zu dessen Aussagen nehmen

Liebe Schülerinnen und Schüler,
liebe Schüler/-innen,
liebe SchülerInnen,
liebe Schüler_innen,
liebe Schüler:Innen,
liebe Schüler*innen,
liebe Lernende,

nicht nur in der Sprachwissenschaft und in akademischen Institutionen, sondern auch in vielen Unternehmen, darunter zahlreiche Dax-Firmen, wird über eine gendergerechte Kommunikation mit Angestellten und Kunden bzw. Kundinnen nachgedacht. Nicht zuletzt sind auch Sie als Schüler/-innen und später in Ihrer Ausbildung oder im Studium davon betroffen und wollen mögliche Nachteile durch eine falsche Anrede Ihres Gegenüber vermeiden.

Bevor Sie sich näher mit grundlegenden Aspekten dieses Problembereichs beschäftigen, ist es ratsam, einige grundlegende Begrifflichkeiten zu klären.

Gender – Geschlecht – Sexus – Genus

Im Gegensatz zum englischen Begriff des „gender", der auf die soziale Seite von „Geschlecht" abzielt, ist das Verständnis des deutschen Wortes „Geschlecht" deutlich vielschichtiger, da es u.a. sowohl auf das biologische als auch gesellschaftliche, ja sogar das Adelsgeschlecht bezogen werden kann.

Die gesellschaftliche Dimension von Geschlecht ist vor allem bestimmt durch spezifische Einflüsse der Kultur, in die man hineingeboren wird, sowie historisch bedingt. D.h., sie wird wesentlich geprägt durch die jeweils herrschenden Rollenzuschreibungen und -erwartungen sowie die diesen zugrunde liegenden Werte.

Simone de Beauvoir (1908–1986), eine französische Philosophin und Schriftstellerin, hat diesen Zusammenhang mit einem bekannten Zitat prägnant zum Ausdruck gebracht: „Man kommt nicht als Frau zur Welt, man wird es." Diese Aussage trifft allerdings in gleichem Maße auch auf den Mann zu.

Während das Wort „sexus" sich auf die Bezeichnung des biologisch-körperlichen Geschlechts bezieht, das jedem Menschen bei der Geburt attestiert wird, stammt der Begriff „genus" aus dem Bereich der Sprachwissenschaft. Während das Deutsche über drei Genera verfügt, kennt die englische Sprache nur einen Genus. Viele Sprachen kommen auch ohne ein solches Genussystem aus, wie z.B. das Finnische, Ungarische, Türkische sowie einzelne Sprachen im asiatischen Raum, etwa das Japanische.

1 Recherchieren Sie weitere Sprachen, die über ein solches Genussystem verfügen.

2 ***Lernarrangement***
Arbeiten Sie in Kleingruppen von jeweils drei Schülerinnen und Schülern.
Sammeln Sie Informationen zu folgenden Institutionen bzw. Gremien: die Gesellschaft für deutsche Sprache e.V., den Rat für deutsche Rechtschreibung sowie den Duden-Verlag.
Fassen Sie jeweils deren Zusammensetzung, Aufgabenbereiche sowie Zielsetzung zusammen und erklären Sie deren besondere Funktion im Hinblick auf eine gendergerechte Sprache.
Präsentieren Sie Ihre Ergebnisse in Form eines Posters, machen Sie dabei auch mögliche Überschneidungen zwischen den Aufgabenbereichen deutlich.

In seiner Titelgeschichte zur Ausgabe vom 6. März 2021 gibt das Nachrichtenmagazin DER SPIEGEL einen Einblick in die Entwicklung der Problematik um eine gendergerechte Sprache, die weniger auf einen Sprachwandel zurückzuführen ist, als vielmehr durch einen gesellschaftlichen Wandel hervorgerufen wurde und nun als „Kulturkampf" durch das Land tobt.

Felix Bohr, Lisa Duhm, Silke Fokken, Dietmar Pieper

Krieg der Sterne (2021)

Die einen sagen, dass die UNO den Anfang gemacht habe, als sie 1995 das Gender-Mainstreaming zum Leitbild für die ganze Welt erhob. Bald darauf sei in der deutschen Sprache etwas ins Rutschen gekommen. Andere blicken nach Karlsruhe, wo das Bundesverfassungsgericht 2017 entschied, dass die Zweiteilung der Menschen in Frauen und Männer für manche diskriminierend sei. „Divers" heißt darum inzwischen die dritte Option im Geburtsregister und in Stellenanzeigen. Um dieser Gruppe auch sprachlich gerecht zu werden, verwenden mittlerweile nicht mehr nur Aktivist*innen besondere Schreibweisen wie dieses Gendersternchen.

Cover des „Spiegel", Nr. 10/2021

Aber vielleicht begann alles schon mit Luise Pusch. 1980 veröffentlichte die Sprachwissenschaftlerin gemeinsam mit drei weiteren Linguistinnen die ersten deutschen „Richtlinien zur Vermeidung sexistischen Sprachgebrauchs". Ihr Ziel war es, die Sprache weiblicher zu machen, damit die Frauen sichtbarer würden, Gleichberechtigung mit den Mitteln von Wortschatz und Grammatik.

Luise Pusch (* 1944), Mitbegründerin der feministischen Sprachwissenschaft in Deutschland

Die deutsche „Männersprache" verstecke die Frauen besser als eine Burka, hat Pusch einmal polemisiert. Heute ist sie 77 Jahre alt und beobachtet nach wie vor aufmerksam, wie die Deutschen mit ihrer Sprache umgehen, worüber sie streiten, was sich verändert. Am Ziel sieht sie sich noch nicht. „Heftigen Gegenwind gab es schon immer", sagt sie, freut sich aber, dass inzwischen Feministinnen in führende Ämter aufgestiegen seien und der Debatte Nachdruck verliehen. [...]

Mit gewachsenem Selbstbewusstsein beanspruchen Gruppen das Recht, sich über den Sprachgebrauch sichtbar zu machen und ihren Platz in der Gesellschaft zu definieren. Die amerikanische Homosexuellenbewegung führt seit den Achtzigerjahren vor, wie es geht. Zunächst erweiterte sie sich zum LGB-Spektrum („lesbian, gay, bisexual"). Später kam das T für „transgender" dazu, dann das Q für „queer". Inzwischen hat die Abkürzung einige Mutationen durchgemacht, LGBTQIA+ ist noch nicht die längste Reihung.

LGBTQIA + Abkürzung für lesbisch, gay, bisexual, transsexual/transgender, queer, intersexual, asexual + weitere noch nicht festgelegte sexuelle Orientierungen

Das Ziel ist in allen Variationen vermutlich das gleiche: Wo bisher Diskriminierung war oder gewesen sein könnte, sollen jetzt Identität und Anerkennung wachsen.

Die Vergangenheit ist bei diesem Aufbruch so etwas wie die natürliche Feindin. Alles, was eine lange Geschichte hat, steht im Verdacht, unter der polierten Oberfläche der Traditionspflege ein Werkzeug der Unterdrückung zu sein. Nicht zufällig wächst parallel zu den sozialen Bewegungen und dem Wunsch nach sprachlicher Differenzierung seit einigen Jahren auch die Skepsis gegenüber den vermeintlichen Helden von früher. [...]

Luise Pusch hat nach vielen Jahren des Kampfes Verständnis für ihre Gegner: „Wir wollen vor allem mit zunehmendem Alter nicht alles neu lernen." Außerdem gehöre die Sprache zum „Intimbereich", sagt sie. „Wenn andere da eindringen und wollen, dass ich anders spreche, ist das fast, als ob mir jemand in der Nase bohrt."

Regenbogenflagge als Zeichen für Vielfalt, Toleranz, Offenheit und Stolz, gegen jede Art von Diskriminierung

Warum bohrt sie dann? Was berechtigt sie und all jene, die den Deutschen vorgeben wollen, wie sie künftig reden und schreiben sollen, zu dieser Einmischung?

Nur „ein ganz hoher Wert“ könne den Vorstoß in den sprachlichen Intimbereich begründen, sagt Pusch, und dieser Wert sei die Gerechtigkeit. Die Dominanz der Männer habe sich in Begriffen verfestigt und bestimme unser Bild der Welt. „Wenn 99 Lehrerinnen in einem Raum sind und ein Lehrer kommt dazu, werden daraus laut Grammatik 100 Lehrer.“ Dies zeige, „wie ungerecht die Sprache ist“.

Pusch ist geübt darin, für ihre Sache zu werben; was sie erzählt, klingt einleuchtend. Aber stimmt es auch? Das generische Maskulinum hat immer noch viele Verteidiger, darunter Linguisten und Schriftstellerinnen. Ihre Argumente sind nicht leicht von der Hand zu weisen.

Sie sagen, dass niemand verwundert sei, wenn beim Bäcker eine Frau das Geschäft führt, denn die männliche Form schließe Frauen mit ein. Sie erklären, warum zwischen dem grammatikalischen Genus und dem biologischen Sexus ein himmelweiter Unterschied liege. Sie beharren darauf, dass Doppelnennungen („Kolleginnen und Kollegen“) und Genderschreibweisen unschön und umständlich seien. Und außerdem schaffe eine vermeintlich gerechtere Sprache keine gerechtere Welt.

Zu allen Argumenten gibt es wiederum Gegenargumente, eine Kette ohne Ende. Da sich der Streit um die geschlechtergerechte Sprache auf hohem Abstraktionsniveau führen lässt, gehört er zu den Lieblingsdebatten akademischer Kreise. Doch die Entscheidungen fallen woanders, die Wirklichkeit wartet nicht auf Konsens.

Dax auch: DAX (Abk. für Deutscher Aktien Index), Kennzahl für die Wertentwicklung der dreißig wichtigsten Aktien

Sie laufen zum Beispiel in den Vorstandsetagen deutscher Dax-Konzerne, wo die Geschäftsberichte den letzten Schliff bekommen. „Die gewählte männliche Form steht stellvertretend für alle Geschlechter“, heißt es im Bayer-Bericht für das Geschäftsjahr 2020. Adidas und BMW, Deutsche Post und Munich Re gehören ebenfalls zu den Konzernen, die wegen der „besseren Lesbarkeit“ oder zur „Sprachvereinfachung“ Frauen und Transpersonen nicht eigens ansprechen – ein Sieg für das generische Maskulinum.

Die Entscheidungen fallen aber auch in den deutschen Rathäusern. Städte wie Hannover und Lübeck, Stuttgart und Frankfurt am Main legen Wert darauf, dass sich die Amtssprache explizit an alle Menschen wende – ein Sieg für das Gendern.

Die Redaktionen einiger großer Medien sind ebenfalls sprachlich in Bewegung geraten. Wer den Deutschlandfunk oder die ZDF-Nachrichten einschaltet, kann seit einiger Zeit bei manchen Wörtern eine ungewohnte kurze Pause hören. Das Genderzeichen wird dann mitgesprochen, zum Beispiel bei den Wähler*innen. Vor der zweiten Worthälfte macht die Stimme das, was Linguisten einen Glottisschlag nennen wie vor dem „Ei“ in „Spiegelei“.

Die Stimmritze, wissenschaftlich Glottis, schließt sich kurz und lässt dann schlagartig Luft entweichen.

Dass sich Kommunen und etablierte Sendeanstalten auf die ungewohnten Sprachformen einlassen, dürfte vor allem auf die Überzeugungsarbeit einer Minderheit zurückgehen. Kampferprobte Feministinnen beobachten es mit staunendem Respekt, wohl nicht ganz frei von Neid. Pusch sagt: „Die Queer-Bewegung mit ihrem hohen Männeranteil hat sehr viel mehr Lobbypower gehabt als die Feministinnen und der Debatte Schwung verliehen.“

Der Schwung sei bloß künstlich erzeugt, wenden Kritikerinnen und Kritiker ein. Sie sehen in den Genderformen keinen Ausdruck der natürlichen Sprachentwicklung, sondern ein gesellschaftspolitisches Projekt, „ein von außen aufgesetztes Reförmchen“, wie der Konstanzer Linguist Josef Bayer es nennt. Auch Alice Schwarzer, die Grande Dame der deutschen Frauenemanzipation, fremdelt ein wenig mit dem neuen Aktivismus und seinen Folgen: „Diese Art von Sprachpolitik ist reichlich elitär.“

[...]

Wer heute in Deutschland auf die Uni geht, dürfte über so etwas den Kopf schütteln. Die Studierenden, wie sie häufig genannt werden, bewegen sich in einem Umfeld, in dem schon lange für eine geschlechtergerechte Sprache gestritten wird.

Seit mehr als zwei Jahrzehnten veröffentlichen viele Hochschulen Leitfäden, um „allen Personen, unabhängig von ihrem Geschlecht, respektvoll zu begegnen“, wie es auf der Website der Universität Hamburg heißt.

Angelika Paschke-Kratzin, die Gleichstellungsbeauftragte der Hamburger Uni, hat ihre Empfehlungen mehrmals überarbeitet und an die Diskussion angepasst. Wenn zu Beginn einer akademischen Arbeit darauf hingewiesen werde, dass die männliche Form alle Geschlechter einschließe, sei dies früher akzeptiert worden.

Heute entspreche das nicht mehr den Erwartungen und gesellschaftlichen Diskussionen, sagt sie: „Etwas mehr Umdenken und Kreativität ist schon gefragt.“ Um offene Fragen zu klären, hat die Uni eine Kommission mit zwölf Personen eingesetzt, deren Empfehlungen zur „genderinklusiven Sprache“ nun veröffentlicht wurden. Favorisiert wird darin die neutrale Formulierung. Wenn die nicht möglich ist, dann der Doppelpunkt.

Bekommen Studierende, die beim Gendern nicht mitmachen, schlechtere Noten? Gegner der neuen Sprachpraxis hegen diesen Verdacht schon länger, obwohl die Hochschulen ihn stets bestreiten.

Eine Bemerkung auf der Homepage der Kasseler Uni untermauert den Verdacht aber: „Im Sinne der Lehrfreiheit steht es Lehrenden grundsätzlich frei, die Verwendung geschlechtergerechter Sprache als ein Kriterium bei der Bewertung von Prüfungsleistungen heranzuziehen“, schreibt die Stabsstelle Gleichstellung. Auf Nachfrage heißt es dort, weder über konkrete Fälle noch über Beschwerden sei etwas bekannt. [...]

1 Lesen Sie den Auszug aus der SPIEGEL-Titelgeschichte als vorbereitende Hausaufgabe und fassen Sie deren Kernaussagen zusammen. Notieren Sie auch mögliche Fragen zum Textverständnis.

2 a) Beschreiben Sie in einem kurzen Text das Titelblatt der SPIEGEL-Ausgabe und nehmen Sie kritisch Stellung dazu.
b) Entwerfen Sie ein eigenes Titelblatt zum Thema „Geschlechtergerechte Sprache“ mit Schlagzeile(n) und einem angemessenen Bildanteil, die nach Ihrer Meinung die zugrunde liegende Problematik des Themas verdeutlichen.

3 Erklären Sie die unterschiedlichen Formen von sexueller Orientierung, die in der Abkürzung LGBTQIA+ vertreten sind.

Lernarrangement

a) Teilen Sie Ihren Kurs in zwei Hälften. Eine Hälfte vertritt den Standpunkt für die gendergerechte Sprache, die andere nimmt die Gegenposition ein. (Idealerweise finden sich ausreichend viele Kursmitglieder, um die beiden Gruppen zu besetzen.)
b) Beide Gruppen sammeln ausgehend vom Text und unabhängig voneinander Argumente für ihre Position und formulieren ein Eingangsstatement.
c) In jeder Gruppe werden vier Schülerinnen bzw. Schüler benannt, die aktiv die Diskussion führen.
d) Die acht an der Diskussion direkt beteiligten Schüler/-innen bilden einen Sitzkreis, die übrigen Kursteilnehmer/-innen übernehmen die Rolle des Publikums, können sich nach Meldung aber auch aktiv am Gespräch beteiligen.
e) Zwei Kursmitglieder achten darauf, dass die beiden Statements und Redebeiträge die Dauer von einer Minute nicht überschreiten und dass beide Gruppen abwechselnd zu Wort kommen.
f) Abschließend erfolgt im Plenum eine Reflexion der Diskussionsrunde sowohl im Hinblick auf inhaltlich-argumentative Aspekte als auch das Gesprächsverhalten.
g) Stellen Sie nach Ende der Diskussion in einem Museumsrundgang Ihre alternativen Titelblätter zur SPIEGEL-Ausgabe erläuternd vor.

Sich in einem produktiven Schreibprozess mit dem Standpunkt anderer Rezipient/-innen auseinandersetzen

In der nächsten Ausgabe des SPIEGEL (Nr. 11 vom 13. März 2021) fand sich unter der Rubrik „Briefe“ eine von der Redaktion vorgenommene Auswahl von Zuschriften der Leserinnen und Leser, die sich zu der Titelgeschichte aus der Vorwoche geäußert haben, um ihre eigene Meinung zu dem Beitrag bzw. zum Thema Gendern generell zu äußern.

Briefe

Die Unfähigkeit vieler Männer, den Kontrollverlust zu ertragen, sollte die Frage aufwerfen, ob die Gattung der modernen Menschen anstelle von ‚Homo sapiens‘ einen passenderen Namen tragen sollte.“
Ulrike Carambellas, Zürich

Um Ihre auf dem aktuellen SPIEGEL-Cover aufgeworfene Frage direkt vorab zu beantworten: Ja, das ist noch Deutsch. Und das sage ich nicht nur, weil ich mit meinen 18 Jahren zur jüngeren – und damit vermutlich dem Gendern gegenüber offeneren – Generation gehöre, sondern schlichtweg, weil es zu einer jeden Sprache gehört, dass sie sich wandeln kann, sich dem Zeitgeist anpasst und von immer neuen gesellschaftlichen Impulsen geprägt wird.
Yannick Rinne, Hildesheim

Diese ganze Diskussion bringt die Emanzipation in keinster Weise voran. Ziel ist doch, gleichen Lohn für gleiche Arbeit, gleiche Chancen in allen Berufssparten zu erhalten und nicht eine verkorkste Sprache.
Ingeborg Bruckert, Ulm

Da ich sowohl im privaten als auch im beruflichen Umfeld viel über gendergerechte Sprache diskutiere, habe ich mich sehr über das Titelthema gefreut. Gewundert habe ich mich jedoch über die momentane Lösung des SPIEGEL – männliche und weibliche Ausdrücke werden abwechselnd benutzt? Das stiftet wirklich Verwirrung! Bessere Lösungen haben Sie doch zuhauf vorgestellt – ich werde aufgrund Ihres sehr informativen Textes nun vom Binnen-I zum Doppelpunkt übergehen.
David Conrad, Siegen

Man gewinnt nicht mehr Frauen für die Raumfahrt mit dem Wort AstronautInnen. Die gesellschaftliche und ökonomische Benachteiligung von Frauen in Deutschland kann man nicht über Sprachregelungen beseitigen.
Manfred Schreiner, Rückersdorf (Bayern)

Hubertus Heil (* 1972), deutscher Politiker, Mitglied der SPD, seit 2018 Bundesminister für Arbeit
Jens Spahn (* 1980), von 2018 – 2021 Bundesgesundheitsminister der CDU

Jedes Mal, wenn Hubertus Heil sich an „Arbeitnehmerinnen und Arbeitnehmer“ wenden muss oder Jens Spahn auf „Pfleger_innen“ angesprochen wird, wird es ein Stück schwieriger, die geschlechtsbezogenen Ungerechtigkeiten der aktuellen Situation zu ignorieren. Daher sollten Sie am Ende auch innerhalb der Redaktion konsequent auf geschlechtergerechte Sprache setzen und beobachten, wie sich damit Ihr Blick auf die Welt verändert.
Helga Hansen, Braunschweig

Tatsächlich wird dem allmählich darüber ermüdenden Zeitungsleser in vielen vor allem liberalen Medien – derzeit mehr Bekenntnis als Erkenntnis aufgetischt. Als wäre in den Redaktionen die blanke Panik eingezogen, auf der als falsch empfundenen Seite zu stehen. Also wird hart durchgegendert.
Kai Ritzmann, Berlin

Wenn Sprache weiterhin für gute Verständigung sorgen soll – und zwar für alle, nicht nur für Akademiker, kann sie keinen Platz bieten für Partikularinteressen jeglicher Identitäten. Sprache darf nicht missbraucht werden.
Robert Krause, Iserlohn (NRW)

Lese ich „das generische Maskulinum", zwängt sich mir der Gedanke an eine patriarchalische, von Sexismus geprägte Gesellschaft nur so auf.
Luisa Frisch, Augsburg

DER SPIEGEL, Nr. 11, vom 13.3.2021, S. 128

1 Markieren Sie in der Randspalte die Zuschriften, die Ihrem Standpunkt entsprechen, mit einem Plus-Zeichen, diejenigen, die von Ihrer Position grundlegend abweichen, mit einem Minus-Zeichen.

2 Wählen Sie einen der Briefe aus und verfassen Sie einen entsprechenden Antwortbrief, in dem Sie Ihre Position zur gendergerechten Sprache darstellen.

Theorie des Genderns

Rechtliche Voraussetzungen im Zusammenhang mit gendergerechtem Sprechen erschließen

Das Gleichstellungsbüro der Rheinisch-Westfälischen Technischen Hochschule in Aachen, eine der größten Hochschulen des Landes NRW sowie bundesweit und zugleich seit Jahren mit dem Prädikat „Exzellenzhochschule" ausgezeichnet, ist schon längere Zeit engagiert, seine interne wie externe Kommunikation an den Forderungen nach einer geschlechtergerechten Sprache auszurichten. Nach einigen grundsätzlichen gesellschaftspolitischen Überlegungen zur Gleichstellung von Frauen und Männern bieten einzelne Formulierungshinweise aus der vom Gleichstellungsbüro herausgegebenen Broschüre „Geschlechtergerechte Sprache" die Möglichkeit, sich selbsttätig beim „Gendern" zu erproben.

Gleichstellungsbüro der RWTH Aachen (Hrsg.)

Gendergerechte Sprache (2021)

Die RWTH Aachen hat in ihrer Strategie das Leitbild der geschlechtergerechten Hochschule verankert. Dies äußert sich unter anderem im Gebrauch einer geschlechtergerechten Sprache in Wissenschaft, Studium, Lehre und Verwaltung.
Die für die RWTH Aachen verbindliche gesetzliche Grundlage für sprachliche Gleichstellung von Mann und Frau findet sich im Landesgleichstellungsgesetz NRW: Gesetze und andere Rechtsvorschriften tragen sprachlich der Gleichstellung von Frauen und Männern Rechnung. In der internen wie externen dienstlichen Kommunikation ist die sprachliche Gleichbehandlung von Frauen und Männern zu beachten. In Vordrucken sind geschlechtsneutrale Personenbezeichnungen zu verwenden. Sofern diese nicht gefunden werden können, sind die weibliche und die männliche Sprachform zu verwenden. (§ 4 LGG NRW)
Spätestens seit dem Beschluss des Bundesverfassungsgerichtes vom 10. Oktober 2017 und der danach erfolgten Novellierung des Personenstandsrechtes ist darüber hinaus ins Bewusstsein gerückt, dass die sprachliche Abbildung aller Geschlechter notwendig ist. Es gibt jedoch bisher keine abschließende Empfehlung des Rates für deutsche Rechtschreibung für eine Sprache, die die Vielfalt aller Geschlechter berücksichtigt. Die Festlegung einer Sprachvariante, die allen gerecht wird, ist eine echte Herausforderung. Gabriele Diewald, Professorin für Germanistische Linguistik und Autorin des vom Dudenverlag herausgegebenen Leitfadens „Richtig gendern", fasst dies in einem Interview treffend zusammen:
F: Frau Diewald, die einen wollen ein Sternchen, die anderen ein Binnen-I. Wir haben mehr als 20 Varianten für Gender-Wortzusätze gefunden. Ein ziemlicher Wildwuchs! Wie schätzen Sie es als Linguistin ein: wann haben wir eine allgemeingültige Lösung gefunden?

LGG NRW
Abkürzung für Landesgleichstellungsgesetz

Personenstandsrecht
seine Änderung ermöglicht seit 2018 den Eintrag „divers" ins Geburtenregister

A: Diese Vielfalt ist symptomatisch für Sprachwandelprozesse. Wenn erstmal eine Veränderung angestoßen ist, entfaltet sich zunächst Varianz. Und dann gibt es einen Prozess der Ausdifferenzierung, bei dem bestimmte Formen aussortiert werden, während andere Variationen für unterschiedliche Zwecke zum Zuge kommen. Wie schnell das geht, lässt sich kaum prognostizieren.

RWTH-Aachen, Hauptgebäude mit Super C

Warum geschlechtergerechte Sprache?

Diskriminierungsfreiheit ist ein Grundwert unserer Gesellschaft. „Alle Menschen sind vor dem Gesetz gleich“ und „Niemand darf wegen seines Geschlechtes […] benachteiligt oder bevorzugt werden“ heißt es im § 3 des Grundgesetzes. Daraus erfolgt das Erfordernis einer geschlechtergerechten wertschätzenden Sprache. Der Linguist Anatol Stefanowitsch sieht politisch korrekte Sprache als „eine Frage der Moral“ an und formuliert folgende goldene Regel:

Stelle andere sprachlich nicht so dar, wie du nicht wollen würdest, dass man dich an ihrer Stelle darstelle.

Stelle andere sprachlich stets so dar, wie du wollen würdest, dass man dich an ihrer Stelle darstelle.

In der Sprache sollten alle Geschlechter adressiert werden, damit sich alle angesprochen fühlen. Sprache beeinflusst unser Bewusstsein und unsere Wahrnehmung. Immer noch ist die Nutzung des Maskulinums, das als „generisch“ postuliert wird, also Frauen und Menschen anderer Geschlechter „mitmeint“, sehr verbreitet. Tatsächlich wirkt das sogenannte generische Maskulinum keinesfalls generisch, sondern schließt andere Geschlechter aus und macht Frauen unsichtbar.

generisch unspezifisch, hier: beide Geschlechter umfassendes Maskulinum

Als die Universität Leipzig 2013 ihre Grundordnung in generischem Femininum verfasste und erläuterte, dass Männer mit der Bezeichnung „Professorinnen“ mitgemeint sind, brach ein Sturm der Entrüstung aus, da sich die Männer eben nicht angesprochen fühlten. Verallgemeinernde Sprachformen wirken ex- und nicht inkludierend.

Geschlechtergerechte Sprache dagegen kann den gesellschaftlichen Wandel unterstützen; sie ist ein wichtiger Beitrag zur Gleichstellung der Geschlechter, wie zahlreiche Studien belegen. Geschlechtergerechte Sprache führt z. B. dazu, dass Frauen als Beteiligte stärker wahrgenommen werden

Festgelegt wurden folgende Grundsätze:

- Vorrangig sollen genderneutrale Formulierungen genutzt werden.
- Weiterhin sollen durch Beidnennungen (Femininum/Maskulinum) Frauen sichtbarer gemacht werden.
- Zur Adressierung aller Geschlechter soll einheitlich das Gendersternchen genutzt werden (statt Gender Gap oder Doppelpunkt).

1 Beschreiben Sie möglichst prägnant die rechtlichen Vorgaben, nach denen die Gleichstellung innerhalb der Vielfalt von Geschlechtern erfolgen soll.

2 Fassen Sie die im Text genannten Gründe zusammen, die eine geschlechtergerechte Sprache notwendig erscheinen lassen.

3 Stellen Sie den von Frau Professorin G. Diewald dargestellten Sprachwandelprozess mit eigenen Worten dar.

4 Beziehen Sie Stellung zu der Aussage im Text, „verallgemeinernde Sprachformen wirken ex- und nicht inkludierend.“ (Z. 56 f.)

Gendern – ~~Übung macht den Meister~~ Praktische Übungen meistern

Spezifische Formen sprachlicher Varianz anwenden

Zielgruppe/Anlass	Ansprache
Gesamte Hochschule (z. B. in Rundschreiben)	– –
Studentinnen und Studenten	
Beschäftigte	– –
Gremien	
Team, Abteilung	– – – –
Verwendung neutraler Formen	
Studenten	
Mitarbeiter	
Lehrer	
Verwendung neutraler Sachbezeichnungen	
Seminarleiter	
Teilnehmergebühr	
Rednerliste	
Verwendung von Paarformen	
die Schüler	
die Professoren	
die Kollegen	
Verwendung des Passivs	
Der Angestellte erhält das Gehalt am ...	
Man sollte beachten ...	
Hat der Bewerber die Prüfung bestanden ...	
Umschreibung mit Adjektiv	
Behandlung beim Arzt	
Rat eines Fachmanns	
Verben statt Personenbezeichnungen	
Als Referenten werden geladen ...	
Der Herausgeber des Bandes ist ...	
Es waren 100 Teilnehmer.	
Verwendung der direkten Anrede	
Die Mitarbeiter, die den Raum nutzen, sollten beachten ...	
Den Benutzern steht die Funktion ab Januar zur Verfügung ...	

Geschlechtergerechte Sprache. Hrsg. vom Gleichstellungsbüro der RWTH Aachen, Januar 2021, S. 8–12 (in Auszügen)

1 Übertragen Sie die in der linken Spalte angegebenen Anreden bzw. Aussagen in eine gendergerechte Sprache gemäß der jeweils genannten Vorgabe sowie unter Beachtung der drei zuvor von der RWTH Aachen festgelegten Grundsätze.

2 Erklären Sie, welche Schwierigkeiten Sie bei der sprachlichen Umsetzung der geschlechterneutralen Sprache hatten.

3 Erörtern Sie Möglichkeiten, diesen angemessen zu begegnen.

Quotenfrau oder -mann

Die Doppelbödigkeit einer Absichtserklärung analysieren und einordnen

Während einer Debatte zum Internationalen Weltfrauentag am 8.3.2022 sorgte eine Abgeordnete der AfD für erhebliche Unruhe im Plenarsaal, als sie die Abgeordnete der Partei Die Grünen, Tessa Ganserer, öffentlich verbal angriff. In verschiedenen berichtenden Medien wurde diese Attacke als empörend, „transphob“, „beleidigend“, „verächtlich“, Provokation oder auch als Eklat bezeichnet.

dpa

AfD-Politikerin sorgt mit Aussagen zu trans Abgeordneter für Kritik (2022)

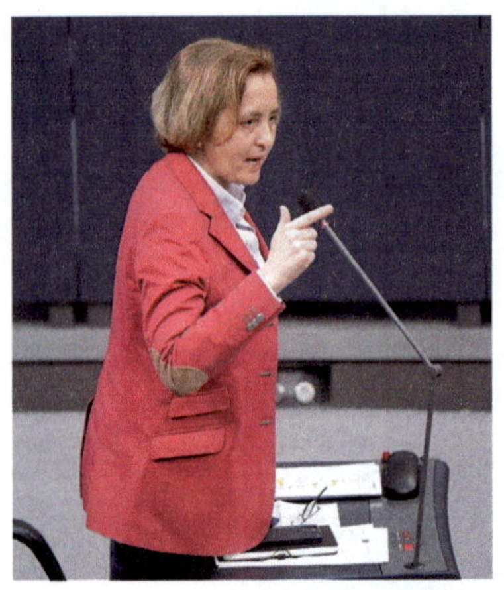

Beatrix von Storch, MdB für die AfD

AfD-Vizechefin von Storch hat im Bundestag eine verächtliche Rede über die Grünenabgeordnete Tessa Ganserer gehalten. Das löste parteiübergreifend heftige Kritik aus.

Die stellvertretende AfD-Partei- und Fraktionsvorsitzende Beatrix von Storch hat mit Äußerungen über die trans Bundestagsabgeordnete Tessa Ganserer (Grüne) parteiübergreifend viel Kritik ausgelöst. In einer Debatte zum Internationalen Frauentag am 8. März im Bundestag warf von Storch zunächst dem Großteil der Abgeordneten im Bundestag vor, einer „Genderideologie“ anzuhängen.
Anschließend sagte von Storch unter Verwendung des abgelegten, männlichen Namens der Abgeordneten Ganserer, es sei „völlig in Ordnung“, wenn sie Rock, Lippenstift und Hackenschuhe trage. Dies sei jedoch ihre Privatsache. „Biologisch und juristisch“ bleibe Ganserer ein Mann und wenn sie als solcher „über die grüne Frauenquote in den Bundestag einzieht und hier als Frau geführt wird, ist das schlicht rechtswidrig“, sagte von Storch.
Bundestagsvizepräsidentin Katrin Göring-Eckardt (Grüne) bat von Storch nach ihrem Beitrag um „Respekt vor der Kollegin Tessa Ganserer“. Bei Twitter sprach sie später von einer „furchtbaren Diffamierung“.

„Abscheulich“, „menschenverachtend“, „eine Schande“

In einer direkten Reaktion auf von Storchs Rede trat Grünenfraktionschefin Britta Haßelmann ans Mikrofon und bezeichnete deren Aussagen als abscheulich und erschütternd. „Das, was die Abgeordnete Storch sich gerade in diesem Haus erlaubt hat, ist niederträchtig, bodenlos, es ist homophob und zutiefst menschenverachtend“, sagte Haßelmann. „Tessa Ganserer ist eine von uns. Niemand von uns hat darüber zu richten oder darüber zu reden oder zu entscheiden, wie diese Frau ihr Selbstbestimmungsrecht wahrnimmt“, sagte Haßelmann unter dem Applaus weiter Teile des Parlaments.

Grünen-Parteichef Omid Nouripour twitterte: „Was die AfD heute im Bundestag abgezogen hat, ist schlicht eine Fortsetzung ihrer facettenreichen Menschenverachtung und ein Ausdruck ihrer Angst vor allen, die nicht uniformiert leben wollen." Tessa Ganserer sei „eine von uns", die Partei stehe ihr „gegen diese Hetze" bei, fügte er hinzu.
Der für transgenderpolitische Fragen zuständige Sprecher der FDP-Fraktion, Jürgen Lenders, warf der AfD-Politikerin vor, von sexueller Identität und geschlechtlicher Vielfalt „keine Ahnung" zu haben. „Die Beleidigung gegenüber der Kollegin der Grünen, Tessa Ganserer, ist unerträglich. Ich verurteile diesen transfeindlichen Angriff gegen sie."
Bundesgesundheitsminister Karl Lauterbach (SPD) twitterte: „Alle Parteien außer der AfD stellen sich gegen die menschenverachtende Rede @Beatrix_vStorch von der AfD zum Weltfrauentag im Bundestag." Die beleidigende und sarkastische Rede der AfD-Politikerin nannte er „eine Schande".
Ganserer selbst hielt später ihre erste Rede im Bundestag zum Thema nachhaltige Entwicklung, ohne auf die vorangegangenen Äußerungen einzugehen. Die 44-Jährige ist eine von zwei trans Frauen im neuen Bundestag und saß zuvor im bayerischen Landtag. Im November 2018 hatte Ganserer ihr Coming-out als transident. Trans Menschen sind Personen, die sich dem Geschlecht, das ihnen bei der Geburt zugeschrieben wurde, nicht zugehörig fühlen.

T. Ganserer wenige Stunden nach der Verbalattacke von Storchs bei ihrer ersten Bundestagsrede am selben Tag zum Thema Nachhaltigkeit. Dabei erwähnte sie den Vorfall nicht.

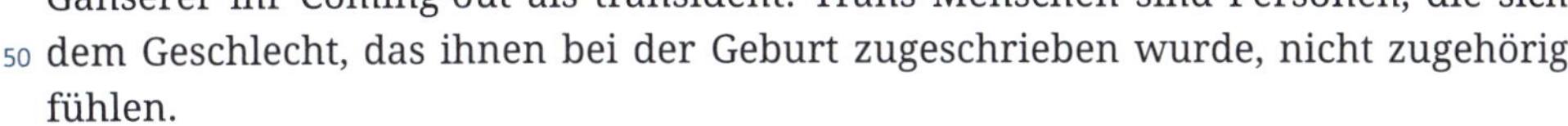

Auf dem Wahlzettel zur Bundestagswahl stand Ganserer mit dem männlichen Vornamen, den sie abgelegt hatte. Wie viele andere Menschen in ihrer Situation lehnt sie es ab, ihren Vornamen und ihr Geschlecht nach dem Transsexuellengesetz offiziell ändern zu lassen. Das 40 Jahre alte Gesetz sieht vor, dass Betroffene das erst nach einem psychologischen Gutachten und einer gerichtlichen Entscheidung dürfen – dabei müssen sie sich oft sehr intime Fragen gefallen lassen.

1 Fassen Sie die Aussagen von Storchs mit eigenen Worten zusammen und erklären Sie, worin ihr Vorwurf besteht.

2 Erläutern Sie, welche Absicht B. von Storch offiziell mit ihren Äußerungen verfolgt und was sie eigentlich damit bezweckt.

3 Formulieren Sie auf der Grundlage Ihrer bisherigen Arbeitsergebnisse eine kurze Rede zu dem Vorfall am 8. März 2022 im Bundestag, in der Sie persönlich Stellung dazu nehmen.

Sprachwandel

Aus Sicht der sprachwissenschaftlichen Forschung können zurzeit drei grundlegende Ansätze zur Erklärung von Sprachwandel unterschieden werden. Zum einen wird er als Folge eines natürlichen Prozesses betrachtet, zum anderen als ein Phänomen, das vom Menschen bewusst herbeigeführt wird. Ein weiterer moderner Erklärungsansatz sieht im Sprachwandel ein „Wirken einer unsichtbaren Hand", auch als „System der Trampelpfade" bekannt, dem individuell gestaltete Sprachentscheidungen zugrunde liegen, die sich im Laufe der Zeit zu neuen Sprachstrukturen verfestigen. Auslöser solcher Erscheinungen können etwa sprachliche Nachlässig- oder Bequemlichkeit, gesellschaftliche Veränderungen oder auch Ausdruck der Distanzierung von anderen sozialen Gruppen sein, wobei diese Faktoren nicht immer scharf voneinander zu trennen sind.

4 Im Zusammenhang Ihrer Auseinandersetzung mit der Sprache im Nationalsozialismus ist Ihnen eine bestimmte Form von Sprachwandel begegnet. Ordnen Sie diesem den entsprechenden Erklärungsansatz begründend zu.

Chancen und Gefahren des Internets

Ein Nutzungsprofil zum Umgang mit dem Internet erstellen und mögliche Chancen sowie Gefährdungen durch Social Media anhand eigener Erfahrungen erschließen

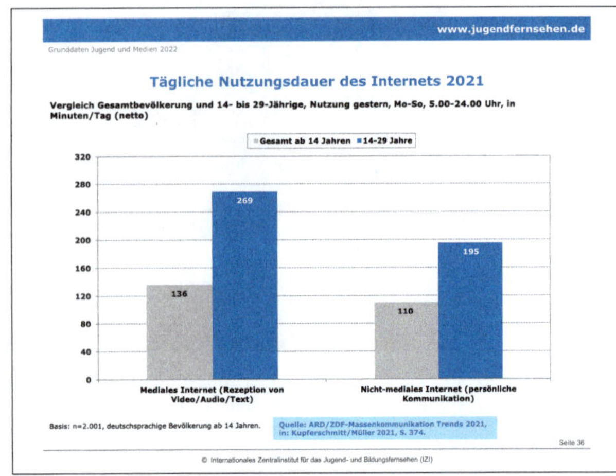

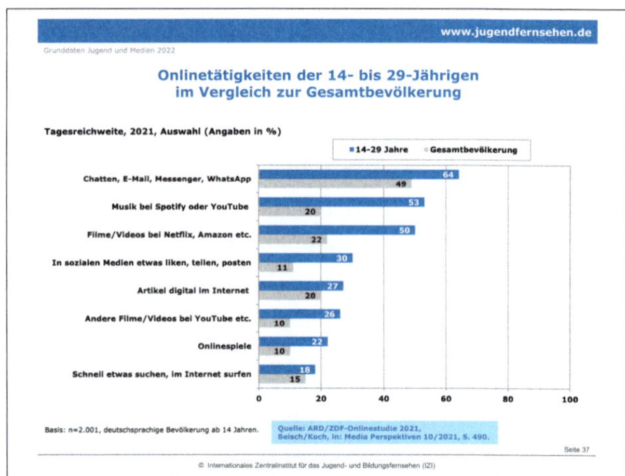

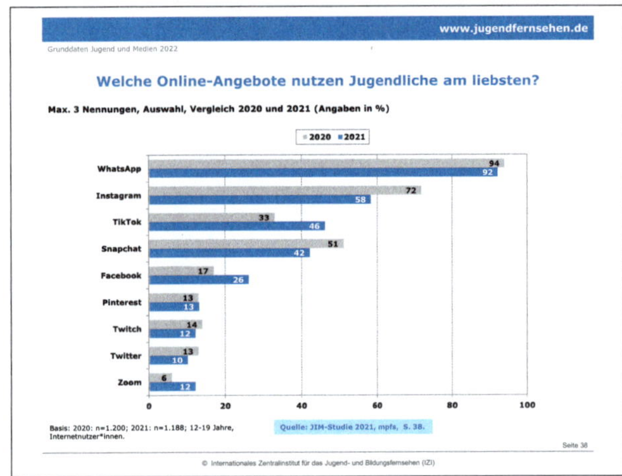

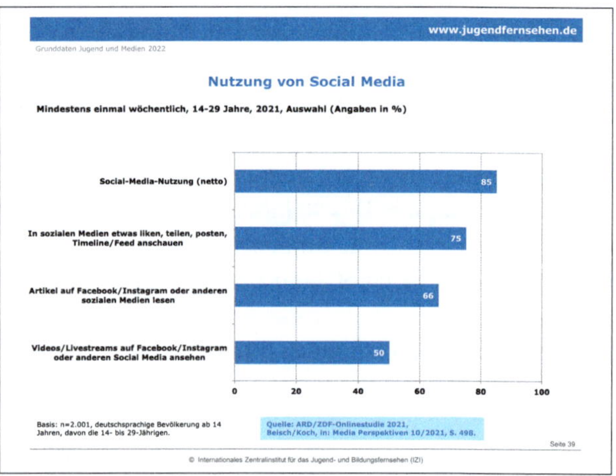

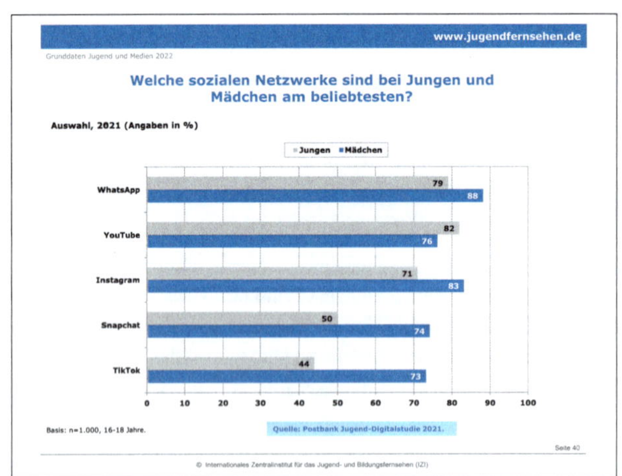

1 Teilen Sie den Kurs in fünf Gruppen. Beschreiben Sie pro Gruppe je eines der abgebildeten Diagramme zum Mediennutzungsverhalten bei Jugendlichen und stellen Sie den jeweils dargestellten Sachverhalt im Plenum vor.

2 Reflektieren Sie insbesondere die Werte, die deutlich von Ihren Erwartungen abweichen.

3 ***Lernarrangement***

a) Schaffen Sie anhand eines Losverfahrens die Voraussetzung für eine Zusammenarbeit mit einem weiteren Kursmitglied.
b) Führen Sie anhand der Ihnen im Arbeitsbuch vorliegenden Kriterien (fünf Folien auf S. 290) ein Interview zur Mediennutzung durch, d. h., alle Kursmitglieder führen ein Interview durch und werden einmal befragt.
c) Berücksichtigen Sie über die genannten Erhebungskriterien hinaus dabei Ihre eigenen Erfahrungen im Hinblick auf die Nutzung von Social Media. Differenzieren Sie bei Ihren Antworten hierbei zwischen „schlecht", „eher schlecht", „indifferent", „eher gut" und „gut".
d) Alle Interviewerinnen und Interviewer protokollieren die Aussagen der Interviewten stichpunktartig.
e) Führen Sie im Rahmen Ihrer Kleingruppe ein Interview mit Ihrer Lernpartnerin bzw. Ihrem Lernpartner durch und notieren Sie stichpunktartig deren/dessen Angaben.
f) Stellen Sie im Kursplenum Ihre Nutzungsprofile vor und berichten Sie über Ihre Erfahrungen. (Dies kann auch durch die Interviewerin/den Interviewer geschehen.)
g) Beantworten Sie ggf. noch Fragen zum Inhalt Ihres Interviews.

Hate Speech

Ursachen aggressiven Verhaltens gegenüber Mitmenschen untersuchen und hinsichtlich ihrer Folgen prüfen

Margarete Stokowski, 1986 in Polen geboren, lebt seit 1988 in Berlin. Dort studierte sie Philosophie und Sozialwissenschaften. Nach mehreren Jahren als Journalistin bei der „taz" wurde sie Kolumnistin bei Spiegel Online. Darüber hinaus ist sie als freie Autorin tätig. Ihre erste Buchveröffentlichung hat den Titel „Untenrum frei" und wurde zu einem grundlegenden Werk moderner feministischer Literatur. Diesem folgte 2018 das Buch „Die letzten Tage des Patriarchats", eine Sammlung ihrer bisher erschienenen Kolumnen. 2019 erhielt M. Stokowski den Kurt-Tucholsky-Preis für literarische Publizistik für ihre „kompromisslose Entlarvung gesellschaftlicher Missstände, präzise Sprache und gekonnte Ironie", wie es in einer Pressemitteilung des Rowohlt Verlags heißt.
Immer wieder erhielt sie wegen ihrer scharfsinnigen Äußerungen wütende Reaktionen mit beleidigendem Charakter bis hin zu Hasskomentaren, die teils in Morddrohungen gipfelten.
Der folgende Essay fasst ihre Erfahrungen im Zusammenhang mit solchen gegen sie gerichteten Attacken zusammen, zeigt dabei die negativen Folgen für die davon Betroffenen auf sowie die Zurückhaltung der Strafverfolgungsbehörden, lässt zugleich aber auch ihr Durchsetzungsvermögen erkennen, sich diesen Angriffen gegenüber zu behaupten.

Margarete Stokowski

Hate Speech (2022)

Es geht nicht um Kritik. Der Hass im Netz wird vor allem zum Problem, wenn der Hass das Netz verlässt. Betroffene sind auf sich gestellt – denn weder Polizei noch Justiz sind ausreichend geschult.

Wenn man über die polarisierte Gesellschaft und den öffentlichen Diskurs redet, landet man immer wieder beim Thema Hass im Netz: – aber was damit gemeint ist, ist oft eigenartig unklar. Alle wissen – oder scheinen zu wissen – dass Hass im Netz schlimm ist und schlimmer wird, Debatten schädigt und zur Spaltung der Gesellschaft beiträgt. Aber wenn es um die Details geht, ist die Kenntnislage bei Nichtbetroffenen oft eher dünn.
Ich habe das häufig bei Lesungen oder anderen Veranstaltungen erlebt, fast immer werde ich bei solchen Anlässen gefragt, wie ich als Autorin damit umgehe, dass ich

von Hass im Netz betroffen bin. Die Fragen gehen dann meistens in die Richtung: „Wie ist das für Sie, was macht das mit Ihnen?" Und: „Was kann man dagegen tun?"

[...]

Der Hass ist mir persönlich egal. Wenn man politische Autorin ist, gewöhnt man sich daran; oder man hört auf und macht etwas anderes. Ich habe mich daran gewöhnt. [...] Was man aber nicht ignorieren kann, ist, wenn Leute ankündigen, dem Hass Taten folgen zu lassen. Und damit sind wir bei einem zentralen Problem! Hass im Netz bleibt nicht notwendigerweise im Netz. Das wird spätestens dann klar, wenn sich Menschen auf Telegram zu Fackelmärschen vor Häusern verabreden oder live streamen, wie sie jemanden am Arbeitsplatz „besuchen".

Telegram kostenloser Instant-Messaging-Dienst, der 2013 in Russland entwickelt wurde, die App wird zzt. von ca. 20 % der dt. Bevölkerung genutzt; steht unter Beobachtung des Verfassungsschutzes, da u. a. bei Rechtsextremen und Verschwörungstheoretikern beliebt

Ein häufiger Ratschlag an Leute, die sogenannte Shitstorms erleben, ist: Mach doch mal das Handy aus. Ein weiterer Ratschlag: Zeig die doch an, wenn sie dich beleidigen oder bedrohen. Das erste Problem daran: Beide Ratschläge widersprechen sich. Wenn man jemanden anzeigen will, muss man alles dokumentieren, man braucht Links zu Postings und Profilen und zusätzlich Screenshots. Das kann man nicht zusammenstellen, wenn man „einfach mal das Handy ausmacht".

Und das zweite Problem: Es geht nicht weg, wenn man wegguckt. Im Zweifel kann es sogar gefährlich werden, wenn man nicht mitbekommt, dass Leute einen Angriff oder die Wohnadresse veröffentlichen. Sogenanntes Doxing ist längst ein zentraler Bestandteil von Hass im Netz geworden: die Veröffentlichung privater Daten einer Person, also etwa von Politiker:innen oder Journalist:innen, gegen deren Willen, zwecks Einschüchterung. Dabei kann es um die Wohnadresse gehen, aber auch um die Telefonnummer, Mail-Adresse, um Auto und Autokennzeichen, die Namen der Kinder oder anderer Familienmitglieder oder um Orte, an denen die Person oder ihre Familienmitglieder sich häufig aufhalten.

Doxing (von engl. dox als Abk. für documents, teils auch Doxxing), Veröffentlichung personenbezogener Informationen im Internet, wie Anschrift, Telefonnummer, finanzielle Situation ohne Einverständnis der Betroffenen; Doxing wird mit Geld- bzw. Freiheitsstrafen geahndet.

Spätestens wenn man Opfer von Doxing wird, ist der Hass im Netz nicht mehr nur im Netz. Dann kann es passieren, dass man, um ein paar Beispiele zu nennen, am Tag 20 Pizzen geliefert bekommt, die man nicht bestellt hat, oder dass jemand vor der Tür steht und Sturm klingelt oder dass man tote Vögel und Hundekot im Briefkasten findet, Graffiti im Treppenhaus, ein Hakenkreuz an der Wohnungstür und so weiter. Das ist eine Auswahl der Dinge, die Journalist:innen oder Aktivist:innen, die ich kenne, in den vergangenen Jahren passiert sind.

Das kann für Betroffene die Folge haben, dass sie umziehen, den Job wechseln, eine Kamera am Hauseingang installieren oder die Familie warnen, dass merkwürdige und unangenehme Dinge passieren könnten. Oder all die kleinen, aber sehr nervigen und oft teuren Dinge, die den Alltag erschweren: den Namen am Klingelschild ändern, nichts mehr nach Hause bestellen, um die eigene Adresse zu schützen, alle Post an ein Postfach umleiten, die Wohnungstür verstärken.

[...]

In einer Forsa-Umfrage im Frühjahr 2021 gaben 78 Prozent der Befragten an, strafrechtliche Verfolgung sei eine effektive Maßnahme gegen Hasskommentare. Nur: Zur tatsächlichen Strafverfolgung kommt es mitunter nicht; teils weil die Situation von den Ermittlern als nicht schlimm genug wahrgenommen wird, teils weil Verfahren schnell wieder eingestellt werden.

Deswegen wäre ein notwendiger Schritt im Kampf gegen Hass im Netz, das zuständige Personal bei Polizei und Justiz in allen Bundesländern so zu schulen, dass Betroffene ernst genommen werden. Bis man nicht selbst in der Situation war, glaubt man nicht, wie schlecht geschützt Betroffene sind. Als ich einmal eine konkrete Drohung anzeigte, in der mir meine angeblich bevorstehende brutale Vergewaltigung sehr explizit und brutal beschrieben wurde, ermittelte zwar die Staatsanwaltschaft. Allerdings lautete der Straftatbestand nicht etwa Bedrohung, sondern „Verbreitung pornografischer Schriften".

[...]

Polizei und Justiz zu schulen ist eine Forderung, die man leicht erheben kann. Aber natürlich können auch Einzelne etwas tun. Selbst unter Journalist:innen ist es nicht

selbstverständlich, sich Betroffenen gegenüber solidarisch zu zeigen. Ich hatte schon Gespräche mit Kolleg:innen, die auf die Tatsache, dass ich mal wieder Morddrohungen erhalten hatte, mit Sätzen reagierten wie: Also, ich bin ja nicht so wichtig, tja, mich bedroht ja keiner. „Oder: Tja, das ist halt die andere Seite der Medaille, wenn man Bestseller schreibt, ne?"
Als wären Drohungen der Preis für Ruhm und Ehre. Alles daran ist falsch. Denn man kann natürlich auch Bestseller schreiben, ohne bedroht zu werden. Manchmal denke ich, in einer Welt, in der Aufmerksamkeit und möglichst große Followerzahlen manchen Leuten so unbedingt erstrebenswert erscheinen, werden wir nie einen vernünftigen Umgang mit Hass im Netz finden. [...]
Man weiß aus anderen Umfragen auch: Jüngere sind öfter betroffen als Ältere, und wer im Alltag von Sexismus, Rassismus, Queer- oder Transfeindlichkeit betroffen ist, ist es im Netz auch. „Mädchen und Frauen erhalten viel heftigere Inhalte zugeschickt als Männer, etwa Vergewaltigungsandrohungen. [...]
Wer Angst hat, zu Hause angegriffen zu werden, löscht womöglich erst mal hektisch sämtliche öffentlich geposteten Fotos vom eigenen Balkon, das Schneefoto aus dem Schlafzimmerfenster, die Fotos der Kinder. Wer schon länger beleidigt und bedroht wird, postet so etwas längst nicht mehr. Der weiß: Die Hauptaufgabe besteht darin, dich selbst zu schützen, anderen zu helfen und dabei – und das ist vielleicht das Schwierigste – nicht paranoid zu werden.
Ein bitterer Schluss, ich weiß. Um aber am Ende doch noch was dazu zu sagen, was „es" mit mir macht: Manchmal antworte ich den Leuten, die mich bodenlos beleidigen, und beleidige sie zurück. Bisschen Psychohygiene zwischendurch. Sollen sie mich von mir aus anzeigen – da passiert meistens eh nix.

Anna-Lena von Hodenberg Fernsehjournalistin, Gründungsgeschäftsführerin der Organisation „HateAid"

paranoid Persönlichkeitsstörung, bei der jmd. unter Verfolgungswahn leidet

1 Geben Sie die Kernaussagen des Textes von M. Stokowski mit eigenen Worten wieder.

2 Stellen Sie die unterschiedlichen Formen und Intensitäten von Hassreden bzw. -kommentaren dar, die der Autorin bislang begegnet sind.

3 Nehmen Sie kritisch Stellung zu der Aussage der Autorin am Schluss ihres Textes: „Manchmal antworte ich den Leuten, die mich bodenlos beleidigen, und beleidige sie zurück. Bisschen Psychohygiene zwischendurch. Sollen sie mich von mir aus anzeigen – da passiert meistens eh nix." (Z. 91 ff.)

4 Unter „Auf einen Blick – Fachbegriffe" (S. 336) finden Sie eine kurze Erläuterung zum Begriff „Essay". Prüfen Sie, inwiefern Stokowskis Text den Merkmalen eines Essays gerecht wird.

Politische Kommunikation heute

Merkmale der politischen Kommunikation in einer demokratischen Gesellschaft im Rahmen zunehmender Digitalisierung erschließen und darstellen

In einer der vorangegangenen Sequenzen zu dieser Unterrichtsreihe haben Sie sich ausführlich mit der politischen Kommunikation in der Zeit der nationalsozialistischen Diktatur auseinandergesetzt und dabei unterschiedliche Formen der Manipulation kennengelernt, denen die damalige Bevölkerung in nahezu sämtlichen Bereichen des öffentlichen bis hinein in ihr privates Leben ausgesetzt war. Ziel dieser unter dem Begriff der Gleichschaltung durchgeführten Beeinflussung war es, die nationalsozialistische Ideologie in den Köpfen der Menschen so festzusetzen, dass sie sich dieser

nicht mehr entziehen konnten, um alle Ziele der nationalsozialistischen Politik widerstandslos durchsetzen zu können und möglichst viel Zustimmung zu erhalten.
Inzwischen haben sich die politischen Verhältnisse in Deutschland nach dem Ende des Zweiten Weltkriegs durch die Schaffung einer demokratischen Verfassung und durch einen Wandlungsprozess der Bevölkerung über viele Jahre hinweg grundlegend geändert. Hinzu kommt seit den 1990er-Jahren des letzten Jahrhunderts ein enormer technologischer Vorschub aufgrund der fortschreitenden Digitalisierung unserer Gesellschaft. Hierdurch haben sich Mediengesellschaften entwickeln können, deren Zukunft wesentlich davon abhängt, inwieweit es gelingt, politische Prozesse und Entscheidungen abzustimmen und angemessen zu vermitteln.

Marianne Kneuer (* 1964), studierte Hispanistik, Politikwissenschaft u. Philosophie in Bonn u. Madrid; seit 2021 Professorin für Politische Systeme und Systemvergleich an der TU Dresden

Marianne Kneuer

Politische Kommunikation und digitale Medien in der Demokratie (2017)

Seit der Entstehung der Mediengesellschaften im 20. Jahrhundert wird Politik als kommunikativer Prozess verstanden. Die Handlungen der Akteure im politischen Raum – seien es die Bürgerinnen und Bürger, die gesellschaftlichen Organisationen, die Parteien und Verbände und letztlich die politischen Entscheidungsträgerinnen und -träger – beruhen in großem Maße auf kommunikativen Mechanismen. Das gilt für die Artikulation politischer Interessen ebenso wie für deren Bündelung zu programmatischen Positionen im politischen Wettbewerb und schließlich auch für die politischen Entscheidungen, ihre Durchsetzung und Legitimierung. Insofern Politik kommunikativ vermittelt werden muss – der Begriff der Politikvermittlung geht auf Ulrich Sarcinelli (1987) zurück – rücken neben der Informierung und Orientierung der Bürgerinnen und Bürger die Zustimmungsabhängigkeit und die Begründungsbedürftigkeit von Politik in den Vordergrund. Für diese kommunikative Gestaltung des öffentlichen Raumes, insbesondere für die Verständigungs- und Aushandlungsprozesse zwischen den politischen Eliten, gesellschaftlichen Akteuren und der Bevölkerung sind in demokratischen Gesellschaften Medien unverzichtbar.
Klassischerweise werden Medien verschiedene politische Funktionen zugeschrieben [...]. Dies ist erstens die Informierung und Bildung der Bürger. Bildung ist hier zu verstehen als die Fähigkeit, Informationen aufzunehmen, sie zusammenhängend zu begreifen und sich auf dieser Grundlage eine Meinung zu bilden. Die Verbreitung von umfassenden Informationen über das politische Geschehen und seine Hintergründe ist hierzu, zweitens, eine wesentliche Grundlage. Drittens fungieren Medien selbst als Akteur im politischen Willensbildungs- und Entscheidungsprozess und in dieser Rolle leisten sie einen wichtigen Beitrag zur Kontrolle der politischen Akteure (Stichwort: „Vierte Gewalt").
Auf der Grundlage der klassischen Massenkommunikation ergibt sich, viertens, eine zentrale Funktion in der Herstellung von Öffentlichkeit. Dieser Funktion kommt deshalb eine gewichtige Bedeutung zu, weil Öffentlichkeit mit dem Raum gleichzusetzen ist, in dem die politischen Akteure ihre Ideen, Programme und Ziele zur Diskussion stellen und sich demzufolge die „öffentliche Meinung" bildet, die wiederum – potenziell entscheidungswirksam – Einfluss auf Regierungshandeln nimmt. Medien – in Zeiten der Massenkommunikation Rundfunk und Presse – stellen diesen Raum der Öffentlichkeit für die politische Debatte und Willensbildung her. Verbunden mit dieser Funktion ist die Strukturierung der politischen Kommunikation, nämlich im Sinne Luhmanns als Selektionshilfe und als Mechanismus zur Reduktion von Komplexität [...]. In diesem Zusammenhang liefern Medien, fünftens, eine Integrationsleistung, deren Bedeutung wächst, je stärker sich die moderne Gesellschaft ausdifferenziert und damit der Gefahr des Auseinanderfallens ausgeliefert ist. Demgegenüber wurde klassischen Medien zugeschrieben, Unübersichtlichkeit, die Entstehung von Subkulturen oder politischen Absentismen zu vermeiden, das

Niklas Luhmann (1927 – 1998), dt. Soziologe und Gesellschaftstheoretiker, vor allem bekannt durch seine Systemtheorie

Gesamtinteresse gegenüber den Einzelinteressen bewusst zu machen und so den Blick vom Persönlichen zum Allgemeinen zu lenken [...].

Die technischen Merkmale und die damit verbundenen Funktionslogiken sozialer Medien haben die politischen Kommunikationsstrukturen massiv verändert. Diese Veränderung wirkt sich einerseits quantitativ in einer Vervielfachung der Kanäle politischer Kommunikation aus, andererseits schlägt sie sich qualitativ in der Art der Kommunikation sowie in den Interaktionsmöglichkeiten zwischen politischen Akteurinnen und Akteuren, gesellschaftlichen Gruppen und Bürgerinnen und Bürgern nieder. Zudem ergibt sich ein erweitertes politisches Potenzial sozialer oder digitaler Medien, dessen Bewertung noch nicht als abgeschlossen betrachtet werden kann.

Bereits mit den Anfängen des Internets in den 1990er-Jahren haben sich vor allem die Möglichkeiten der Informationsverbreitung ebenso wie die der Informationsgewinnung deutlich erweitert. Websites stellten neue Orte der Selbstdarstellung von Akteuren dar und gaben deren Zielsetzungen einen neuen Rahmen. E-Mails vereinfachten insbesondere internen Informationsaustausch in Parteien, Organisationen und Gruppen, machten Vernetzung billiger, schneller und erhöhten die Reichweite der Kommunikation. Das Aufkommen neuer Anwendungen im Web 2.0 hat die Vernetzung noch sehr viel stärker vorangetrieben. Die Dynamik der technischen Entwicklung (drahtlose Netzwerke, Internet über mobile Endgeräte, Social Software, Social Media) hat die Formen der Online-Kommunikation und -Interaktion, aber vor allem auch der weitgehenden, nämlich unendlichen, und grenzüberschreitenden Vernetzung auf sozialen Plattformen erheblich erweitert. Über rein kommunikativen Austausch hinaus ermöglichen soziale Medien Interaktionen zwischen den Nutzerinnen und Nutzern etwa von Microblogs wie Twitter, content communities wie Tumblr oder sozialen Netzwerken wie Facebook.

Ähnlich wie bei vorhergehenden Innovationen stellt sich in Bezug auf die Emergenz des Internets und sozialer Medien die Frage, inwieweit sich die Rahmenbedingungen von Politikvermittlung verändert haben [...]. Dieser Beitrag widmet sich vor allem zwei Fragen: Wie verändern sich politische Prozesse aufgrund der Nutzung digitaler Medien durch politische Akteure? Und wie sind diese Veränderungen im Hinblick auf die demokratischen Prozesse zu beurteilen?

content communities ermöglichen den Austausch mutimedialer Inhalte und deren Kommentierung, wie z. B. YouTube, FlickR

Emergenz: (lat. emergere: „Herauskommen", „Emporsteigen"), Herausbilden neuer Eigenschaften oder Strukturen eines Systems infolge des Zusammenspiels seiner Elemente; so lässt das Internet neue Effekte entstehen, durch deren weitere Vernetzung diese Effekte noch verstärkt werden (s. das Fallbeispiel „Lisa" auf S. 297 ff.)

1 Die Autorin des Textauszugs nimmt selbst eine Strukturierung ihres Aufsatzes vor. Markieren Sie zunächst die entsprechenden Textsignale.

2 Unterteilen Sie nun den Text in Sinnabschnitte und fassen Sie die jeweilige Kernaussage zusammen.

3 Stellen Sie die im Text von M. Kneuer beschriebenen politischen Funktionen der Medien in übersichtlicher Form dar und erläutern Sie diese jeweils an einem selbst gewählten Beispiel.

4 Stellen Sie thesenartig mögliche Gefährdungen dar, die sich im Rahmen der gesellschaftlichen sowie politischen Kommunikation bezüglich der Informationsgewinnung und -verbreitung ergeben können (s. Z. 70 ff.).

5 Nehmen Sie auf der Grundlage Ihrer Kenntnis des Textes von M. Kneuer Stellung zu der Frage, inwieweit der Begriff „Mediengesellschaft" zutreffend ist.

Kleine Entwicklungsgeschichte der Medienlandschaft

Zeitpunkt	Entwicklungsschritt
4. Jahrtausend v. Chr.	Bilderschrift der Sumerer (erste bekannte Schrift der Menschheit)
1450	Erfindung des modernen Buchdrucks durch Johannes Gutenberg
1605	erstes gedrucktes periodisches Nachrichtenblatt in Straßburg
1861	Telefon
1877	Phonografie
1887	Schallplatte
1889	Aufbau des öffentlichen Telefonnetzes in Deutschland
1895	erste Vorführung eines Stummfilms
1913	erste Radio-Musiksendung
1933	Vorstellung des ersten Volksempfängers
1934	regelmäßiger Fernsehprogrammdienst in Deutschland
1954	Deutsches Fernsehen, Vorläufer der ARD
1971	Erfindung des ersten Mikroprozessors
1975	Entwicklung des ersten Personal Computers (MITS Altair 8800)
1983	CD
1984	deutsches Kabelfernsehen
1995	weite Verbreitung des Internetzugangs in Deutschland
ab 1990	DVD
2007	erstes iPhone
2020	Ausweitung der Multimedia-Nutzung

6 Ergänzen Sie den Überblick über wesentliche Schritte zur Entwicklung der Medienlandschaft durch zusätzliche Angaben im Rahmen der Digitalisierung.

Eine Lüge und ihre weitreichenden Folgen

Die Handlungsschritte eines Ereignisses in eine in sich logische Reihenfolge bringen

Die folgende Darstellung des Falls „Lisa“ hat sich tatsächlich so ereignet, ist also kein fiktives Geschehen, das sich etwa ein Schriftsteller ausgedacht und niedergeschrieben hat oder spiegelt nicht den Inhalt eines Traums wieder, den eine 13-jährige Schülerin eines Morgens nach dem Aufwachen erinnert hat. Vielmehr liegt dieser Abfolge von Ereignissen ein Geschehen zugrunde, dessen Anfänge eigentlich kaum der Rede wert sind, weil sie ständig und überall so oder ähnlich hätten ablaufen können. Es geht um die schulischen Probleme eines jungen Mädchens und eine Lüge ihrer Mutter gegenüber, um häuslichem Ärger aus dem Weg zu gehen.
Im Vordergrund steht hier dagegen, wie ein eher alltäglicher Vorgang durch die Vernetzung digitaler Medien eine so starke Eigendynamik entwickeln kann, dass er am Ende in internationale politische Verwicklungen mündete.

Der renommierte Medienwissenschaftler Bernhard Pörsken hat den Fall „Lisa“ nach akribischer „Auswertung unterschiedlichster Kommentarseiten und Fernsehsendungen“ sowie weiterführender journalistischer Artikel recherchiert und in seinem Buch „Die große Gereiztheit. Wege aus der kollektiven Erregung“ 2018 veröffentlicht.

Bernhard Pörksen (* 1969), studierte Germanistik, Journalistik u. Biologie; er ist Direktor des Instituts für Medienwissenschaft an der Universität Tübingen; zu seinen Forschungsschwerpunkten gehören u. a. der Medienwandel im digitalen Zeitalter u. die Skandalforschung.

Bernhard Pörksen

Der Fall Lisa (2018)

Die Fakten

Berlin-Marzahn

Es ist der 12. Januar des Jahres 2016, irgendwo in den Häuserschluchten von Berlin-Marzahn. An diesem Tag lügt die 13-jährige Lisa, nachdem sie 30 Stunden lang nicht auffindbar und nicht erreichbar war, ihre Mutter an. Lisa ist am Vortag auf dem Weg zur Schule verschwunden. Sie war die Nacht über nicht zu Hause, und die Familie hat sie als vermisst gemeldet. Nun berichtet das russischstämmige Mädchen, drei südländisch aussehende Männer hätten sie in ein Auto gezerrt, in eine Wohnung gebracht, sie entführt, geschlagen, vergewaltigt. Später stellt sich heraus, dass es Schwierigkeiten in der Schule gab und man ihre Eltern zu einem Gespräch einbestellt hatte, vor dessen Ausgang sie sich offenbar fürchtete. Später wird klar, dass es in dieser Nacht keine Vergewaltigung gegeben hat, sondern eine Übernachtung in der Wohnung eines Freundes, der ihr nichts angetan hat. Später wird offenbart, dass Lisa sich die Verletzungen, die von der Horror-Nacht herrühren sollen, vermutlich selbst beigebracht hat.

Aber da hat die Lüge längst das Zwiegespräch von zwei Menschen verlassen. Sie diffundiert durch die digitale Welt und hinterlässt ihre Spuren im analogen Leben. Schon am 14. Januar 2016 brodelt es im Netz. Innerhalb der russischsprachigen Gemeinschaft in Deutschland, auf Facebook und Twitter kursiert das Gerücht, die 13-Jährige sei von Migranten missbraucht worden, Politiker und Medien würden jedoch die Wahrheit verschweigen und den Fall gezielt vertuschen. Nur einen Tag später tauchen aufgebrachte Russen am Eingang eines Flüchtlingsheims in Berlin-Marzahn auf. Fensterscheiben splittern, ein Sicherheitsmann wird verletzt. Die Erregung innerhalb der russlanddeutschen Gemeinschaften, von denen viele nach wie vor die Medien ihrer früheren Heimat konsumieren, nimmt weiter zu, als der Erste Kanal, der beliebteste Fernsehsender Russlands, am 16. Januar 2016 den Fall aufgreift. Die Moderatorin, die den Beitrag anmoderiert, behauptet, es gebe eine „neue Ordnung“ in Deutschland. Sie bestünde darin, dass die Menschen im Angesicht der ungehindert ins Land strömenden Flüchtlinge nicht mehr sicher seien und sich nun auch an Kindern vergreifen würden. In den Städten herrsche längst Gewalt und Chaos. Der Berliner Korrespondent des Senders, Iwan Blagoj, berichtet, Ausländer hätten Lisa dreißig Stunden vergewaltigt und dann „auf die Straße“ geschmissen, die Polizei hätte das Mädchen zwar mehrere Stunden lang verhört, würde jedoch nichts tun. All dies verbreitet sich in Hochgeschwindigkeit. Ausschnitte aus der Fernsehsendung werden blitzschnell übersetzt, tauchen auf den unterschiedlichsten Seiten im Netz auf, werden millionenfach geklickt. Noch am selben Tag veranstaltet die rechtsextreme NPD eine Kundgebung vor dem Einkaufszentrum Eastgate in Berlin-Marzahn. Auf einer weiteren NPD-Veranstaltung wird die Todesstrafe für Kinderschänder gefordert. Eine angebliche Cousine beklagt hier unter Tränen, was man dem Mädchen zugefügt habe. Aber ist diese Zeugin der Anklage ernst zu nehmen, kann sie als authentisch gelten? Es gebe Hinweise, so wird in verschiedenen Medien angedeutet, dass es sich bei diversen, öffentlich auftretenden Verwandten des Mädchens um Schauspieler gehandelt haben könnte – eine Behauptung, die sich nicht verifizieren lässt, aber doch ein Indiz einer allgemeinen Verunsicherung darstellt und die Frage aufkommen lässt, ob man womöglich einer großen Inszenierung beiwohnt. Jedenfalls verwandeln russische Medien die Geschichte eines vermeintlich vertuschten Verbrechens mit aller Macht in ein beherrschendes Thema. Mal ist auch die Rede von fünf Vergewaltigern und einer Art „Sex-Gefangenschaft“. Es kommt zu Demonstrationen von Russlanddeutschen in verschiedenen Städten. Allein vor dem Kanzleramt in Berlin tauchen 700 Demonstrierende auf. „Lisa! Lisa!“-Rufe ertönen hier, Schilder mit Parolen werden hochgehalten: „Heute mein Kind – morgen Dein Kind“, „Unsere Kinder sind in Gefahr!“, „Schützt unsere Frauen und Kinder“. Manche tragen T-Shirts, auf denen zu lesen steht: „Lisa, wir sind mit Dir“. Im digitalen Paralleluniversum haben sich längst Verschwörungstheoretiker und rechtsradikale Agitatoren des Themas angenommen. Man attackiert die angeblich lügende, vermeintlich kollektiv paktierende Front aus Polizei, Politik und etablierten Medien. Ein verwackeltes Amateurvideo, das seit 2009 im Netz kursiert und in dem sich junge Ausländer mit der Gruppenvergewaltigung einer Jungfrau brüsten, erscheint als eine Art dokumentarischer Beweis gänzlich haltlos gewordener Zustände. Der Fall wird komplizierter, als sich herausstellt, dass das Mädchen tatsächlich Sex mit einem Türken und einem türkischstämmigen Deutschen hatte, dies jedoch zu einem früheren Zeitpunkt und nach Aussage der Ermittler auch einvernehmlich, was nichts daran ändert, dass es sich um eine schwere Straftat handelt, den Missbrauch einer Minderjährigen. Aber den eigentlichen Fall hat es nicht gegeben, gleichwohl ist die Geschichte längst auf unzähligen Seiten zur gefühlten Gewissheit geworden, die selbst dann real sein könnte, wenn sie sich nicht in den entscheidenden Details bestätigen sollte. „Es ist Krieg“, so heißt es etwa im Kommentarforum eines rechtsradikalen Online-Magazins. „Im Krieg wird Propagandamunition verschossen! […] Lisa steht beispielhaft! Selbst wenn eine Vergewaltigung nicht vollendet worden wäre, so wurde das Mädchen gekidnappt und gequält bzw. hätte es vergewaltigt werden können, so wie unzählige zuvor. Ja zu Tode gebracht werden können, wie in so vielen Fällen, in denen Deutsche durch Fremdstämmige dieses Schicksal erleiden mussten.“ Am 26. Januar wirft der russische Außenminister Sergej Lawrow im allgemeinen Getöse den deutschen Behörden vor, dem Verbrechen aus Gründen der politischen Korrektheit nicht wirklich nachzugehen – eine Behauptung, die vom deutschen Außenminister Frank-Walter Steinmeier scharf zurückgewiesen und auch von Seiten anderer Regierungsmitglieder ins Reich der Fabel verbannt wird. Die große Gereiztheit hat nun das Parkett der internationalen Diplomatie erreicht. Ein paar Tage später erklärt die Staatsanwaltschaft abschließend, dass das Mädchen das Verbrechen lediglich erfunden habe.

1 Übernehmen Sie das folgende Muster eines Flussdiagramms in Ihre Unterlagen und erweitern Sie dieses um die Anzahl von Feldern, die Sie zur Bearbeitung der Aufgabe benötigen werden. Stellen Sie nun den Ablauf der Ereignisse des Falls „Lisa“ im Zusammenhang mit dem Gesamtgeschehen dar. Erweitern Sie dazu die begonnene Übersicht durch die entsprechende Beschriftung weiterer Felder.

Die 13-jährige Lisa verschwindet auf dem Weg zur Schule für 30 Stunden.

↓

Ihre Eltern melden sie als vermisst.

↓

....

2 Erläutern Sie, inwiefern es Lisa gelungen ist, durch ihr Verhalten die Menschen in ihrer Umgebung zu beeinflussen.

3 Prüfen Sie kritisch ihr Verhalten.

Im Anschluss an die Darstellung der Ereignisse unterzieht Pörksen das rekonstruierte Geschehen einer Analyse aus medienwissenschaftlicher Sicht. D. h., es geht ihm weniger um das Schicksal des 13-jährigen Mädchens aus Berlin-Marzahn, das letztlich selbst – wenn möglicherweise auch ungewollt – den Ablauf des Geschehens initiiert hat. Ihn interessiert vielmehr die Frage, wie es dazu kommen konnte, dass sich aus dem vordergründigen Ereignis um eine Schülerin mit schulischen Problemen, die ihre Mutter belügt, innerhalb von etwa drei Wochen ein derartiges Medienspektakel hat entwickeln können.
B. Pörksen bedient sich bei der Titelzuschreibung seines Buches „Die große Gereiztheit“ einer Kapitelüberschrift aus Thomas Manns Roman „Der Zauberberg“. In diesem beschreibt Mann die Stimmung in einem schweizerischen Sanatorium unter den Patientinnen und Patienten kurz vor Ausbruch des Ersten Weltkriegs, die geprägt ist von einem „Gefühl des Unbehagens und des drohenden Unheils“, „weil sich die Luft der Epoche ändert“ (S. 14).

Einen medientheoretischen Text im Hinblick auf Analysekriterien untersuchen und diese anschließend anwenden

Bernhard Pörksen

Der Fall Lisa (2018)

Eine Geschichte schreibt Geschichte
Die große Gereiztheit (2019)

[Somit] illustriert diese Geschichte eine größere Geschichte, die von medialen Tiefeneffekten handelt. Sie macht offenbar, mit welcher Unmittelbarkeit und Geschwindigkeit Parallelöffentlichkeiten unter den modernen Medienbedingungen aufeinanderprallen. Sie lässt deutlich werden, wie leicht es ist, sich in Protestgemeinschaften zu verbünden und in den eigenen Selbstbestätigungsmilieus Gewissheiten zu verkünden, die zu gefühlten Realitäten werden. Sie macht klar, dass die Grenzen zwischen Peripherie und Zentrum in der Sphäre des Öffentlichen durchlässig werden, dass Gerüchte plötzlich in

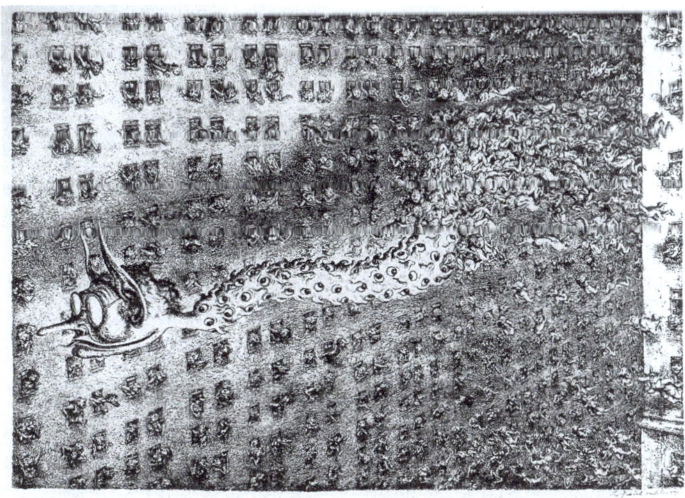

Die Verbreitung eines Gerüchts, Lithografie von A. Paul Weber, 1943

den medialen Mainstream gelangen und sich hier zu Themen verdichten, zu denen sich schließlich die Außenminister zweier Länder und die unterschiedlichsten Regierungsmitglieder äußern. Ohne die indiskreten Medien des digitalen Zeitalters hätte es die Ereignisse rund um das 13-jährige Mädchen Lisa *so nicht* gegeben. Was ist damit gemeint? Es ist die Digitalisierung von Daten und Dokumenten im Verbund mit der Vernetzung, der leichten Zugänglichkeit und der barrierefreien Benutzbarkeit, die Medien in einem doppelten Sinne indiskret werden lässt. Zum einen wird vor dem Hintergrund dieses Bedingungsgefüges die Veröffentlichung des gerade noch Privaten ungleich leichter möglich. Indiskretion heißt hier also konkret: das Vertrauliche und Verborgene offenbaren. Überdies werden, allgemeiner betrachtet, eben durch die Digitalisierung und Vernetzung und die Durchdringung der Welt durch Medientechnologien einst diskrete, voneinander getrennte Bewusstseins- und Lebenssphären miteinander verbunden. Indiskretion bedeutet somit auch: Verschmelzung des gerade noch Unterscheidbaren. Es verschmelzen im Zuge der Digitalisierung, der Vernetzung des weltweiten Einsatzes von digitalen Medien das Hier und das Dort, das Vergangene und das Gegenwärtige, die Information und die Emotion, das Gesprochene und das Geschriebene, das Reale und das Simulierte, die Kopie und das Original. Das ist eine entscheidende Veränderung in der globalen Organisation von Information, ein Wechsel von der stärker *publikums- und kontextspezifischen Segmentierung hin zur integrierenden Konfrontation*. Man hat nicht mehr oder minder strikt getrennte Informationssphären für Junge und Alte, Kinder und Erwachsene, sondern alle können potenziell alles sehen. Sie können fortwährend senden und empfangen, immer und zu jeder Tages- und Nachtzeit, bei der Arbeit oder in der Freizeit, von jedem Ort der Welt. Es sind also einerseits die Ereignisse, die uns beunruhigen, die Kriege und Krisen, die schmutzigen Wahlkämpfe, die Zeichen für den Zerfall Europas, die Wiederkehr des Autoritarismus, die eskalierenden Konflikte. Und es ist – andererseits – die plötzliche Sichtbarkeit des Schreckens, die eine Stimmung der großen Gereiztheit forciert. Wir spüren ein untergründiges Beben, eine konstante Verstörung durch Vernetzung und können uns ihr kaum entziehen.

1 Geben Sie die Kernaussagen dieses Textauszugs mit eigenen Worten wieder.

2 Erläutern Sie an einem selbst gewählten Beispiel die These des Autors, dass „die Digitalisierung von Daten und Dokumenten im Verbund mit der Vernetzung, der leichten Zugänglichkeit und der barrierefreien Benutzbarkeit, die Medien in einem doppelten Sinne indiskret werden lässt“ (Z. 18–20).

3 Bestimmen Sie möglichst prägnant, welches Verständnis der Autor mit den Begriffen „große Gereiztheit“ und „Sichtbarkeit des Schreckens“ verbindet.

4 Nehmen Sie Stellung zu der Aussage Pörksens, die ständige Bereitschaft, „senden und empfangen“ zu können, fördere ein Klima der „großen Gereiztheit“ und die „Sichtbarkeit des Schreckens“ (Z. 40f.).

Pörksen differenziert im Verlauf seines Textes zwischen unterschiedlichen Erscheinungsformen der Informationsverarbeitung, von denen er sagt, dass sie unser Realitätsverständnis entscheidend normieren. So führt er weiter aus:

Es sind drei zentrale, unser Welt- und Wirklichkeitsbild prägende Gesetze der Informationsverarbeitung, [...]. Erstens, Information ist unter digitalen Bedingungen irrwitzig schnell (*das ist das Gesetz der blitzschnellen Verbreitung*). Sie lässt sich, zweitens, barrierefrei einer Weltöffentlichkeit zugänglich machen (*das ist das Gesetz der ungehinderten Veröffentlichung*). Sie ist, drittens, gerade im Falle von emotionalisierenden Themen hochgradig kombinations- und reaktionsbereit, wird rasch kopiert, von Website zu Website transportiert, in immer neuen Kontexten publiziert, mit anderen Informationen kombiniert (*das ist das Gesetz der einfachen Dekontextualisierung und Verknüpfung*). Diese Formen der Informationsverbreitung sind für sich genommen weder gut noch schlecht, aber sie sind, um eine erhellende Formulierung des Technikhistorikers Melvin Kranzberg aufzugreifen, auch nicht neutral. Sie wirken verschärfend, begünstigen und befördern eine Dynamik der unmittelbaren Eskalation und erzeugen den Schock der direkten Gegenwart, der totalen Präsenz des Ereignisses. Dieser medial produzierte Gegenwartsschock kann äußerst positive Folgen haben, wenn entsetzliches Unrecht sofort bekannt wird. Er kann enorm lehrreich sein, wenn weit entfernte Ereignisse mithilfe von Smartphones und sozialen Netzwerken im Live-Modus übertragen werden und sich eine Weltgemeinde von Augenzeugen bildet, die ungefiltert betrachtet, was sich auf den Straßen von Kairo, Kiew oder auf den Plätzen von Istanbul ereignet. Und doch geraten die Gesetze der *Informationsverbreitung* unvermeidlich in Widerspruch zu einem Ideal der *Informationsverarbeitung* und dem Bemühen um die ausgeruhte Wahrheitssuche, die möglichst vorurteilsfreie, abwägende Überprüfung von Annahmen, die sich eben nicht im Ad-hoc-Modus bestätigen oder widerlegen lassen. „Information ist schnell", so formuliert der Netzphilosoph Peter Glaser das Dilemma der digitalen Moderne, „Wahrheit braucht Zeit."

Informationsflut und Schnelligkeit des Internets

Dass wir zwar rasch informiert sind, dass irgendetwas Furchtbares passiert ist, aber nicht in vergleichbarer Geschwindigkeit wissen können, was von alldem wirklich stimmt, wird offensichtlich, wenn man sich mit der Berichterstattung über Attentate und Terroranschläge befasst. Hier zeigen sich in brutaler Regelmäßigkeit folgende Muster: Sofort-Berichte, Sofort-Reaktionen, Falschmeldungen in Serie, allgemeine Desorientierung, pauschale Verdächtigungen; dies alles in den sozialen Netzwerken, aber durchaus auch in den etablierten Medien und den klassischen Redaktionen, die im Wettlauf um Geschwindigkeitspokale unbedingt mitmischen wollen.

Peter Glaser (* 1957), österr. Schriftsteller und Journalist sowie Ehrenmitglied des Chaos Computer Clubs; er gewann 2002 den Ingeborg-Bachmann-Preis, eine der wichtigsten literarischen Auszeichnungen

1 Erklären Sie die Bedeutung des Begriffs Dekontextualisierung.

2 Erläutern Sie den vom Autor thematisierten Widerspruch zwischen den Gesetzen der Informationsverbreitung und dem Ideal der Informationsverarbeitung möglichst prägnant.

3 Fassen Sie die möglichen Folgen für die Berichterstattung insbesondere über „Attentate und Terroranschläge" zusammen und setzen Sie diese in Beziehung mit den technischen Möglichkeiten der Informationsverbreitung sowie der defizitären Informationsverarbeitung.

4 Setzen Sie Ihre Analyseergebnisse aus der Untersuchung der beiden letzten Textauszüge von Pörksen in Beziehung zu Ihren Thesen, die Sie im Hinblick auf den Text von M. Kneuer aufgestellt haben (s. Aufgabe 4 auf S. 295).

5 ***Lernarrangement***
Teilen Sie den Kurs in zwei Hälften. Jede Gruppe bildet ein Redaktionsteam. Es geht um zwei verschiedene Ereignisse, die arbeitsteilig unter den zuvor erarbeiteten Kriterien B. Pörksens untersucht werden sollen:
- die Terroranschläge in Boston am 15. April 2013 im Rahmen des dortigen Marathons,
- der Flugzeugabsturz eines German-Wings-Airbusses 320 auf seinem Flug von Barcelona nach Düsseldorf (2015), bei dem alle an Bord befindlichen Passagiere tödlich verunglückten.

a) Recherchieren Sie hierzu in Ihrem Redaktionsteam die wesentlichen Ereignisse des jeweiligen Vorfalls und erstellen Sie eine Präsentation.
b) Prüfen Sie unter den von B. Pörksen entwickelten Kriterien in Ihrer Gruppe die Mängel der Berichterstattung und fügen Sie diese Ihrer Präsentation hinzu.

Wovon Verschwörungstheoretiker/-innen träumen

Die zentralen Aussagen eines Interviews erschließen und mit selbst erarbeiteten Vorschlägen zur Lösung eines kommunikativen Problems beitragen

Nicht erst seit den mehr oder weniger bewussten Fehlinformationen, die sich um naturwissenschaftliche Erkenntnisse etwa zum Klimawandel oder Covid-19-Impfungen ranken, sind Verschwörungstheorien bekannt. Diese hat es bereits in der Antike sowie im Mittelalter gegeben und erlebten während der Französischen Revolution eine Art Hochkonjunktur. Ganz gleich, ob es sich um die Mondlandung handelte oder den Tod Marilyn Monroes, den tödlichen Unfall Lady Dianas, die Terroranschläge am 11. September 2001, QAnon, Pizzagate u. Ä.m. Immer wieder wurden Zweifel an der Echtheit der Ereignisse und deren Folgen geäußert, die sich dann zu Verschwörungstheorien verfestigt haben.

Michael Butter (*1977), deutscher Amerikanist, Professor für amerik. Literatur und Kulturgeschichte an der Universität Tübingen, zu seinen Forschungsschwerpunkten zählen u. a. Verschwörungstheorien

Michael Butter

Die Corona-Impfung ist ein Traum für Verschwörungstheoretiker (2021)

Verschwörungstheoretiker seien in der Pandemie extremer geworden, sagt Forscher Michael Butter. Trotzdem ist er dagegen, sie in sozialen Medien einfach zu löschen.
Interview: Caroline Lindekamp und Lisa Hegemann
23. Januar 2021 Die ZEIT.de
[...]

ZEIT ONLINE: Herr Butter, um das Thema Impfen ranken sich schon seit Jahrzehnten Verschwörungstheorien, seit Anfang der Pandemie auch um Sars-CoV-2. Nun treffen die beiden Themen mit der Corona-Impfung aufeinander. Klingt nach der perfekten Kombination für eine Verschwörungserzählung, oder?

Corona-Proteste in Berlin ...

... und Gegendemonstration

Michael Butter: In der Erzählung von Verschwörungstheoretikern ist es jedenfalls der nächste logische Schritt. Die Verschwörungstheorien in der Corona-Pandemie zeigen sich im Grunde seit Mitte März relativ stabil: Manche glauben, dass Bill Gates eine Zwangsimpfung einführen wolle, manche auch, dass uns Chips implantiert werden sollen. In der Welt der Verschwörungstheoretiker ist völlig klar, dass das passieren wird. Auch den zweiten Lockdown wollen sie schon vor Monaten vorhergesagt haben – ebenso übrigens wie seriöse Wissenschaftlerinnen und Wissenschaftler, natürlich aus anderen Gründen: Die Verschwörungstheoretiker verbreiteten die Mär eines Lockdowns Ende August, während dem alle Bürgerinnen und Bürger zwangsgeimpft werden sollten

[Der Amerikanist Michael Butter forscht aktuell unter anderem zu der Frage, wie Populistinnen und Populisten Verschwörungstheorien gezielt in Wahlkämpfen einsetzen.]

ZEIT ONLINE: Werden wir durch den Beginn der Corona-Impfungen noch eine weitere Zuspitzung dieser Theorien erleben?

Butter: Nein. Ich glaube nicht, dass sich die Verschwörungstheorien noch weiter zuspitzen werden oder dass sich die Menschen, die an sie glauben, noch weiter radikalisieren. Die, die im Rahmen der Querdenker-Bewegung zuletzt auf die Straße gegangen sind, sind schon radikalisiert genug. Das sind auch nicht mehr die Menschen, die noch im August oder April bei den ersten Hygiene-Demos gegen die Corona-Maßnahmen der Politik protestiert haben. Verschwörungstheoretiker gewinnen über das Thema Impfen nicht unbedingt noch neue Anhänger hinzu. Aktuell sieht es eher so aus, dass die gesellschaftliche Spaltung größer wird: Eine Minderheit verfängt sich in Corona-Zeiten immer stärker in Verschwörungstheorien und protestiert immer lauter gegen die Corona-Maßnahmen. Der Großteil der Gesellschaft findet diese Haltung problematisch und hat immer weniger Verständnis für die Proteste. Die Verschwörungstheorien sind in der Corona-Pandemie sichtbarer geworden und damit ist das Problembewusstsein gestiegen.

ZEIT ONLINE: Was ist mit denen, die keine Verschwörungstheoretiker sind, aber eine gewisse Skepsis gegenüber der Impfung haben? Schließlich kommt hier ja viel zusammen: ein Impfstoff, der vergleichsweise schnell zugelassen wurde, und zumindest im Fall des mRNA-Impfstoffs von BioNTech und Pfizer auch eine völlig neuartige Methode. Das wirkt wie ein guter Nährboden für Skepsis.

BioNTech u. Pfizer
Unternehmen der Pharmaindustrie, produzieren u. a. einen mRNA-Impfstoff gegen Covid-19

Butter: Natürlich, die Corona-Impfung ist ein Traum für Verschwörungstheoretiker, überhaupt die gesamte Corona-Pandemie. Ich glaube aber, dass man diesen Erzählungen etwas entgegensetzen kann: klare Kommunikation. Wir haben eine Chance, die Skeptiker zu erreichen. Gerade die, die gar nicht mal allen Impfungen gegenüber skeptisch sind, aber gegenüber dieser spezifischen. Ihre Sorgen sind vielleicht sogar nachvollziehbar, nur man kann sie entkräften. Anders ist es bei einem Verschwörungstheoretiker, der an ein großes Komplott der WHO oder des Merkel-Regimes glaubt: Den erreicht man sowieso nicht.

ZEIT ONLINE: Wie sollte die Kommunikation mit jemandem, der noch erreichbar ist, optimalerweise aussehen?

Butter: Man muss die Hintergründe erklären, zum Beispiel dass die schnelle Entwicklung einfach mit den hohen Investitionen in die Impfforschung zusammenhängt. Dass Wissenschaftlerinnen und Wissenschaftler viel mehr Zeit im Labor verbringen, mehr Mitarbeiterinnen und Mitarbeiter einstellen, mehr Materialien anschaffen konnten. Das ist nicht ganz mein Metier, aber vielleicht muss man auch einfach mal Christian Drosten, Sandra Ciesek und andere Experten um 20.15 Uhr auf allen Kanälen 30 Minuten geben und erklären lassen, wie die Impfungen funktionieren. Eine Rede zur Lage der Nation sozusagen.

Christian Drosten (* 1972), Leiter des Instituts für Virologie an der Charité in Berlin; **Sandra Ciesek** (* 1978), Direktorin des Instituts für Med. Virologie am Universitätsklinikum in Frankfurt/M.

ZEIT ONLINE: Warum sind Verschwörungstheorien in Krisen wie der Corona-Pandemie so attraktiv?

Butter: In unsicheren Zeiten wie der jetzigen gaukeln Verschwörungstheorien Stabilität und Ordnung vor. Es gibt Gut und Böse, alles ist eindeutig erklärbar. Corona hat interessanterweise keine neuen Verschwörungstheorien hervorgebracht. Alle, die jetzt in der Pandemie hervorgezogen werden, gab es vorher schon: über die Weltgesundheitsorganisation, über Bill Gates, über 5G, über das Impfen. Corona wird einfach nur als das neueste Kapitel erzählt.

(Text leicht verändert)

1 Am Beginn seines Interviews spricht M. Butter davon, dass das Thema Impfen schon seit Jahrzehnten von Verschwörungstheoretikern besetzt ist (s. Z. 11 f.). Stellen Sie Hypothesen zur Erklärung dieser Behauptung auf.

2 Im Interview unterscheidet M. Butter zwischen zwei Gruppierungen von Impfgegnerinnen und Impfgegnern. Fassen Sie deren Grundeinstellungen kurz und treffend zusammen.

3 Erläutern Sie, welche Bedeutung Butter den Verschwörungstheorien für die Impfgegnerinnen und Impfgegner beimisst.

4 Stellen Sie begründend dar, worin für Butter das eigentliche Problem der abwehrenden Einstellung gegen die Sars-CoV-2-Impfung besteht.

5 Prüfen Sie den Vorschlag Butters, einzelnen Fachleuten eine bestimmte Zeit der Medienpräsenz einzuräumen, um die unterschiedlichen Formen des Impfens angemessen zu erläutern, um damit bestehende Vorurteile abzubauen.

6 Diskutieren Sie weiterführende Vorschläge, um den Sars-CoV-2-Infektionsschutz weiter zu erhöhen.

Das Internet als Retter oder Gefährder der Demokratie?

Aspekte gesellschaftlicher und politischer Kommunikation in einem produktiven Schreibprozess in Beziehung zueinander setzen

Zuletzt haben Sie sich in der vorliegenden Unterrichtsreihe im Wesentlichen im Rahmen von Hassreden, einer „Skandalgeschichte“ sowie von Verschwörungstheorien mit den Gefährdungen von öffentlicher und privater Kommunikation auseinandergesetzt, denen auch Sie in der heutigen Zeit häufiger begegnet sein dürften. Insofern erscheint es abschließend in diesem Kontext als durchaus legitim, nicht nur nach möglichen negativen Effekten zu suchen, sondern auch die Frage nach positiven Einflüssen zu stellen.

Marina Weisband

Digitalisierung: Wie retten wir das Internet und machen jungen Menschen wieder Lust auf die Demokratie? (21. Juli 2021)

Marina Weisband (* 1987 in Kiew), deutsch-ukrainische Politikerin, zunächst Mitglied der Piratenpartei, später bei Bündnis90/ Die Grünen

Manchmal, wenn ich mich auf Twitter mal wieder durch das Best-of aus Corona-Verschwörungstheorien, Beschimpfungen und unverlangt eingesandten Penisbildern in meinen privaten Nachrichten scrolle, fange ich an, mir recht grundlegende Gedanken über das Internet zu machen.

Dieses Internet, über das ich vor mehr als zehn Jahren als Mitglied der Piratenpartei noch vollmundig schrieb, dass es unsere Gesellschaft freier mache, Menschen zusammenbringe und die Demokratie revolutioniere. Manchmal frage ich mich jetzt, ob es nicht vor allem meinen passiven Wortschatz an Beleidigungen revolutioniert hat – die nämlich werden mir unter beinahe jedem meiner Tweets ungefragt präsentiert.

Klar, ich kann über Twitter und andere Social-Media-Kanäle relativ unkompliziert selbst hochrangige Politiker erreichen. Ich kann aber ebenso gut von einem mir völlig unbekannten @trollnummerdrölfzehn dafür angepampt werden, dass ich überhaupt mit diesen Politikern rede. Und seit der Nahostkonflikt neu aufgeflammt ist, reicht es für mich als Jüdin schon, zu existieren, um angegriffen zu werden. Wenn nicht für etwas, das ich gesagt hätte, dann halt dafür, dass ich nichts sage.

Jugendliche machen aus diesem Nahostkonflikt auf TikTok mal eben 15-Sekunden-Clips. Daneben leugnet jemand fröhlich den Klimawandel. Unterdessen bezahlen russische Agenturen Influencer, um Falschinformationen über Impfstoffe zu verbreiten. Je näher die Bundestagswahl rückt, desto lustiger wird das mit den Troll-Armeen noch werden.

Troll-Armeen Bezeichnung für eine verdeckt arbeitende Organisation in Russland, die im Auftrag der russ. Regierung das Internet manipuliert

marginalisierte Menschen an den Rand der Gesellschaft gedrängte Menschen

Unnötig, an dieser Stelle zu erwähnen, dass die völlige Freiheit, sich zu allem äußern zu dürfen, ironischerweise ganz besonders die Stimmen ohnehin schon marginalisierter Menschen unterdrückt. Frauen und Minderheiten werden bisweilen so hart mit Dreck beworfen und eingeschüchtert, dass manche die Plattformen gleich ganz verlassen. Das alles schaut man sich an und fragt sich still: „War das mit dem Internet eigentlich ein Fehler ...?“

Aber weil es auch keine Lösung sein kann, mit Abrissbirnen den Serverfarmen zu Leibe zu rücken, möchte ich etwas anderes vorschlagen – am Ende ist das Internet ja doch nur eine Maschine, die das Beste und das Schlimmste in uns hervorholt: Wir müssen endlich lernen, diese Maschine richtig zu bedienen.

Denn diese Wahrheit habe ich in Jahren der Auseinandersetzung mit dem Thema gelernt: Digitalisierung macht uns weder demokratischer noch weniger demokratisch. „Digitalisierung ist der große Verstärker“, sagt der Erziehungswissenschaftler Jöran Muuß-Merholz. „Wer anfällig für Manipulation und Bevormundung ist, kann mit digitalen Medien noch besser manipuliert und bevormundet werden. Wer jedoch die Welt kritisch hinterfragen und gestalten möchte, kann die Welt mit digitalen Medien noch besser kritisch hinterfragen und gestalten.“

Wie die Digitalisierung auf uns wirkt, hängt also davon ab, wer wir sind. Welche Werte wir teilen. Und ob wir es gelernt haben, das viele Wissen um uns herum aktiv einzusetzen, um die Welt zu verbessern, Ziele zu setzen, Verbündete zu suchen, Kompromisse zu finden. Zu planen. Zu hinterfragen. Uns unseres Verstandes zu bedienen. Kurzum, wir brauchen im Angesicht der Digitalisierung nichts Geringeres als eine zweite Welle der Aufklärung.

Ursachen für Politikverdrossenheit

Genau aus diesem Grund habe ich begonnen, an Schulen zu arbeiten. Ich habe mit aula ein Konzept und eine Online-Plattform entwickelt, die Schülerinnen und Schülern mehr Mitbestimmung ermöglicht. Als ich aula – es ist nun auch schon fünf Jahre her – in den ersten Schulen vorstellte, stand ich vor einer zehnten Klasse in einem Raum, der schmerzhaft vertraut wie mein altes Klassenzimmer aussah, und erklärte: „Mit dieser Online-Plattform könnt ihr eure eigenen Ideen für diese Schule einbringen. Ihr könnt sie hier besprechen und abstimmen. So kann jeder von euch mitreden!“ Ausrufezeichen.

aula
Online-Plattform zur Förderung demokratischer Praktiken und Kompetenzen bei Jugendlichen

In der ersten Reihe am Fenster saß eine Schülerin, vielleicht 14 Jahre alt, mit verschränkten Armen. Sie sah genervt aus. „Warum soll ich mich überhaupt beteiligen? Die Lehrer machen doch eh, was sie wollen.“ Für einen kurzen Moment durchzuckte mich das Bild von Pegida-Demonstranten, die rufen: „Die da oben machen doch eh, was sie wollen!“ Ich dachte: Wie haben wir es geschafft, unseren Nachwuchs so sehr zu frustrieren?

Pegida
seit 2014 rechtsgerichtetes Aktionsbündnis; Akronym für: Patriotische Europäer gegen die Islamisierung des Abendlandes

Es sind meist die älteren Schülerinnen und Schüler, die demotiviert oder misstrauisch sind. Das ist „erlernte Hilflosigkeit“. Sie entsteht, wenn Menschen so lange in einem System nichts ausrichten können, dass sie sich daran gewöhnen. Gibt man ihnen dann echte Entscheidungsfreiheit, haben sie weder die Fähigkeiten noch die Motivation, wirklich etwas zu verändern. Wenn ich mich also zehn Jahre lang jeden Morgen früh aus dem Bett quälen muss, um alle 45 Minuten ein neues mir vorgeschriebenes Fach zu pauken, wobei benotet wird, wie viel ich mir von alledem gemerkt habe, wovon dann meine Zukunft abhängt, kann es durchaus sein, dass ich keine zu große Erwartung an meine Fähigkeit entwickle, die Welt zu gestalten. Ich kann ja nicht mal meinen eigenen Tagesablauf gestalten, wie ich will. Und das trotz Lehrerinnen, die sich innerhalb der engen Gestaltungsräume sehr bemühen.

1 Fassen Sie die Erfahrungen zusammen, die M. Weisband in den letzten Jahren mit dem Internet gesammelt hat.

2 Erklären Sie ausgehend von dem Begriff „erlernte Hilflosigkeit“ (Z. 63) das Phänomen der Politikverdrossenheit bei vielen jungen Menschen.

3 Wählen Sie fünf Begriffe aus der Sammlung von Ursachen für Politikverdrossenheit aus, die Ihrer Meinung nach für dieses Phänomen bei Jugendlichen verantwortlich sind. Begründen Sie Ihre Auswahl.

4 Erschließen Sie Möglichkeiten, wie diesem Phänomen aus Ihrer Sicht begegnet werden könnte.

5 ***Lernarrangement***
Sie haben sich u. a. auch in dieser Unterrichtsreihe mit der Textsorte des Essays auseinandergesetzt und dabei dessen spezifischen Merkmale untersucht (s. Aufgabe 4 auf S. 293). Verschaffen Sie sich – die Unterrichtsreihe resümierend – einen Überblick über die Themen, die Sie im Rahmen der digitalen Medien behandelt haben. Wählen Sie aus diesem Fundus mindestens drei, aber nicht mehr als fünf Aspekte aus und verfassen Sie dazu einen Essay.

Klausurtraining

IV A Materialgestütztes Verfassen informierender Texte

Aufgabenstellung

Als Mitglied der Vertretung der Schülerinnen und Schüler für die gymnasiale Oberstufe an Ihrer Schule sind Sie von der Schulleiterin angesprochen worden, einen Beitrag für die Schulhomepage zu verfassen, in dem Sie aus Ihrer Sicht Stellung nehmen zu den Verschwörungstheorien rund um das Thema „Coronapandemie“.
Aktueller Hintergrund dieser Aktion ist, dass seit einiger Zeit zunehmend Mitschüler/-innen gemobbt werden, die sich haben impfen lassen. Dabei wird häufig auf Argumente zurückgegriffen, die aus den Aussagen von Befürworter/-innen einschlägiger Verschwörungstheorien stammen.
Die Wahl auf Sie, so hat Ihnen die Schulleiterin mitgeteilt, sei auch deshalb gefallen, weil Sie positiv in den Gesprächen im Unterricht, aber auch seit Jahren als Vermittlerin in der Streitschlichtung aufgefallen sind. Darüber hinaus hätten Sie sich bei Ihrer Teilnahme am Wettbewerb „Jugend debattiert“ als ausgesprochen sprachgewandt gezeigt.
Insofern halten Schul- und Oberstufenleitung Sie für geeignet, sich mit einem Beitrag an Ihre Mitschülerinnen und Mitschüler zu wenden, um die spürbare Unruhe in Ihrer Stufe positiv zu beeinflussen und damit zu einem angenehmeren Klima in der Schülerschaft beizutragen.
Verfassen Sie also einen Beitrag für die Homepage Ihrer Schule, in dem Sie sich argumentativ mit der Bedeutung von sogenannten Verschwörungstheorien im Kontext von Covid-19 auseinandersetzen.

In Ihrem Artikel sollten folgende Aspekte behandelt werden:
- Arten und Aufbau von Verschwörungstheorien (beispielhaft)
- Funktionen von Verschwörungstheorien für Ihre Anhänger/-innen
- Formen ihrer Verbreitung
- eine eigene Positionierung

Da Sie sich während dieser Unterrichtsreihe u. a. auch mit dem Thema „Verschwörungstheorien“ im Zusammenhang mit Covid-19 beschäftigt haben, können Sie sich zusätzlich – über die im Folgenden bereitgestellten Materialien hinaus – auf Ihnen bereits bekannte Aspekte beziehen.

Material 1 (531 Wörter)

Katrin Elger, Alexander Kühn, Jurek Skrobala, Sara Wess

Irrsinn: Die Pandemie ist ein Konjunkturprogramm für Verschwörungstheoretiker (2020)

Verschwörungstheorien bieten Erklärungen für fast jede undurchsichtige Situation. „Eine Krise wie wir sie jetzt erleben, beschleunigt die Radikalisierung“, sagt die österreichische Politologin Natascha Strobl. Wer zu Verschwörungstheoretikern dazustoße, dem werde vermittelt, er stelle „sich im Kampf zwischen Gut und Böse auf die richtige Seite. Dieses Gefühl der Zugehörigkeit zu einem exklusiven Kreis kann sehr verlockend sein“.
Das Angebot abstruser Theorien und Mythen ist in Zeiten von Corona fast unerschöpflich. Christliche Fundamentalisten sehen die Apokalypse nahen, Islamisten glauben ebenfalls, Covid-19 sei eine Strafe Gottes für die Ungläubigen, Antisemiten behaupten, eine jüdische Lobby sei die Wurzel allen Übels. Andere gehen davon aus, dass die Chinesen etwas vertuschen wollten: Der neue Mobilfunkstandard 5G habe in der Stadt Wuhan zu höherer elektromagnetischer Strahlung geführt – und die wiederum zu zahlreichen Todesfällen. Um davon abzulenken, hätten die Chinesen Sars-CoV_2 kreiert.

Attila Hildmann (* 1981), Autor von veganen Kochbüchern, Anhänger von Verschwörungstheorien

Xavier Naidoo (* 1971), dt. Sänger, Komponist, Musikproduzent; Anhänger der „Reichsbürger"-Ideologie u. von Verschwörungstheorien

QAnon Bezeichnung für eine vermutlich US-amerikanische Gruppierung, die Verschwörungstheorien verbreitet, teils mit rechtsradikaler Ausrichtung

Adrenochrom Stoffwechselprodukt des Adrenalins

Doch der fieseste aller Fieslinge ist in den Augen der meisten Verschwörungstheoretiker Microsoft-Gründer Bill Gates. Er ist in den vergangenen Wochen und Monaten zur Hassfigur Nummer eins avanciert. Manche meinen gar, er habe Corona erfunden, um die Weltbevölkerung zu reduzieren oder zwangszuimpfen, auf jeden Fall, um die Weltherrschaft zu erlangen – mit Unterstützung von Angela Merkel und Jens Spahn. Und den Juden. Möglicherweise. Wahrscheinlich hängen alle Mächtigen der Welt mit drin. Außer Donald Trump. Denn denkbar ist für die Wirrköpfe dieser Tage vieles – dass der US-Präsident ein Schuft sein könnte aber eher nicht.

Für viele ist es leichter zu akzeptieren, dass ein Bösewicht die Strippen zieht, als dass man gar nicht weiß, was vor sich geht, sagt der Amerikanist Michael Butter, zu dessen Forschungsschwerpunkten Verschwörungstheorien gehören. „Und Gates ist eine Hassfigur, auf die sich alle einigen können." Er ist reich, er agiert weltweit, und er setzt sich für die Entwicklung von Impfstoffen ein. [...]

Er [Hildmann] habe Belege dafür, dass „sie uns mit einer Impfung chippen wollen". Der Verschwörungstheoretiker vermutet, dass Gates eine neue Weltordnung für Eliten anstrebe. Dafür wolle der US-Milliardär mithilfe von Corona erst einmal die „überbevölkerte Menschheit" auf weniger als 500 Millionen Menschen reduzieren. Eine zentrale, globale Regierung könne die Verbliebenen dann mithilfe der zuvor implantierten Chips steuern. Hildmann hat sich das nicht selbst ausgedacht, er greift auf die „New World Order"-Verschwörungstheorie zurück, nach der Geheimgesellschaften und Eliten eine autoritäre Weltregierung anstreben. [...]

Auch Naidoo ist im internationalen Sumpf des Irrsinns unterwegs, er neigt der sogenannten QAnon-Erzählung zu. An eine ähnliche Theorie glaubte offenbar auch der Attentäter, der im Februar neun Menschen mit ausländischen Wurzeln im hessischen Hanau ermordete. Laut QAnon gehören zahlreiche Banker, Politiker und Prominente einem internationalen Kinderhändlerring an, der Jungen und Mädchen in unterirdischen Lagern hält, um ein Lebenselixier aus ihnen zu gewinnen: Adrenochrom. Auch Gates stehe mit ihnen in Verbindung. [...]

Material 2 (232 Wörter)

Bernhard Pörksen

Clash der Codes – oder das Zeitalter der indiskreten Medien

(2018)

Es ist womöglich nur sehr wenig geschehen und doch gleichzeitig unendlich viel passiert. Wir sind, so der kanadische Medientheoretiker Marshall McLuhan in einem prophetischen Aphorismus aus dem Jahre 1964, „von den Nerven der gesamten Menschheit umgeben. Sie sind nach außen gewandert und bilden eine elektrische Umwelt." Heute trifft das zu. Alles, was geschieht, was das Nervenkostüm anderer Menschen an irgendeinem Ort der Welt erreicht, was sie bewegt, verstört, ängstigt, vermag auch uns zu erreichen und zu verstören. Es ist eine Zeit der Empörungskybernetik, in der miteinander verschlungene, sich wechselseitig befeuernde Impulse einen Zustand der Dauerirritation und der großen Gereiztheit erzeugen. Jeder, der postet und kommentiert, Nachrichten und Geschichten teilt, ein Handyvideo online stellt, leistet seinen Beitrag, wirkt daran mit, die Erregungszonen der vernetzten Welt endgültig zu entgrenzen. Und es vergeht kein Tag ohne Verstörung, keine Stunde ohne Push-Nachrichten, kein Augenblick ohne Aufreger. Man könnte, selbst wenn man wollte, den digitalen Fieberschüben nicht entkommen. Sie regieren die öffentliche Agenda der klassischen Medien und bestimmen, was kommentiert wird. Und es ist längst eine eigene Emotionsindustrie entstanden, die genau beobachtet, was funktioniert und viral geht, um durch die Analyse von Echtzeit-Quoten die Aufreger systematisch zu verstärken. Bis am Ende des Tages Millionen von Menschen über ein einzelnes Foto diskutieren, sich über einen Tweet erregen oder rund um den Globus über einen einzigen Scherz lachen.

Material 3 (366 Wörter)

Michael Butter

Verschwörungstheorien (2021)

Das Coronavirus existiert gar nicht, aber die Regierung schürt Panik, um unsere Grundrechte einzuschränken. Bill Gates steckt hinter der „Plandemie“, um einen globalen Impfzwang durchzusetzen und so die Weltbevölkerung zu dezimieren. Vielleicht ist aber auch die 5G-Technologie für die Entstehung des Virus verantwortlich. Verschwörungstheorien sind derzeit in aller Munde. Ein signifikanter Teil der Bevölkerung glaubt an sie, und diejenigen, die nicht an sie glauben, betrachten sie mit wachsender Sorge.

Beides, der Glaube wie die Sorge, ist verständlich. Verschwörungstheorien erfüllen wichtige Funktionen für die Identität derjenigen, die an sie glauben. Sie schließen Zufall und Kontingenz aus und betonen stattdessen menschliche Handlungsmacht. Sie bedienen Vorstellungen von autonom handelnden Individuen, die besser ins 18. oder 19. Jahrhundert als in die Gegenwart passen. Zudem ermöglichen sie es, vermeintlich Schuldige zu identifizieren. Während in den klassischen Sündenbocktheorien meist Einzelpersonen aus der Gemeinschaft ausgestoßen werden, nehmen Verschwörungstheorien immer Kollektive ins Visier. Und gerade in Zeiten, in denen es (noch) nicht (wieder) normal ist, an solche Theorien zu glauben, ermöglichen es Verschwörungstheorien ihren Anhänger*innen, sich aus der Masse der Menschen hervorzuheben. Wer an Verschwörungstheorien glaubt, kann von sich behaupten, „aufgewacht“ zu sein und erkannt zu haben, wie die Welt wirklich funktioniert, während die Mehrheit dies noch immer verkennt.

Auch die Sorge über Verschwörungstheorien ist berechtigt. Zwar sind nicht alle Verschwörungstheorien gefährlich und beileibe nicht alle Menschen, die an sie glauben. Doch Verschwörungstheorien können problematische Konsequenzen haben. Sie können Gewalt legitimieren, wie nicht zuletzt die Attentate von Halle und Christchurch gezeigt haben. Wer sich als Opfer eines globalen Komplotts sieht, kann sich dazu berufen fühlen, zur Waffe zu greifen. Medizinische Verschwörungstheorien sind darüber hinaus gefährlich, weil sie dazu führen können, dass man sich und andere unabsichtlich gefährdet. Wer denkt, dass das Coronavirus nicht existiert oder harmlos ist, hält Abstands- und Hygieneregeln weniger streng ein oder verletzt sie gar bewusst als Akt zivilen Ungehorsams. Schließlich können Verschwörungstheorien das Vertrauen in die Demokratie beschädigen. Wer meint, dass alle Politiker*innen unter einer Decke stecken, beteiligt sich vielleicht nicht mehr an Wahlen oder gibt seine Stimme den Populist*innen. Wer glaubt, dass eine demokratische Wahl gefälscht wurde, geht dagegen womöglich mit Gewalt vor, wie es am 6. Januar 2021 beim Sturm auf das Kapitol in Washington geschah.

Material 4 (783 Wörter)

Michael Butter

Corona (2021)

Psychologie und Politikwissenschaft versuchen seit einigen Jahren, die Verbreitung einer allgemeinen Verschwörungsmentalität zu bestimmen. Solche Studien sind einerseits aufschlussreich, andererseits aber mit Skepsis zu betrachten, da sie nicht bestimmen können, wie fest die geäußerten Überzeugungen und wie wichtig sie für die Identität der Befragten sind. Rechnet man verschiedene Umfragen gegeneinander auf, kommt man auf etwa ein Viertel bis maximal ein Drittel der Deutschen, das empfänglich für Verschwörungstheorien ist. Überzeugte Verschwörungstheoretiker*innen machen etwa 10 Prozent der Bevölkerung aus.

K

Großer Austausch Verschwörungstheorie der rechtsextremen „Identitären Bewegung"; danach soll die einheimische Bevölkerung durch Migrant/-innen ausgetauscht werden

Ambivalenzen Doppelwertigkeiten

Dies hat sich in der Pandemie nicht verändert, wie mehrere Studien zeigen, die ihre Daten im Sommer 2020 oder Frühjahr 2021 erhoben haben. Wenn überhaupt, hat der Glaube an Verschwörungstheorien seit Beginn der Pandemie in Deutschland abgenommen.

Das ist insofern nicht überraschend, da die in Deutschland populären Verschwörungstheorien zu Corona alle nicht neu sind. In den meisten Fällen wurde die Pandemie lediglich zum neuesten Kapitel bereits vorher existierender Verschwörungstheorien zum Impfen, zur angeblichen Abschaffung der Grundrechte, zur 5G-Technologie oder zum „Großen Austausch". Dass viele Beobachter*innen zunächst von einem Anstieg ausgingen, ist dennoch verständlich. Zum einen wissen wir aus der psychologischen Forschung, dass Menschen, die Ambivalenzen oder Unsicherheit schlecht akzeptieren können oder sich ohnmächtig fühlen, besonders empfänglich für Verschwörungstheorien sind. [...]

Man darf jedoch stärkere Sichtbarkeit nicht mit zunehmender Popularität verwechseln. Der sicherste Indikator dafür, dass jemand an eine Verschwörungstheorie glaubt, ist, dass er bereits an andere solcher Theorien glaubt. Nur fällt dies oft nicht auf. Die meisten Menschen, die an Verschwörungstheorien glauben, sind nicht psychisch krank, wie man früher vermutete, sondern ganz normal. Sie wissen, dass ihre Überzeugungen von vielen, mit denen sie täglich zu tun haben, abgelehnt werden. Entsprechend behalten sie ihre Ansichten für sich und äußern sie nur unter Gleichgesinnten. Selbst ein Thema wie das Impfen, das handfeste Auswirkungen auf das eigene Leben hat, kann im Gespräch mit Freund*innen und Familie normalerweise ausgespart werden. Die Coronakrise dagegen macht aufgrund der vielfältigen Einschränkungen des sozialen Lebens eine ständige Positionierung notwendig – gerade im Umgang mit Freund*innen und Familienangehörigen. [...] In den allermeisten Fällen aber, das belegen die Zahlen, glaubten Kolleg*innen, Freund*innen und Verwandte schon vorher an Verschwörungstheorien; man wusste es nur nicht. Zu der Wahrnehmung, dass der Glaube an Verschwörungstheorien in der Krise sprunghaft zugenommen habe, hat auch die große Aufgeregtheit beigetragen, mit der das Thema mitunter diskutiert wird. [...]

Die sogenannten „Hygienedemos" gegen die Kontaktbeschränkungen, die bereits Ende März begannen, die bundesweite „Querdenken"-Bewegung mit ihrer problematischen Nähe zur Neuen Rechten und die Impf-Verschwörungstheorien, die 2021 zunehmend dominant wurden, befeuerten die Sorgen der Öffentlichkeit.

Diese Sorgen sind – wie gesagt – nicht unberechtigt. Der Glaube an Verschwörungstheorien kann gefährliche Folgen haben, aber es gibt keinen Grund, in Panik zu verfallen, wie dies im öffentlichen Diskurs bisweilen geschieht. Verschwörungstheorien sind Teil aller modernen Gesellschaften seit der Frühen Neuzeit, und bis vor wenigen Jahrzehnten waren sie noch viel populärer und akzeptierter als heute. Ihre große Sichtbarkeit in der Gegenwart ist vor allem eine Folge der Skepsis, mit der sie in Deutschland – die USA sind ein anderes Thema – noch immer von der breiten Mehrheit und fast allen politischen Entscheidungsträger*innen betrachtet werden. Die Coronakrise hat dies nicht geändert; sie hat vielmehr zu einer noch größeren Sensibilisierung der Öffentlichkeit geführt. Auf vielen Ebenen werden derzeit Maßnahmen zur Eindämmung von Verschwörungstheorien diskutiert. Daher kann man verhalten optimistisch sein, dass der Glaube an sie in den nächsten Jahren eher ab- als zunehmen wird. Verschwinden wird er allerdings nie.

Material 5

Abbildung 1:

Verschwörungsmentalität in Deutschland 2020/21

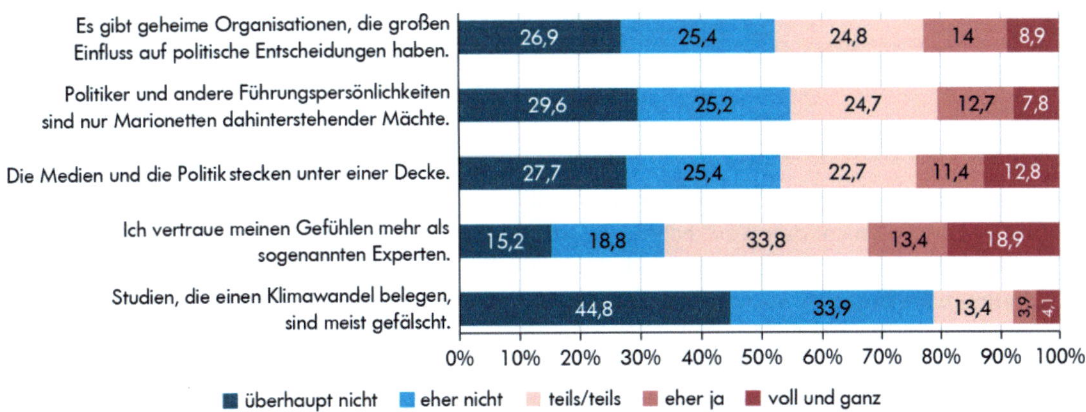

Quelle: Pia Lamberty/Jonas H. Rees, Gefährliche Mythen: Verschwörungserzählungen als Bedrohung für die Gesellschaft, in: Andreas Zick/Beate Küpper (Hrsg.), Die geforderte Mitte. Rechtsextreme und demokratiegefährdende Einstellungen in Deutschland 2020/21, Bonn 2021, S. 283–300, hier S. 290f.

Abbildung 2:

Verschwörungsmentalität in Deutschland 2020/21

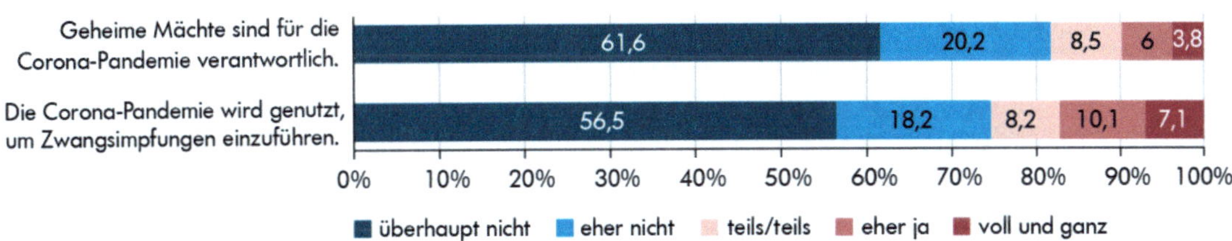

Quelle: Pia Lamberty/Jonas H. Rees, Gefährliche Mythen: Verschwörungserzählungen als Bedrohung für die Gesellschaft, in: Andreas Zick/Beate Küpper (Hrsg.), Die geforderte Mitte. Rechtsextreme und demokratiegefährdende Einstellungen in Deutschland 2020/21, Bonn 2021, S. 283–300, hier S. 292.

Materialgestütztes Schreiben – informierend

Aus der Aufgabenstellung geht hervor, dass Sie einen Beitrag für die Homepage Ihrer Schule schreiben sollen. Damit wird der Kreis der Adressatinnen und Adressaten im Wesentlichen eingeengt auf die Schülerschaft Ihrer Schule im Allgemeinen und die der gymnasialen Oberstufe im Besonderen. Darüber hinaus werden sich sicherlich auch die Lehrerinnen und Lehrer Ihrer Schule dafür interessieren. Aber ebenso Eltern, deren Kinder die Schule besuchen, erfahren von solchen Vorfällen, auch wenn die eigenen Kinder selbst nicht direkt davon betroffen sind. Insofern können Sie davon ausgehen, dass Ihr Beitrag und das diesem zugrunde liegende Problem vielfältigen Anlass zur Diskussion auch außerhalb des Rahmens Ihrer Schule bietet – ganz zu schweigen von den vielfältigen Möglichkeiten der digitalen Verbreitung. Eine derartige Reaktion der Schulleitung, eine gewisse Problemkonstellation seitens der potenziell Betroffenen selbst thematisieren zu lassen, ist durchaus nachvollziehbar. Hierdurch kann die belehrende sowie bewertende Funktion der Unterrichtenden ausgeblendet werden, die Kommunikation innerhalb der Schülerschaft verläuft auf „Augenhöhe".

Da also davon ausgegangen werden kann, dass das Problem über die Schule hinaus öffentlich wahrgenommen wird und eine solche Wirkung erzielt, sollten Sie als Autorin oder Autor des Beitrags auf der Schulhomepage bemüht sein, eine angemessen gehobene Ausdrucksweise zu verwenden. Vermeiden sollten Sie – schon allein aus datenschutzrechtlichen Gründen – solche Hinweise, aus denen Insider des Schullebens auf bestimmte Personen, ganz gleich ob aus der Schülerschaft, dem Kreis der Eltern oder dem Lehrkörper, schließen können.

Als erster Schritt Ihrer Erarbeitung bietet sich an, die vorliegenden Materialien zur Kenntnis zu nehmen und sie ihrem Charakter und ihrer Bedeutung gemäß zu sortieren.

Schritt 1: Kenntnisnahme der sechs Materialien: Textverständnis, Textsorte und Bedeutung
Schritt 2: Erstellung einer Struktur Ihres Textes: Reihenfolge und Gewichtung
Schritt 3: Verfassen des Textes

Schritt 1

Die Auseinandersetzung mit den Materialien sollte in einem mehrschichtigen Verfahren durchgeführt werden, da nicht damit zu rechnen ist, dass die von Ihnen zu berücksichtigenden Aspekte isoliert in den einzelnen Texten abgehandelt werden. Daher empfiehlt sich folgendes Vorgehen:

1.1 Nehmen Sie zunächst nacheinander die fünf Materialien aufmerksam zur Kenntnis. Stellen Sie sicher, dass Sie alle Sachverhalte, Fachausdrücke und inhaltlichen Zusammenhänge richtig verstehen.

1.2 Werten Sie nun jedes Material inhaltlich aus, indem Sie sich der üblichen Methoden bedienen, also Unterstreichungen, Randnotizen etc. Streichen Sie dabei auch Textstellen, die Ihnen im Rahmen Ihrer Aufgabenstellung unergiebig erscheinen.

1.3 Fertigen Sie zu jedem Material eine stichwortartige Kurzfassung wesentlicher Informationen, Argumente, Zusammenhänge an.

1.4 Erstellen Sie nun eine Übersicht, in der Sie vermerken, welche der geforderten Aspekte in welchen Materialien behandelt werden. Damit vermeiden Sie ein rein additives Vorgehen und erleichtern sich die Orientierung innerhalb der Materialien. Denken Sie bitte schon an dieser Stelle daran, in Ihren Unterlagen die genauen Fundstellen in den einzelnen Materialien zu notieren, um sich später zeitaufwändiges Suchen zu ersparen.

Nun haben Sie festgestellt, dass es sich bei den fünf Materialien um vier pramatische Texte handelte, während das fünfte Material zwei statistische Auswertungen ausweist, also einen diskontinuierlichen Text darstellt.
Material 1 ist ein journalistischer Text, der einen Überblick über Verschwörungstheorien gibt, die im Umfeld der Pandemie seit ihren Anfängen zu Beginn des Jahres 2020 im Umlauf waren, teils aber schon früher entstanden sind. Hier werden Ursachen genannt sowie Erklärungsansätze und Absichtsvermutungen vorgestellt. Der zweite Textauszug des Materials 2 stammt von dem Kommunikationswissenschaftler Pörksen, der die digitalen Medien wegen ihrer permanenten Datenproduktion und der sich immer stärker ausweitenden Vernetzung in hohem Maße als „indiskret" bezeichnet. Die beiden folgenden Textauszüge des Amerikanisten Butter sehen in den Anhängerinnen und Anhängern von Verschwörungstheorien ein Aufbegehren vermeintlicher Wissender gegen die Mehrheit, wenn nötig auch mit Gewalt (Material 3). In seinem zweiten Text (Material 4) hält Butter fest, dass die sogenannten Verschwörungstheorien in Bezug auf die Corona-Pandemie sich eigentlich alter Denkmuster bedienen, die inzwischen Teil unserer Alltagserfahrungen geworden sind. Er bezeichnet es allerdings als durchaus positiv, dass diese Verschwörungstheorien inzwischen auch einen Beitrag zur Sensibilisierung der Menschen während der Pandemie geleistet haben. Das Material 5 weist auf der Grundlage von aktuellen empirischen Untersuchungen den hochgerechneten prozentualen Anteil von Verschwörungsanhängern im Vergleich zu diesen gegenüber eher skeptisch eingestellten Bevölkerungskreisen aus.

Schritt 2

Hier geht es um die Struktur Ihres Textes. Bei Ihren Überlegungen sollten Sie sich vollständig von der Reihenfolge lösen, in der Ihnen die fünf Materialien dargeboten werden. Lassen Sie sich einzig und allein von Ihrem Sachverstand und Ihrer Kreativität leiten. Die Beantwortung der folgenden zwei Fragen kann Ihnen dabei behilflich sein, Ihrem eigenen Beitrag eine angemessene Struktur zu geben:

1. Welche gedankliche Struktur soll meinem Text zugrunde liegen?
2. Wie sollen die einzelnen Teile meines Beitrags quantitativ gewichtet werden?

Zur ersten Frage:
Sie müssen sich nicht zwingend an die Reihenfolge der erforderlichen Aspekte halten, so wie diese in der Aufgabenstellung angeordnet sind. Wenn auch die ersten drei genannten Aspekte in ihrer inneren Logik zusammengehören, ist die eigene Positionierung durchaus als Einstieg in Ihren Beitrag geeignet. In diesem Fall sollten Sie am Schluss Ihres Artikels Ihre Haltung gegenüber dem Phänomen der Verschwörungstheorien kurz zusammenfassen.

Zur zweiten Frage:
Im Zusammenhang mit der Beantwortung der ersten Frage erscheint es sinnvoll, das Hauptgewicht des eigenen Textes auf die Darstellung der einzelnen Analysegesichtspunkte hinsichtlich der Verschwörungstheorien zu legen, also deren Formen, Struktur, Funktionen sowie Verbreitung.

Schritt 3

Entscheidend für den jetzt sich anschließenden Schreibprozess zur Fertigstellung Ihres Beitrags wird die Beachtung der Punkte 1.1 – 1.4 (s. Schritt 1) sein. Haben Sie die hier enthaltenen Hinweise weitgehend befolgt, liegt Ihnen ein entsprechender Schreibplan vor, an dem Sie sich bei der Abfassung Ihres Gesamttextes orientieren können.
Wie bei jeder Klausur sollte auch beim materialgestützten Schreiben eine abschließende Sichtung des eigenen Textes erfolgen, um mögliche Fehler noch beheben zu können.

Auf einen Blick

Auf einen Blick – was finden Sie hier?

Im Folgenden erhalten Sie – kurz und knapp und *auf einen Blick* – die wichtigsten Informationen, die Sie im Deutschunterricht der Sekundarstufe II benötigen: vor allem hilfreiche Tipps für Ihre Klausuren sowie Fachwissen, das Sie schnell im Unterricht oder zu Hause nachschlagen können (ohne googeln zu müssen).

Bei den **Arbeitstechniken** können Sie z. B. nachlesen, wie Sie sinnvoll Markierungen vornehmen, wie Sie richtig zitieren oder wie Sie Ihre Texte überarbeiten.

Im **Klausurwissen** erfahren Sie, was bei den verschiedenen Aufgabenarten von Ihnen erwartet wird, u. a. bei einer Textanalyse und beim materialgestützten Erörtern, wenn Sie sich nicht mehr daran erinnern, welche Bestandteile z. B. eine Einleitung enthalten sollte. Das Klausurwissen umfasst somit all das in Theorie, was Sie in den unterschiedlichen Klausurtrainings bereits praktisch erproben konnten.

Im Deutschunterricht begegnen Ihnen immer wieder **Fachbegriffe** aus zahlreichen Bereichen. Wenn Sie Ihr Wissen über den Anapäst, den stream of conciousness, Erzählperspektiven, Kamerabewegungen oder Morphologie auffrischen wollen, finden Sie hier die entsprechenden Definitionen.

Nicht fehlen darf die **Literaturgeschichte**! Die wichtigsten Epochen werden Ihnen noch einmal kurz und bündig vorgestellt. Wenn es ganz schnell gehen muss, können Sie in nur zehn Sekunden Ihr Wissen über eine Epoche wieder auffrischen: Dabei helfen Ihnen wenige prägnante Begriffe, die jeder Epochenzusammenfassung vorangestellt sind. Zusätzlich erleichtert Ihnen ein aussagekräftiges Symbol die Erinnerung.

Werfen Sie doch einmal einen Blick auf die nächsten Seiten …

Methoden und Arbeitstechniken

Texte lesen und verstehen

Ansprache an die Leserinnen und Leser

Sie sind Schüler/-in der gymnasialen Oberstufe in NRW. Das bedeutet, dass Sie schon einige Jahre in der Schule verbracht haben und Ihnen viele Methoden der Texterschließung näher gebracht wurden. Deswegen ist es nicht unsere Intention, Ihnen noch einmal einzelne Lesemethoden zu erläutern, vielmehr wollen wir daran erinnern, wie entscheidend der Lesezugang zu welchem Text auch immer ist. Egal ob Gesamtwerk, literarischer Auszug, Gedicht oder Sachtext, die Frage, wie gut wurde der Text beim Lesen erschlossen, bleibt zentral für die Qualität der im Anschluss verfassten Analysen, Interpretationen und Erörterungen.

Darum: Die erste Analyse, die stattfinden muss, ist immer die Analyse der Aufgabenstellung! Was wird eigentlich genau von mir verlangt? Wo soll die Reise hingehen? Werden Schwerpunkte durch die Aufgabenstellung gesetzt? Wenn das geklärt ist, dann kann der Text einmal allgemein und dann ein zweites Mal spezifisch in Bezug auf die Aufgabenstellung gelesen werden. Und spätestens beim zweiten Lesen sollten dann Markierungen zielgerichtet vorgenommen werden...

Einen Text bearbeiten

Markierungen

Egal, ob es sich um Sach- oder literarische Texte handelt: Wenn Sie einen Text bearbeiten, versehen Sie diesen immer mit Markierungen. So behalten Sie besonders bei längeren Texten den Überblick und verlieren nicht zu viel Zeit durch wiederholtes Lesen auf der Suche nach bestimmten Textstellen. Dies sollten Sie beim Markieren beachten:

Weniger ist mehr! Markieren Sie vor allem einzelne Begriffe oder Satzteile, möglichst aber keine ganzen Sätze. Wenn zu viel gekennzeichnet ist, leidet die Übersichtlichkeit und Sie müssen wieder nach Informationen suchen.

Farben erwünscht! Nutzen Sie für verschiedene Aspekte Textmarker verschiedener Farben. Ergänzen Sie Textmarker durch Fineliner. Aber auch hier gilt: Weniger ist mehr! Bei zehn verschiedenen Stiften blicken Sie kaum noch durch! Und am besten passen Sie die Farben den Schwerpunkten der Aufgabenstellung an.

Kreativität gefragt! Markieren heißt nicht nur, Textstellen mit Textmarkern hervorzuheben. Seien Sie kreativ und entwickeln Sie Ihr individuelles System: Umkreisen Sie z.B. Schlüsselbegriffe. Nutzen Sie doppelte Unterstreichungen und Wellenlinien. Skizzieren Sie Symbole an den Rand wie Frage-, Ausrufezeichen, Blitze oder Glühlampen. Und vergessen Sie nicht die Aufgabenstellung!

Zwischenüberschriften

Zwischenüberschriften dienen der Orientierung im Text, indem sie einen Abschnitt schlagwortartig zusammenfassen. Wenn Sie einen längeren Text bearbeiten, der über keine Zwischenüberschriften verfügt, formulieren Sie sie selbst und schreiben Sie sie an den Rand. Nicht jeder einzelne Absatz benötigt eine eigene Überschrift, doch eine pro Sinnabschnitt ist empfehlenswert.

Texte verfassen

Nachdem Sie nun Tipps zum Lesen und Bearbeiten von Texten erhalten haben, soll Ihnen die folgende Übersicht beim Schreiben von eigenen (Klausur-)Texten behilflich sein. Sie finden Ratschläge für Ihre Arbeit *vor* dem Verfassen von Texten, *während* des Schreibens und *nach* dem Schreiben.

Vor dem Schreiben: Text planen

Hypothese aufstellen

Für die Erarbeitung eines Textes kann es hilfreich sein, eine sogenannte Deutungshypothese aufzustellen. Eine Hypothese ist eine Annahme, Behauptung, die entweder verifiziert oder falsifiziert werden muss/soll/kann. Wenn Sie bspw. ein Gedicht interpretieren, kann es sein, dass das Gedicht auf den ersten Blick heiter wirkt, bei genauerer Betrachtung jedoch eine herbe Gesellschaftskritik aufweist. Auf Ihrem ersten *Leseeindruck* basierend können Sie diese Hypothese jetzt für Ihre Erarbeitung aufstellen, und durch das geübte Erschließen des Gedichtes diese Annahme entweder verifizieren oder falsifizieren. Ihre Markierungen und Stichpunkte dienen damit der Überprüfung der Hypothese. Wenn Sie selber Ihre eigene Hypothese verifizieren können, also am Text belegen, dann auf in die Analyse. Wenn Sie Ihre eigene Hypothese widerlegen, dann stellen Sie auf Grundlage dieser Erarbeitung eine neue auf und versuchen diese zu belegen. Wichtig ist, dass Ihre Hypothesenbildung vor allem dazu dient, den Erarbeitungsprozess zu strukturieren. Ihre Erarbeitungshypothese findet sich in Ihrer Analyse, die unter Beweis stellen soll, dass Sie den zu erarbeitenden Text verstanden haben, nicht direkt wieder, sondern mündet zum einen in die Themenformulierung und ist zum anderen Hauptbestandteil der abschließenden Deutung des Textes.

Ideen sammeln und ordnen

Je nachdem, welche Art von Text Sie verfassen sollen, kann Ihre Vorbereitung auf den Schreibprozess variieren. Sie können auf der Basis von Material schreiben, d. h., Sie müssen zunächst einen Text bearbeiten. Es ist aber auch möglich, dass Ihnen eine Aufgabe ohne Textgrundlage gegeben wird, z. B. bei einer freien Erörterung. Das Sammeln und Ordnen von Ideen ist in allen Fällen eine notwendige Voraussetzung für den Schreibprozess. So können Sie z. B. vorgehen:

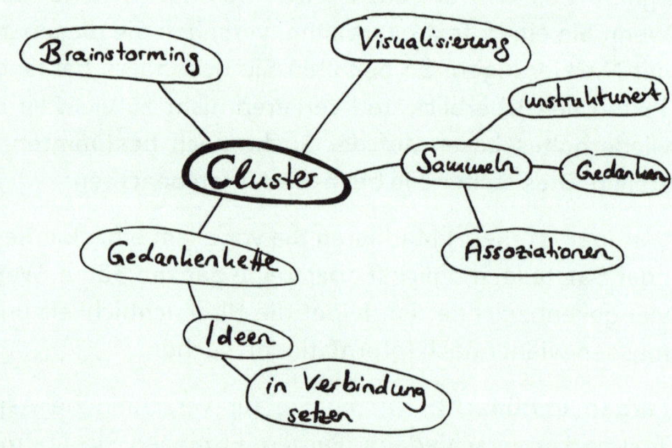

Cluster

Zum unstrukturierten Sammeln von Ideen, z. B. in einem Brainstorming, bietet sich ein Cluster an. In einen Kreis in der Mitte schreiben Sie Ihr Thema. Alle Ideen und Assoziationen notieren Sie in Kreisen rund um Ihr Thema herum. Mehrere Ideen zu einem Gedanken ergeben eine Gedankenkette. Zur Übersichtlichkeit können Sie Stichwörter wieder streichen, die Sie doch nicht in Ihren Text integrieren wollen.

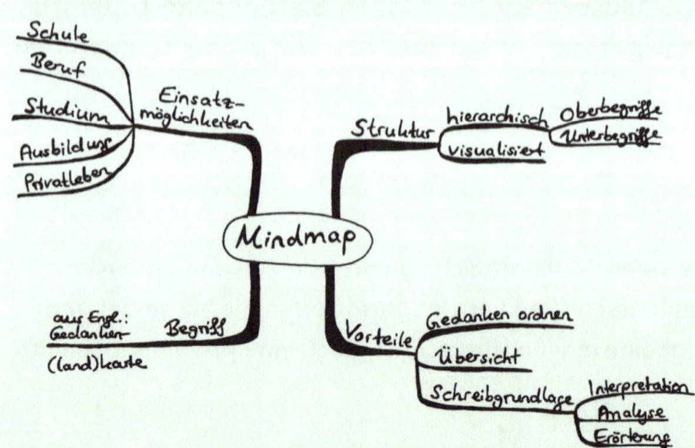

Mindmap

Eine Mindmap sieht auf den ersten Blick ähnlich wie ein Cluster aus. Auf den zweiten Blick stellen Sie aber fest, dass die um das Thema gruppierten Stichwörter bereits logisch angeordnet sind. Dabei helfen Oberbegriffe auf den Hauptästen. An die Äste zeichnen Sie Zweige, die die jeweiligen Unterbegriffe zum Ast aufweisen. So können Sie einen Fremdtext oder Ihre eigenen Ideen anschaulich und hierarchisch darstellen.

Flussdiagramm

In einem Flussdiagramm können Sie durch Pfeile Abläufe sowie Gedankengänge darstellen, z. B.
Text lesen → Brainstorming → Cluster erstellen → Stichwörter in Mindmap ordnen

Strukturdiagramm

Eine andere Möglichkeit, Ideen anschaulich darzustellen, ist das Strukturdiagramm. Hier können Sie das Verhältnis einzelner Begriffe zueinander durch beschriftete Pfeile, Klammern und Symbole verdeutlichen. Es bietet sich z. B. an für das Beziehungsgeflecht zwischen literarischen Figuren oder für eine Übersicht über komplexe Handlungen.

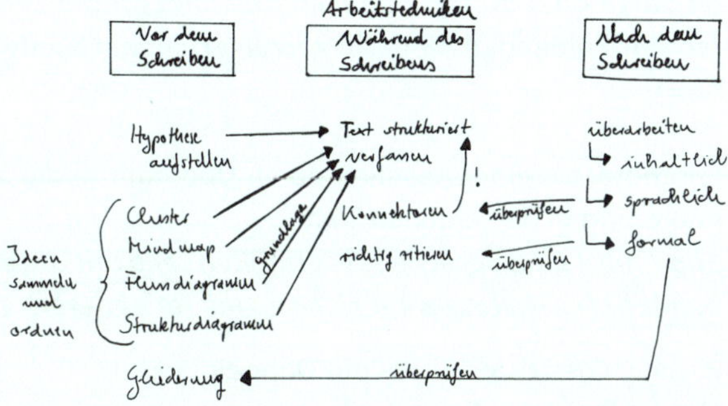

Gliederung erstellen

Möglicherweise hilft Ihnen aber bei Ihrer Vorbereitung auch eine lineare *Gliederung nach Einleitung*, *Hauptteil* und *Schluss*.
In dieser ordnen Sie Ihre Gliederungspunkte listenartig und nummeriert an, z. B.
1. Einleitung
1.1 Einleitungssatz mit Autor/-in, Titel etc.
1.2 begründete Themenformulierung
1.3 kurze Zusammenfassung des Textes
2. Hauptteil
2.1 Inhaltszusammenfassung
2.2 formale Analyse
Beim Schreiben können Sie dann die bereits ausformulierten Gliederungspunkte abhaken.

Während des Schreibens: Text verfassen

Die Vorarbeiten sind abgeschlossen, Sie können Ihren Text beginnen. Nutzen Sie nun Ihre Übersichten, deren Struktur Sie auch daran erinnert, *Absätze* zu machen. Denken Sie beim Verfassen eigener Texte – vor allem bei Inhaltsangaben – immer daran, eigene Formulierungen zu finden und keine Wörter oder ganze Sätze aus dem Bezugstext zu übernehmen. – Während in Inhaltsangaben Zitate nicht unbedingt erwünscht sind, können Sie im Analyseteil auf wortwörtliche Übernahmen zurückgreifen. Diese müssen Sie kenntlich machen.

Konnektoren

Durch Konnektoren können Sie Sätze oder Satzteile verknüpfen und Ihren Text so sprachlich interessanter gestalten. Eine Auswahl finden Sie hier:

Sie möchten …	Beispiele für Konnektoren
… etwas hinzufügen (additiv)	und, außerdem, ferner, sowie
… etwas erklären (explikativ)	und zwar, das heißt, nämlich
… einen Grund anführen (kausal)	weil, denn, da, nämlich
… eine Bedingung angeben (konditional)	wenn, falls, vorausgesetzt (dass)
… ein Mittel nennen (instrumental)	dadurch, hierdurch, anhand dessen
… etwas zeitlich einordnen (temporal)	als, während, bevor, nachdem, zugleich
… einen Gegensatz darstellen (adversativ)	aber, allerdings, wohingegen
… etwas einräumen (konzessiv)	obwohl, trotzdem, ungeachtet dessen
… etwas vergleichen (komparativ)	als ob, als wenn, dementsprechend, so
… eine Aussage einschränken (restriktiv)	insofern, jedenfalls, zwar, nur (dass)
… etwas ersetzen (substitutiv)	(an)statt, eher, sondern, anstelle dessen
… eine Folge verdeutlichen (konsekutiv)	daher, damit, deshalb, infolgedessen

M

Richtig zitieren

Wenn Sie auf der Grundlage eines Textes schreiben und diesen z. B. analysieren, sollten Sie „nah am Text" arbeiten. Ihre Deutungen müssen Sie anhand von Textstellen belegen. Das bedeutet aber nicht, dass Sie einzelne Sätze oder Wörter ungekennzeichnet in Ihre Arbeit übernehmen dürfen. Im Folgenden sind die einzelnen Möglichkeiten der Zitation aufgeführt:

I. Integration einer Aussage durch Übernahme der zentralen Originalformulierung in den eigenen Text:
Sapir führt aus, Sprache sei dermaßen „eng mit unserem Alltagsleben verbunden" (Z. 1), dass wir ihr Wesen nie reflektieren würden.

II. Anschluss eines Zitats mit Doppelpunkt:
Hinsichtlich des Gehens sieht Sapir eine spezielle Veranlagung: „Der Mensch ist eigentlich schon zum Gehen prädestiniert" (Z. 13).

III. Paraphrase: Wiedergabe durch sinngemäße Übernahme, diese steht mit der Abkürzung vgl. und Quellenangabe oder wird durch ein Stück Originaltext ergänzt bzw. gestützt:
Er meint, der Mensch sei wie geschaffen zum Gehen (vgl. Z. 13). } *Den Konjunktiv nicht vergessen!*
Er meint, der Mensch sei „zum Gehen prädestiniert" (Z. 13).
Hinsichtlich des Gehens spricht Sapir dem Menschen eine spezielle natürliche Eignung zu (vgl. Z. 13).

Regeln des Zitierens

- Zitate werden durch Anführungszeichen gekennzeichnet. Im Deutschen werden die Anführungszeichen am Anfang des Zitats **unten** gesetzt und am Ende **oben**!
- Zitate müssen genau übernommen werden, auch hinsichtlich der Rechtschreibung und Zeichensetzung. Von diesem generellen Übernahmegebot gibt es nur wenige Ausnahmen (s. Anpassung des Zitats).
- Werden Auslassungen vorgenommen, weil sie für das Gemeinte nicht so wichtig scheinen, so darf dadurch der Sinn nicht entstellt werden. Auslassungen innerhalb eines Zitates (**nicht am Anfang und am Ende**) müssen durch drei Punkte in eckigen Klammern gekennzeichnet werden. *„Ambanelli zählte die Wörter [...], wie man die Säcke voll Korn zählt"* (Z. 12).
- Werden nur Teilsätze zitiert, so müssen auch sie im Wortlaut genau übernommen werden; d. h., **der eigene Satz** muss dem **Zitat angepasst** werden, nicht umgekehrt. Die eigene Formulierung und das Zitat müssen zusammen einen **grammatikalisch korrekten Satz** ergeben. Zitieren Sie vollständige Sätze, wenn die Gefahr besteht, dass das Zitat sonst grammatisch oder inhaltlich verstümmelt wird. *Und es kam dazu, „dass er nachts von ihnen träumte"* (Z. 13).
- Muss das Zitat in der Groß- oder Kleinschreibung oder grammatikalisch dem eigenen Satz angepasst werden, ist jede Änderung des Originals in eckigen Klammern sichtbar zu machen. *„Der Mann war im Zimmer." → Er sah bald, dass „[d]er Mann [...] im Zimmer" (Z. 14) war. „Er hatte einige Freunde." → Er spricht von „einig[en] Freunde[n]"* (Z. 15).
- Die Quelle des Zitats wird in Klammern direkt nach dem Zitat angegeben, der Punkt steht dahinter **am Ende der gesamten sprachlichen Einheit**. Bezieht sich das Zitat auf zwei Zeilen, dann wird an die Zeilenangabe ein f. angehangen (Z. 21 f.); bezieht sich das Zitat auf mehr als zwei Zeilen, dann wird ein ff. angehangen (Z. 21 ff.).
- Sind im Originaltext bereits Anführungszeichen enthalten, so erscheinen diese im Zitat als einfache Anführungszeichen. *„Beginnen wir mit dem ‚Alphabet', sagte der Junge, der elf Jahre alt war"* (Z. 16).

Nach dem Schreiben: Text überarbeiten

Nach dem Verfassen des Schlussteils sollten Sie noch ausreichend Zeit für Ihre *Überarbeitung* zur Verfügung haben. Planen Sie diese Zeit beim Schreiben mit ein! Die Überprüfung und gegebenenfalls Überarbeitung erfolgt auf den drei Ebenen: inhaltlich, formal und sprachlich:

inhaltlich

- Haben Sie alle in der Aufgabenstellung geforderten Aspekte berücksichtigt?
- Enthält Ihr Text alle Gliederungspunkte / alle Ideen aus Ihren Diagrammen?
- Sind Ihre Überlegungen fachlich korrekt?
- Sind Ihre Ausführungen logisch nachvollziehbar und folgen einem roten Faden?

formal

- Haben Sie die geforderte Textsorte berücksichtigt, z. B. Analyse oder Erörterung?
- Enthält Ihr Text eine Einleitung, einen Hauptteil und einen Schluss?
- Ist der Text in Abschnitte gegliedert?
- Sind alle Zitate richtig mit Anführungszeichen und Textquellen versehen?

sprachlich

- Sind Satzteile / Sätze / Gedankengänge / Absätze durch Konnektoren sprachlich verbunden?
- Enthält Ihr Text den nötigen Fachwortschatz?
- Müssen umgangssprachliche Ausdrücke entfernt werden?
- Finden Sie noch Fehler in den Bereichen **R** Rechtschreiben, **Z** Zeichensetzung, **Gr** Grammatik, **T** Tempus?

Klausurwissen

K

Aufgabenarten und Anforderungsbereiche

Im Folgenden erhalten Sie einen Überblick über fünf verschiedene *Aufgabenarten*, die Ihnen in den Deutsch-Klausuren der Qualifikationsphase sowie im Abitur begegnen können. Konkrete Tipps zur Vorgehensweise beim Verfassen einer Klausur finden Sie im Anschluss an die Übersichtstabelle.

Aufgabenart I	Typ A	Interpretation eines literarischen Textes (ggf. mit weiterführendem Schreibauftrag)
	Typ B	Vergleichende Interpretation literarischer Texte
Aufgabenart II	Typ A	Analyse eines pragmatischen Textes (ggf. mit weiterführendem Schreibauftrag)
	Typ B	Vergleichende Analyse pragmatischer Texte
Aufgabenart III	Typ A	Erörterung pragmatischer Texte
	Typ B	Erörterung literarischer Texte – auf der Grundlage eines pragmatischen Textes
Aufgabenart IV	Typ A	Materialgestütztes Verfassen informierender Texte
	Typ B	Materialgestütztes Verfassen argumentierender Texte

Unabhängig davon, um welche Aufgabenart es sich bei Ihrer nächsten Klausur handelt, werden die Arbeitsaufträge **Operatoren** enthalten. Deren jeweilige Definitionen können Sie schnell in der vorderen Umschlagsinnenseite nachlesen. Operatoren geben Ihnen bereits Hinweise auf den **Anforderungsbereich** (AFB) der jeweiligen Aufgabe.

Im **AFB I** geht es um *Reproduktion*. Sie sollen einen vorgegebenen Text wiedergeben. Dies wird meist mit den Operatoren *beschreiben, wiedergeben* oder *benennen* formuliert. Die Arbeit in diesem Anforderungsbereich ist meist die Grundlage für die weiteren Aufgaben. Insofern besteht eine gewisse Abfolge und auch eine gewisse Hierarchie.

Im **AFB II** geht es um *Reorganisation* und *Transfer*. Sie sollen Ihre erworbenen Kompetenzen und Ihr fachliches Wissen anwenden und Zusammenhänge herstellen. Dies wird meist mit den Operatoren *vergleichen* oder *erläutern* formuliert.

Im **AFB III** geht es um *Reflexion* und *Problemlösung*. Sie sollen komplexe Denkvorgänge organisieren und zu einem eigenständigen, begründeten Urteil kommen. Dies wird meist mit den Operatoren *beurteilen* oder *Stellung nehmen* formuliert.

Mit Ausnahme der Aufgabenart IV sind alle Aufgabenstellungen im Zentralabitur Deutsch in NRW immer zweigliedrig, das heißt, dass Sie entweder einen Text zunächst analysieren und dann in Bezug auf eine bestimmte Fragestellung erörtern müssen, oder aber Sie müssen zwei Texte vergleichend zueinander analysieren. Auch die Aufgabenart III bezieht sich auf einen in der Klausur vorliegenden und zu analysierenden Text, der Unterschied zur Analyse mit weiterführendem Schreibauftrag besteht dann hauptsächlich in der höheren Gewichtung der zweiten Aufgabe.

Die 5-Schritt-Klausurmethode

- **1. Zeitplanung**
  Auch Zeit für Überarbeitung am Ende berücksichtigen!
- **2. Vorbereitung: Text planen**
  Aufgabenstellung verstehen, Material erschließen, Arbeitshypothese formulieren, Ideen sammeln (Brainstorming → Cluster)
- **3. Strukturierung des Inhalts**
  Mindmap, Gliederung erstellen
- **4. Schreibprozess: Text verfassen**
  Jeder Gliederungspunkt = 1 Abschnitt
- **5. Überarbeitung: Text überarbeiten**

Der Aufbau einer Klausur

Bei der Aufgabenstellung der Klausuren wird Ihnen immer die *Gewichtung* bekannt gegeben, woran Sie erkennen können, mit welchem Punktanteil welche Aufgabe in die Gesamtbenotung eingeht. Dies gibt Ihnen einen brauchbaren Hinweis darauf, welche *zeitlichen* und *quantitativen* Ausmaße Sie für die Bearbeitung einzelner Aufgaben einplanen sollten. Sie können die oben dargestellte 5-Schritt-Klausurmethode auch dahingehend variieren, dass Sie aufgabenweise vorbereiten, strukturieren und schreiben. Gestalten Sie die Materialien, mit denen Sie vorbereiten und strukturieren, übersichtlich und auch für andere Personen lesbar. Falls Sie nämlich aus irgendwelchen Gründen in Zeitnot geraten und Sie Ihren Schreibprozess nicht wie geplant abschließen, können Ihre Planungs- und Strukturierungsunterlagen bei der Bewertung Ihrer Klausur herangezogen werden.

Verfassen Sie den Text Ihrer Klausur so, dass auf den ersten Blick eine **Struktur** erkennbar ist, etwa durch Absätze. Operatoren, die Sie zur Reproduktion auffordern (AFB I), können meist mit einer recht schlichten Struktur bearbeitet werden, die häufig durch die Art des vorgelegten Textes gegeben ist.

Die komplexeren Operatoren aus den Anforderungsbereichen II und III legen nahe, dass Sie Ihre Texte nachvollziehbar strukturieren. Ganz allgemein geschieht dies am besten mit der Unterteilung in *Einleitung, Hauptteil* und *Schluss*. Es bietet sich an, an diesen Stellen mindestens eine **Leerzeile** zu lassen.

Welche Bestandteile Ihre Einleitung, Ihr Hauptteil und Ihr Schlussteil enthalten sollten, können Sie im Folgenden nachlesen.

Dort erhalten Sie Antworten auf die Fragen: Worauf muss ich bei …

… analysierenden Aufgaben (**Textanalyse** und **Textinterpretation**) achten?

… erörternden Aufgaben (**literarische Erörterung** und **Texterörterung**) achten?

… materialgestützten Aufgaben (**materialgestütztes Verfassen informierender und argumentierender Texte**) achten?

Analysierende und interpretierende Aufgaben

Analysieren kann man auch verstehen als: *durchleuchten* oder *in einzelne Bestandteile zerlegen*. Die Analyse ist die entscheidende Voraussetzung für eine Deutung. In erster Linie geht es um das Erfassen des Textes: Wesentliche Elemente und Strukturen müssen erkannt werden. Dabei ist immer zu unterscheiden zwischen *inhaltlichen* Aspekten (z. B. Stichhaltigkeit, Schlüssigkeit, Adressaten-/Situationsbezug, Aussageabsicht, übergreifende Zusammenhänge), Aspekten der *formalen* Gestaltung (z. B. Aufbau, Stil) und *sprachlichen* Merkmalen (z. B. Wortwahl, Satzbau).
Deuten kann man auch verstehen als: *Bedeutung zuweisen bzw. Bedeutungsebenen erkennen*. Dies erfordert ein hohes Maß an selbstständigem Denken. Entscheidend für eine gelungene Deutung ist die durchdachte und differenzierte Begründung der eigenen Beurteilung. Wenn nicht anders gefordert, bieten sich selbst gewählte Deutungsansätze an, wie z. B. Intention, Wirkung, Rezeption, Wertvorstellungen, Zeithintergrund, Autorenbiografie. Grundlagen für den Analyse- und Deutungsauftrag können sowohl literarische als auch pragmatische Texte oder eine Kombination beider sein. Bei **literarischen** Texten kann es sich um epische Werke (z. B. Romanauszug oder Kurzgeschichte), um lyrische Texte wie Gedichte und Balladen oder um dramatische Texte handeln. Beispiele für **pragmatische** Texte sind: journalistische Formen, (populär-) wissenschaftliche und philosophische Texte, Reden, Essays, Tagebücher, Memoiren, Reisebeschreibungen und Biografien.
In der **Einleitung** wird anfangs Bezug genommen auf *Autor/-in, Ort* und *Zeit* der Veröffentlichung sowie auf die *Gattung* und das *Thema* des Textes. Ein wichtiger und manchmal komplizierter Aspekt ist der *zeitliche Zusammenhang* der Entstehung und der Veröffentlichung. Gerade bei literarischen Texten kann es von Bedeutung sein, ob die Autorin bzw. der Autor beim Verfassen des Textes jung oder alt war, ob der Text thematisch einen offensichtlichen Zeitbezug hat und ob er zeitnah mit dem Verfassen oder erst später veröffentlicht worden ist. So kann es sein, dass ein/-e Autor/-in als junger Mensch Kriegsgeschehen verherrlicht, was sie/er im

hohen Alter aber nicht mehr tut. Auch wäre möglich, dass ein Text verloren geht, zensiert wird oder bewusst zurückgehalten wurde, sodass zwischen Entstehen und Veröffentlichen eine große Zeitspanne liegt. Ein bemerkenswertes Beispiel dafür ist das Drama *Dantons Tod* von Georg Büchner, das 1835 geschrieben wurde und erst 1902 zur Uraufführung kam. Solche Zusammenhänge sollten in der Einleitung erwähnt werden. Bei pragmatischen Texten sollte die *Zielgruppe* benannt werden, wenn sie klar bestimmbar ist.

Für den **Hauptteil** bietet es sich an, eine Unterteilung in *Sinnabschnitte* vorzunehmen. In einem *ersten* Abschnitt sollte der *Inhalt* wiedergegeben werden, wobei zunächst der Kern der inhaltlichen Aussage formuliert wird. Dies ist eine große gedankliche und sprachliche Herausforderung, und deshalb sollte dieser Satz gut überlegt und sprachlich ausgefeilt werden. An dieser Stelle ist es durchaus angebracht, erste *Deutungsansätze* zu skizzieren, indem auf Widersprüche, Brüche oder andere Auffälligkeiten im Text hingewiesen wird. Schwer verständliche Textelemente sollten als solche benannt und problematisiert werden. Bei literarischen Texten spielen Gefühle und Stimmungen eine große Rolle, deshalb sollten erkennbare emotionale Elemente des Textes benannt werden.

Für die Analyse und Deutung literarischer Texte bietet sich an, in einem *zweiten Abschnitt* eine Beziehung zwischen den formalen, gestalterischen Mitteln und dem Inhalt herzustellen. Je nach Charakter des literarischen Textes kann mit einer gründlichen Formanalyse begonnen werden, der dann eine Bedeutungszuweisung für den Inhalt folgt, oder beides kann integriert erfolgen, indem einem Gestaltungselement unmittelbar inhaltliche Aussagekraft zugeschrieben wird. Je nach Gattung des Textes (Epik, Drama, Lyrik) gibt es einen ganzen Strauß formaler Analyseaspekte:

Aufbau des Textes, Formelemente wie Absätze oder Schriftbild, erkennbare Sinnabschnitte, sprachliche Besonderheiten wie Mundart oder wissenschaftliche Ausdrücke, Wortschatz, Wortstellung, Satzarten, rhetorische Mittel, Metaphorik und Erzählsituation. Je nach Themenstellung erfolgt diese Detailanalyse entweder *textlinear* oder *aspektorientiert*. Wenn diese Aspekte selbst gewählt sind, sollten sie klar formuliert und hergeleitet werden.

Mögliche Aspekte sind Epochenzuweisung, Wirkungsgeschichte, Autorenbiografie oder Textintention. Für die Herstellung durchdachter und plausibler Zusammenhänge zwischen formaler Gestaltung und inhaltlicher Aussage ist von großer Wichtigkeit, dass folgende Fragen geklärt sind: Gibt es ein Grundthema des Textes oder mehrere Themen- und Problemfelder? Gibt es eine Übereinstimmung zwischen Titel und Thema und existieren Abweichungen und Gegensätze? Spielt Ironie eine Rolle? Weist der Text eine gedankliche Entwicklung auf? Sind möglicherweise inhaltliche Elemente des Textes wegen seines Entstehungsdatums den zeitgenössischen Lesenden nicht mehr unmittelbar deutlich?

In einem *dritten Abschnitt* erfolgt die Darlegung Ihres Deutungsansatzes und dessen Herleitung und Formulierung. Damit wird erläutert, mit welcher Absicht ein Text ein bestimmtes Thema mit einer spezifischen formalen und sprachlichen Gestaltung behandelt.

Bei der Analyse pragmatischer Texte ist im Prinzip ähnlich zu verfahren. Im Gegensatz zu literarischen Texten geht es aber eher um inhaltliche Aspekte und eine intendierte *Wirkungsabsicht (Intention)*: Die Leserinnen und Leser sollen informiert oder überzeugt werden, an sie wird appelliert oder sie werden mit Fragen zurückgelassen.

Schlüsselbegriffe spielen meist eine zentrale Rolle bei der Darlegung argumentativer Zusammenhänge. Pragmatische Texte benutzen oft Beispiele zur Erhellung zentraler Thesen.

Analysiert werden muss auch, ob Gegenpositionen erwähnt und behandelt werden. Hinsichtlich der sprachlichen Gestaltung muss untersucht werden, ob ein sachlicher Stil benutzt wird oder ob Gegenpositionen mit Herabsetzungen, Über- oder Untertreibungen bedacht werden. Mit der Formulierung der zentralen Textaussage, also der Position des Autors/der Autorin beginnt die Analyse, mit dem Wiederaufgreifen der Position und der Klärung der Wirkungsabsicht wird die Analyse pragmatischer Texte im Hauptteil beendet.

Der **Schlussteil** der Textanalyse kann recht kurz gefasst werden. Fassen Sie Ihr Untersuchungs- bzw. Analyseergebnis knapp zusammen. Hier kann zudem auf Unstimmigkeiten eingegangen werden, die nicht zu klären waren. Auch ist hier Platz für recht subjektiv-persönliche Befindlichkeiten, die beim Lesen des Textes aufgetreten sind. So kann man sich an dieser Stelle gegen inhaltliche Positionen des Textes verwahren, wenn sie im krassen Gegensatz zur eigenen Überzeugung stehen.

Ebenso können an dieser Stelle Schwierigkeiten umrissen werden, die möglicherweise in dem großen zeitlichen Abstand zwischen Entstehung und Rezeption des Textes begründet sind.

Es sollte vermieden werden, im Schlussteil klischeehafte Äußerungen vorzunehmen, etwa dergestalt, dass der Text pauschal gelobt wird oder dass er die Leserin bzw.

den Leser zum Nachdenken anregt. Bei der Analyse eines pragmatischen Textes könnte eingeschätzt werden, ob er dem Wirklichkeitsausschnitt, auf den er sich bezieht, gerecht wird.
Generell müssen Sie bei allen Analyseaufgaben darauf achten, dass Sie bestimmte Fragen durch Ihren Text beantworten: Was wird von wem auf welche Art und Weise mit welcher Intention zum Ausdruck gebracht? Und warum wird das, was zum Ausdruck gebracht wird, ausgerechnet auf diese Art zum Ausdruck gebracht? Und wie kann das Ausgedrückte vor dem zeitgenössischen und dem gegenwärtigen Hintergrund begründet, also fachlich und inhaltlich reflektiert, beurteilt werden? Wenn diese Fragen durch Ihre Analyse beantwortet werden, kann es eigentlich nicht wirklich schiefgehen.

Erörternde Aufgaben

Literarische Erörterung und Texterörterung

Grundsätzlich gibt es zwei Möglichkeiten der erörternden Aufgaben: Im ersten Fall geht es um die erörternde Bearbeitung literarischer Texte und deren Bedeutung oder Wirkung. Im zweiten Fall geht es um die erörternde Auseinandersetzung mit pragmatischen Texten und den in ihnen vertretenen Positionen. Generell bedeutet **Erörtern**, unterschiedliche Standorte zu einer Fragestellung zu erkennen, sie zu gewichten und letztlich selbst eine *begründete Position* zu formulieren. Eine grundlegende Tätigkeit beim Erörtern ist das **Argumentieren**. Dabei wird eine **These** (Behauptung) mit **Argumenten** (Begründungen) gestützt und jeweils anhand von **Beispielen**, **Belegen**, **Erläuterungen** und/oder **Folgerungen** untermauert. Während bei einer *mündlichen Erörterung* (Diskussion) die unterschiedlichen Argumentationen von einzelnen Diskussionsteilnehmer/-innen vorgetragen werden und es eine Diskussionsleiterin bzw. einen Diskussionsleiter gibt, die/der den gesitteten Ablauf des Geschehens sicherstellt, ist die Verfasserin bzw. der Verfasser einer schriftlichen Erörterung alles zusammen: Moderator/-in, Befürworter/-in und Ablehner/-in, zumindest im Hauptteil des Textes.

Erörterung eines literarischen Textes

Die Erörterung eines literarischen Textes kann in den Abiturformaten in NRW nicht alleine stehen, das heißt, die Erörterung schließt immer an eine vorherige Analyse eines literarischen oder pragmatischen Textes an und die beiden Aufgaben bilden für die Klausur einen Gesamtzusammenhang. Deswegen sollten Sie sich auch nicht scheuen, sich in der erörternden Aufgabe auf Ihre Analyseergebnisse zu beziehen. In der **Einleitung** zu einer Erörterung eines literarischen Textes empfiehlt es sich, grundlegende Einordnungen vorzunehmen. Voraussetzung dafür ist, dass das Thema und die dort angesprochenen Sachverhalte klar sind. Möglicherweise wird erwartet, dass Sie sich mit einer *Epoche* auseinandersetzen oder ein bestimmtes *Motiv* untersuchen und vergleichen. Eine erste grundlegende Einordnung wäre also das *Grundthema*, um das es geht. Diese Denkleistung entspricht etwa der Formulierung des Kernsatzes einer Inhaltsangabe.
Die zweite grundlegende Zuordnung bestünde im Verfassen eines *Problemaufwurfs*. Hier würden Sie ankündigen, wie Sie gemäß der Aufgabenstellung planen und inhaltlich sowie formal auf das Grundthema zugreifen.
Im **Hauptteil** einer Erörterung eines literarischen Textes besteht die entscheidende Aufgabe darin, eine übersichtliche Struktur Ihrer Argumentation zu gestalten.
Es geht um *dialektisches Argumentieren*, also um die Behandlung von **Pro- und Kontrapositionen**. Während Ihrer Vorbereitungsphase haben Sie in Gestalt einer *Stoffsammlung* alles zusammengetragen, was Sie dafür brauchen. In der Schreibphase kommt es nun darauf an, eine übersichtliche und eindrucksvolle Form der Darstellung zu finden. Es spricht viel dafür, dies in Gestalt einer Übersichtsskizze zu machen, die dann abgearbeitet wird. Dadurch können Sie assoziative Einwürfe und Abschweifungen in Nebensächlichkeiten vermeiden. Grundsätzlich bieten sich zwei Darstellungsformen an: die *Sanduhr-* und die *Reißverschluss-* bzw. *Ochsenfurchenmethode*.

Sanduhrprinzip Das Bild der Sanduhr entspricht einem X. Es soll also begonnen werden mit den ***Gegen***argumenten zur Fragestellung. Das stärkste („breiteste") Kontra-Argument wird als erstes angeführt, gefolgt von weiteren bis hin zum schwächsten („schmalsten"). Dann erfolgt der Übergang zur Pro-Argumentation. Es wird jetzt umgekehrt verfahren, bis das stärkste („breiteste") Pro-Argument am Schluss des Hauptteils erscheint. Diese Vorgehensweise setzt voraus, dass Sie wissen, welche Position Sie selbst als

Beurteilende/-r einnehmen wollen, weil Sie diese ja im Schlussteil ausformulieren. Gewissermaßen folgt das Sanduhr-Prinzip rhetorischen Überlegungen: Es ist, als ob Sie als Rednerin oder Redner ein Publikum *überzeugen* wollten. Deshalb fangen Sie überraschend mit dem stärksten Gegenargument zu Ihrer eigenen Beurteilung an. Achten Sie immer darauf, dass Sie die passenden sprachlichen *Konnektoren* (Anbindungsfloskeln) verwenden und diese variieren.

Reißverschlussprinzip Das andere Darstellungsprinzip folgt der Idee, dass Sie einen Pro-Gedanken unmittelbar mit einem Kontra-Gedanken in Verbindung bringen und abwägen. Sie *verzahnen* also Ihren Argumentationsgang („Reißverschluss") oder Sie machen es wie der Ochse am Feldrain: Er dreht um und pflügt in die andere Richtung. Das Reißverschlussprinzip bietet sich an, wenn es keine klare Hierarchie in der Gewichtung der Argumente gibt. Auch eignet es sich dann, wenn Pro und Kontra sehr nah beieinander liegen. Welches der beiden Darstellungsschemen sich am besten eignet, hängt von der Komplexität der Themenstellung ab und muss von Ihnen entschieden werden. Halten Sie sich aber auf jeden Fall an den Ratschlag, *ein* Prinzip auszuwählen und es vorher differenziert zu planen. Meist geht es bei Erörterungen literarischer Texte um großdimensionierte Problemaufwürfe. Es handelt sich vielleicht um große Motive wie Sehnsucht, Verlorenheit oder Aufbruch, vielleicht auch um Epochen. Grundlegende Fragen der menschlichen Existenz sollen möglicherweise erkannt, durchdacht und beurteilt werden. Ein Aspekt der Beurteilung ist die *Problematisierung*, was bedeutet, dass keine klaren, eindeutigen Beurteilungen getroffen werden können, sondern dass Fragen *unbeantwortet* bleiben müssen. Fühlen Sie sich also nicht unter Druck gesetzt, unbedingt eine eindeutige Stellungnahme abfassen zu müssen. Eine argumentativ gut fundierte Problematisierung ist ebenfalls möglich.

Im **Schlussteil** einer Erörterung eines literarischen Textes erscheint also Ihre *persönliche Stellungnahme*, sei es als klare Position oder als offene, problematisierende Frage. Sie können auf Nebenaspekte eingehen, die nicht zum Kern des Problemaufwurfs gehören. Das könnten zum Beispiel Aspekte der Relevanz sein, wenn Sie etwa das Lesen von Büchern vor dem Hintergrund der digitalen Medien problematisieren oder die berechtigte Frage anschneiden, inwiefern der Besuch von Theaterveranstaltungen heute zum Standardrepertoire der Durchschnittsbürgerin bzw. des Durchschnittsbürgers gehört.

Erörterung von Sachtexten

Bei der Erörterung von pragmatischen Texten können Sie im Prinzip ähnlich verfahren. Auf der Grundlage und ausgehend von einem **Sachtext** sollen Sie ein vorgegebenes Problem erörtern. Genauso wie bei der Erörterung literarischer Texte nimmt die Erörterung von Sachtexten in NRW immer Bezug zu einem vorher zu analysierenden Text.

In Ihrer **Einleitung** sollten Sie also sowohl das Grundthema und den Problemaufwurf als auch den Charakter des zuvor analysierten Textes erläutern.

Im **Hauptteil** der Erörterung pragmatischer Texte bietet es sich an, eines der oben vorgestellten Darstellungsmuster auszuwählen. Bei der Anlage Ihrer Stoffsammlung muss jetzt allerdings darauf geachtet werden, dass *Argumentationszusammenhänge*, die im vorgegebenen Sachtext enthalten sind, mit einfließen.

Sachtexte (vgl. S. 369) können informieren, darstellen, argumentieren, erörtern, appellieren oder regulieren (Gesetze). Je nachdem, was sie tun oder nicht tun, kann es also sein, dass sie voller – möglicherweise einseitiger – Argumente stecken oder kaum welche aufzuweisen haben. Bei Ihrer Darstellung müssen Sie daher darauf achten, welche Argumente dem vorliegenden Sachtext entnommen wurden, und diese entsprechend sprachlich kennzeichnen. Diese Argumentation des Autors/der Autorin muss dann von Ihnen diskutiert, sprich erörtert werden. Achten Sie dabei darauf (s. Prinzipien), dass Sie keine einseitige Diskussion der Argumente vornehmen, sondern sich dialektisch mit der zu erörternden Position bzw. Fragestellung auseinandersetzen. In vielen Aufgabenstellungen wird zudem auf eine persönliche Reflexion (eigene Erfahrungen) hingewiesen, sodass die fachliche Erörterung von Positionen eben mit Ihren persönlichen Erlebnissen gestützt bzw. konterkariert werden kann.

Im **Schlussteil** der Erörterung pragmatischer Texte geht es wiederum um Ihre begründete und argumentativ hergeleitete Beurteilung und Stellungnahme. Je nachdem, wie deutlich Sie diesbezüglich im Hauptteil geworden sind, brauchen Sie an dieser Stelle nur noch zusammenzufassen und zu pointieren.

Vergleichende Analysen

Vergleichende Analysen können sich sowohl auf literarische als auch pragmatische Texte beziehen. Im Kern bedeutet das, dass Sie zwei Texte unabhängig voneinander analysieren müssen und diese Texte dann in Bezug auf einen vorgegebenen oder selbst zu setzenden Schwerpunkt miteinander vergleichen. Die Aufgabenstellung ist dabei in NRW zumeist in zwei Aufgaben gestaffelt: 1. Aufgabe – Analyse des ersten Textes; 2. Aufgabe – Analyse des zweiten Textes mit anschließendem Vergleich der beiden Texte. Damit gilt für den analytischen Teil beider Texte (ob literarisch oder pragmatisch) dieselbe Vorgehensweise wie bei analysierenden Aufgaben. Nach Abschluss der Einzelanalysen muss dann der Vergleich der Texte vorgenommen werden, und generell orientiert sich dieser immer an der Auseinandersetzung mit Gemeinsamkeiten und Unterschieden. Grundsätzlich sollte aber schon in der Einleitung der zweiten Analyse auf mögliche Vergleichsaspekte der beiden Texte hingewiesen werden.

Mögliche Schwerpunkte des literarischen Vergleichs sind Motivumsetzung, Epochenbezug, Erzählsituation oder bspw. Dramenform. Der Vergleich kann aber auch inhaltlicher Art sein, also z. B. in Bezug auf die Darstellung der Möglichkeiten menschlicher Existenz in der Moderne etc.

So oder so sollten Sie Ihren Vergleich ebenso einleiten wie eine erörternde Aufgabe, stellen Sie also zunächst einen Gesamtzusammenhang her. Im Kern beantworten Sie hier die Frage, wieso sich die beiden vorliegenden Texte zu einem Vergleich anbieten.

Im Hauptteil des Vergleichs bietet es sich ähnlich der Erörterung an, entweder zunächst die Gemeinsamkeiten/Unterschiede in Bezug auf den Schwerpunkt darzulegen und dann den jeweils anderen Aspekt, oder aber die Gemeinsamkeiten und Unterschiede miteinander zu verzahnen, etwa im Sinne von „Beide Gedichte setzen ein ähnliches Motiv in den Mittelpunkt, bedienen sich dabei aber einer anderen Formalität...“. Sie können also linear oder dialektisch vorgehen.

Der Schluss eines Vergleichs dient der zusammenfassenden Darstellung und der begründeten Beurteilung der Gründe für die entweder unterschiedliche oder ähnliche Umsetzung des zu vergleichenden Schwerpunktes.

Die vergleichende Analyse pragmatischer Texte verfolgt im Prinzip denselben Aufbau, der Hauptunterschied besteht darin, dass hier meist ein positionaler Vergleich vorgenommen wird im Kontext eines übergeordneten Gesamtzusammenhangs oder Diskurses, bspw. die Debatte über Vor- und Nachteile von Dialekten, innere Mehrsprachigkeit oder das Verhältnis von Sprache, Denken, Wirklichkeit. Grundsätzlich müssen dabei die Argumentationen der beiden Texte gegenübergestellt und eben verglichen werden. Möglich ist aber auch ein Vergleich der Rhetorik, sprich der Leserlenkung der beiden Texte. Damit stünde dann die Frage im Raum, mit welchen Mitteln beide Texte die Leser/-innen durch den Text leiten und welche Gemeinsamkeiten und Unterschiede diesbezüglich festzustellen sind.

Materialgestütztes Schreiben

Das materialgestützte Verfassen eines Textes kombiniert im Kern alle anderen Aufgabenformate. Zielvorstellung ist zumeist eine Form der Erörterung, der Diskussion eines Themas mit adressatenspezifischem Bezug. Was heißt das aber? Insbesondere bei diesem Aufgabenformat ist die Analyse der Aufgabenstellung entscheidend. Im Grunde gibt es zwei Möglichkeiten: Es wird entweder ein darstellend/erklärender Text von Ihnen verlangt oder ein erörternd/diskursiver, so oder so ist es aber auf jeden Fall ein fachspezifischer Bezug, der von Ihnen erwartet wird. Damit kann sich dieses Format sowohl auf literarische, literaturtheoretische oder auch linguistische Komplexe beziehen.

Die **Vorbereitung** Ihres Textes ist für dieses Aufgabenformat entscheidend. Zunächst müssen Sie sich klar machen, was die Aufgabenstellung von Ihnen verlangt: Zu welchem Thema soll ein Text verfasst werden? Was sind inhaltliche Aspekte? Wer soll mit Ihrem Text adressiert werden? Was ist die genaue Situation? Welche Art von Text sollen Sie verfassen

K

(Rede, Essay, Flugblatt, Diskussionspapier, Leserbrief etc.)? Mit welcher Intention soll Ihr Text verfasst werden?

Anschließend müssen Sie sich mit dem vorliegenden Material auseinandersetzen: Was kann ich den einzelnen Quellen für meinen eigenen Text entnehmen? Welche Informationen sind überflüssig? Welches zusätzliche Wissen über die Quellen hinaus habe ich? Mit anderen Worten: Nachdem die Aufgabenstellung analysiert wurde, wird jetzt das Material analysiert.

Erst dann sollten Sie mit dem eigentlichen Verfassen Ihres Textes beginnen. In der **Einleitung** klären Sie den Textanlass und den Diskurs, also den Gesamtzusammenhang, in den sich aufgrund der Aufgabenstellung Ihr Text einbettet. Sie nehmen also sowohl eine kommunikative Situierung (bspw. Vortrag oder Leserbrief) als auch eine thematische Situierung vor. Daran anschließend sollte immer eine Einführung in das Thema auf inhaltlicher Ebene stattfinden. Meist wird dies in der Schrittigkeit auch in der Aufgabenstellung vorgegeben werden.

Im **Hauptteil** müssen Sie sich dann kritisch mit dem zu erarbeitenden Themenkomplex auseinandersetzen, Sie müssen also in diesem Sinne eine Erörterung der jeweiligen Fragestellung vornehmen. Nur kann es sein, dass der Schwerpunkt Ihrer Leistung eher darstellend, erklärend ist (bspw. bei einem Fachvortrag für eine Projektwoche o. Ä.), oder aber argumentativ (bspw. bei einem Leserbrief). Der grundsätzliche Aufbau des Hauptteils unterscheidet sich aber bei beiden Formen nur gering. Wichtig ist, dass Sie der Schrittigkeit der Aufgabenstellung genau folgen, denn die Aufgabenstellung wird Ihnen klar die einzelnen Abschnitte Ihres Zieltextes vorgeben.

Im **Schluss** findet entweder eine resümierende Gesamtbetrachtung oder aber eine Beurteilung/Stellungnahme statt. Meist wird es in Bezug auf den Kommunikationsanlass eine konkrete, oft problematisierende Fragestellung geben. Der Schluss ist die Stelle, an der Sie, vor dem Hintergrund Ihrer Gesamtausführungen, Ihre begründete Antwort auf diese Frage geben. Diese Antwort muss nicht eine klare Entscheidung darstellen, sondern kann selber abwägend bleiben.

Insgesamt ist für dieses Aufgabenformat wichtig, dass Sie sich klarmachen, was die Hauptbewertungskriterien sind:

- schlüssige Entfaltung des Themas unter Einbezug fachlichen Kontextwissens,
- funktionale Nutzung der Materialien zur Erfüllung des Schreibauftrags (durch angemessene Ausschöpfung des gesamten Informationsangebots, funktionale Integration von Referenzen auf die Materialien in den eigenen Text, Konzentration auf Wesentliches und Vermeidung unnötiger Redundanzen, sachliche und auftragsbezogene Verarbeitung der aus unterschiedlichen Perspektiven gestalteten Beiträge, eigenständiges Verknüpfen von relevanten Informationen mit eigenen Kenntnissen),
- Gestaltung eines Textes unter Berücksichtigung der Anforderungen des aufgabenbezogenen Zieltextformats im Hinblick auf die Adressat/-innen, die für die Textsorte charakteristischen Merkmale, die Intention des Textes und das Erreichen des Kommunikationsziels.

Am Ende des Tages geht es neben den Inhalten also darum, dass Sie verstehen, für wen Sie welche Form von Text verfassen, dass Sie sich der Anforderungen dieser Textsorte bewusst sind und diese Kenntnisse sinnstiftend in Ihrem Text anwenden. Und dabei sollten Sie nicht vergessen, sich in angemessener Art und Weise auf die zur Verfügung gestellten Materialien zu beziehen.

Fachbegriffe

Lyrik

Begriff Ursprünglich handelt es sich bei der *Lyrik* um Gesänge, die mit Lyra-Begleitung vorgetragen wurden. Die enge Bindung dieser Gattung an den Tanz, das Lied und an die Musik wird sinnfällig in den die Lyrik prägenden Gestaltungselementen *Vers, Rhythmus, Klang, Reim, (Sprach-)Melodie* und *Strophe*. Lyrik realisiert sich in Gedichten, deren notwendiger Baustein der Vers ist. Aber auch Dramen, Heldenepen und Fabeln können in Versform gestaltet sein und wurden bis ins 19. Jahrhundert häufig als Gedichte bezeichnet (z. B. *Dramatisches Gedicht*).

Vers Die in Form einer Druckzeile (häufig beginnend mit einem Großbuchstaben) hervorgehobene Sprecheinheit, die durch eine rhythmische Ordnung geprägt ist.

Vers – Prosa Vers und Prosa lassen sich graduell unterscheiden. Die Verssprache ist zwar wie die Prosasprache durch unterschiedliche Sprecheinheiten/-phasen (Kola) und durch die Verteilung von je unterschiedlichen Tonstärken auf die verschiedenen Silben gegliedert, doch zeigt die Verssprache gegenüber der Prosa das größere Maß an Ordnung: Die einzelnen Sprecheinheiten (Verse) sind in ihrer jeweiligen Länge zahlenmäßig festgelegt und auch die Abfolge von betonten und unbetonten Silben fügt sich zu einer deutlich sichtbaren Ordnung.

Verslehre Die jeweilige Realisierung von betonten und unbetonten Silben innerhalb eines Verses wird erfasst.

Metrum Dem Vers kann ein bestimmtes Metrum bzw. ein bestimmter Takt zugrunde liegen, ein festes Muster der Anordnung von betonten und unbetonten Silben bzw. eine regelmäßig wiederkehrende Folge von *Hebungen* und *Senkungen*.

Versfuß auch Taktart. Die kleinste Einheit, durch deren Wiederholung eine messbare Reihe entsteht. Dabei werden folgende Taktarten unterschieden:

Jambus als Folge einer unbetonten und einer betonten Silbe **xx́**,

Trochäus als Folge einer betonten und einer unbetonten Silbe **x́x**,

Daktylus als Folge einer betonten und zweier unbetonter Silben **x́xx**,

Anapäst als Folge von zwei unbetonten und einer betonten Silbe **xxx́**.

Der Vers lässt sich durch die Angabe der Anzahl seiner Takte oder Hebungen genau beschreiben. Enthält er z. B. vier Takte oder Hebungen, spricht man von einem *vierhebigen* Vers. Ist der Vers durch einen regelmäßigen Wechsel von betonten und unbetonten Silben bestimmt, so ist er *alternierend* (Alternation).

Versanfang Beginnt der Vers mit einer oder mehreren unbetonten Silbe(n), so spricht man von einem Auftakt oder einem auftaktigen Vers.

Versende Der Versausgang wird auch als *Kadenz* bezeichnet. Verse, die mit betonter Silbe enden, heißen *stumpf* oder *männlich*, solche, die mit unbetonter Silbe enden, *klingend* oder *weiblich*.

Versformen Je nach Art des Verses, des Versanfangs, der Kadenz und der Anzahl seiner Hebungen ergeben sich verschiedene Versformen, z. B.:

xx́ xx́ xx́ xx́ xx́

Blankvers Ungereimter fünfhebiger Jambus, der häufig im klassischen Drama verwendet wurde. Blank bedeutet *leer*, *unverziert*, also reimlos. *Darf ich's mir deuten, wie es mir gefällt?* (Heinrich von Kleist: *Prinz Friedrich von Homburg*, V. 711)

xx́ xx́ xx́ | xx́ xx́ xx́ (x)
xx́ xx́ xx́ | xx́ xx́ xx́

Alexandriner Sechshebiger Jambus mit einer Zäsur – einem Einschnitt – nach der dritten Hebung bzw. sechsten Silbe. *Du siehst, wohin du siehst, / nur Eitelkeit auf Erden. // Was dieser heute baut, / reißt jener morgen ein* (Andreas Gryphius: *Es ist alles eitel*)

Knittelvers Vierhebiger Vers, der stets im Paarreim auftritt. *Eins abents spat da schaut ich aus / zu eim fenster in meinem haus* (Hans Sachs: *Hans Unfleiß*)

Hexameter Aus sechs Daktylen bestehender antiker Vers, deren erste vier durch Spondeen (Versfüße mit zwei Hebungen) ersetzt werden können und deren letzter katalektisch (unvollständig) ist.

x́xx | x́xx | x́x́ | x́xx | x́x́
x́xx | x́xx | x́ | x́xx | x́xx | x́

Pentameter Trotz des Namens bestehend aus sechs Daktylen, wobei dem dritten und sechsten Daktylus die Senkungen fehlen. *Lass dich, Geliebte, nicht reun, dass du mir so schnell dich ergeben!* [Hexameter] *Glaub' es, ich denke nicht frech, denke nicht niedrig von dir.* [Pentameter] (J. W. von Goethe: *III. Römische Elegie*)

Volksliedzeile Mit drei oder vier Hebungen bei Freiheit in der Wahl der Senkungen.

Reimlose Verse Von beliebiger Länge, Hebungszahl und Senkungsfüllung, d. h. metrisch ungebundene Verse werden als Freie Rhythmen bezeichnet.

Rhythmus Beim Vortragen von Gedichten wird die metrische Ordnung von Versen durch andere sprachliche Bewegungen überlagert. Diese realisieren sich im *Sprechtempo* (*schnell – langsam*), in der *Klangfarbe* (*hell – dunkel*), in der *Betonungsstärke* (*laut – leise*) und in der *Pausierung* (*lang – kurz*). Diese Bewegung bezeichnet man als Rhythmus. Besondere Möglichkeiten der rhythmischen Gliederung ergeben sich aus der Verwendung von *Zäsuren* (Einschnitte innerhalb des Verses, die beim Sprechen kleine Pausen erfordern) und aus der Beziehung von Satz- und Versgestaltung. Fallen die syntaktische Einheit / der Satz und das Versende zusammen, so spricht man vom *Zeilenstil*. Überspielt die syntaktische Einheit die Vers- bzw. Strophengrenze, so bezeichnet man dies als einen *Zeilensprung* (Enjambement) bzw. *Strophensprung*.

Reim Verse können durch Gleichklang von Silben und Lauten miteinander verbunden werden. Die am häufigsten verwendete Klangform ist der *Endreim*: der Gleichklang zweier oder mehrerer Verse vom letzten betonten Vokal an.
Reimarten Unterscheidung nach Stellung der miteinander reimenden Verse: *Haufenreim* (a a a a, b b b b), *Paarreim* (a a b b), *Kreuzreim* (a b a b), *umschließender/ umarmender Reim* (a b b a), *Schweifreim* (a a b c c b). Wird ein Vers am Schluss einer Strophe wiederholt, so spricht man von einem *Kehrreim*.
Alliteration Ein weiteres Klangmittel, das die Übereinstimmung der anlautenden Konsonanten von Wörtern eines Verses oder einer Strophe bezeichnet. Diese werden dadurch besonders hervorgehoben (z. B. *Das Wallen und Wogen der Wipfel*).
Assonanz Die betonten Silben zweier oder mehrerer benachbarter Wörter besitzen den gleichen vokalischen Laut (z. B. Ledas Schwan / Megastar).

Strophe Ursprünglich in der antiken Tragödie ein Teil des Chorgesangs, heute die Unterteilung in mehrere formal gleich oder zumindest sehr ähnlich gebaute Versgruppen. In der Regel erfolgt die Verbindung mehrerer Verse zur nächsthöheren Einheit der Strophe durch den Reim. Die einfachste Form der Strophenbildung ergibt sich aus der Verbindung von zwei Versen durch den Endreim (Zweizeiler). Darüber hinaus stellt die Strophe innerhalb der thematischen Gestaltung des Gedichts zumeist eine Sinneinheit dar.
Strophen- und Gedichtform Je nach Art und Anzahl der Verse, die zu Gruppen zusammengefasst werden, ergeben sich unterschiedliche Strophen- und Gedichtformen wie z. B.
- die Volksliedstrophe, die sich aus vier im Kreuzreim angeordneten Volksliedzeilen zusammensetzt.
- das Sonett, eine strenge 14-zeilige Gedichtform, die durch die Reimstellung meist in je zwei *Quartette* (Vierzeiler) und *Terzette* (Dreizeiler) unterteilt wird.
- das Madrigal als freies strophisches Gebilde von etwa 3 bis 20 Versen, die unterschiedlich lang und von wechselndem metrischen Charakter sind.
- das Distichon als eine zweizeilige, klassisch-antike Strophenform, die sich aus einem Hexameter und einem Pentameter zusammensetzt. Die Aneinanderreihung von Distichen führt zur Gedichtform der Elegie.
- die Ode als ernstes, weihevolles Gedicht, das in der Regel an eine/-n Adressat/-in – Gott, Held, Freund – gerichtet ist. Bestimmend für sie ist eine strenge Formgebung, die für die Strophe – je nach Odenart – ein festes metrisches Schema vorsieht.
- das Epigramm als Sinngedicht in Reimen, in dem seit der Antike eine Idee oder eine Beobachtung kurz und pointiert, manchmal auch satirisch formuliert wird.
- die Hymne, ursprünglich ein kirchlicher Lob- und Preisgesang, der seit dem *Sturm und Drang* auch weltliche Themen aufgreift und meist in freien Rhythmen verfasst wird.
- die Ballade als eine Sonderform, die alle drei poetischen Gattungen in sich vereint, denn sie erzählt eine Geschichte (episch) in Versform (lyrisch) mit Dialogelementen (dramatisch).
- die Visuelle/Konkrete Poesie als experimentelle Form, in der die Sprache selbst zum Inhalt und Zweck des lyrischen Textes wird und oft optische und/oder akustische Elemente zum Tragen kommen.

Epik

Begriff Die Epik oder erzählende Literatur bildet neben Lyrik und Dramatik die dritte der großen literarischen Gattungen. Sie vereint erzählende Texte in Vers- oder Prosaform in sich. Der Begriff „Epik“ meint dann auch so viel wie Rede, Bericht oder Erzählung, wobei jeweils ein Erzähler Inhalt und Handlung des Textes vermittelt.

Erzählsituation

In epischen Texten fungiert ein Erzähler als vermittelnde Instanz zwischen *Autor/-in* und *Text* und *Rezipient/-in*. Den Rezipient/-innen wird das Geschehen vom jeweiligen Erzähler präsentiert. Die Autorin bzw. der Autor darf nicht mit dem Erzähler gleichgesetzt werden. Letzterer kann sowohl als Teil des Personals der Erzählung wahrgenommen werden als auch gänzlich hinter das Erzählte zurücktreten.
Erzählverhalten liegt dem Erzählten zugrunde und lässt sich unterscheiden in *auktoriales, personales* und *neutrales* Erzählverhalten.
Ein *auktorialer Erzähler* steht „allwissend“ über seiner Erzählung, kommentiert und reflektiert sie, kann im

Geschehen vor- und zurückspringen und lenkt so die Deutung des Textes.
Der *personale Erzähler* berichtet direkt aus der Sicht einer Figur oder mehrerer Figuren und steht somit unmittelbar innerhalb des Geschehens. Seine Sichtweise und Wahrnehmung ist begrenzt auf das, was die jeweilige Figur äußerlich und innerlich wahrnimmt.
Der *neutrale Erzähler* schaltet sich nicht kommentierend oder reflektierend in das Geschehen ein.
Erzählverhalten zeigt die Einstellung des Erzählers zum Erzählten an: *neutral, ironisch, kritisch, (ab)wertend, zustimmend, euphorisch, ambivalent, mitfühlend ...*
Erzählform Sie weist die Art der Beteiligung des Erzählers an der Erzählung aus. Berichtet der Erzähler von sich selbst und ist er am erzählten Geschehen direkt beteiligt, so liegt dem Text die *Ich-Form* zugrunde. Hier tritt ein Ich-Erzähler auf, der subjektiv und beschränkt auf seine persönliche Wahrnehmung berichtet und dabei durch eigenen Charakter, persönliche Ansichten und Interessen selbst als Figur greifbar wird. Bei der *Er-/Sie-Form* berichtet jemand Außenstehendes von den Erlebnissen eines anderen. Der Erzähler selbst ist hier also nicht am Geschehen beteiligt.
Erzählperspektive Entweder nimmt der Erzähler eine *Außensicht* auf Figuren und Geschehen ein oder er verfügt über eine *Innensicht* in die Figuren und kennt z. B. ihre Ängste und Sehnsüchte.
Erzählerstandort beschäftigt sich mit dem Standpunkt des Erzählers selbst. Dieser kann sich durch besondere räumliche und zeitliche Nähe oder Distanz zum Erzählten auszeichnen.

Raum

Die *Raumgestaltung* kann eine wirkliche Topografie abbilden, der Text kann aber auch in einem gänzlich fiktiven Raum angesiedelt sein. Die Figurenhandlung erfolgt immer an bestimmten Orten, die sowohl völlig nebensächlich als auch von besonderer Bedeutung für das Geschehen sein können. Dabei tragen die räumlichen Begebenheiten für die Erzählung ganz unterschiedliche Funktionen. Der Raum kann Voraussetzung für das sich ereignende Geschehen sein und bestimmte Inhalte des Textes symbolisieren. Er kann die Stimmung des Textes und seiner Figuren widerspiegeln und indirekte Aussagen über ihren Charakter machen.

Zeit

Die zeitliche Struktur eines Erzähltextes wird unterschieden in *erzählte Zeit* und *Erzählzeit*.
Erzählte Zeit ist diejenige Zeit, die innerhalb der erzählten Geschichte dargestellt wird.
Erzählzeit ist die Zeitspanne, die die Leserin bzw. der Leser zur Lektüre des Textes benötigt. Anders als die erzählte Zeit liegt die Erzählzeit demnach außerhalb des Erzähltextes und bezieht sich nicht auf seinen Inhalt, sondern auf seine sprachliche Realisierung. Dabei können Erzählzeit und erzählte Zeit sowohl deckungsgleich sein als sich auch – durch in der erzählten Zeit vorliegende *Zeitdehnung* oder *Zeitraffnung* – deutlich voneinander unterscheiden.
Rückblenden und *Vorausdeutungen* innerhalb des Erzähltextes ermöglichen eine Loslösung von einer streng chronologischen Erzählweise. Dabei kann die Erzählung in Form von Rückblenden (*Retrospektiven*) durch das Erzählen bereits vergangener Geschehnisse oder durch Vorausdeutungen zugunsten eines Ausblicks auf künftige Ereignisse unterbrochen werden.

Figuren

Als Trägern der Handlung kommt den Figuren eines Erzähltextes eine besondere Bedeutung zu.
Figurencharakterisierung Man unterscheidet zwischen der *direkten* und der *indirekten* Figurencharakterisierung. Meist setzt sich das Bild der Leserin/des Lesers von der Figur aus beiden Formen der Charakterisierung zusammen. Die *direkte Form* der Charakterisierung erfolgt durch den Erzähler oder andere Figuren, indem z. B. das äußere Erscheinungsbild der Figur näher beschrieben, ihre Handlung kommentiert und beurteilt wird und die Leserin/der Leser die Figur im Beziehungsgeflecht mit anderen Figuren erlebt. Durch die *indirekte Charakterisierung* kann die Leserin/der Leser zusätzlich anhand der Äußerungen, Gedanken und Handlungsweisen der Figur selbst ein Bild von ihr entwickeln.
Figurenkonzeption wird von der Autorin/dem Autor als *statisch* (sich nicht verändernd) oder *dynamisch* (sich im Verlauf der Erzählung verändernd), als *Typus* (auf einige wenige Charakterzüge reduziert) oder *Individuum* (mit vielschichtigen Charaktereigenschaften) angelegt.
Figurenkonstellation Bei der Untersuchung der Figurenkonstellation wird eine Figur hinsichtlich ihres Alters, Geschlechts, sozialen Status, ihrer Herkunft, der Wertvorstellungen, des Verwandtschaftsgrades sowie ihrer Handlungen und Einstellungen zu den anderen Figuren in Bezug gesetzt. Sie beschreibt die *Beziehung*, in welcher die Figuren zueinander stehen. Aus der Figurenkonstellation resultiert in der Regel auch der zentrale *Konflikt* des Textes.

Redeformen

Zur Vermittlung des Erzähltextes gibt es in epischen Texten unterschiedliche Formen der *Rede*, die den Rezipierenden die Inhalte vermitteln.

Erzählerrede Redeform, die man direkt dem Erzähler des Textes zuordnen kann. Dazu gehören Erzählerkommentar und -bericht sowie die Wiedergabe der Figurenrede in *indirekter Rede*.
Figurenrede bezeichnet die *direkte Rede*, welche die Figuren innerhalb des Erzähltextes verwenden. Der Erzähler tritt hinter die Aussagen der Figuren zurück.
Erlebte Rede Kombination aus direkter und indirekter Rede. Die Gedanken einer Figur werden (im Indikativ Präteritum der 3. Person Singular) aus der *Innensicht* wiedergegeben.
Innerer Monolog Hier erfolgt die direkte Wiedergabe der Gedanken einer Figur in Form eines Selbstgespräches in der Regel in der 1. Person Singular Präsens, während der Erzähler vollkommen hinter die Rede der Figur zurücktritt.
stream of consciousness (*Bewusstseinsstrom*) ist mit dem inneren Monolog verwandt und bezeichnet ebenfalls das Selbstgespräch einer Figur, jedoch noch stärker losgelöst von grammatikalischen und syntaktischen Regeln. Häufig weist er Ellipsen und Wiederholungen bestimmter Leitmotive auf, vollständige Sätze sind hier selten. Der rational nicht bewusste, inkohärente Strom von Gedanken und Empfindungen wird so gestaltet.

Epische Gattungsformen

Anekdote Eine epische Kurzform, die eine besondere authentische oder fiktive Begebenheit im Leben einer berühmten (historischen) Persönlichkeit zum Inhalt hat. Sie beschreibt die Begebenheit in auf wesentliche Züge reduzierter Form, beschäftigt sich mit nur einer kleinen Zahl von Figuren und schließt mit einer überraschenden Wende, der *Pointe*.
Epos Das bereits in der Antike geläufige Epos beschäftigt sich mit mündlichen Überlieferungen historischen oder mythologischen Charakters. Götter und Heldenfiguren stehen im Mittelpunkt der Erzählung eines bedeutenden Ereignisses. Mit der mündlichen Überlieferung hängt die Versform des Epos zusammen, welche dem Vortragenden als Gedächtnisstütze dient. Antike und mittelalterliche Epen lassen sich aufgrund der mündlichen Übertragung mitunter keinem bestimmten Autor zuordnen, wie z. B. das *Nibelungenlied*.
Erzählung Der Begriff wird im weiteren Sinn als Oberbegriff für alle epischen Gattungen genutzt. Im engeren Sinn bezeichnet er eine erzählerische Gattung, die zumeist kürzer ist als ein Roman sowie weniger Handlungsstränge aufweist. Es wird meist ein durchgängiger Handlungsverlauf in chronologischer Abfolge und aus lediglich einer Erzählperspektive heraus dargestellt.
Fabel Eine lehrhafte und sozialkritische erzählende Kurzform, die sowohl in Vers- als auch in Prosaform gestaltet sein kann. Ihre Protagonisten sind meist Tiere, seltener Pflanzen oder Dinge, die neben ihren natürlichen auch menschliche Charakterzüge und Fähigkeiten (z. B. Sprache) besitzen. Abgeschlossen wird sie oft mit einer lehrhaften Moral.
Gleichnis Ein zumeist kürzerer Text, der mit belehrender Absicht einen komplexen Sachverhalt auf eine bildhafte und damit sehr anschauliche Art darstellt. Explizit Gesagtes und implizit Gemeintes stehen im Gleichnis stets in Bezug zueinander und werden im sogenannten Vergleichsmoment einander gegenübergestellt. Der/die Rezipient/-in muss anders als bei der *Parabel* die Sachebene nicht aus der Bildebene ableiten, sondern bekommt sie zusammen mit dieser ausdrücklich erläutert.
Kalendergeschichte Ein kürzerer Prosatext, der merkwürdige Begebenheiten aus dem alltäglichen Erfahrungsbereich zum Inhalt hat und dabei Merkmale aus *Schwank*, *Anekdote* und anderen epischen Kurzformen in sich vereint. Sie weist eine schlichte Sprache und Figuren aus dem volkstümlichen Milieu sowie die Absicht auf, den Rezipient/-innen eine bestimmte Moral zu vermitteln.
Kurzgeschichte In Anlehnung an die amerikanische *short story* entwickelt sich in Deutschland nach 1945 die Kurzgeschichte als knappe Prosaform, deren Hauptmerkmal ihre besondere Kürze ist. Inhaltlich stellt die Kurzgeschichte in zumeist lakonischer, d. h. schmuckloser und trockener Sprache einen charakteristischen Ausschnitt aus dem Leben ihrer Protagonisten in den Fokus, wobei sie unvermittelt in die eigentliche Handlung einsteigt und durch Andeutungen, Aussparungen und sprachliche Bilder eine erzählerische *Verdichtung* hervorruft. Klar auf das Wesentliche reduziert, ist die Handlung der Kurzgeschichte *linear* angelegt. Auch die Gestaltung von Raum, Zeit und Figuren zeichnet sich durch eine besondere Reduktion und Skizzenhaftigkeit aus, was den Rezipierenden eine gute Übertragbarkeit auf die eigenen Lebensumstände ermöglicht. Das unvermittelte Einsetzen der Erzählung entspricht dem offenen Schluss, der Lesende zum Nachdenken über ein mögliches Ende und damit zum Transfer auf die eigene Lebenswirklichkeit anregen soll.
Legende Der Ursprung liegt in der Lesung der Leidenswege von Märtyrern und Heiligen innerhalb der mittelalterlichen Kirche. Ab dem 15. Jahrhundert entstehen zusätzlich zu den kirchlichen auch weltliche Legenden, d. h. weitgehend fiktive Erzählungen mit moralisch belehrendem Charakter.
Märchen Eine kurze, frei erfundene Erzählung mit fantastischen Elementen in Prosaform. Man unterscheidet zwischen *Volksmärchen*, die vor ihrer Verschriftlichung zunächst mündlich und ohne Rückbezug zur Autorin/zum Autor überliefert wurden, und *Kunstmärchen* mit direkter Zuordenbarkeit zum Verfasser. Die Märchenwelt ist klar unterteilt in Gut und Böse und stellt zumeist einen Helden in den Mittelpunkt, der sich im Spannungsfeld guter und böser Kräfte beweisen muss. Charakteristisch für die Gattung des Märchens sind darüber

hinaus ein formelhafter Anfang und ein gutes Ende sowie die indirekte Übermittlung bestimmter Lehren.

Novelle Eine Erzählung mit linearer Handlung ohne Nebenhandlung von kürzerer bis mittlerer Länge in Prosaform, die eine neue, unerhörte und einzigartige Begebenheit in den Fokus des Erzählens stellt. Die Gestaltung ist klaren Regeln unterworfen: Die geschlossene Form zeichnet sie ebenso aus wie die Verwendung immer wiederkehrender *Leitmotive* oder *Dingsymbole*. Häufig ist die beschriebene Binnenhandlung in eine Rahmenhandlung eingebettet, welche die Situation des Erzählens erläutert.

Parabel Eine kurze lehrhafte Erzählung, die ihrem Charakter nach dem *Gleichnis* verwandt ist. Auch die Parabel setzt sich zusammen aus einer Bild- und einer Sachebene. Im Unterschied zum Gleichnis wird die Sachebene in der Parabel aber nicht explizit dargelegt, sondern muss im Zuge der Übertragung auf die Lebensumstände der Rezipient/-innen von diesen selbst erschlossen werden.

Roman Die Großform der Epik. In Prosaform legt er meist das Schicksal einer einzelnen Figur oder einer Figurengruppe dar, weist ein umfangreiches Personal sowie eine komplexe, in mehrere Stränge unterteilte Handlung auf. Thema und Schreibstil variieren von Roman zu Roman, sodass eine Einteilung in unterschiedliche Romantypen möglich ist: z. B. Abenteuerroman, Agentenroman, autobiografischer Roman, Bildungsroman, Briefroman, Detektivroman, Entwicklungsroman, Fantasyroman, Gegenwartsroman, Gesellschaftsroman, Gothic Novel, historischer Roman, Horrorroman, Kriegsroman, Kriminalroman, Liebesroman, postmoderner Roman, Reiseroman, Ritterroman, Schauerroman, Schelmenroman, Science-Fiction-Roman, Spionageroman, Tatsachenroman, Utopischer Roman oder Zukunftsroman.

Sage Wie *Märchen* und *Legende* ist auch die Sage eine zunächst auf der mündlichen Überlieferung basierende kurze Erzählung fantastischer Ereignisse. Durch die Kombination unwirklicher Elemente mit realen Geschehnissen, belegbaren Angaben zu Figuren, Ort und Zeit des Erzählten, wird der Eindruck erweckt, die Sage berichte von einem tatsächlich eingetroffenen Ereignis.

Schwank Eine kurze Prosaerzählung, die eine komische Begegebenheit aus dem Leben des Volkes bezeichnet. Zwei Figuren, eine (z. T. scheinbar) der anderen überlegen, treten einander gegenüber. Sie unterhalten sich über lustige und unbedeutende Dinge, die sonst selten Eingang in die Literatur finden. Die Pointe wird von der geradlinigen Darstellung direkt angesteuert. Ihre Blütezeit erreichte diese Form im Spätmittelalter (Handwerkerdichtung) mit Ausläufern bis heute (Bauerntheater).

F

Dramatik

Begriff Der Name leitet sich ab vom altgriechischen Wort *dráma*, was so viel wie *Handlung* bedeutet. Das literarische Produkt der Dramatik ist das Drama. Es entfaltet seinen Konflikt mithilfe von Dialogen und Monologen des auftretenden Personals. Ursprünglich gedacht für die Darbietung auf der Theaterbühne, wendet das Drama sich weniger an ein lesendes, sondern vielmehr an ein Theaterpublikum. Über *Regieanweisungen* wird der reine Dramentext um Angaben zur Bewegung, Gestik und Mimik, zum Bühnenbild und zu den Requisiten ergänzt.

Struktur des Dramas

Auftritt Auf dem Theater eine bestimmte Konstellation der Figuren auf der Bühne; bei einem Figurenwechsel beginnt ein neuer Auftritt. Die Akte eines Theaterstücks werden nach Auftritten oder *Szenen* gegliedert und sind die kleinste strukturelle Einheit des Dramas. Das Gegenteil vom Auftritt einer Figur auf der Bühne ist der *Abgang*. Der Begriff *Auftritt* kann auch im Sinne eines Schauplatzes oder Bühnenbildes verwendet werden. In Dramen von Lessing oder Schiller erscheint die Szene in der Bedeutung des Schauplatzes, der zusätzlich noch in Auftritte eingeteilt ist.

Szene Der Begriff leitet sich von gr. *skene* ab, das ein Teil einer antiken griechischen Theateranlage war. Heute bedeutet er den Teil eines Theaterstücks oder den Abschnitt eines Films. Das Ende einer Szene wird meist durch vollständigen Personal-, Orts- oder Zeitwechsel markiert.

Akt Der Begriff leitet sich aus dem lateinischen Verb *agere* ab, bedeutet so viel wie *das Gemachte* oder *die Tat* und steht in einem dramatischen Text für den Abschnitt eines Theaterstückes oder eines Singspiels (Oper/Operette). In manchen Dramen wird der Akt auch als **Aufzug**, vom Aufziehen des Vorhangs beim Beginn jedes Aktes, bezeichnet.
In der Dramatik seit dem 20. Jahrhundert wird die Einteilung in Akte zumeist aufgegeben und durch Überlegungen, ob und wo eine Pause angebracht ist, ersetzt.

Bild Eine andere Art der Unterteilung von Theaterstücken (neben dem größeren Akt und der kleineren Szene), die in der Regel einen Schauplatz kennzeichnet, der sich nicht wesentlich im Verlauf des Stücks verändert.

Station Der Begriff stammt vom lateinischen *statio* für den *Stand* oder *Standort* und bezeichnet vor allen Din-

F

gen in Dramen der *offenen Form* einzelne Szenen oder Bilder, die lose aneinandergereiht und hauptsächlich nur durch den/die Protagonist/-in des Stücks miteinander verbunden sind. Die Gesamtheit aller Stationen eines Stücks wird *Stationendrama* genannt.

Typischer Dramenaufbau

Exposition (Einleitung) Die Figuren werden eingeführt, der dramatische Konflikt kündigt sich an. Die Zuschauer /-innen erhalten Informationen zu den Vorbedingungen des sich später anbahnenden Konflikts.
Steigerung Steigende Handlung mit *erregendem Moment*: Die Situation verschärft sich.
Peripetie (Umschlag der Handlung, Umkehr der Glücksumstände der Heldin/des Helden): Die Handlung erreicht ihren Höhepunkt (*Klimax*).
Retardierung/Retardation Fallende Handlung mit *retardierendem* (aufschiebendem, hinhaltendem) *Moment*: Die Handlung verlangsamt sich, um in einer Phase der höchsten Spannung auf die bevorstehende Katastrophe hinzuarbeiten.
Katastrophe (*Dénouement*) Es kommt meist zum endgültigen Scheitern der Protagonistin/des Protagonisten bzw. der Bewältigung des dramatischen Konflikts. Die Heldin/der Held wird verurteilt oder verdammt. Es können aber auch alle Konflikte gelöst und die Figuren sittlich gereinigt/geläutert werden (*Katharsis*).

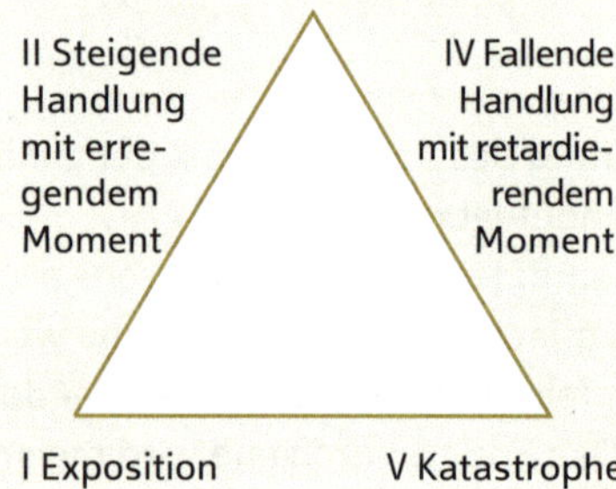

Figuren

Figur Der Begriff steht für eine erfundene, fiktive Person und ist nicht mit einer realen Person zu verwechseln.
Charakter Eine Figur wird differenziert in ihren Eigenschaften und Verhaltensweisen dargestellt, wobei körperliche Merkmale oder der soziale Status nicht dazugehören. Eine Figur kann auch einen gemischten Charakter mit Stärken und Schwächen aufweisen.
Typus Die Figur wird auf typische Eigenschaften und Verhaltensweisen reduziert und mit feststehenden Merkmalen versehen: der Typus des listigen Helden, des gehörnten Ehemannes, des einsamen Denkers ...
Protagonist/-in Zentrale Figur im Drama (Hauptdarsteller/-in), Gegenspieler/-in ist der/die *Antagonist/-in*.
Figurenkonstellation Die sozialen, psychologischen und/oder geistigen Beziehungen der einzelnen Figuren eines Stückes zueinander. Die Eigenheiten einer Figur lassen sich gerade auch durch ihr Verhältnis zu den anderen Figuren erfahren.

Figurenrede

Monolog von gr. *monos allein*, ist im Gegensatz zum Dialog ein Selbstgespräch. Indem die Figur zu sich selbst spricht, richtet sie sich zwar nicht direkt an die Zuschauenden oder Lesenden, doch ist das Publikum der eigentliche Adressat, um Gedanken und seelische Vorgänge der Figur hörbar oder lesbar nach außen zu tragen und damit deutlich werden zu lassen.
Dialog Ist im Gegensatz zum Monolog eine mündlich oder schriftlich zwischen zwei oder mehreren Figuren geführte Rede und Gegenrede (Wechselrede).
Botenbericht Ein Stilmittel, das das Publikum in Kenntnis von einem bereits *vergangenen* und *abgeschlossenen* Ereignis setzt, das zum Verständnis der Handlung wichtig ist, aber nicht direkt auf der Bühne dargestellt werden kann, z. B. eine Schlacht oder eine Hinrichtung. Von besonderer Bedeutung ist der Botenbericht in der griechischen Tragödie, die an die drei Einheiten von Ort, Zeit und Handlung gebunden ist.
Teichoskopie (oder *Mauerschau*) Im Gegensatz zum Botenbericht berichtet eine Figur von erhöhter Position aus (z. B. einer Stadtmauer) über ein *gleichzeitig* stattfindendes Ereignis, das auf der Bühne nicht dargestellt und von anderen Figuren nicht gesehen werden kann, wie aufmarschierende Armeen oder Naturphänomene (Sternenhimmel/ Sonnenaufgang). Die Teichoskopie kann ein Monolog oder auch ein Dialog sein.
A parte Eine Figur spricht während eines Dialogs zum Publikum gewandt, ohne es ausdrücklich anzusprechen.
Ad spectatores Eine Figur wendet sich an das Publikum, wie im Volkstheater oder im epischen Theater.
Antilabe (*Widerhall*) Ein einzelner Sprechvers wird auf mehrere Figuren verteilt und durch Einrückungen im Schriftbild gekennzeichnet.
Stichomythie (Reihenrede) Schnelle, versweise wechselnde Rede und Gegenrede in einem Versdrama als Ausdrucksmittel für ein lebhaftes Gespräch.

Handlung

Haupttext Der gesamte Text, der auf der Bühne von den einzelnen Figuren gesprochen wird.
Nebentext In der Regel alle Informationen, die durch ein besonders hervorgehobenes Schriftbild (in Klammern, kursiv ...) für die Leser/-innen eines dramatischen

Textes von Bedeutung sind: *Titel, Vorwort, Personenverzeichnis* und vor allen Dingen *Regieanweisungen*.

Prolog – Epilog Eine „Vorrede" in der Art einer Einleitung oder Vorgeschichte, die vom Haupttext abgegrenzt ist, im Gegensatz zum Epilog, der „Nachrede", einem Nachwort oder Nachspiel.

Dramatischer Konflikt Der Kern des Dramas, der sich aus unterschiedlichen Interessen und gegensätzlichen Zielen der Pro- und Antagonist/-innen ergibt. Dabei sind besonders drei Aspekte zu beachten:

1. Ursache und Entstehung
2. Entwicklung
3. Lösung des Konflikts

Der Konflikt kann von der Heldin/dem Helden sowohl verschuldet als auch unverschuldet ausgelöst werden. Während in der *Tragödie* der Konflikt unweigerlich auf eine Katastrophe hinausläuft, wird er in der *Komödie* meist im guten Sinn gelöst.

F

Dramatische Formen (nach Volker Klotz):

	Geschlossene Dramenform	Offene Dramenform
Handlung	**Einheit der Handlung:** Einsträngigkeit; Seitenstränge dienen Haupthandlung Geschlossenheit der Handlung: Handlung in sich abgeschlossen und vollständig; keine wesentlichen Sprünge und Lücken	**Vielfalt der Handlung:** Mehrsträngigkeit; relativ eigenständige Nebenhandlungen Offenheit der Handlung: Handlung schlaglichtartig, bruchstückhaft und fortsetzbar; sprunghaft, mit vielen Aussparungen
Zeit	**Einheit der Zeit:** geringe Zeiterstreckung Zeitverlauf wichtiger als Zeiteindruck: szenische Gegenwart überlagert von Vorwärts- und Rückwärtsbezügen	**Vielfalt der Zeit:** weite, z. T. unbestimmte Zeitausdehnung Intensiv erlebter dramatischer Augenblick wichtiger als klare Abfolge
Ort	**Einheit des Ortes:** kein dramatisch wirksamer Ortswechsel Raum typisiert, nur Rahmen, kein Handlungsfaktor	**Vielfalt des Ortes:** Fülle verschiedengearteter, eigentümlicher Lebens- und Handlungsräume Raum charakteristisch, ist Mitspieler, bezeichnet Menschentyp, Stand, Milieu, Atmosphäre, Sprache
Figuren	**Einheit des Standes:** Personal sozial einheitlich, mit gemeinsamem geistigem Bezugssystem Ständeklausel: Tragödie: höfische, Komödie: bürgerliche Sphäre Klare personelle Gegnerschaften Mündige, verantwortliche, reflektiert handelnde Persönlichkeiten Antriebsmomente im Wesentlichen das Geistige und das seelisch Geläuterte	**Vielfalt des Standes:** Aufeinandertreffen verschiedener sozialer Schichten und Weltbilder Keine Standesvorbehalte: Jeder Stand kann tragisch und komisch dargestellt werden Figuren im Kampf mit allgemeinen Welt-, Klassen-, Milieuverhältnissen Auch unreife, unfreie, unfertige, dumpf getriebene Menschen Ebenbürtige Antriebsmomente, das Kreatürliche, Körperliche, Triebhafte, das Unbewusste und das Soziale
Sprache	**Einheit der Sprache:** Vers; Dichtungssprache, hoher Stil Fast ausschließliches Ausdrucksmedium: Sprache Satzbau hypotaktisch (unterordnend); Satzfolge beständig, schlüssig, grammatisch stimmig; Sprache kunstvoll, zielgerichtet, logisch folgernd, dialogisch	**Vielfalt der Sprache:** Sprechweisen nach Stand, Charakter, Situation verschieden; Prosa; auch Alltagssprache; Stilmischung; Dialekt Neben der manchmal versagenden oder aussetzenden Sprache: Mimik, Gestik, Gebärde, Körpersprache (Zunahme der Regieanweisungen) Satzbau parataktisch (nebenordnend), Satzfolge auch sprunghaft, stockend, brüchig, kreisend; Sprache auch unbeholfen, zerfahren, assoziativ, elliptisch, monologisch
Aufbau	Geschlossene, straff geordnete Komposition	Offene, lockere Komposition; reigen-, stationen-, mosaik- oder kaleidoskopartiger Charakter

Formen des Dramas

Tragödie Die Tragödie bezeichnet heute allgemein einen dramatischen Text, in welchem die Heldin/der Held an einem tragischen Konflikt scheitert. Die Protagonistin/der Protagonist ist dem Schicksal unterlegen und durchlebt die dargestellte Handlung schließlich auch in dem Bewusstsein, dass er scheitern muss. Auslöser der

Tragödie kann eine tragische, unverantwortete Schuld der Dramenheldin/des Dramenhelden oder aber eine persönliche und eigens von ihr/ihm verursachte Schuld sein. Außerdem können das Schicksal, Missverständnisse, Irrtümer und Lügen das Scheitern der Heldin/des Helden heraufbeschwören. Der antike Tragödienbegriff des Aristoteles sah für die Tragödie als höchste Gattung ausnahmslos Figuren von besonderem gesellschaftlichen Rang vor, da diese aufgrund ihrer hohen Stellung besonders tief fallen können. Das hohe Personal sollte so beim Publikum *Furcht* und *Mitleid* erregen und es von derartigen Affekten reinigen (*Katharsis*). Dementsprechend herrscht in Tragödien in der Regel die Hochsprache vor. Bis ins 18. Jahrhundert hinein bleibt die Tragödie adligem Personal vorbehalten (*Ständeklausel*). Mit der Entwicklung des *bürgerlichen Trauerspiels* öffnet sie sich dann auch bürgerlichem Personal und nimmt – neben der gesellschaftlichen – auch die moralische Fallhöhe in den Blick.

Komödie Wichtigstes Merkmal ist ihr Hang zur komischen Darstellung und der gute Ausgang des in ihr aufgeworfenen Konflikts. Anders als in der Tragödie ist der Konflikt in der Komödie lösbar, sodass ein gutes Ende durch Zufall, Klug- oder Torhaftigkeit der Heldin/des Helden oder der Kontrahentin/des Kontrahenten möglich ist. Die Dramenfiguren der Komödie entstammen zumeist dem Bürger- oder Bauerntum und kommunizieren in niederer bzw. Umgangssprache miteinander.

Passionsspiel Um für die Bevölkerung Leiden und Auferstehung Jesu Christi nacherlebbar zu machen, entstehen im Mittelalter sogenannte Passions- oder Osterspiele, die charakteristische Bibelstellen wie Auferstehung und Wächterszene zur theatralen Aufführung bringen.

Bürgerliches Trauerspiel Im 18. Jahrhundert verschafften zunächst Lessing, später auch Schiller einem neuen Dramentypus auf den deutschen Theaterbühnen Gehör. Das Personal ist trotz seines tragischen Charakters im Bürgertum angesiedelt, typisch bürgerliche Probleme (z. B. Konflikte zwischen Bürgertum und Adel) stehen im Fokus. Es kommt hiermit zu einer Aufhebung der *Ständeklausel*, welche tragische Stoffe bis dato ausschließlich hohem Personal vorbehalten hatte.

Historisches Drama wendet sich der Aufarbeitung historischer Ereignisse zu und thematisiert häufig die Auswirkungen der Geschichte auf das einzelne Individuum.

Lyrisches Drama wird im 18. Jahrhundert als Textgrundlage für *Opern* oder *Singspiele* mit starker Gefühlsbetonung genutzt. Es bezeichnet aber gleichzeitig einen Dramentyp, der durch eine stark stilisierte Sprache und die Darstellung von tiefen Emotionen der Protagonist/-innen gekennzeichnet ist.

Naturalistisches Drama fokussiert im Deutschland des ausgehenden 19. Jahrhunderts die möglichst naturgetreue Wiedergabe der Wirklichkeit auf der Theaterbühne. So entstammen die behandelten Stoffe dem realen Leben und beschreiben ein Milieu so exakt wie möglich. Im Fokus steht dabei immer der Mensch selbst, seine Armut, Krankheit, Neurosen, nicht so sehr die Geschichte, die sich um ihn herum abspielt. Ausführliche Regieanweisungen, die Einhaltung der Einheit von Raum und Zeit, ein auf wenige Figuren begrenztes Personal sowie ein analytischer Aufbau der Handlung mit aneinandergereihten Sequenzen sind kennzeichnend für das naturalistische Drama.

Illusionstheater Das Illusionstheater vermittelt dem Publikum den Eindruck, im Bühnengeschehen Zeuge realer Vorgänge zu werden. Das Stück wird also nicht mehr als Fiktion wahrgenommen, denn die Zuschauenden erliegen der Illusion, einem sich in der Realität abspielenden Geschehen beizuwohnen. Illusionstheater wurde v. a. im Barock sowie im Naturalismus dazu genutzt, dramatische Texte möglichst real wirken zu lassen.

Episches Theater Einen radikalen Bruch mit dem Illusionstheater begeht das von Bertolt Brecht etablierte epische Theater, welches dem Publikum mithilfe von bestimmten *Verfremdungstechniken* stets den illusionären Charakter des Bühnengeschehens vor Augen führt und dadurch eine Distanzierung des Publikums von der Bühnendarstellung erreicht. Zu diesen Verfremdungstechniken, die den Verlauf der Haupthandlung auf der Bühne immer wieder durchbrechen, gehören der Kommentar eines Erzählers oder Ansagers, der Einsatz von Chören und der Gebrauch von Spruchbändern und Plakaten. Die Zuschauenden sollen zum Mitdenken und zum Auffinden alternativer Lösungen angeregt werden, indem sie das auf der Bühne Dargestellte auf die eigenen Lebensumstände übertragen und mögliche Handlungsalternativen aufdecken.

Dokumentartheater entwickelt sich in den 1960er-Jahren in der Tradition von Brechts epischem Theater und will die Rezipierenden zu politischem Einsatz anregen. Dazu bringt es Quellen oder authentische historische Szenen in mehr oder weniger starker künstlerischer Bearbeitung auf die Bühne. Auch schwierige historische Probleme, wie die Schrecken des Zweiten Weltkriegs und die sich daran anschließende Verdrängungsmentalität vieler Beteiligter, finden im dokumentarischen Theater Platz und erreichen eine breite Öffentlichkeit.

Lesedrama Texte, die zwar der Form nach dramatisch sind und mit Dialogen und Regieanweisungen arbeiten, aber von der Verfasserin/dem Verfasser nicht für die Bühnenaufführung gedacht wurden. In Lesedramen erschweren oder verhindern häufige Schauplatzwechsel, schwierig zu gestaltende Bühnenbilder oder die bloße Textlänge eine Aufführung.

Einakter Ein dramatischer Text, der nur aus einem einzigen Akt besteht und kaum Szenenwechsel aufweist.

In meist vergleichsweise geringem Umfang geben Einakter keine komplexe und in sich geschlossene Handlung wieder, sondern stellen – zumeist mit offenem Anfang und Ende – einen bestimmten Ausschnitt aus dem Leben der Figuren in einer immer komplizierter werdenden Welt dar.

Sachtexte

Begriff Texte, die Informationen und Fakten liefern, auch Gebrauchs- oder pragmatische Texte genannt, z. B. Zeitungsbericht, Gebrauchsanweisung, Rezension, Kommentar, Rede, Leserbrief, Memoiren, Biorgrafie, Einladung, Schulordnung.

Funktionen von Sachtexten

Sachtexte haben verschiedene Funktionen bzw. Wirkabsichten, wobei ein Text meist nicht nur eine der folgenden Funktionen erfüllt, sondern in unterschiedlichem Maß verschiedene Wirkabsichten verfolgt.

informierend Informierende Texte dienen der Darstellung und machen Angaben zu bestimmten Sachverhalten, z. B. *Nachrichten, Meldungen, Abhandlungen, Berichte* oder *Protokolle*.

appellierend Appellative Texte sollen die Rezipient/-innen zu einer Handlung veranlassen, z. B. *Werbetexte, Annoncen, Einladungen, Aufrufe* und *Empfehlungen*.

expressiv Bei expressiven Texten überwiegt der Ausdruck; die Selbstmitteilung der Verfasserin/des Verfassers bzw. der Senderin/des Senders wird deutlich gegenüber den behandelten Sachinhalten, z. B. in *Traueranzeigen, Glückwunschschreiben* oder *Glossen*.

In Sachtexten wird ...

argumentiert Der Standpunkt der Verfasserin bzw. des Verfassers wird mittels diverser Argumente für den/die Leser/-in, Empfänger/-in, Hörer/-in oder Rezipient/-innen logisch nachvollziehbar dargelegt, wie etwa in *Diskussionen* oder *Erörterungen*.

bescheinigt Durch bescheinigende Texte werden neue Fakten geschaffen bzw. eine institutionelle „Deklarationsfunktion" erfüllt, z. B. in *Zeugnissen, Gutachten, Zertifikaten* und *Ernennungen*.

instruiert Primäres Ziel ist es, die Rezipient/-innen in die Lage zu versetzen, nach der Lektüre bestimmte Handlungen bzw. Tätigkeiten erfolgreich ausführen zu können. Dies ist der Fall etwa bei *Gebrauchsanweisungen, Bedienungsanleitungen* oder *Rezepten*.

kommentiert In Texten wie *Kommentaren* oder *Rezensionen* macht die Verfasserin bzw. der Verfasser deutlich wertend-beurteilende Aussagen zu einem Sachverhalt oder literarischen Werk.

normiert Durch normierende Texte werden Normen bzw. Regeln festgeschrieben; dazu zählen *Spielregeln* ebenso wie *Gesetzestexte*.

verpflichtet Steht die „Obligationsfunktion" im Zentrum eines Textes, so verpflichtet sich die Verfasserin/der Verfasser (bzw. die/der Unterzeichnende), eine bestimmte Handlung zu vollziehen, z. B. bei *Verträgen, Einverständniserklärungen, Vereinbarungen*, aber auch bei *Haus- und Schulordnungen*.

Argumentation

Argumentation Die Verknüpfung mehrerer Argumente. Erfolgt diese in Form einer Abwägung von Pro- und Kontra-Argumenten, so spricht man von einer *Erörterung*.

These Ein Satz bzw. eine **Behauptung**, der/die des Beweises bedarf.

Argument Die **Begründung**, die dem Beweis oder der Widerlegung einer These/einer Behauptung dient. Es können fünf Typen von Argumenten unterschieden werden, zum Beispiel:

- das *Faktenargument* (Verweis auf ein allgemein bekanntes, unumstößliches Faktum),
- das *normative Argument* (Verweis auf allgemein anerkannte Grundsätze),
- das *Autoritätsargument* (Verweis auf die Aussagen von Fachleuten),
- das *analogisierende Argument* (Übertragung eines Beispiels aus einem anderen Lebensbereich auf die aktuelle Problemstellung),
- das *indirekte Argument* (Stärkung der eigenen Position durch deutliche Schwächung der Gegenposition).

Beispiel/Beleg Ein spezifischer Sachverhalt wird als musterhaft illustrierende Erklärung für ein Argument angeführt.

Argumentationsmodelle

Sanduhrprinzip Eine Vorgehensweise bei der dialektischen Erörterung. Zuerst beginnt man mit den Argumenten, die nicht der eigenen Position entsprechen, und nennt das stärkste Argument zuerst. Dann folgt die Darstellung der eigenen Position mit dem stärksten Argument am Ende (vgl. S. 321).

Reißverschlussprinzip Eine Vorgehensweise bei der dialektischen Erörterung. Argumente der Pro- und Kontraseite wechseln. Den Anfang machen jeweils die Argumente, die nicht der eigenen Position entsprechen.

Diese werden dann durch die Gegenargumente entkräftet.

Textsorten

Autobiografie Die Beschreibung der eigenen Lebensgeschichte aus der Retrospektive (Gegensatz: Tagebuch) an der Grenze zwischen Sachtext und literarischem Text.
Essay Eine subjektiv-geistreiche *Abhandlung* zu kulturellen, gesellschaftlichen oder wissenschaftlichen Themen, die nicht den strengen Regeln der Wissenschaftlichkeit folgt.
Glosse Ein meist kurzer, pointierter „Meinungsbeitrag", in dem sich der/die Verfasser/-in zu weltpolitisch-ernsten oder zu allgemeinen und gegebenenfalls amüsanten Themen in polemisch-satirischer Weise äußert.
Kommentar Ein sogenannter Meinungsbeitrag, in dem eine Autorin bzw. ein Autor persönlich Stellung zu einem aktuellen Thema bezieht. Dies geschieht mit expliziter Nennung des Autornamens. In Zeitungen wird darüber hinaus häufig ein Bild der Verfasserin bzw. des Verfassers neben dem Artikel abgedruckt, im Fernsehen sprechen die Kommentator/-innen ihre Texte (als „Zwischenruf") meist selbst.
Kritik Subjektiv gefärbte, wohlwollende oder problematisierende *Besprechung* einer Veranstaltung (Konzert, Theaterinszenierung) oder Veröffentlichung (Bücher, CDs). Die Kritik insbesondere von Büchern wird auch als *Rezension* bezeichnet.
Leserbrief Eine persönliche *Stellungnahme* eines Lesers bzw. einer Leserin zu einem zuvor erschienenen Artikel oder auch zu einem aktuellen Problem. Der Leserbrief kann sowohl sachlich als auch ironisch oder polemisch geschrieben sein.
Nachricht Mitteilung einer für die Rezipient/-innen potenziell wichtigen oder informativen Neuigkeit in möglichst objektiver Weise. In einer Nachricht sollten die journalistischen W-Fragen (vor allem: *Was* ist *wo, wann, warum, wozu* und *wie* passiert? *Wer* war an dem Ereignis beteiligt?) beantwortet werden.
Rede Eine für den *mündlichen* Vortrag konzipierte Mitteilung, die vom Redner bzw. von der Rednerin explizit auf den Redeanlass (*politische Rede, Preisrede, Gedenkrede, Ansprache, Vorlesung, Predigt*) und die Zuhörerschaft hin fokussiert wird.
Tagebuch (auch **Diarium**) Aufzeichnungen von Erlebnissen, Stimmungen und Gefühlen in chronologischer Form zur Selbstvergewisserung, die zu Lebzeiten der Verfasserin bzw. des Verfassers nicht zur Veröffentlichung gedacht sind (im Gegensatz zur *Autobiografie* oder zum öffentlich einsehbaren *Blog* im Internet).

Film

Bildkomposition

Einstellungsgrößen Bildverhältnis zwischen Bildobjekt (Person/Gegenstand) und Bildraum. Das Spektrum reicht dabei von der extrem weiten Panoramaeinstellung, in der der Raumeindruck dominiert, hin zur Detailaufnahme, bei der Ausschnitte hervorgehoben werden. Die Wahl der Einstellungsgrößen (*Panorama, Totale, Halbtotale, Halbnahe, Amerikanische, Nahe, Groß, Detail*) und deren Montage entscheiden grundlegend über die Erzählhaltung eines Films und die emotionale Wirkung beim Publikum. Jede Einstellungsgröße kann theoretisch aus jeder Perspektive gedreht werden, wodurch sich das kreative Potenzial des Kamerastandpunkts vervielfacht.
Kamerabewegung Die Veränderung des Kamerastandpunkts kann zusätzlich zur Wahl von Einstellungsgröße und Perspektive narrative Intentionen verfolgen.
Beim *Kameraschwenk* wird lediglich die Kamera auf einem Stativ oder mit der Hand horizontal und/oder vertikal geschwenkt, während der Kamerastandort gleich bleibt.
Bei *Kamerafahrten* mit Kamerawagen (Dolly) oder durch die/den Kamerafrau/-mann selbst (*Handkamera*) hingegen wird die Kamera selbst durch den Raum bewegt.
Bei einem *Zoom* wird mithilfe der Veränderung der Objektivbrennweite der Kamera an einen Gegenstand oder eine Person „herangezoomt" – eine Fähigkeit, die das menschliche Auge nicht besitzt. Die Rolle der Kamera als filmischer Erzähler wird durch Kamerabewegungen deutlich, lenkt sie doch den Blick der Zuschauerin bzw. des Zuschauers besonders stark.
Mise en Scène Filmästhetische Bezeichnung in Analogie zur Bühnengestaltung im Theater oder der Bildgestaltung der Bildenden Kunst für das Arrangieren des Filmbildes, z. B. Positionierung von Personen im Bildraum, Farbkomposition, Verhältnis von Vorder- und Hintergrund, weiterhin Maske, Kostüm und Schauspiel. Die Mise en Scène beeinflusst die emotionale Haltung der Zuschauerin bzw. des Zuschauers zum Geschehen.
Perspektive Position der Kamera im Verhältnis zum Bildobjekt (Person). Als Normalsicht bezeichnet man die Kameraposition auf Augenhöhe einer Person. Aus *Untersicht/Froschperspektive* können Personen mächtig oder heldenhaft wirken. Die *Aufsicht/Vogelperspektive* kann Personen klein und verloren wirken lassen sowie Unterlegenheit suggerieren.

Montage/Schnitt

Montage Bezeichnung für den Schnitt von Filmaufnahmen – früher analog mit dem Filmmaterial, heute digital mithilfe von Schnittprogrammen. Bei der Montage wird neben dem Bild auch die Tonspur (Geräusche, Sprache, Musik) bearbeitet. Die Montage, die Zusammenfügung einzelner Filmaufnahmen, gilt auch als das wesentliche Merkmal der Filmkunst und Unterscheidungskriterium von anderen Kunstgattungen. Erst mithilfe des Schnitts entsteht aus Einzelaufnahmen eine kohärente Handlung und damit der Film. Verschiedene Montagekonzepte wie *Assoziations- u. Kontrastmontage, Ellipse, Jump Cut, Match Cut* oder *Parallelmontage* bieten vielseitige Möglichkeiten, eine Geschichte zu erzählen.
Assoziations- und Kontrastmontage Aufnahmen werden derart aneinandergeschnitten, dass sie von den Zuschauenden assoziativ verbunden und so metaphorisch gedeutet werden: Der Schnitt von einem Reh in freier Wildbahn zu einem Gefangenen hinter Gittern wird so zu einem Sinnbild für Freiheit und deren Fehlen im Falle des Gefangenen.
Ellipse Kürzung einer Handlung in der filmischen Darstellung durch Auslassung von Handlungselementen in der Montage. Auslassungen können die logische, kausale und temporale Folge der Geschehnisse betreffen. Im heutigen Film stark verwendet, um den Erzählfluss zu beschleunigen
Jump Cut Schnitt zwischen zwei Bildern, die hinsichtlich Einstellungsgröße und Perspektive nahezu identisch sind, aber einen Handlungssprung vollziehen. Kann z. B. zur Dynamisierung einer Actionszene oder Verunsicherung der Zuschauer/-innen genutzt werden.
Match Cut Verbindung zweier Filmbilder im Schnitt mithilfe optischer Übereinstimmungen, z. B. Positionierung im Bildraum, Farbgebung oder Objektbewegung im Bild. Hierdurch entsteht eine narrative Klammer zwischen Szenen.
Parallelmontage Durch die Montage wird zwischen zwei zeitlich parallel verlaufenden Handlungen hin- und hergeschnitten, wodurch z. B. bei Verfolgungsjagden Spannung aufgebaut werden kann. Der Parallelmontage ist besonders effektiv in Verbindung mit Match Cuts.

F

Sprache

Grundlagen

Linguistik Sprachwissenschaft; Wissenschaft von Aufbau und Struktur einer Sprache; sie beschreibt Ausdrucksmöglichkeiten menschlicher Kommunikation sowie den konkreten Sprachgebrauch.
Etymologie ermittelt, ausgehend von der sprachgeschichtlichen Entwicklung, die Herkunft und Bedeutung einzelner Wörter sowie deren Veränderung im Lauf der Zeit (historisch-vergleichend).
Phonologie Die Lehre von den Sprachlauten; sie untersucht **Phoneme** (kleinste bedeutungs*unterscheidene* Lauteinheit) einer Sprache (*W*ald – *b*ald – *k*alt) und deren Beziehung zueinander.
Morphologie beschreibt Struktur und Form der Wörter; aus **Morphemen**, den kleinsten bedeutungs*tragenden* Einheiten einer Sprache (*Haus*), bildet man komplexe Wörter (*Haus-tür, Hinter-haus-tur*).
Man unterscheidet *Flexion* (des alt*en* Haus*es*, du geh*st*) und *Wortbildung* (haus-*ieren*, *Geh-weg*).
Semantik Lehre von der *Bedeutung* von Wörtern; zerlegbar in kleinste Bedeutungsmerkmale (*tot/lebendig, menschlich/tierisch*), die manchmal mehr oder weniger zutreffen (*Teetasse/Kaffeetasse*).
Pragmatik beschreibt jede Äußerung als Sprachhandlung mit bestimmter Absicht und zu bestimmtem Zweck.
Sprechhandlung/Sprechakt Eine sprachliche Äußerung zum Vollzug einer Handlung; die *Absicht* (Intention) der Sprecherin/des Sprechers kann direkt oder indirekt sein (je nach Zusammenhang zu erschließen).
Sprachkritik Reflektierte Auseinandersetzung mit aktuellem und früherem Sprachgebrauch ohne Wertung, sondern rein aus linguistischer Perspektive; im Gegensatz hierzu: *Sprachpflege*.

Wortebene

Wort *Selbstständige* sprachliche Einheit, gekennzeichnet durch die *Wortart* (je *nach* Sprachverwendung).
Wortbildung Komposition komplexer Wörter durch
Zusammensetzung: (Haus-tür), mit Affixen (Präfix: *be*-enden, Suffix: Zeit *ung*, Zirkumfix: *ge*-red-*et*) oder
Ableitung: ausgehend vom Basiswort (sagen: sag-*bar*, das *Sagen*); Wortbildung oft mit Fugenelement (Hilf-s-mittel).
Flexion Bildung grammatischer Wortformen (nur bei flektierbaren Wörtern).

Deklination: Genus, Numerus, Kasus bei Nomen/Substantiven.

Konjugation: *Person, Numerus, Tempus, Genus verbi, Modus bei* Verben.

Komparation: Positiv, Komparativ, Superlativ (*groß* – *größer* – *am größten*) bei Adjektiven.

Silbe Beim Sprechen zusammengefasste Lautfolge (phonologische Einheit), kein *Morphem*.

F

Lexem Basiseinheit des Wortschatzes, enthält alle Informationen zu Bedeutung, grammatischer und pragmatischer Verwendung im Zusammenhang (wie ein Wort im Wörterbuch).
Wortfamilie Wörter unterschiedlicher Wortart mit gleichem Wortstamm (morphologisch ähnlich).
Wortfeld Wörter derselben Wortart, gegebenenfalls mit unterschiedlichem Wortstamm (semantisch ähnlich).
Lautverschiebung Allmähliche Veränderung im Phonemsystem einer Sprache.
Denotation – Konnotation
Die *Denotation* ist die Relation zwischen sprachlichem Ausdruck und Bezeichnetem auf der Sachebene (*Nacht:* Zeit zwischen Sonnenunter- und -aufgang). Die *Konnotation* ist das Mit-Gemeinte, der subjektive, soziale und kulturelle Aspekt (*Nacht:* assoziiert mit Angst, Einsamkeit).

Satzebene

Syntax Lehre von der Kombination von Wörtern zu verstehbaren (grammatisch korrekten) Sätzen.
Satz Lineare, selbstständige und abgeschlossene sprachliche Einheit (meist mit Verb), die aus kleineren Einheiten bestehen und die selbst Teil einer größeren Einheit (Text) sein kann; man unterscheidet Hauptsätze von Nebensätzen (die wiederum Teil von Hauptsätzen sind).
Satzglied ist eine funktionale Einheit zur Satzgliederung; es besteht aus Wörtern oder Wortgruppen, die sich nur geschlossen verschieben und als Ganzes ersetzen (und erfragen) lassen (z. B. *Subjekt*).

Textebene

Text Eine komplex strukturierte, thematisch und inhaltlich zusammenhängende sprachliche Einheit (mündlich oder schriftlich) mit erkennbarem kommunikativem Sinn; oft: Folge von Sätzen.
Konnektor Wort, das inhaltliche, logische und/oder grammatische Bezüge zwischen Sätzen herstellt.

Rhetorik

Rhetorik ist die Kunst „gut zu reden“ (ars bene dicendi) und gehörte in der Antike zu den sieben freien Künsten (septem artes liberales). Sie wurde von Privatlehrern gelehrt, um die freien Männer darauf vorzubereiten, erfolgreich am öffentlichen und politischen Leben der griechischen Polis teilnehmen zu können. Im Mittelalter war die Rhetorik ein elementarer Teil der Ausbildung an den Universitäten. Unter Berufung auf Aristoteles unterscheiden die Rhetoriker der Antike drei Grundformen der Rede oder Redegattungen (genera orationis): Die *Streitrede* oder politische Rede (genus deliberativum) zur Klärung einer Sache, die *Gerichtsrede* (genus iudicale) zur Urteils- und Wahrheitsfindung und schließlich die *Festrede* (genus demonstrativum), die meistens als *Lobrede* (laudatio) zur Würdigung einer Person oder Sache gehalten wurde.
Aus diesen Grundformen haben sich im Laufe der Zeit weitere Formen ausdifferenziert: Die *Toten- und Trauerrede* entwickelte sich als besondere Form aus der *Lobrede*, die Predigt als Weiterentwicklung der *Streitrede* und die *agitatorische Rede* als Zuspitzung der *politischen Rede*. Hinzu kommt durch die Entwicklung der Universitäten der Fachvortrag zur Vermittlung von Wissen.
Heute sind vor allem Begrüßungs- und Abschiedsrede, die Jubiläumsrede, die Festrede, die Dankesrede und die spontane Stegreifrede bekannt. Die Narrenrede entwickelte sich im Mittelalter als versteckte Form der Anklage gegen Missbrauch von Herrschaft und Macht aller Art. Ihre Weiterentwicklung ist die heutige Form der Büttenrede oder der satirischen Rede.
Der Erfolg des Rhetorikers hing von seinen persönlichen Fähigkeiten (ingenium) und von seiner inhaltlichen Durchdringung des Redestoffes (intellectio) ab. Hinzu kamen die Nachahmung erlernter Redemuster (imitatio), das Erkennen der rhetorischen Regeln (doctrina) und stetiges Üben (exercitium).

Als die fünf Pflichten des Redners (officia oratoris) galten:
1. das Auffinden des Stoffes und der Argumente (inventio),
2. die Anordnung des Stoffes (dispositio),
3. das Ausformulieren der Rede und die Verwendung geeigneter Stilmittel/rhetorischer Figuren (elocutio),
4. das vollständige Auswendiglernen der Rede (memoria),
5. das Vortragen der Rede in freier Form (actio).

Aus der inhaltlichen und der argumentativen Struktur des Argumentationsganges ergeben sich oft feste Argumentationsmuster. Wurde in der Antike zu Beginn ein Baumuster in acht Schritten gelehrt, so entwickelten sich daraus verschiedene Formen in fünf Schritten.

Baumuster der *antiken Rede* in acht Schritten

1. Werben um das Wohlwollen des Publikums (captatio benevolentiae)
2. Darlegung der gegenwärtigen Situation (narratio)
3. Gliederung der Hauptpunkte des Beweises (divisio)
4. Widerlegung der gegnerischen Argumente (refutatio)
5. Vortrag der eigenen Beweise (argumentatio)
6. Zusammenfassung der Tatsachen (conclusio)
7. Anfeuern und Begeistern (motus)
8. Aufruf zur Tat (actio)

Baumuster der *theologischen Disputation* im Mittelalter in fünf Schritten

1. Ausgangsfrage (quaestio oder propositio)
2. Aufzeigen eines Mangels (videtur quod non)
3. Gegenaussage (in oppositum: contra)
4. Aussage (in oppositum: pro)
5. Ergebnis der Diskussion (solutio)

In der Rhetorik spielen Stilmittel eine zentrale Rolle. Dabei gibt es Überschneidungen mit den Stilmitteln, die Lyrik und Epik verwenden. Die folgende Aufstellung enthält nur die Stilmittel, die in der Aufstellung auf der hinteren Umschlaginnenseite nicht aufgeführt sind.

Stilmittel	Erläuterung	Beispiel
Wortfiguren (Euphemismus, Hyperbel, Klimax, Litotes auf der Umschlaginnenseite)		
Antiklimax	vom stärkeren zum schwächeren Ausdruck	„da kamen Edelmann, Bürger, Bauersmann“
Archaismus	veralteter Ausdruck	„auf dem Buche prangt“
Emphase	nachdrückliches Sprechen	„Menschen! Menschen! Heuchlerische Krokodilsbrut!“ (Schiller, Die Räuber)
Hendiadyoin	Doppelung: Verbindung zweier synonymer Wörter	„Hilfe und Beistand“ „Bitten und Flehen“
Periphrase	Verhüllung, Umschreibung	„Auge des Gesetzes“
Gedankenfiguren (Antithese, Ironie, Paradox, rhetorische Frage auf der Umschlaginnenseite)		
Akkumulation	Anhäufung: Drei oder mehr zueinander in Beziehung stehende Begriffe werden aneinandergereiht.	„Nun ruhen alle Wälder, Vieh, Menschen, Städt' und Felder“ (Paul Gerhardt)
Correctio	Verbesserung	„Sie lieben, Madame? Nein, Sie anbeten, auf Händen tragen!“ (Heinrich Heine)
Pars pro toto	ein Teil für das Ganze	„solange du die Füße unter meinem Tisch hast“
Sentenz	einprägsamer Sinnspruch	„Früher Vogel fängt den Wurm“
Suggestivfrage	Beeinflussungsfrage	„Möchten Sie etwa nicht mehr Geld verdienen?“
Wortspiel	klanggleiche Wörter mit unterschiedlicher Bedeutung	„Bin ganz gewillt ein guter Mann zu werden und nicht ein Schlächter“ (B. Brecht)
Satzfiguren (Anapher, Chiasmus, Ellipse, Epipher, Parallelismus auf der Umschlaginnenseite)		
Inversion	Umstellung der üblichen syntaktischen Reihenfolge	„Nicht aber für erforderlich wird es gehalten“
Parenthese	syntaktischer Einschub	„Ich sei, gewährt mir die Bitte, in eurem Bunde der Dritte!“
Klangfiguren		
Alliteration	gleicher Anlaut bei der betonten Silbe	„in seidenen Sesseln sitzen“
Kakophonie	Missklang einer Folge unangenehmer Laute	„Strickstrumpfstricken“
Onomatopoesie	Laut- und Klangmalerei	„Quakfrosch“, „rumpeln“
Polyptoton	Wiederholung eines Wortes mit Abwandlung der Flexionsform	„Wenn der Hass dem Hass begegnet“

Literaturgeschichte

Periodisierungsproblematik

Epoche stammt aus dem Altgriechischen und bedeutet Haltepunkt oder Einschnitt. Unter einer Literaturepoche verstehen wir heute jedoch keinen Haltepunkt in der Geschichte mehr, sondern einen Zeitabschnitt, in dem eine bestimmte Art, Literatur zu gestalten, prägend ist. Diese Abschnitte können dabei helfen, sich im Nachhinein in der – viele Jahrhunderte umfassenden – Geschichte der Kunst oder Literatur zu *orientieren*. Epochenbezeichnungen haben also eine strukturierende Funktion und erleichtern damit die Verständigung über die *Produktion* und *Rezeption* von literarischen Texten. Beispielsweise lassen sich inhaltlich und formal ähnliche Texte übersichtlicher bündeln, wenn sie einer Epoche zugeordnet werden. Ein inhaltliches Kriterium könnte ein bestimmtes Motiv – wie der *Tod* im Barock und der *Mond* in der Romantik – sein. Eine formale Gemeinsamkeit wäre z. B. die Formstrenge in der Klassik.

Bei allen Vorteilen, die die Periodisierung durch Epochen mit sich bringt, müssen Sie jedoch bedenken: Epochen sind keine natürlichen Zeitabschnitte, sondern *künstliche Konstruktionen* von Menschen.

So sind die *Kriterien*, nach denen Epochen bestimmt und unterschieden werden, sehr unterschiedlich. Hier finden sich stilgeschichtliche Kategorien neben historisch-politischen Epochenbegriffen. Stilgeschichtliche sind z. B. der Kunstgeschichte entlehnt wie *Jugendstil, Expressionismus*. Historisch-politische beziehen sich auf bestimmte historische Zeiträume und Strömungen oder auf politische Ereignisse wie z. B. *Reformation, Vormärz, Literatur der Weimarer Republik*.

Werden Epochen mit festen Grenzen versehen und auf typische Merkmale festgelegt, sind sie aber auch fragwürdig – schon aus dem Grund, weil sich bestimmte Stilrichtungen und literarische Bewegungen häufig überschneiden oder parallel zueinander verlaufen. Die folgenden Seiten werden z. B. zeigen, dass die *Aufklärung* auf ca. 1720 – 1790, die *Empfindsamkeit* auf ca. 1740 – 1790 und der *Sturm und Drang* auf ca. 1767 – 1790 datiert werden. Sie verliefen also nicht nacheinander. Auch werden viele Autor/-innen im Nachhinein mehreren Epochen zugeordnet, Goethe z. B. dem *Sturm und Drang* und der *Klassik*, Heine dem *Vormärz* und der *Romantik*. Einige Autor/-innen, denen wir heute bestimmte Epochen zuweisen, wussten damals noch gar nicht um die Existenz dieser Epochenbegriffe. Andere hingegen setzten sich bewusst mit der Schaffung einer neuen Epoche in Abgrenzung zur vorhergehenden auseinander. Wird dabei im Rückblick stärker die historische Zäsur herausgearbeitet, spricht man vom **Epochenumbruch**, werden dagegen im Prozess der Veränderung eher Momente der Verdichtung und des Übergangs gesehen, spricht man von **Epochenschwelle**.

Wenn Sie von Literatur(-epochen) sprechen, sollten Sie also immer die Problematik einer Periodisierung der Literaturgeschichte berücksichtigen.

Epochenüberblick

Mittelalter (ca. 500 – 1500)

Heldenepos (Nibelungenlied) • Zaubersprüche • Rittertum • Minnesang • Tagelied • Passionsspiele • Kirche • Jenseitsglauben

Begriff Der Begriff *Mittelalter* wurde im Zeitalter der Renaissance geprägt und bezeichnet den zeitlichen Abschnitt zwischen Antike und Neuzeit.

Welt- und Menschenbild Das mittelalterliche Weltbild steht stark unter dem Einfluss von Kirche und Glauben. Gott wird als Schöpfer der Welt betrachtet und greift direkt in das Leben der Menschen und ihr Schicksal ein. Die individuellen Belange des Einzelnen treten vor seinem Platz innerhalb der mittelalterlichen Gesellschaft zurück.

Geschichte und Gesellschaft Lesen und Schreiben sind Fertigkeiten, die im **Frühmittelalter** fast ausschließlich Angehörige des *Klerus* (geistlicher Stand) beherrschen. *Adel* sowie *Bauern*, die beiden übrigen Stände, müssen in der Regel auf die Auslegung der Literatur (v. a. der Bibel) vonseiten kirchlicher Würdenträger vertrauen.

Im 12. Jh. setzt mit dem Herrschergeschlecht der Staufer im deutschen Sprachraum das **Hochmittelalter** ein. Durch das stete Bevölkerungswachstum im 13. Jh. erleben landwirtschaftliche Produktion, Handwerk und Handel einen Aufschwung. Geld wird als Zahlungsmittel eingeführt und die Menschen drängen zunehmend in die Städte, werden von bäuerlichen Selbstversorgern zu Handwerkern und Kaufleuten. Gemeinsam mit der wirtschaftlichen kommt es auch zu einer kulturellen Blüte. So erlernen auch Angehörige des Adels das Lesen und Schreiben.

Sind die Könige des Hochmittelalters in Deutschland noch bedeutend und einflussreich, so wandelt sich dies im Übergang zum **Spätmittelalter**. Reichs- und Kurfürsten sowie die Städte gewinnen stetig an politischer wie wirtschaftlicher Bedeutung, wobei letztere neben den Adelshöfen zu neuen Zentren für Bildung und Kultur heranwachsen. In dem Maße, wie die Städte an Macht gewinnen, wird auch das aufstrebende Bürgertum zu einem immer einflussreicheren Teil der Bevölkerung.

Themen, Motive, Texte im Frühmittelalter Im Zuge der Völkerwanderung tragen die Germanen ihre eigene Literatur in den deutschen Sprachraum und sorgen dabei für die Verbreitung unterschiedlicher Sagenkreise.

Unter der Herrschaft der Karolinger kommt es zur Christianisierung der Germanenstämme, was sich auch in der entstehenden althochdeutschen Literatur (ca. 750–1060) niederschlägt. Neben germanisch-heidnischen Elementen finden sich zunehmend auch christliche Einflüsse in der Literatur. Mit dem Übergang von der *althochdeutschen* zur *mittelhochdeutschen* Sprache im 11. Jh. entwickelt sich die frühmittelhochdeutsche Literatur (ca. 1060–1120), die vorwiegend christlich-religiösen Inhalten treu bleibt. Zwischen 1120 und 1180 treten dann mit der vorhöfischen Literatur auch Werke weltlicher Autoren in den Vordergrund. Erstmals wird mit dem *Alexanderlied* des Pfaffen Lamprecht ein Werk geschaffen, das nicht auf eine lateinische, sondern eine volkssprachliche Quelle gründet. Bevorzugte Textsorten sind Evangelienharmonien, Fürstenpreis, Gebete, Gelöbnisse, Heldensagen, Rätsel, Segen, Spielmannsepen und Zaubersprüche.

Themen, Motive, Texte im Hochmittelalter Aufgrund der Bedeutung der ritterlichen Tugenden im Hochmittelalter – Dienst für den weltlichen Herrn, die christliche Kirche und Frauen- bzw. Minnedienst – sind die vorherrschenden literarischen Gattungen Minnesang, höfisches und Heldenepos. Häufig sind außerdem Textsorten wie Artusepos, Kreuzlied, Leich, Minnesang, Spruchdichtung und Vagantendichtung.

Themen, Motive, Texte im Spätmittelalter und in der frühen Neuzeit Die spätmittelalterliche Literatur baut auf bereits bekannte Formen wie Minnesang, höfisches und Heldenepos auf und macht sie sich in modifizierter Form nutzbar. Zudem wird das erste Schauspiel in deutscher Sprache entwickelt. Auch die geistliche Dichtung bringt Oster-, Weihnachts- oder Passionsspiele vor breiten Volksmassen auf öffentlichen Plätzen zur Aufführung. Bevorzugte Textsorten sind Fastnachtsspiel, geistliches Drama, Legende, Meistersang, Schwank, Totentanz, Volkslied.

Autoren und Werke

Pfaffe Lamprecht (12. Jh.): *Alexanderlied* (um 1120/1140)
Dietmar von Aist (vor 1140 – nach 1170): *Minnelieder*
Hartmann von Aue (um 1165 – 1210): *Erec* (ca. 1180)
Wolfram von Eschenbach (um 1170 – um 1220): *Minnelieder* (1200/05), *Parzival* (1200/10)
Walther von der Vogelweide (um 1170 – um 1230): *Minnelieder und Sangsprüche*
Heinrich von Morungen († um 1220): *Minnelieder* (seit 1180)
anonym: *Nibelungenlied* (ca. 1200)
Gottfried von Straßburg († um 1225): *Tristan und Isolde* (ca. 1210)

Humanismus und Reformation (ca. 1500 – 1600)

Menschlichkeit • Wiedergeburt • Buchdruck • Bibelübersetzung • Reformation • Volksbücher (Faust) • Meistersang • Diesseits

Begriff Der Begriff *Humanismus* bedeutet Menschlichkeit und lehnt sich an das antike Verständnis der *Humanitas* an. Auch die *Renaissance* (Wiedergeburt) zielt auf die Wiederbelebung der antiken Kultur ab. In der *Reformation* wird die Umwälzung kirchlicher Verhältnisse unter Reformatoren wie Martin Luther angestrebt.

Geschichte und Gesellschaft Im Gegensatz zur weitgehend auf das Jenseits ausgerichteten Weltsicht der mittelalterlichen Gesellschaft wird der Blick des Menschen zunehmend auf die irdische Existenz und die Bedingungen des Lebens im Diesseits gelenkt. Der humanistische Mensch ist selbstbewusst und schöpferisch tätig, zeigt Interesse am technischen Fortschritt, an Kriegskunst und Geschichte sowie den ästhetischen Idealen der Antike. Das Zeitalter steht ganz im Zentrum neuer wissenschaftlicher Forschungen und technischer Entwicklungen. Der von Johannes Gutenberg um 1455 entwickelte Buchdruck mit beweglichen Lettern macht Literatur für ein breiteres Publikum zugänglich. Mit der Landung in Amerika 1492 durch Christoph Kolumbus erweitert sich das europäische Weltbild, welches durch Kopernikus als heliozentrisch (Planeten bewegen sich um die Sonne) anerkannt wird. Luther schließlich ruft mit seinen Thesen 1517 die Reformation der katholischen Kirche hervor und übersetzt die Bibel für breite Volksschichten ins *Neuhochdeutsche*.

Themen, Motive, Texte Ausgehend von bedeutenden italienischen Schriftstellern wie Giovanni Boccaccio und Dante Alighieri kommt der Humanismus in literarischen Werken immer mehr zum Tragen. Programme deutscher Gelehrter wie Erasmus von Rotterdam und Johannes Reuchlin zur humanistischen Erziehung und Theologie bilden Grundpfeiler für die sich entwickelnde Reformation ebenso wie Übersetzungen klassischer Werke. Ihre Verbreitung wird mit Erfindung des Buchdrucks erheblich beschleunigt. Bevorzugte Textsorten sind Abenteuer-, Helden- und Ritterroman, Fabel, Fastnachtsspiel, Meistersang, Narrenliteratur, Schwank, und Streitgespräche.

Autoren und Werke

Hans Rosenplüt (um 1400 – um 1460): Fastnachtsspiele
Hermann Bote (um 1450 – 1520): *Till Eulenspiegel* (1510/11)
Sebastian Brant (1457 – 1521): *Das Narrenschiff* (1494)
Erasmus v. Rotterdam (1466 – 1536): *Das Lob der Torheit* (1511)

Martin Luther (1483 – 1546): *An den christlichen Adel deutscher Nation* / Neues Testament (übersetzt 1522)
Hans Sachs (1494 – 1576): *Die Wittenbergische Nachtigall* (1523)

Barock (ca. 1600 – 1720)

Sonett • Sprachgesellschaften • memento mori • vanitas • carpe diem • Absolutismus • Ständegesellschaft • Dreißigjähriger Krieg • Pest

Begriff Der Begriff *Barock* wird im 19. Jh. zur Bezeichnung einer Epoche gebraucht, die sich aus einem aus der italienischen Renaissance heraus entstandenen Kunststil entwickelt und an den portugiesischen Ausdruck *barroca* angelehnt ist, der so viel wie *schiefrunde Perle* bedeutet.

Geschichte und Gesellschaft Die Schrecken des Dreißigjährigen Krieges (1618–1648) und der verheerenden Pestepidemien in der ersten Hälfte des 17. Jh. kosten etwa ein Drittel der Bevölkerung des Deutschen Reichs das Leben. Für das Welt- und Menschenbild des Barock sind daher das Bewusstsein um die menschliche Vergänglichkeit, die Angst vor dem Tod sowie der christliche Glauben bestimmend. Nach Abschluss des Krieges entsteht ein Territorialabsolutismus. Die weltlichen Herrscher entscheiden über kulturelle, wirtschaftliche und kirchliche Lebensbereiche und haben Einfluss auf Erziehung und Bildung.

Themen, Motive, Texte Im Zeitalter des Barock kommt es mit Martin Opitz' Werk *Buch von der deutschen Poeterey* (1624), in der er eine *Regelpoetik* entwirft, zu einer Reform des deutschen Literaturschaffens. Die weitgehend lateinische Dichtung der Renaissance wird abgelöst durch Dichtung in deutscher Sprache, die der festgelegten Regelpoetik in stark reglementierten Formen wie Sonett, Elegie oder Ode folgt und sich mit antithetischen (gegensätzlichen) Themenfeldern wie Leben und Tod, Spiel und Ernst, Blüte und Verfall, Wollust und Tugend sowie Reichtum und Armut beschäftigt. Weltflucht, religiöse Vorstellungen und Sinnenfreudigkeit resultieren aus dem Wissen um die Vergänglichkeit alles Lebenden, das sich in der zeitgenössichen Literatur im Motiv der *Vanitas* (Vergänglichkeit) sowie im *carpe diem* (Nutze den Tag!) und dem *memento mori* (Gedenke, dass du sterblich bist!) ausdrückt. Laienspiel, Wander-, Schul- und Hoftheater sowie die Oper bringen dramatische Werke unter strenger Beachtung der *Ständeklausel* (Tragödie: adliges Personal; Komödie: niedriger gestelltes Personal) zur Aufführung. Zu den wichtigsten Textsorten zählen Sonett, Ode, Lied, Schäferdichtung, Kirchenlied, Jesuitendrama, Epigramm und Emblem.

Autoren und Werke
Martin Opitz (1597 – 1639): *Buch von der Deutschen Poeterey* (1624)
Paul Fleming (1609 – 1640): *Teutschen Poemata* (1646), *Herr Peter Squenz oder Absurda Comica* (1658)
Andreas Gryphius (1616 – 1664): *Sonn- und Feiertagssonette* (1639), *Leo Armenius oder Fürstenmord* (1650)
Hans Jakob Christoffel von Grimmelshausen (1621/22–1676): *Der abenteuerliche Simplicissismus Teutsch* (1669)

Aufklärung (ca. 1720 – 1790)

Vernunft • Bürgertum • Mündigkeit • Buchmarkt • Belehrung • Fabel • Lesezirkel • bürgerliches Trauerspiel

Begriff Das Zeitalter der Aufklärung bezeichnet eine gesamteuropäische Epoche (wie auch die Barockzeit), die sich durch Besinnung auf Menschlichkeit und Vernunftdenken charakterisieren lässt.

Geschichte und Gesellschaft Im 18. Jahrhundert kommt es durch die Herausbildung eines neuen, wohlhabenden und dadurch immer einflussreicheren Bügertums zur Abkehr vom *Feudalismus*. Die bis dato geltende und als von Gott eingesetzt bezeichnete Vorherrschaft des Adels wird vom Bürgertum angefochten, das darauf pocht, sich mehr und mehr selbst zu bestimmen. Der Dreißigjährige Krieg hatte zu Zersplitterung und Kleinstaatlichkeit innerhalb des Heiligen Römischen Reiches deutscher Nation geführt und damit zur weitgehend selbstständigen politischen und wirtschaftlichen Entscheidungsfreiheit der über 300 Einzelstaaten. Ihre Fürsten leben zulasten des einfaches Volkes in Prunk- und Verschwendungssucht. Angelehnt an die Philosophie der Aufklärung beginnen aber die Bürger, sich gegen die vorherrschende Ordnung aufzulehnen. Als bedeutendster deutscher Philosoph regt Immanuel Kant die Menschen dazu an, sich des eigenen Verstandes zu bedienen.

Themen, Motive, Texte Zentrales Thema der Literatur ist nun nicht länger das Fürstenlob, sondern Leben und Aufklärung des bürgerlichen Menschen in Werken, die die Ideale der Aufklärung (Vernunft, Menschlichkeit, Nutzen für die Gesellschaft) in jedweder Gattung vertreten. Mit Gotthold Ephraim Lessing kommt es zur Überwindung der *Ständeklausel* und damit zur Überwindung feudaler Literaturtheorien in dramatischen Texten. Menschen sind in ihren Handlungen nicht mehr vom sozialen Stand abhängig, sondern aufgrund ihrer Vernunftbegabung frei, ihr entsprechend zu handeln. Literatur wird in den Dienst der Belehrung des Publikums gestellt und soll dieses über die Erregung von Furcht und Mitleid sittlich läutern (*Katharsis*). Um ein Mitfühlen möglich zu machen, muss die Abkehr vom idealen Helden hin zur Darstellung realer Persönlichkeiten mit Stärken und Schwächen auf der Bühne erfolgen.

Das *bürgerliche Trauerspiel* entsteht, von dem man sich aufgrund der Inszenierungsmöglichkeiten den größten Lerneffekt für das Publikum erhofft. Ähnliche Popularität erlangt auch der *Roman*, der ebenfalls zunehmend bürgerliche Helden einsetzt. Kleine epische Formen wie *Aphorismus* oder *Fabel* setzen sich mit Politik, Religion, Gesellschaft und Kultur auseinander, um den Rezipienten nach den Leitideen der Aufklärung zu belehren. Bevorzugte Textsorten sind Aphorismus, bürgerlicher Roman, bürgerliches Trauerspiel, Fabel und Lehrgedicht.

Autoren und Werke

Johann Christoph Gottsched (1700 – 1766): *Versuch einer Critischen Dichtkunst vor die Deutschen* (1730)
Christian Fürchtegott Gellert (1715 – 1769): Fabeln und Erzählungen (1746 – 1748)
Immanuel Kant (1724–1804): *Beantwortung der Frage: Was ist Aufklärung?* (1784)
Gotthold Ephraim Lessing (1729 – 1781): *Miß Sara Sampson* (1755), *Minna von Barnhelm oder Das Soldatenglück* (1767), *Hamburgische Dramaturgie* (1767/68), *Emilia Galotti* (1772), *Nathan der Weise* (1779)
Georg Christoph Lichtenberg (1742 – 1799): *Sudelbücher*

Empfindsamkeit (ca. 1740 – 1790)

Gefühlsüberschwang • Schwärmerei • Naturverbundenheit • bürgerliche Moralvorstellungen • Idylle • Ode • Leitideen der Aufklärung

Begriff Die *Empfindsamkeit* stellt die Leitideen der Aufklärung nicht infrage, ergänzt die rationale Epoche aber um die Darstellung von Gefühlen, Freundschaft, Weltflucht und Naturverbundenheit.

Geschichte und Gesellschaft Das politisch und gesellschaftlich lange durch die adligen Obrigkeiten unterdrückte Bürgertum findet in Gestalt von Gefühlsüberschwang und Schwärmerei eine Möglichkeit, aus der Knechtschaft auszubrechen, und wendet sich religiösen und mystischen Bereichen zu. Fest im rationalen Gedankengut der Aufklärung verankert, werden subjektive Erfahrungen im Zusammenhang mit Tugend und Moral für den empfindsamen Menschen zum Zentrum seines Daseins. Die Empfindsamkeit gründet sich neben literarischen Vorbildern aus England und Frankreich auch auf die religions- und geistesgeschichtliche Bewegung des **Pietismus**, die in Deutschland zunehmend an Bedeutung gewinnt. Während der Pietismus einerseits den Kampf der Aufklärung gegen den vorherrschenden kirchlichen Dogmatismus unterstützt, wendet er sich andererseits gegen das einseitig rationale Denken der Aufklärung und setzt sich für die freie Entfaltung tugendhafter Gefühle ein.

Themen, Motive, Texte Die empfindsame Lyrik findet ihren prominentesten Vertreter mit Friedrich Gottlieb Klopstock, welcher in seinem Werk *Messias* vor allem den seelischen Zustand seiner Figuren hervorhebt. Auch die Dramatik zeigt empfindsame Züge und verdeutlicht bürgerliche Tugendideale. In der Epik schlägt sich die Empfindsamkeit vor allem in längeren erzählenden Texten nieder, in welchen bürgerliche Helden durch das Festhalten an typisch bürgerlichen Moralvorstellungen am Ende ihr Glück finden. Bevorzugte Textsorten sind Epos, Hymne, Ode, Idylle und Roman.

Autoren und Werke

Friedrich Gottlieb Klopstock (1724 – 1803): *Messias* (1748 – 1773), *Oden* (1771)
Matthias Claudius (1740 – 1815): *Der Wandsbecker Bothe* (1771/75)

Sturm und Drang (ca. 1767 – 1790)

Impulsivität • Geniekult • Subjektivität • Gefühl und Vernunft • Dramatik • Gesellschaftskritik • Scheitern an der Gesellschaft

Begriff Der Name der Epoche *Sturm und Drang* leitet sich her vom gleichnamigen Drama *Sturm und Drang* (1776) von Friedrich Maximilian Klinger. Eingeleitet wird die Epoche mit Erscheinen der *Fragmente* (1767) von Herder, abgeschlossen mit der Wendung Schillers und Goethes hin zur Klassik am Ende des 18. Jh.

Geschichte und Gesellschaft Zeitlich überschneidet sich die Epoche des Sturm und Drang mit der der Aufklärung, wobei sich die Stürmer und Dränger allerdings gegen die ausschließlich rationale Betrachtung der Welt richten.

Themen, Motive, Texte Im Gegensatz zur Aufklärung treten Verstand und Vernunft hinter Impulsivität, Spontaneität und Geniekult zurück. Gefühl und freie Entfaltung des Individuums stehen im Fokus des Interesses. Der Geniekult tritt ins Zentrum literarischen Bemühens. Die schöpferische Kraft des Künstlers, sein Genie, und ein besonderer Hang zur Subjektivität zeichnen die Werke der Epoche aus. Sie erweitern die rationalisitische Haltung der Aufklärung: Gefühle und Vernunftglaube schließen sich nicht länger aus, sondern ergänzen einander. Dies wird vor allem im Drama, von dem man sich eine besondere erzieherische Funktion verspricht, deutlich. Die Dramen von Schiller und Goethe sorgen für einen enormen Aufschwung des deutschen Theaters. Aktuelle Gesellschaftskritik wird zum zentralen Thema des dramatischen Wirkens. Der Protagonist scheitert an den vorherrschenden gesellschaftlichen Verhältnissen und weiß sich meist nur durch Mord oder Selbstmord aus der Misere zu retten.

Auch Goethes Briefroman *Die Leiden des jungen Werther* zeichnet sich durch die besondere Betonung der Gefühlswelt des scheiternden Helden aus. In der Lyrik nehmen neben Natur- und Lehrgedichten vor allem Liebesgedichte einen breiten Raum ein. Bevorzugte Textsorten sind bürgerliches Drama, bürgerlicher Roman und Empfindungslyrik.

Autoren und Werke

Johann Gottfried Herder (1744–1803): *Über die neue deutsche Literatur. Fragmente* (1767)
Gottfried August Bürger (1747–1794): *Gedichte* (1778); *Abenteuer des Freiherrn von Münchhausen* (1786)
Johann Wolfgang von Goethe (1749–1832): *Götz von Berlichingen mit der eisernen Hand* (1773), *Ganymed* (1773), *Die Leiden des jungen Werther* (1774), *Prometheus* (1785)
Jakob Michael Reinhold Lenz (1751–1792): *Der Hofmeister oder Vorteile der Privaterziehung* (1774), *Die Soldaten* (1776)
Friedrich Maximilian Klinger (1752–1831): *Sturm und Drang* (1776)
Friedrich Schiller (1759–1805): *Die Räuber* (1781), *Kabale und Liebe* (1784)

Klassik (ca. 1786–1832)

Antike • Toleranz • Harmonie • geschlossene Formen • erzieherischer Auftrag • Bildungsroman • Ballade • Sittlichkeit • Humanität

Begriff Der Begriff *klassisch* kommt ursprünglich von dem lateinischen Wort *classicus*, welches für Mitglieder der obersten Steuerklasse genutzt und in der Bedeutung *erstklassig* nach und nach auf unterschiedliche Lebensbereiche übertragen wurde. Wenn wir heute etwas als klassisch bezeichnen, deutet dies auf dessen Zeitlosigkeit und seinen Vorbildcharakter hin.

Geschichte und Gesellschaft Die Klassik betrachtet die Welt als geordneten Organismus, der sich von Willkür- und Gewaltherrschaft befreit hat. Auch der Mensch wird als vollkommenes Wesen angesehen, welches dazu bestimmt ist, seine (schöpferischen) Kräfte *harmonisch* zu entfalten. Menschlichkeit und Toleranz sind zentrale Werte für den klassischen Menschen. 1789 kommt es zur Französischen Revolution, in deren Folge in Frankreich die Terrorherrschaft der Jakobiner einsetzt. 1799 gelangt Napoleon Bonaparte durch einen Staatsstreich an die Macht und wird 1804 zum französischen Kaiser erhoben. Unter ihm entsteht 1806 der Rheinbund, ein Zusammenschluss der rheinischen Staaten unter Napoleons Schutzherrschaft. In Preußen finden unterdessen zwischen 1807 und 1814 weitreichende Reformen statt, die zur Veränderung der Gesellschaft beitragen. So kommt es unter anderem zur Bauernbefreiung, Selbstverwaltung der Städte, Gewerbefreiheit und Judenemanzipation. Auch die Bereiche Bildung und Heer werden wichtigen Reformen unterworfen. In der Schlacht bei Waterloo wird Napoleon 1815 nach den bereits 1813 einsetzenden europäischen Befreiungskriegen endgültig geschlagen, seine Vorherrschaft in Europa endet. Es kommt zur Neuordnung innerhalb Europas durch den Wiener Kongress von 1815.

Themen, Motive, Texte Klassische Literatur zeichnet sich durch einen besonderen **Idealismus** aus und zielt dabei auf die Darstellung von Humanität, Harmonie und Sittlichkeit ab. Sowohl inhaltlich als auch formal findet ein Rückbezug auf die Antike statt, sodass z. B. geschlossene Formen vorherrschen (Formstrenge). Theoretische Schriften von Herder, Goethe und Schiller setzen sich auch mit den Möglichkeiten der Kunst auseinander, zu sittlichem Verhalten und Humanität zu erziehen. Bevorzugte Textsorten sind Ballade, Bildungsroman, Charakterdrama, Distichon, Hymne, Ideendrama, Ode, Sonett und Stanze.

Autoren und Werke

Johann Gottfried Herder (1744–1803): *Abhandlung über den Ursprung der Sprache* (1772), *Briefe zur Beförderung der Humanität* (1793–97)
Johann Wolfgang von Goethe (1749–1832): *Iphigenie auf Tauris* (1787), *Wilhelm Meisters Lehrjahre* (1795/96), *Hermann und Dorothea* (1797), *Faust I* (1806), *Dichtung und Wahrheit* (1811/14), *West-östlicher Divan* (1819), *Wilhelm Meisters Wanderjahre* (1821), *Faust II* (1831)
Friedrich Schiller (1759–1805): *Don Karlos* (1787), *Die Götter Griechenlands* (1788), *Über die ästhetische Erziehung des Menschen* (1795), *Über naive und sentimentale Dichtung* (1795/96), *Das Lied von der Glocke* (1797), *Wallenstein* (1798/99), *Maria Stuart* (1800)

Romantik (ca. 1790–1835)

(Kunst-) Märchen • Traum • Fantasie • Volkslied • Schauerroman • Mystik • Natur • Fernweh • Sehnsucht • Blaue Blume • Mond

Begriff Der Begriff *Romantik* lehnt sich an die altfranzösischen Wörter *romanz*, *romant* oder *roman* an, die für volkssprachige Dichtung stehen.

Geschichte und Gesellschaft Die Romantik entwickelt sich im Kontext des Umbruchs von der feudalen hin zur bürgerlichen Gesellschaft. Nach der Auflösung des Heiligen Römischen Reiches Deutscher Nation und der Gründung des Rheinbundes 1806 wird das bürgerliche Selbstbewusstsein durch weitgehende Reformen (s. Klassik) gestärkt.

Themen, Motive, Texte Die Epoche der Romantik findet in unterschiedlichen Städten ihre literarischen Zentren.
Die **Frühromantik** (auch Jenaer Romantik, 1798 – 1804): In Jena verfassen Dichter wie Novalis und die Brüder Schlegel erste programmatische Schriften. Demgegenüber entstehen in der **Hochromantik** (Heidelberger Romantik, 1804 – 1818) zahlreiche Gedichte, Märchen und Sagenkreise mit typisch romantischen Motiven wie Sehnsucht, Natur, Liebe und Wanderschaft. In der **Spätromantik** (in Berlin, 1816 – 1835) werden *Schauerromane* und *Kunstmärchen*, aber auch ganze Gedichtzyklen publiziert. Insgesamt stellt die Epoche den einzelnen Menschen als Individuum in seiner ganzen Subjektivität in den Mittelpunkt. Sein Innenleben gewinnt zunehmend an Interesse. Wunderbare, fantastische Stoffe, die sich von der wirklichen Welt ab- und zur urwüchsigen und ungezähmten Natur hinwenden, stehen im Zentrum der Dichtung. Kritik am reinen Vernunftglauben der Aufklärung und der Wille zur Verbindung von Rationalität und Gefühlswelt spiegeln sich in der romantischen Literatur. Bevorzugte Textsorten sind Bildungsroman, Entwicklungsroman, Kunstmärchen, Märchen, Sage, Schauerroman und Volkslied bzw. Gedicht und Balladen.

Autoren und Werke

Friedrich Schlegel (1772–1829): *Athenäum-Fragmente* (1798), *Lucinde* (1799)
Novalis (Georg Philipp Friedrich Freiherr von Hardenberg, 1772–1801): *Hymnen an die Nacht* (1800), *Heinrich von Ofterdingen* (1802)
Ludwig Tieck (1773–1853): *Der gestiefelte Kater* (1797), *Der blonde Eckbert* (1797)
E. T. A. Hoffmann (1776–1822): *Die Elixiere des Teufels* (1815/16), *Der Goldene Topf* (1814), *Nachtstücke* (u. a. *Der Sandmann*, 1816)
Clemens Brentano (1778–1842): *Godwi* (1801)
Achim von Arnim (1781–1831) und Clemens Brentano: *Des Knaben Wunderhorn* (1806–1808)
Jakob (1785–1863) und Wilhelm (1786 – 1859) Grimm: *Kinder- und Hausmärchen* (1812)
Joseph von Eichendorff (1788 – 1857): *Das Marmorbild* (1819), *Aus dem Leben eines Taugenichts* (1826)
Heinrich Heine (1797 – 1856): *Buch der Lieder* (1827)

Vormärz (ca. 1815 – 1848)

Märzrevolution 1848 • politische Einheit • Freiheit • Nationalismus • Restauration • Missstände • Zensur • Flugschriften • Reiseliteratur

Begriff Die Epoche des Vormärz bezeichnet das literarische Schaffen im Vorfeld der Märzrevolution von 1848. Das Junge Deutschland, welches sich nach der Neuordnung Europas auf dem Wiener Kongress 1815 herausbildet, setzt sich für einen einheitlichen deutschen Nationalstaat und die Umgestaltung des Landes in Freiheit und politischer Einheit ein. Dies spiegelt sich auch in der häufig antifeudalistisch anmutenden Literatur wider.
Geschichte und Gesellschaft Nach der Neuordnung Europas durch den Wiener Kongress von 1815 kommt es in Deutschland zur Auseinandersetzung zwischen den nach Restauration (Wiederherstellung der alten Ordnung) strebenden Fürsten und den Universitätsangehörigen, die unter dem Namen *Junges Deutschland* auf Freiheit und politische Einheit des Landes abzielen. Die Hoffnungen der Bewegung, die sich in Burschenschaften organisiert, erfüllen sich aber nicht. Mit Gründung des Deutschen Bundes 1815 entsteht weniger ein einheitlicher Nationalstaat als vielmehr ein Staatenbund mit weitgehend voneinander unabhängigen Mitgliedsstaaten. In den Karlsbader Beschlüssen von 1819 kommt es zum Verbot der Burschenschaften und einer zunehmenden Überwachung der Universitäten. Literatur wird der *Zensur* unterworfen. Die Enttäuschung des *Jungen Deutschland* über das Festhalten an der alten Ordnung durch die deutschen Fürsten bricht sich schließlich in der Märzrevolution von 1848 Bahn. Engagierte Autoren im *Vormärz* und im *Jungen Deutschland* wenden sich gegen absolutistische Strukturen, die Kirche sowie das idealistische Menschen- und Weltbild von Klassik und Romantik. Sie beschäftigen sich mit den zeitgenössischen Missständen und kämpfen für die Presse- und Meinungsfreiheit, den Sozialismus, die Emanzipation der Frau und die freie Entfaltung der Liebe.
Themen, Motive, Texte Die Epik wird zur bestimmenden Gattung. Weniger strengen Regeln als Lyrik und Dramatik unterlegen, eignet sich die Epik in besonderem Maße zu Politisierungen und Kritik. In Flugschriften wie Büchners *Der Hessische Landbote* wird das einfache Volk zur Revolution gegen die Obrigkeit aufge-

L

rufen. Die Reiseliteratur erlebt vor allem durch Heinrich Heine eine Blüte im 19. Jh. und vereint informierenden, unterhaltenden und politisch belehrenden Charakter in sich. Bevorzugte Textsorten sind Brief, Feuilleton, Flugblatt, Historisches Drama, Historischer Roman, Journalistische Texte, Komödie, Literarische Zeitschrift, politische Lyrik, Memoiren, Novelle, Reisebericht.

Autoren und Werke

Heinrich Heine (1797 – 1856): *Reisebilder* (1826/2730), *Deutschland. Ein Wintermärchen* (1844), *Die schlesischen Weber* (1844), *Romanzero* (1851)
August Heinrich Hoffmann von Fallersleben (1798 – 1874): *Unpolitische Lieder* (1840/41), *Das Lied der Deutschen* (1841)
Georg Büchner (1813 – 1837): *Der Hessische Landbote* (1834), *Dantons Tod* (1835), *Woyzeck* (1836), *Lenz* (1839)
Georg Herwegh (1817 – 1875): *Gedichte eines Lebendigen* (1841), *Aufruf* (1841), *Bundeslied für den Allgemeinen Deutschen Arbeiterverein* (1863)
Georg Weerth (1822 – 1856): *Das Hungerlied* (1844)

Biedermeier (ca. 1815 – 1848)

Rückzug ins Privatleben • stilles Glück • Tradition • heile Welt • Natur • Entsagung • Melancholie • Novelle

Begriff Mit dem Begriff *Biedermeier* kritisieren die Realisten im 19. Jh. die „biedere" Literatur der Restaurationszeit. Zu Beginn des 20. Jh. wird der Begriff aber positiv besetzt und steht für Häuslichkeit und den Rückzug ins Privatleben, eine Zeit, in der die Menschen sich keine Gedanken über schwierige politische Umstände und einen bevorstehenden Krieg machen müssen.

Geschichte und Gesellschaft Vgl. Vormärz.

Themen, Motive, Texte Das Weltbild des Biedermeier wird verkörpert durch die Rückbesinnung auf *Tradition* mit einem regional gefärbten Charakter. Der Mensch strebt nach dem stillen Glück innerhalb seines Privatlebens und befasst sich nicht mit komplexen politischen oder gesellschaftskritischen Themen. In kurzen literarischen Formen werden Themen wie Natur und Geschichte, der Rückzug ins Private und eine heile Welt dargestellt. Die Sprache ist schlicht bei detailgetreuer und möglichst bildlicher Darstellung. Bevorzugte Textsorten sind Ballade, Kurzgeschichte, Novelle, Skizze, Studie, Verserzählung und Volkslustspiel.

Autor/-innen und Werke

Franz Grillparzer (1791 – 1872): *Die Ahnfrau* (1817), *Der arme Spielmann* (1848)
Annette von Droste-Hülshoff (1797 – 1848): *Heidebilder* (1841/42), *Die Judenbuche* (1842)
Nikolaus Lenau (1802 – 1850): *Don Juan. Ein dramatisches Gedicht* (1851)
Eduard Mörike (1804 –1875): *Maler Nolten* (1832)
Adalbert Stifter (1805 – 1868): *Der Hochwald* (1841), *Bunte Steine* (1853), *Der Nachsommer* (1857)

Realismus (ca. 1848 – 1890)

künstlerische Wiedergabe der Realität • Verklärung der Wirklichkeit • Humor • Ironie • Einfachheit in Stoff und Form • Gesellschaftsroman

Begriff Der Begriff *Realismus* stammt vom lateinischen Wort *res* und bedeutet *Ding* oder *Sache*. Die Epoche des Realismus stellt die Realität in den Vordergrund, nicht aber, ohne diese künstlerisch zu gestalten. Die „wirkliche" Realität wird im Naturalismus dargestellt.

Geschichte und Gesellschaft Die Epoche des Realismus beginnt vor dem Hintergrund zahlreicher Bevölkerungsaufstände in unterschiedlichen europäischen Staaten. Politische Mitbestimmung und Wahlrecht werden gefordert. Mit der Reichsproklamation von 1871 in Versailles wird Wilhelm I. zum deutschen Kaiser erhoben, während Bismarck als Reichskanzler des Deutschen Reiches agiert. Er strebt innenpolitisch nach sozialen Verbesserungen für die Bevölkerung, außenpolitisch setzt er sich für Frieden unter den europäischen Großmächten und die Isolation Frankreichs ein. Eine Wende der deutschen Außenpolitik hin zu Aufrüstung und Kolonialpolitik beginnt erst nach dem Rücktritt Bismarcks 1890 unter Wilhelm II.

Themen, Motive, Texte Die Literatur des Realismus stellt keine bloße Wiedergabe der Realität dar, sondern versucht, diese mit künstlerischen Mitteln zu zeigen. Detailgetreue Beschreibung der Wirklichkeit verbunden mit einer subjektiv dargestellten Handlung bestimmen die literarischen Werke. Humor und Ironie gelten als adäquate Mittel zur poetischen Gestaltung der Wirklichkeit in der Literatur. Einfache stoffliche und formale Gestaltung werden von den Dichtern in allen Gattungen bevorzugt. Während frühe realistische Werke meist noch gänzlich frei von *Gesellschaftskritik* sind, weisen spätere – wenn auch in verdeckter Form – bereits auf herrschende Missstände hin. Bevorzugte Textsorten sind Dorfgeschichte, Entwicklungsroman, Gesellschaftroman, Historischer Roman und Novelle.

Autoren und Werke

Friedrich Hebbel (1813 – 1863): *Maria Magdalena* (1844), *Die Nibelungen* (1861)
Gustav Freytag (1816 – 1895): *Soll und Haben* (1855), *Die Ahnen* (1872)
Theodor Storm (1817 – 1888): *Immensee* (1850), *Der Schimmelreiter* (1888)

Gottfried Keller (1819 – 1890): *Der grüne Heinrich* (1854/55 und 1897/80)
Theodor Fontane (1819 – 1898): *Irrungen, Wirrungen* (1887), *Frau Jenny Treibel* (1892), *Effi Briest* (1895)
Conrad Ferdinand Meyer (1825 – 1898): *Das Amulett* (1873), *Der Schuss von der Kanzel* (1878), *Die Füße im Feuer* (1882)

Naturalismus (ca. 1880 – 1900)

Lebenswirklichkeit • Naturwissenschaften • Vererbung • soziales Milieu • Großstadtleben • Tabuthemen • Dialekt • Industrialisierung • Fotografie

Begriff Mit dem Begriff *Naturalismus* wird eine literarische Stilrichtung bezeichnet, die die Realität ganz ohne künstlerische Ausgestaltungen so wirklichkeitsnah wie möglich abbildet. Die Epoche ist also eine spezielle Ausformung des Realismus und darf nicht mit der Darstellung der Natur verwechselt werden.

Geschichte und Gesellschaft Während des Naturalismus kommt es zu großen technischen Neuerungen wie der Erfindung der Dampfturbine 1884 und des Dieselmotors 1893. Innen- wie außenpolitisch ist Reichskanzler Bismarck die für das Deutsche Reich bestimmende Figur. Mit seiner – auf ein ausgeglichenes Mächteverhältnis in Europa bedachten – Politik sorgt er für Frieden und Stabilität. Nach seinem Rücktritt 1890 ändert sich dies unter dem neuen Kaiser Wilhelm II., der sich für Aufrüstung einsetzt und verstärkt Kolonialpolitik betreibt.

Themen, Motive, Texte Die *Natur*alisten nutzen zur Beschreibung der Welt die *Natur*wissenschaften. Ihr Weltbild erhebt den Anspruch, naturwissenschaftlich erklärbar zu sein, und wendet sich religionskritisch von allem Metaphysischen ab. Der Mensch wird in *Abhängigkeit* von seiner Umwelt wahrgenommen und durch Vererbung und soziales Milieu als determiniert (bestimmt, festgelegt) angesehen. Der Naturalismus ist die erste Stilrichtung, die sich kritisch mit den Folgen der Industrialisierung auseinandersetzt. Großstadtleben und Soziale Frage werden zu zentralen Inhalten. Naturalistische Literatur zeichnet sich durch besondere Lebensnähe, eine wissenschaftliche Fundierung, die Abwendung von Transzendentem sowie eine schmuck- und tabulose Darstellung der Lebenswirklichkeit aus. Die Aufnahme bisher tabuisierter Themen, eine sprachlich möglichst wirklichkeitsnahe Gestaltung durch Anwendung von Dialekt und Mundart und sehr detaillierte Regieanweisungen in dramatischen Texten kennzeichnen das literarische Schaffen der Naturalisten. Bevorzugte Textsorten sind Drama, experimentelle Prosa und Lyrik.

Autoren und Werke
Wilhelm Bölsche (1861 – 1939): *Die naturwissenschaftlichen Grundlagen der Poesie* (1887)
Gerhart Hauptmann (1862 – 1946): *Bahnwärter Thiel* (1888), *Vor Sonnenaufgang* (1889), *Die Weber* (1892), *Der Biberpelz* (1893), *Fuhrmann Henschel* (1898), *Die Ratten* (1911)
Johannes Schlaf (1862 – 1941): *Meister Oelze* (1892)
Arno Holz (1863 – 1929): *Die Kunst. Ihr Wesen und ihre Gesetze* (1891), *Revolution der Lyrik* (1899)
Arno Holz und Johannes Schlaf: *Papa Hamlet* (1889), *Familie Selicke* (1889)

L

Moderne / Epochenumbruch um 1900 (ca. 1890 – 1920)

Fließbandproduktion • Erster Weltkrieg • Kolonialismus • Frauenemanzipation • Kino • Symbolismus • Fin de Siècle • Impressionismus

Begriff Im Gegenbegriff zu *alt* oder *antik* beschreibt die Epoche der *Moderne* eine Abwendung von traditionellen Werten und Einstellungen in allen Lebensbereichen.

Geschichte und Gesellschaft Die Welt der Moderne ist weitgehend bestimmt durch technische Neuerungen, Säkularisierung sowie politische und kulturelle Revolutionen. Politisch werden Marxismus, die Emanzipation der Frau und die Arbeiterbewegung zu zentralen Thematiken. Der Mensch wird losgelöst von allem Metaphysischen gesehen und treibt mit seinen Erfindungen den technischen Fortschritt voran. Um die Jahrhundertwende kommt es unter Wilhelm II. zu einer verstärkten Kolonialpolitik und Aufrüstung des Deutschen Reichs im Wettkampf mit anderen führenden Mächten in Europa. Die entstehende Spannung zwischen den Großmächten führt schließlich zwischen 1914 und 1918 zum Ersten Weltkrieg. Darüber hinaus kommt es mit zunehmender Industrialisierung zur Verstädterung und Entwicklung eines Industrieproletariats in den Städten, das zum Nährboden sozialer Probleme wird.

Themen, Motive, Texte Die Schriftsteller folgen in ihrem Schreiben ganz unterschiedlichen geistigen Strömungen. Einerseits werden wieder verstärkt unpolitische und von Subjektivismus und Individualismus geprägte Werke geschaffen (*Impressionismus*), andererseits kommt es zur Wiederbelebung der Ideale vergangener Epochen wie dem *Neoklassizismus* oder der *Heimatliteratur*. Die *Wiener Moderne* dagegen nimmt gesellschaftskritische Themen stärker in den Blick. Sigmund Freud entwickelt in Wien die Psychoanalyse, die auch in der Literatur ihren Nachhall findet. Insgesamt werden lyrische Texte und epische Kleinformen unter Beachtung der äußeren Form und ausgeschmückt mit Klangmalerei und sprachlichen Bildern favorisiert. Bevorzugte Textsorten sind Aphorismus, Brief, Einakter, Essay, Kunstmärchen, Lyrik, Novelle, Prosagedicht, Skizze und Studie sowie Erzählung.

L

Autoren und Werke
Arthur Schnitzler (1862–1931): *Leutnant Gustl* (1900), *Fräulein Else* (1924), *Traumnovelle* (1926)
Frank Wedekind (1864–1918): *Frühlings Erwachen* (1891)
Stefan George (1868–1933): *Das Jahr der Seele* (1897), *Der siebente Ring* (1907)
Heinrich Mann (1871–1950): *Professor Unrat* (1905), *Der Untertan* (1918)
Christian Morgenstern (1871–1914): *Galgenlieder* (1905), *Palmström* (1910)
Hugo von Hofmannsthal (1874–1929): *Ein Brief* („Chandos"-Brief, 1902), *Das Bergwerk zu Falun* (1906)
Thomas Mann (1875–1955): *Buddenbrooks* (1901), *Der Tod in Venedig* (1912)
Rainer Maria Rilke (1875–1926): *Die Aufzeichnungen des Malte Laurids Brigge* (1910), *Duineser Elegien* (1923), *Sonette an Orpheus* (1923)
Hermann Hesse (1877–1962): *Peter Camenzind* (1904), *Unterm Rad* (1906), *Demian* (1919)
Stefan Zweig (1881–1942): *Sternstunden der Menschheit* (1927), *Schachnovelle* (1942), *Die Welt von Gestern* (1942)

Expressionismus (ca. 1890–1920)

Entfremdung • Film • Jazz • Bruch traditioneller Formen • Krisen • Verfall • Großstadtelend • Die Brücke • Der Blaue Reiter

Begriff Der Name der Epoche leitet sich vom lateinischen Begriff für Ausdruck *expressio* ab und steht für besondere ausdrucksstarke, subjektivistische und skeptizistische literarische Ausdrucksformen.

Geschichte und Gesellschaft Historisch fällt die Zeit des Ersten Weltkriegs in die Epoche des *Expressionismus*. Die Deutschen stehen unter dem Eindruck von Krieg und Moderne. Das menschliche Individuum geht im Zuge zunehmender Industrialisierung in der Masse unter und zieht sich oft mit selbstzweiflerischen und pessimistischen Gedanken in sich selbst zurück. Mit der Novemberrevolution 1918 kommt es in Deutschland zum Aufbau einer parlamentarischen Republik und so zur Beseitigung der Monarchie.

Themen, Motive, Texte Expressionistische Literatur ist geprägt von einer starken Subjektivität und Darstellung des ekstatischen oder leidenden Menschen. Es kommt zur Verletzung grammatikalischer Regeln und der häufigen Verwendung von sprachlichen Bildern wie Metaphern und Symbolen. Dies wird besonders in der expressionistischen Lyrik deutlich. Auch der Ausdruck des Hässlichen, Krankhaften und Schockierenden findet Einzug in die expressionistische Literatur. In der Dramatik nutzen die Autor/-innen das Stationendrama, um mit klassischen Formen zu brechen. Anstelle einer geschlossenen Handlung werden einzelne Szenen oder Bilder in zum Teil wahlloser Reihenfolge und unabhängig voneinander aufgereiht. Bevorzugte Textsorten sind Erzählung, neue Formen der Lyrik, Novelle, Roman und Stationendrama.

Autor/-innen und Werke
Else Lasker-Schüler (1869–1945): *Styx* (1902), *Der Siebente Tag* (1905)
Robert Musil (1880–1942): *Die Verwirrungen des Zöglings Törleß* (1906)
Franz Kafka (1883–1924): *Die Verwandlung* (1915)
Gottfried Benn (1886–1956): *Morgue* (1912), *Gehirne* (1915), *Spaltung* (1925)
Jakob van Hoddis (1887–1942): *Weltende* (1918)
Ernst Toller (1893–1939): *Masse Mensch* (1920), *Die Maschinenstürmer* (1922)
Bertolt Brecht (1898–1956): *Baal* (1919), *Trommeln in der Nacht* (1922)

Avantgarde / Dadaismus (ca. 1915–1925)

Collagetechnik • Montageprinzip • Kabarett / Varieté • Lautgedicht • Inflation • Futurismus • Radio • Sprachkrise • Naivität

Begriff Der Begriff *Avantgarde* stammt aus dem französischen Militärvokabular und bedeutet so viel wie *Vorhut*. Neben *Futurismus* und *Surrealismus* zeichnet sich vor allem der *Dadaismus* als wichtige avangardistische Richtung aus. Er weist sowohl expressionistische als auch futuristische Merkmale auf und hat seinen Namen von dem kindlichen Ausdruck „dada", mit dem er sich gegen traditionelle Strömungen und ihre klassischen Formen abgrenzt.

Geschichte und Gesellschaft Die Welt des Dadaismus wendet sich auch wegen der Erfahrung des Ersten Weltkriegs gegen das Vernunftdenken. Der Mensch soll zurückkehren zur kindlichen Naivität und auf logische Erklärungsmuster verzichten. Erst die Vernunft und die aus ihr resultierenden technischen Neuerungen hätten es dazu kommen lassen, dass Völker sich im Krieg gegenseitig vernichten, so die Kritik der Dadaisten.

Themen, Motive, Texte Dadaistische Literatur lehnt Krieg und traditionelle Literaturprogramme gattungsübergreifend ab. Sie bricht mit den Gesetzen der Logik und stiftet damit eine besondere Abstrusität und Verwirrung. *Montageprinzip* und *Collagetechnik* sind ebenso typisch für dadaistische Werke wie die Aufhebung der Syntax und der Einsatz unterschiedlichster Textsorten innerhalb eines Gesamtwerkes. Laut- und Buchstabengedichte, in denen Wörter bis zur Unverständlichkeit zersetzt werden, gelten als bekannteste Werke der

Epoche. Bevorzugte Textsorten sind Aphorismus, Buchstaben-/ Laut-/ Zufallsgedicht und Collage.

Autoren und Werke

Hugo Ball (1886 – 1927): *Cabaret Voltaire* (1916), *Die Karawane* (1917)
Hans Arp (1886 – 1966): *Der Vogel selbdritt* (1920), *Kaspar ist tot* (1920)
Kurt Schwitters (1887 – 1948): *An Anna Blume* (1919), *Die Ursonate* (1922/23)
Richard Huelsenbeck (1892 – 1974): *Dadaistisches Manifest* (u. a. 1918), *Dada-Almanach* (1920), *En Avant Dada. Geschichte des Dadismus* (1920)

Literatur in der Weimarer Republik / Neue Sachlichkeit (ca. 1919 – 1932)

Weltwirtschaftskrise • politische Unruhen • Inflation • Verelendung in den Großstädten • episches Theater • Montage • Reportage • Goldene Zwanziger • Arbeitslosigkeit

Begriff Der Name *Neue Sachlichkeit* resultiert aus dem Bemühen, eine möglichst objektive Darstellung der sozialen und wirtschaftlichen Verhältnisse der Zeit abzubilden.

Geschichte und Gesellschaft Die Epoche ist geprägt von den Eindrücken des Ersten Weltkriegs und der Gründung der ersten deutschen Republik. Dabei steht die erste Phase der Weimarer Republik (1919 – 1923) zahlreichen Krisen gegenüber, muss sich gegen Putschversuche, wirtschaftliche Probleme und die Auswirkungen der Inflation behaupten. Erst mit Beginn der zweiten Phase (1924 – 1928), den sogenannten „Goldenen Zwanzigern", verbessert sich die Lage. Wirtschaftswachstum, soziale und technische Errungenschaften erleichtern der Bevölkerung das Leben. Dennoch scheitert das Modell der Weimarer Republik letztlich in seiner dritten Phase (1929 – 1933) unter den verheerenden wirtschaftlichen, politischen und gesellschaftlichen Folgen der Weltwirtschaftskrise von 1929 und dem Erstarken der republikfeindlichen Kräfte von rechts und links.

Themen, Motive, Texte Die Literatur der *Neuen Sachlichkeit* beschäftigt sich mit Themenkomplexen wie Großstadt, Industrie und Technik, Wirtschaft und Arbeit. Sie beleuchtet das Alltagsleben der Menschen. In der Epik werden neben Romanen vor allem Werke mit dokumentarischem Charakter geschrieben. Auch der Einfluss von Psychologie, Geschichte und Philosophie ist bemerkenswert. In der Lyrik entsteht eine sogenannte Gebrauchslyrik, welche genaue Anweisungen darüber gibt, wie sie von den Lesenden nach Ansicht der Autorin bzw. des Autors rezipiert werden soll. Die Dramatik wendet sich wieder verstärkt politischen Themen zu, hebt sich jedoch in Form des epischen Theaters vom traditionellen Illusionstheater ab. Durch bestimmte *Verfremdungseffekte* – z. B. direkte Ansprache des Publikums durch einen Erzähler, eingeschobene Chorgesänge, Spruchbänder, Plakate oder Lieder – wird den Zuschauenden immer wieder vor Augen geführt, dass das Bühnengeschehen nicht real ist. Die so erreichte Distanz des Dargestellten zum Publikum soll ihn dazu anregen, vergleichbare Missstände in seinem eigenen Umfeld zu reflektieren. Bevorzugte Textsorten sind Dokumentation, Gebrauchslyrik, Montage, Roman, Reportage, Sachbericht und Zeitroman.

Autoren und Werke

Gerhart Hauptmann (1862 – 1946): *Vor Sonnenuntergang* (1932)
Thomas Mann (1875 – 1955): *Der Zauberberg* (1924)
Hermann Hesse (1877 – 1962): *Der Steppenwolf* (1927)
Alfred Döblin (1878 – 1957): *Berlin Alexanderplatz* (1929)
Franz Kafka (1883 – 1924): *Der Prozess* (1925)
Hans Fallada (1893 – 1947): *Kleiner Mann – was nun?* (1932)
Erich Maria Remarque (1898 – 1970): *Im Westen nichts Neues* (1929)
Bertolt Brecht (1898 – 1956): *Aufstieg und Fall der Stadt Mahagonny* (1930)
Ödön von Horváth (1901 – 1938): *Geschichten aus dem Wiener Wald* (1931)

Exilliteratur (ca. 1933 – 1945)

Heimweh • Widerstand • Flugblatt • Radioansprachen • Bücherverbrennung • Verfolgung • innere Emigration • Exilexistenz • Publikationsverbot

Begriff Exilliteratur meint alle Werke, die aufgrund politischer Verfolgung der Autorin bzw. des Autors im Exil entstanden sind.

Geschichte und Gesellschaft Nach dem Machtantritt Hitlers im Januar 1933 kommt es am 10. Mai in Deutschland zur Verbrennung regimekritischer literarischer Werke durch die Nationalsozialisten, von der weit mehr als zweihundert Autor/-innen betroffen sind. Mit den Nürnberger Gesetzen von 1935 werden außerdem scharfe Sanktionen gegenüber jüdischen Bürger/-innen getroffen, die deren Leben extrem einschränken und unmenschliche Folgen haben. Als Reaktion auf diese Ereignisse verlassen zahlreiche Schriftsteller/-innen das nationalsozialistische Deutschland und setzen ihr literarisches Schaffen im Ausland fort.

Themen, Motive, Texte Das Welt- und Menschenbild der Exilliterat/-innen ist sowohl von ihren Eindrücken im ausländischen Exil und der Sehnsucht nach der Heimat als auch von der Kritik an den politischen und gesellschaftlichen Verhältnissen in NS-Deutschland geprägt. Die Exilliteratur ist in erster Linie *antifaschistische* Literatur, die zur Aufklärung über die Vorgänge in Nazideutschland beitragen und den Widerstand gegen die Hitlerdidaktur vorantreiben will. In der Epik gibt es neben der vorherrschenden Tendenz, das alltägliche Leben im NS-Regime darzustellen, auch Bestrebungen, in historischen Romanen und Gesellschaftsromanen an die literarische Tradition der Weimarer Republik anzuknüpfen. Lyrische Texte werden unter anderem dazu genutzt, das Heimweh ihrer Verfasser/-innen zu verarbeiten. Neben politischer Lyrik entstehen deshalb auch Liebes- oder Naturgedichte. Für die Dramatik bestimmend wird Bertolt Brechts *episches Theater* (vgl. Neue Sachlichkeit). Bevorzugte Textsorten sind Flugblatt, Gesellschaftsroman, Historischer Roman, Lehrstück, Manifest, Radiorede, Tarnschrift und Zeitroman.

Autor/-innen und Werke

Heinrich Mann (1871 – 1950): *Henri Quatre* (1935 – 38)
Thomas Mann (1875 – 1955): *Joseph und seine Brüder* (1933–43), *Doktor Faustus* (1947)
Lion Feuchtwanger (1884 – 1958): *Wartesaaltrilogie* (*Erfolg* 1930; *Geschwister Oppermann* 1933, *Exil* 1940)
Johannes R. Becher (1891 – 1958): *Abschied* (1940)
Bertolt Brecht (1898 – 1956): *Der gute Mensch von Sezuan* (1938-42), *Leben des Galilei* (1938 – 53), *Mutter Courage und ihre Kinder* (1939), *An die Nachgeborenen* (1939)
Anna Seghers (1900 – 1983): *Das siebte Kreuz* (1942/47)

Literatur nach dem Krieg (ca. 1945 – 1950)

Stunde Null • Wiederaufbau • Holocaust • Deutsche Teilung • Entmilitarisierung • Trümmerliteratur • Gruppe 47 • Heimkehrer

Begriff Der Begriff *Trümmerliteratur* bezieht sich auf das Leben der Menschen in den Trümmern der vom Krieg zerstörten Städte sowie auf die zerschlagenen Ideale der Bevölkerung in den ersten Nachkriegsjahren.

Geschichte und Gesellschaft Das Welt- und Menschenbild ist geprägt von den traumatischen Erlebnissen im Krieg und nach der Heimkehr. Mit der bedingungslosen Kapitulation Deutschlands endet am 8. Mai 1945 der Zweite Weltkrieg. Deutschland wird unter den Siegermächten USA, Großbritannien, Frankreich und UdSSR in vier Besatzungszonen aufgeteilt und verliert damit sein Selbstbestimmungsrecht. Die Entmilitarisierung, Entnazifizierung und Demokratisierung Deutschlands steht für kurze Zeit (1945 – 47) im Fokus der Siegermächte. 1949 kommt es aufgrund von unüberwindbaren Interessens- und ideologischen Gegensätzen zwischen den Westmächen (USA, Großbritannien, Frankreich) und der UdSSR zur Herausbildung zweier deutscher Staaten, der DDR auf sowjetischem Einflussgebiet und der BRD in enger Orientierung an den Westen.

Themen, Motive, Texte Die Autor/-innen versuchen, sich inhaltlich, formal und sprachlich von vorherigen Strömungen abzuheben, indem sie die durch den Nationalsozialismus ideologisch eingefärbte Sprache „reinigen". Sie rücken davon ab, Emotionen in ihren Texten widerzuspiegeln. Dafür nutzen sie vor allem die bis dahin weitgehend unbekannte Gattung der *Kurzgeschichte*. Ziel ist eine möglichst realistische und nicht psychologisierende Abbildung von Vergangenheit und Gegenwart. Gemein ist allen Werken der Trümmerliteratur der Hang zur lakonischen (treffend, knapp und schmucklos) Ausdrucksweise und zu häufigen Wiederholungen. Figuren, Raum und Zeit werden meist nur in Form von kurzen Episoden dargestellt, auf eine genaue Beschreibung wird weitgehend verzichtet. Im Mittelpunkt stehen das Leben in den zerbombten Städten, die Heimkehr aus der Kriegsgefangenschaft, die kollektive Kriegsschuld und der Holocaust. Bevorzugte Textsorten sind Erzählung, Kurzgeschichte, Lyrik und Drama.

Autor/-innen und Werke

Johannes R. Becher (1891 – 1958): *Heimkehr* (1946)
Nelly Sachs (1891 – 1970): *In den Wohnungen des Todes* (1947)
Werner Bergengruen (1892 – 1964): *Der letzte Rittmeister* (1952)
Hans Fallada (1893 – 1947): *Jeder stirbt für sich allein* (1947)
Wolfgang Koeppen (1906 – 1996): *Tauben im Gras* (1951), *Das Treibhaus* (1953)
Paul Celan (1920 – 1970): *Der Sand aus den Urnen* (1948), *Mohn und Gedächtnis* (1952), *Todesfuge* (1947)
Wolfgang Borchert (1921 – 1947): *An diesem Dienstag* (1946), *Draußen vor der Tür* (1947)

Literatur in der DDR (ca. 1949 – 1990)

Antifaschismus • Sozialismus • Mauerbau • Flucht in den Westen • SED • Bitterfelder Weg • Zensur • Volkserziehung • Ausbürgerung

Geschichte und Gesellschaft Das Welt- und Menschenbild der Literatur in der DDR ist von einem deutlichen Einfluss der Sowjetunion geprägt und sieht den Sozialismus als einzig richtige und dauerhaft erfolgreiche Gesellschaftsform an, um die Welt vom Faschismus zu reinigen und allen Menschen ein gleichsam glückliches und zufriedenes Leben zu ermöglichen. Aber es werden auch kritische Stimmen laut, die die Utopie des Sozialismus in der DDR hervorheben. Nach der Aufteilung Deutschlands in vier Besatzungszonen 1945 kommt es am 23. Mai 1949 zur Gründung der Bundesrepublik

Deutschland (BRD) und am 7. Oktober 1949 innerhalb der Sowjetischen Besatzungszone zur Gründung der Deutschen Demokratischen Republik (DDR) mit der Hauptstadt Ostberlin – zwei deutsche Staaten entstehen. Zementiert wird die Teilung mit dem 1961 einsetzenden Bau der Berliner Mauer, um die starke Abwanderung der DDR-Bevölkerung in den Westen einzudämmen. Die politische Macht liegt beim Generalsekretär der Sozialistischen Einheitspartei Deutschlands (SED). Mitte der 1980er-Jahre zeigen sich schwerwiegende wirtschaftliche Probleme, die Bevölkerung wird zunehmend unzufriedener. Massenflucht und gewaltlose Demonstrationen Ende 1989 führen schließlich zur Öffnung der Berliner Mauer am 9. November 1989 – ein entscheidender Schritt hin zur Wiedervereinigung Deutschlands am 3. Oktober 1990.

Themen, Motive, Texte Das literarische Schaffen in der DDR lässt sich in drei Phasen unterteilen: Die *Aufbauliteratur* (1950 – 1961) zeichnet sich durch ihren Hang zum Antifaschismus und eine starke Hinwendung zum Sozialismus aus. Sie soll die Rezipienten zum Sozialismus erziehen und unterliegt einem starken Einfluss vonseiten der SED-Regierung. Was geschrieben und gelesen werden darf, wird durch den Staat vorgegeben. Mit dem sogenannten Bitterfelder Weg wird im Anschluss an eine Autorenkonferenz in Bitterfeld außerdem der Versuch unternommen, der arbeitenden Bevölkerung einen aktiven Zugang zur Kunst zu ermöglichen. Die Trennung von Kunst und Lebenswirklichkeit soll aufgehoben, der Werktätige soll Teil des künstlerischen Schaffens werden. Ab dem Bau der Berliner Mauer beschäftigen sich die DDR-Autor/-innen zwischen 1961 und 1971 dann zunehmend mit dem Alltagsleben innerhalb der DDR. Beispielhaft zeigt die *Ankunftsliteratur* (1961 – 1971), mit welchen Problemen sich der Einzelne während seiner Erziehung zum Sozialismus konfrontiert sieht. Sie stellt einen Helden in den Mittelpunkt, der in Konflikt zu den im Sozialismus vorherrschenden Lebensbedingungen gerät, am Ende aber seine Ansichten ändert und im Sozialismus ankommt. *Kritik am Sozialismus* (1971 – 1990): Erst nach dem Machtwechsel von 1971, der Erich Honecker die Leitung des DDR-Staates überträgt, kommt es innerhalb der DDR-Literatur zur kritischen Auseinandersetzung mit dem Sozialismus und den vorherrschenden Lebensumständen. Autorinnen und Autoren, die in ihren Werken offen Kritik am System äußern, werden mit Aufführungsverboten oder Ausbürgerung bestraft. Viele von ihnen siedeln aus eigenem Antrieb in den Westen um und veröffentlichen dort ihre Werke. Nach der Wiedervereinigung 1990 thematisieren sie ihre Erfahrungen und Konflikte als Schriftsteller/-innen in der DDR. Bevorzugte Textsorten sind Ankunftsroman, Aufbauroman, Erzählung, Lyrik und Schauspiel.

Autor/-innen und Werke
Erwin Strittmatter (1912 – 1994): *Tinko* (1954), *Ole Bienkopp* (1963)
Johannes Bobrowski (1917 – 1965): *Sarmatische Zeit* (1961)
Hermann Kant (1926 – 2016): *Die Aula* (1965)
Günter Kunert (1929 – 2019): *Wegschilder und Mauerschriften* (1950)
Heiner Müller (1929 – 1995): *Ödipus Tyrann* (1967)
Christa Wolf (1929 – 2011): *Der geteilte Himmel* (1963), *Nachdenken über Christa T.* (1968), *Kindheitsmuster* (1976), *Kein Ort. Nirgends* (1979), *Kassandra* (1983)
Reiner Kunze (*1933): *Die wunderbaren Jahre* (1976)
Ulrich Plenzdorf (1934 – 2007): *Die neuen Leiden des jungen W.* (1972)
Wolf Biermann (*1936): *Die Drahtharfe* (1965), *Deutschland. Ein Wintermärchen* (1965)
Jurek Becker (1937 – 1997): *Jakob der Lügner* (1968)
Volker Braun (*1939): *Hinze und Kunze* (1973)

Literatur in der BRD (ca. 1949 – 1990)

Wirtschaftswunder • Dokumentarisches Theater • Studentenrevolte (68er) • Happenings • Innerlichkeit • Neue Subjektivität • Popliteratur

Geschichte und Gesellschaft Welt- und Menschenbild der BRD stehen stark unter dem Einfluss der deutschen Teilung und des Konflikts zwischen den Ost- und Westmächten im Kalten Krieg. Die schrecklichen Geschehnisse des Zweiten Weltkriegs müssen verarbeitet, Schuldfragen thematisiert werden. Nach Gründung der Bundesrepublik Deutschland 1949 auf dem Gebiet der westlichen Besatzungsmächte erreicht der noch junge Staat 1955 den Beitritt zur NATO und 1973 zur UNO. In der Entspannungsphase während der 1980er-Jahre nehmen BRD und DDR einen entscheidenden Platz in der Annäherungspolitik zwischen der UdSSR und den Westmächten ein.

Themen, Motive, Texte Das literarische Schaffen in der BRD in der Zeit lässt sich in unterschiedliche Phasen einteilen. Die 1950er-Jahre sind bestimmt von zeitkritischen Themen wie der Aufarbeitung der NS-Vergangenheit und der atomaren Bedrohung durch den Kalten Krieg. Lyrik und Epik werden zu den bevorzugten Gattungen. In den 1960er-Jahren erlebt die Literatur eine *Politisierung*. Schriftstellerinnen und Schriftsteller wenden sich gegenwärtig vorherrschenden Konflikten zu, die zuvor bestehende strikte Trennung von Kunst und Politik wird aufgehoben. Kennzeichnend für die westdeutsche Literatur wird der Einsatz authentischer Dokumente: Über das Stilmittel der *Montage* werden z. B. Protokolle oder Zeitungsartikel in Werke integriert. Das *Dokumentarische Theater* mit herausragenden Vertretern wie Peter Weiss und Heinar Kipphardt entwickelt sich. Autoren wie Heinrich Böll und Günter Grass beschäftigen sich in erzählenden Texten mit der Aufarbeitung der Vergangenheit. Die Bestrebungen der Autor/-innen, mit ihren Werken einen Einfluss auf politische Entscheidungen zu erwirken, bleiben aber weitgehend unerfüllt. Mit der Desillusionierung der 68er-Bewegung und dem sich ausbreitenden RAF-Terroismus kommt es unter den westdeutschen Autorinnen und Autoren der 1970er-Jahre häufiger zur Abwendung vom politischen Geschehen zugunsten einer verstärkten Hinwendung zur eigenen Subjektivität und Identität. Demgegenüber streben die Schriftsteller/-innen der 1980er-Jahre im Zusammenhang mit den Entspannungstendenzen im Kalten Krieg eine erneute Erweiterung des schriftstellerischen Horizonts über die eigene Subjektivität hinaus an. Die Trennung zwischen west- und ostdeutscher Literatur wird durch einen regen Austausch von BRD- und DDR-Literat/-innen außerdem mehr und mehr aufgehoben. Bevorzugte Textsorten sind Alltagslyrik, Autobiografie, Dokumentarisches Theater, Novelle, politische Lyrik und Roman.

Autor/-innen und Werke
Alfred Andersch (1914 – 1980): *Sansibar oder Der letzte Grund* (1957)
Heinrich Böll (1917 – 1985): *Billard um halbzehn* (1959), *Ansichten eines Clowns* (1963), *Die verlorene Ehre der Katharina Blum* (1974)
Heinar Kipphardt (1922 – 1982): *In der Sache J. Robert Oppenheimer* (1964)
Ingeborg Drewitz (1923 – 1986): *Gestern war Heute. Hundert Jahre Gegenwart* (1978)
Siegfried Lenz (1926 – 2014): *So zärtlich war Suleyken* (1955), *Deutschstunde* (1968), *Schweigeminute* (2008)
Günter Grass (1927 – 2015): *Die Blechtrommel* (1959), *Aus dem Tagebuch einer Schnecke* (1972), *Die Rättin* (1986), *Im Krebsgang* (2002)
Martin Walser (*1927): *Ehen in Philippsburg* (1957), *Ein fliehendes Pferd* (1978)
Hans Magnus Enzensberger (*1929): *Die Verteidigung der Wölfe* (1957)
Günter Kunert (1929 – 2019): *Stilleben* (1983)
Rolf Hochhuth (1931 – 2020): *Der Stellvertreter* (1963)
Uwe Johnson (1934 – 1984): *Ingrid Babendererde. Reifeprüfung 1953* (ersch. 1985), *Jahrestage* (1968 ff.)
Rolf Dieter Brinkmann (1940 – 1975): *Keiner weiß mehr* (1968), *Westwärts 1 & 2* (1975)
Patrick Süskind (1949): *Das Parfüm* (1985), *Die Taube* (1987)

Textquellenverzeichnis

Alt, Peter-André: Aufklärung. Stuttgart: Metzler 2007. *127*

Arabisches Sprichwort. Zit. nach Jenny Erpenbeck: Heimsuchung. München: Penguin Verlag 2018, S. 7. *159*

Aristoteles: Poetik. In: Manfred Fuhrmann (Hrsg.): Aristoteles: Poetik. Bibliografisch ergänzte Ausgabe. Stuttgart: Reclam 1994. *97*

Auerbach, Berthold (Zitat). Zit. nach: Gutzitiert, Kimberly Alojado Bueckart, Bacolod City (Philippinen). URL: https://www.gutzitiert.de/zitate_sprueche-heimat.html (letzter Abruf: 26.01.2024). *158*

Barner, Wilfried; Grimm, Gunter E.: Die bürgerliche Familie im 18. Jahrhundert. Aus: Lessing: Epoche – Werk – Wirkung. München: Beck 1987, S. 169. *121*

Becker, Jurek: Jakob der Lügner. Frankfurt am Main: Suhrkamp 2007, S. 288 – 293. *208*

Bichsel, Peter (Zitat). Aus: Das ist schnell gesagt. Frankfurt am Main: Suhrkamp 2011, S. 18/19. *151*

Blamberger, Günter: Heinrich von Kleist. Biographie. Frankfurt am Main: Fischer 2011, S. 483, 12 – 14. *79, 80, 146*

Blamberger, Günter: Kleist ein radikaler Moralist (»NUR WAS NICHT AUFHÖRT, WEH ZU THUN, BLEIBT IM GEDÄCHTNISS« Über das Unzeitgemäße an Kleist. Rede zur Eröffnung der Kleist-Ausstellung am 20. Mai 2011 im Ephraim-Palais (Stiftung Stadtmuseum Berlin)). Aus: Kleist-Jahrbuch 2011. Stuttgart; Weimar: Verlag J. B. Metzler 2011, S. 39 – 41. *132*

Blamberger, Günter: Warum ist „Der zerbrochne Krug" ein Lustspiel? Aus: Heinrich von Kleist. Biographie. Frankfurt am Main: Fischer 2013, S. 263 f. *100*

Blass, Ernst: An Gladys. Aus: Die Straße komme ich entlang geweht. Sämtliche Gedichte. Hürth: edition memoria 2008. *54*

Bloch, Ernst: Das Prinzip Hoffnung. Frankfurt am Main: Suhrkamp 1959, S. 1628. *178*

Bohr, Felix; Duhm, Lisa; Fokken, Silke; Pieper, Dietmar: Krieg der Sterne. In: Der SPIEGEL 10/2021, S. 9 – 15. *281*

Brecht, Bertolt: Das Prinzip der Verfremdung. In: Schriften zum Theater I, Band 15. Frankfurt am Main: Suhrkamp 1967. *145* Brecht, Bertolt: Gedanken über die Dauer des Exils. In: Gesammelte Werke. Frankfurt am Main: Suhrkamp 1982, S. 719 f. *59*

Brecht, Bertolt: Der kaukasische Kreidekreis. Frankfurt am Main: Suhrkamp 1962, S. 109 – 118. *139*

Brecht, Bertolt: Die Straßenszene als Modell für episches Theater. In: Gesammelte Werke. Band 16. Frankfurt am Main: Suhrkamp 1967, S. 546 – 548. *142*

Brecht, Bertolt: Dramatisches Theater – Episches Theater. In: Schriften zum Theater. Über eine nicht-aristotelische Dramatik. Zusammengestellt von Siegfried Unseld. Frankfurt am Main: Suhrkamp 1968, S. 148/149. *145*

Brecht, Bertolt: Dramatische und epische Form des Theaters. In: Bertolt Brecht. Große kommentierte Berliner und Frankfurter Ausgabe. Band 24. Berlin; Weimar; Frankfurt am Main: Aufbau Verlag; Suhrkamp 1991, S. 78 f. *144*

Brecht, Bertolt: Radwechsel. In: Gesammelt Werke. Band 11. Frankfurt am Main: Suhrkamp 1982. *61*

Brecht, Bertolt: Rückkehr. In: Gesammelte Werke. Frankfurt am Main: Suhrkamp 1982. *60*

Brockhaus: Heimat. Aus: NE GmbH | Brockhaus, München, Heimat. URL: https://brockhaus.de/ecs/enzy/article/heimat (letzter Abruf: 26.01.2024). *179*

Bruckert, Ingeborg: Leserbrief. In: Der SPIEGEL NR. 11 vom 13.03.2021, S. 128. *284*

Buber, Martin (Zitat). Aus: Die Erzählungen der Chassidim. München: Manesse Verlag 1949. *151*

Buber-Neumann, Margarete: Als Gefangene bei Stalin und Hitler. München: Verlag der Zwölf 1949, S. 11 – 13, 20/21, 29/30. *222*

Bucay, Jorge (Zitat). Übersetzer und Herausgeber: Robindro Ullah, Berlin, 03.06.2016. URL: http://www.hrinmind.de/posts/kindern-erzahlt-man-geschichten-zum-einschlafen-erwachsenen-damit-sie-aufwachen/ (letzter Abruf: 26.01.2024). *151*

Büchner, Georg (Zitat). Zit. nach Jenny Erpenbeck: Heimsuchung. München: Penguin Verlag 2018, S. 7. *159*

Bühler, Karl (nach): Organon-Modell. Sprachtheorie. Die Darstellungsfunktion der Sprache (1934). Jena: Fischer 1934 (unveränderter Nachdruck Stuttgart 1984). *236*

Bulla, Horst (Zitat). Zit. nach: VNR Verlag für die Deutsche Wirtschaft, Bonn. URL: https://www.zitate.de/kategorie/heimat (letzter Abruf: 26.01.2024). *158*

Bundesgerichtshof: Definition der Pornografie durch den Bundesgerichtshof (BGH) – Urteil vom 11.02.2014. 1 StR 485/13, NJW 2014, 1829; Bundeskriminalamt, Wiesbaden. URL: https://www.bka.de/SharedDocs/FAQs/DE/Kinderpornografie/kinderpornografieFrage01.html (letzter Abruf: 26.01.2024). *207*

Butter, Michael: Die Corona-Impfung ist ein Traum für Verschwörungstheoretiker (verändert). In: ZEIT Online, 23.01.2021. URL: https://www.zeit.de/digital/internet/2021-01/michael-butter-verschwoerungstheorien-corona-impfung-soziale-medien-querdenken (letzter Abruf: 25.01.2024). *302*

Butter, Michael: 1. Verschwörungstheorien. 2. Corona. In: Aus Politik und Zeitgeschichte vom 27.08.2021, S. 10–13, Bonn: Bundeszentrale für politische Bildung. *309*

Carambellas, Ulrike: Leserbrief. In: Der SPIEGEL NR. 11 vom 13.03.2021, S. 128. *284*

Conrad, David: Leserbrief. In: Der SPIEGEL NR. 11 vom 13.03.2021, S. 128. *284*

Courths-Mahler, Hedwig: Gib mich frei. Zit. nach URL: https://www.projekt-gutenberg.org/courthsm/gibmich/chap001.html (letzter Abruf: 25.01.2024). *193*

Cumart, Nevfel: Zwei Welten. In: Gedichte. Düsseldorf: Grupello Verlag Bruno Kehrein 1996. *64*

Deutsches Theater Berlin: Programmheft zur Aufführung von „Der zerbrochne Krug". URL: https://www.deutschestheater.de/programm/produktionen/der-zerbrochne-krug (letzter Abruf: 18.03.2024). *79, 146*

Die Ärzte: Sohn der Leere (Liedtext von Gonzalez Espindola, Rodrigo Andres). © Gonzalez Expindola, Rodrigo Andres, Attaque Sudaca Edition. *233*

Diers, Michael: Weltgeschichte in Kleists Lustspiel. Aus: Vor aller Augen. Studien zu Kunst, Bild und Politik. Paderborn: Wilhelm Fink 2016. S. 112–116. *111*

Die Toten Hosen: Wünsch dir was (Liedtext von Andreas Frege). © 1983 by Edition DTH, BMG Rights Management, Berlin. *233*

Dingeldey, Philipp: Adorno und Celan zur Lyrik nach dem Holocaust (verändert). Aus: Lyrik und Barbarei. In: Titel Kulturmagazin, Würzburg, 16.02.2015. *189*

Domin, Hilde: Mit leichtem Gepäck. In: Sämtliche Gedichte. Frankfurt am Main: S. Fischer Verlag 2009. *67*

dpa: Beatrix von Storch empört mit Aussagen über Transgender-Abgeordnete. In: ZEIT Online, 17.2.2022. URL: https://www.zeit.de/politik/deutschland/2022-02/tessa-ganserer-beatrix-von-storch-abgeordnete-bundestag (letzter Abruf: 25.01.2024). wgr/© dpa. *288*

Egle, Gert: analytischer Aufbau eines Theaterstücks (verändert). Zit. nach: Handlungsverlauf im analytischen Drama. teachSam – Lehren und Lernen online, Konstanz. URL: https://www.teachsam.de/deutsch/d_literatur/d_gat/d_drama/drama_5_2_1.htm (letzter Abruf: 19.03.2024). *92*

Egle, Gert: synthetischer Aufbau eines Theaterstücks (verändert). Zit. nach: Handlungsverlauf im Zieldrama. teachSam – Lehren und Lernen online, Konstanz. URL: https://teachsam.de/deutsch/d_literatur/d_gat/d_drama/drama_5_3_1.htm (letzter Abruf: 19.03.2024). *92*

Eichendorff, Joseph von: Aus dem Leben eines Taugenichts. Stuttgart: Reclam 2012. *16*

Eichendorff, Joseph von: Die zwei Gesellen. Aus: Sämtliche Gedichte. Text und Kommentar. Frankfurt am Main: Deutscher Klassiker Verlag 2006. *22*

Eichendorff, Joseph von: Heimweh. Aus: Gedichte. Stuttgart: Reclam 1986. *14*

Eichendorff, Joseph von: Sehnsucht. Aus: Sämtliche Gedichte. Text und Kommentar. Frankfurt am Main: Deutscher Klassiker Verlag 2006. *74*

Elger, Katrin; Kühn, Alexander; Skrobala, Jurek; Wess, Sara: Irrsinn: Die Pandemie ist ein Konjunkturprogramm für Verschwörungstheoretiker. In: Der SPIEGEL 21/2020, S. 33 f. *307*

Erpenbeck, Jenny (Zitat). Zit. nach: Planet Interview Berlin 01.09.2008. URL: https://www.planet-interview.de/interviews/jenny-erpenbeck/34662/ (letzter Abruf: 26.01.2024). *176*

Erpenbeck, Jenny: Zitate aus: Heimsuchung. München: Penguin Verlag 2018. *150, 169, 192, 208, 215, 222, 226*

Esslin, Martin: Was ist ein Drama? Aus: Eine Einführung. München: Piper 1978, S. 18. *96*

Exler, Georg-Wilhelm (Zitat). Zit. nach: VNR Verlag für die Deutsche Wirtschaft, Bonn. URL: https://www.zitate.de/kategorie/heimat (letzter Abruf: 26.01.2024). *159*

Fäh, Beat (Zitat). Aus: Programmheft des Vorstadt-Theaters Basel zu „Hänschen klein/Hexenfieber". Vorstadt-Theater Basel 1990. *151*

FemBio: Margarete Buber-Neumann (verändert). Institut für Frauen-Biographieforschung Hannover/Boston 2023. URL: https://www.fembio.org/biographie.php/frau/biographie/margarete-buber-neumann/ (letzter Abruf: 26.01.2024). *225*

Flašar, Milena Michiko: Oben Erde, unten Himmel. Berlin: Verlag Klaus Wagenbach 2023, S. 11–8. *183*

Fleig, Anne: Das Gefühl des Vertrauens in Kleists Dramen „Die Familie Schroffenstein", „Der zerbrochne Krug" und „Amphitryon". In: Kleist-Jahrbuch 2008/09. Stuttgart; Weimar: Verlag J. B. Metzler 2009, S. 138–143. *117*

Fontane, Theodor: Was verstehen wir unter Realismus? In: Andreas Huyssen (Hrsg.): Die deutsche Literatur in Text und Darstellung. Band 11. Bürgerlicher Realismus. Stuttgart: Reclam 1977, S. 56/57. *174*

Freytag, Gustav: Die Technik des Dramas. Norderstedt: Hansebooks GmbH 2018. *89*

Frisch, Luisa: Leserbrief. In: Der SPIEGEL NR. 11 vom 13.03.2021, S. 128. *284*

Ganghofer, Ludwig: Waldrausch. Zit. nah URL: https://www.projekt-gutenberg.org/ganghofe/waldrsch/index.html (letzter Abruf: 26.01.2024). *180*

Gleichstellungsbüro der RWTH Aachen (Hrsg.): Gendergerechte Sprache. Aachen 2021, S. 8–12. *285*

Glinz, Hans: Genauere Bestimmung „arbitraire". Linguistische Grundbegriffe und Methodenüberblick. 3., verbesserte Auflage. Frankfurt am Main: Athenäum Verlag 1971, S. 43f. *245*

Goebbels, Joseph: Rede anlässlich der Bücherverbrennung auf dem Berliner Opernplatz, 1933: Überlieferung der Rede: DRA (Deutsches Rundfunkarchiv), Nr. C 1144 (15 Minuten, 15 Sekunden). *265*

Goebbels, Joseph: Rede im Berliner Sportpalast. Hier nach: Kundgebung der NSDAP, Gau Berlin, im Berliner Sportpalast, Joseph Goebbels, 18. Februar 1943, Auszug aus der Rundfunkübertragung, DRA-Nr. 2600052. URL: https://de.wikipedia.org/wiki/Datei:Joseph_Goebbels_Rede_im_Berliner_Sportpalast_1943.ogg (letzter Abruf: 25.01.2024). *276*

Goethe, Johann Wolfgang von: Mignons Lied. Aus: Wilhelm Meisters Lehrjahre. 10. Auflage. München: Deutscher Taschenbuch Verlag 1994. *21*

Goethe, Johann Wolfgang von: Nur wer die Sehnsucht kennt. Aus: Wilhelm Meisters Lehrjahre. 10. Auflage. München: Deutscher Taschenbuch Verlag 1994. *20*

Goethe, Johann Wolfgang von: 1. Willkommen und Abschied (1771). 2. Willkommen und Abschied (1785). Aus: ders.: Sämtliche Gedichte. Berlin: Insel Verlag 2007. *37*

Goethe, Johann Wolfgang von: Bericht April 1788. Aus: Italienische Reise. Zit. nach URL: https://www.projekt-gutenberg.org/goethe/italien/ital2e21.html (letzter Abruf: 25.01.2024). *19*

Goethe, Johann Wolfgang von: Erlkönig. Aus: ders.: Sämtliche Gedichte. Berlin: Insel Verlag 2007. *39*

Goethe, Johann Wolfgang von: Wandrers Nachtlied I und II. Aus: ders.: Sämtliche Gedichte. 2. Auflage. Berlin: Insel Verlag 2007. *36*

Goethe, Johann Wolfgang von; Schiller, Friedrich: Über epische und dramatische Dichtung. Aus: Friedrich Schiller: Sämtliche Werke, Band 5, München: Hanser 1962, S. 790–792. Entstanden 1797, Erstdruck in: Kunst und Altertum (Stuttgart), Bd. 6, 827, Heft 1. URL: http://www.zeno.org/nid/20005610168 (letzter Abruf: 26.01.2024). *172*

Goos, Hauke: Der berühmteste Gedankenstrich der deutschen Literatur. In: DER SPIEGEL (online) 07.09.2019. URL: https://www.spiegel.de/kultur/die-marquise-von-o-der-beruehmteste-gedankenstrich-der-deutschen-literaturgeschichte-a-c7a09b76-dc92-4e15-a081-0c40d1e293cd (letzter Abruf: 26.01.2024). *203*

Gorelik, Lena: Was ist Heimat? In: Bundeszentrale für politische Bildung, Bonn, 16.04.2021. URL: https://www.bpb.de/themen/migration-integration/kurzdossiers/331453/was-ist-heimat/ (letzter Abruf: 26.01.2024). *176*

Granzin, Katharina: Zwischen Streben und Ausgeliefertsein. In: TAZ, Berlin 07.03.2008. URL: https://taz.de/Jenny-Erpenbecks-Roman-Heimsuchung/!5185475/ (letzter Abruf: 26.01.2026). *231*

Grass, Günter: Zitat aus: Günter Grass: Nobelvorlesung. In: MLA style: Günter Grass – Nobelvorlesung. NobelPrize.org. Nobel Media AB 2020. Mon. 23 Mar 2020. URL: https://www.nobelprize.org/prizes/literature/1999/grass/199760-nobel-lecture-german/ (letzter Abruf: 26.01.2024). *151*

Grimm, Reinhold: Zum Verständnis moderner Lyrik. Göttingen: Sachse und Pohl 1967, S. 15–17. *69*

Grünbein, Durs: Alba. In: Nach den Satiren. Frankfurt am Main: Suhrkamp 1999. *72*

Grünbein, Durs: Kosmopolit. In: Nach den Satiren. Frankfurt am Main: Suhrkamp 1999. *72*

Gryphius, Andreas: Abend. Aus: Gedichte. Stuttgart: Reclam 2012. *30*

Hahn, Ulla: Sehnsucht. In: Gesammelte Gedichte. Deutsche Verlags-Anstalt 2013. *74*

Hansen, Helga: Leserbrief. In: Der SPIEGEL NR. 11 vom 13.03.2021, S. 128. *284*

Heine, Heinrich: Das Loreleylied. Aus: ders.: Sämtliche Gedichte. Stuttgart: Reclam 2006. *43*

Heine, Heinrich: Lebensgruß. Aus: ders.: Sämtliche Gedichte. Stuttgart: Reclam 2006. *47*

Heine, Heinrich: Philister in Sonntagsröcklein. Aus: ders.: Sämtliche Gedichte. Stuttgart: Reclam 2006. *48*

Heine, Heinrich: Wo? Aus: ders.: Sämtliche Gedichte. Stuttgart: Reclam 2006. *46*

Helbig, Ludwig: Sprachverhalten und soziale Schichtzugehörigkeit – die frühen Untersuchungen Basil Bernsteins. In: Sozialisation. Eine Einführung. Frankfurt am Main: Verlag Moritz Diesterweg 1979, S. 82 ff. *254*

Henckell, Karl: Straßenbild. Aus: Gipfel und Grunde. Neue Gedichte. 1901 – 1904. Montana: Kessinger Publishing 2010. *49*

Herder, Johann Gottfried (Zitat). Aus: Henricus – Edition Deutsche Klassik, Berlin. URL: http://www.zeno.org/nid/20005053021 (letzter Abruf: 26.01.2024). *151*

Hickethier, Knut: Semiotik oder Semiologie. In: Einführung in die Medienwissenschaft. Stuttgart; Weimar: Verlag J. B. Metzler 2003, S. 59 f. *253*

Hillers, Marta: Eine Frau in Berlin. Berlin: Aufbau Verlag (Die andere Bibliothek) 2021, S. 75/76. *206*

Hölderlin, Friedrich (Zitat). Zit. nach Jenny Erpenbeck: Heimsuchung. München: Penguin Verlag 2018, S. 7. *159*

Homer: Odyssee. Erster Gesang. München: Goldmann 1976, S. 441. Übersetzt von Johann Heinrich Voss. *152*

Humboldt, Wilhelm von (Zitat). Zit. nach: Gutzitiert, Kimberly Alojado Bueckart, Bacolod City (Philippinen). URL: https://www.gutzitiert.de/zitate_sprueche-heimat.html (letzter Abruf: 26.01.2024). *158*

Imhalsy, Bernard; Marfurt, Bernhard; Portmann, Paul: Konzepte der Linguistik. Eine Einführung. Wiesbaden: Athenaion 1979, S. 66 – 69. *243*

Jacobsohn, Siegfried: Kleists Lustspiel zeigt das volle Leben. In: Die Schaubühne. Berlin 9. Oktober 1913. *134*

Jakobson, Roman: Poetik. In: Elkmar Holenstein und Tarcisius Scheibert (Hrsg.): Ausgewählte Aufsätze 1921 – 1971. Frankfurt am Main: Suhrkamp 1979, S. 88, 90 ff., 92 f., 93, 93 f., 94, 84, 96. *237 – 242*

Jandl, Ernst: wanderung. In: Sprechblasen. 3. Auflage. Stuttgart: Reclam 1997, S. 74. *65*

Jede, Viktor (Zitat). Zit. nach: VNR Verlag für die Deutsche Wirtschaft, Bonn. URL: https://www.zitate.de/kategorie/heimat (letzter Abruf: 26.01.2024). *158*

Kafka, Franz: Der Prozess. Zit. nach URL: https://www.projekt-gutenberg.org/kafka/prozess/prozess.html (letzter Abruf: 26.01.2024). *204*

Kaléko, Mascha: Emigranten-Monolog. In: Verse für Zeitgenossen. 30. Auflage. Reinbek: Rowohlt Taschenbuch Verlag 1945. *58*

Kant, Immanuel: Beantwortung der Frage: Was ist Aufklärung? (1784). Aus: Berlinische Monatsschrift, Dezember 1784. *125*

Kehlmann, Daniel: Die Sehnsucht, kein Selbst zu sein (Rede zur Verleihung des Kleistpreises). In: Günter Blamberger, Gabriele Brandstetter, Ingo Breuer, Sabine Doering u. Klaus Müller-Salget (Hrsg.): Kleist-Jahrbuch 2007. Heinrich-von-Kleist-Gesellschaft, Berlin. Stuttgart; Weimar: Verlag J. B. Metzler 2007, S. 21 f. *147*

Kerner, Justinus: Im Eisenbahnhofe. Zit. nach URL: https://www.projekt-gutenberg.org/kernerj/gedichte/chap044.html (letzter Abruf: 24.01.2024). *41*

Kerner, Justinus: Wanderung. Aus: Die lyrischen Gedichte. Berlin: Edition Holzinger 2013, S. 128. *13*

Kleist, Heinrich von: Brief Kleists an Christian Ernst Martini. In: Ilse-Marie Barth u. a. (Hrsg.): Sämtliche Werke und Briefe. Band 4. Frankfurt am Main: Suhrkamp 1991 ff., S. 27. *109*

Kleist, Heinrich von: Brief Kleists an Wilhelmine von Zenge. Heinrich von Kleist, Briefe. Zit. nach URL: https://www.projekt-gutenberg.org/kleist/briefe/chap003.html (letzter Abruf: 19.03.2024). *110*

Kleist, Heinrich von: Brief Kleists an Wilhelmine von Zenge. Heinrich von Kleist, Briefe. Zit. nach: https://www.projekt-gutenberg.org/kleist/briefe/chap002.html (letzter Abruf: 19.03.2024). *123*

Kleist, Heinrich von: Der zerbrochne Krug. In: Hans-Georg Schede (Hrsg.): Schroedel Lektüren. Der zerbrochne Krug. Braunschweig: Westermann Bildungsmedien Verlag 2023, S. 5. *78, 80, 104*

Kleist, Heinrich von: Die Marquise von O.... Zit. nach URL: https://www.projekt-gutenberg.org/kleist/marquise/marquise.html (letzter Abruf: 26.01.2024). *202*

Kleist, Heinrich von: Über die allmähliche Verfertigung der Gedanken beim Reden. Zit. nach: https://www.projekt-gutenberg.org/kleist/gedanken/gedanken.html (letzter Abruf: 19.03.2024). *105*

Kleist, Heinrich von: Vorrede zur handschriftlichen Fassung des „zerbrochnen Krugs“. In: Hans-Georg Schede (Hrsg.): Schroedel Lektüren. Heinrich von Kleist: Der zerbrochne Krug. Ein Lustspiel. Braunschweig: Westermann Bildungsmedien Verlag 2023, S. 87 f. *83*

Klemperer, Victor: Das schleichende Gift der nationalsozialistischen Propaganda. In: LTI. Notizbuch eines Philologen. Nach der Ausgabe letzter Hand hrsg. und kommentiert von Elke Fröhlich. Stuttgart: Reclam 2020, S. 25 f. *261*

Klemperer, Victor: Die (eigentliche) Sprache des Dritten Reichs. In: LTI. Notizbuch eines Philologen. Nach der Ausgabe letzter Hand hrsg. und kommentiert von Elke Fröhlich. Stuttgart: Reclam 2020, S. 20 f. *260*

Kneuer, Marianne: Politische Kommunikation und digitale Medien in der Demokratie. In: Bundeszentrale für politische Bildung, Bonn. URL: https://www.bpb.de/system/files/dokument_pdf/1_2_Kneuer_Politische_Kommunikation_ba_0.pdf (letzter Abruf: 25.01.2024). *294*

Köhler, Michael: Interview mit der Regisseurin Laura Linnemann über die Inszenierung von „Der zerbrochne Krug“ in Düsseldorf. In: Deutschlandradio, Köln, 23.04.2019. URL: https://www.deutschlandfunk.de/reihe-gerechtigkeitsfragen-im-theater-kleists-der-100.html (letzter Abruf: 19.03.2024). *147*

Kolinka, Ginette: Rückkehr nach Birkenau. Übersetzerin: Nicola Denise. Berlin: Aufbau Verlag 2020, S. 9 – 24, 48, 121 – 123. *212*

Kopelew, Lew: Aufbewahren für alle Zeit! Übersetzer: Heddy Pross-Weerth, Heinz-Dieter Medel. Hamburg: Hoffmann und Campe 1976, S. 90 – 99. *215*

Krause, Robert: Leserbrief. In: Der SPIEGEL NR. 11 vom 13.03.2021, S. 128. *284*

Kühn-Görg, Monika (Zitat). Zit. nach: VNR Verlag für die Deutsche Wirtschaft, Bonn. URL: https://www.zitate.de/kategorie/heimat (letzter Abruf: 26.01.2024). *159*

Künne, Michael P. (Zitat). Zit. nach: VNR Verlag für die Deutsche Wirtschaft, Bonn. URL: https://www.zitate.de/kategorie/heimat (letzter Abruf: 26.01.2024). *159*

Kutsch, Axel: Gang durch ein Gedicht. In: Andreas Heitmann (Hrsg.): poetenladen.de. Leipzig, 03.02.2008. URL: http://www.poetenladen.de/axel-kutsch-lyrik6.htm (letzter Abruf: 24.01.2024). *73*

Lamberty, Pia; Rees, Jonas H.: Gefährliche Mythen: Verschwörungserzählungen als Bedrohung für die Gesellschaft. In: Andreas Zick/Beate Küpper (Hrsg.): Die geforderte Mitte. Rechtsextreme und demokratiegefährdende Einstellungen in Deutschland 2020/2021. Bonn 2021, S. 290 f. In: Michael Butter: Verschwörungstheorien. Aus Politik und Zeitgeschichte (APuZ) vom 27.08.2021, S. 6, 10, 12. URL: https://www.bpb.de/shop/zeitschriften/apuz/verschwoerungstheorien-2021/339276/verschwoerungstheorien-eine-einfuehrung/ (letzter Abruf: 25.01.2024). *311*

Lessing, Gotthold Ephraim: Über das Trauer- und das Lustspiel. In: Michael Holzinger (Hrsg.): Briefwechsel über das Trauerspiel. Brief an Nicolai vom November 1756. Berliner Ausgabe 2014, S. 9 f. *99*

Littell, Jonathan: Die Wohlgesinnten. Berlin: Berlin Verlag 2008, S. 154 – 157. *197*

Loest, Erich: Nikolaikirche. Leipzig: Linden-Verlag 1995, S. 7 – 11, S. 498 – 503. *226*

Löschburg, Winfried: Von Reiselust und Reiseleid. Eine Kulturgeschichte. Frankfurt am Main: Insel Verlag 1977. *26*

Lotz, Ernst Wilhelm: Aufbruch der Jugend. In: Jürgen von Esenwein (Hrsg.): Gedichte, Prosa, Briefe. Edition Text und Kritik. München 1994. *51*

Lotz, Ernst Wilhelm: Da sind die Straßen. Zit. nach URL: https://www.projekt-gutenberg.org/lotz/raubtier/chap010.html (letzter Abruf: 24.01.2024). *55*

Mankell, Henning (Zitat). Zit. nach: Katholische Kirche in Oberösterreich – Diözese Linz, 07.06.2017, Übersetzer unbekannt. URL: https://dioezese-linzold.at/redaktion/data/kbw/Die_Gesellschaft_wird_durch_Millionen_von_Gespr%C3%A4chen_gebildet.pdf (letzter Abruf: 22.04.2020). *151*

Mayer, Hans: Die literarische Bedeutung Heinrich Heines. In: Heinrich Heine Werke. Band 1. Gedichte. Frankfurt am Main: Suhrkamp 1968, S. 7 ff. *44*

Michalzik, Peter: Kleist. Dichter, Krieger, Seelensucher. Biographie. Berlin: Ullstein 2011, S. 7 f. *80*

Morgenstern, Christian (Zitat). Zit. nach: VNR Verlag für die Deutsche Wirtschaft, Bonn. URL: https://www.zitate.de/kategorie/heimat (letzter Abruf: 26.01.2024). *159*

Müller, Claus: Gesteuerte Kommunikation. In: Politik und Kommunikation. Zur Politischen Soziologie von Sprache, Sozialisation und Legitimation. München: Paul List Verlag 1975, S. 36, 37 f. *256, 257*

Müller, Johann Ludwig Wilhelm: Der Wegweiser. Aus: Gedichte. Berliner Ausgabe, 3. Auflage. Berlin: Edition Holzinger 2013, S. 115. *15*

Neumann, Michael: Die fünf Ströme des Erzählens. Aus: ders.: Die fünf Ströme des Erzählens. Eine Anthropologie der Narration. Berlin; Boston: De Gruyter 2013. *153*

Nietzsche, Friedrich (Zitat). Zit. nach: Friedrich Nietzsche: Werke in drei Bänden. München 1954, Band 2, S. 799–814. URL: http://www.zeno.org/nid/20009255974 (letzter Abruf: 27.03.2024). *79*

Novalis (Zitat). Zit. nach: VNR Verlag für die Deutsche Wirtschaft, Bonn. URL: https://www.zitate.de/kategorie/heimat (letzter Abruf: 26.01.2024). *158*

Opitz, Martin: Ach Liebste, lass uns eilen. Aus: ders.: Gedichte. Stuttgart: Reclam. *29*

Opitz, Martin: Sta viator! Aus: ders.: Gedichte. Stuttgart: Reclam. *31*

Orde, Heike vom; Durner, Alexandra (Zusammenstellung): Grunddaten Jugend und Medien, 2022, Aktuelle Ergebnisse von Mediennutzung Jugendlicher in Deutschland. Zusammengestellt aus verschiedenen deutschen Erhebungen. © Internationales Zentralinstitut für das Jugend- und Bildungsfernsehen, S. 36. *290*

Otten, Karl: Die Thronerhebung des Herzens. Für Martinet. In: Ahnung und Aufbruch – Expressionistische Prosa. Neuwied: Luchterhand 1977. *57*

Philipp, Elena: Handfeste Privilegienverwahrlosung. In: Nachtkritik Kulturnetz gemeinnützige GmbH, Berlin. URL: https://www.nachtkritik.de/nachtkritiken/deutschland/berlin-brandenburg/berlin/deutsches-theater-berlin/der-zerbrochene-krug-deutsches-theater-berlin-psychologisch-praezise-und-diskursstark-aktualisiert-anne-lenk-keists-klassiker (letzter Abruf: 19.03.2024). *136*

Pinthus, Kurt: Zitat aus: Menschheitsdämmerung. Köln: Anaconda 2008. *52*

Politycki, Matthias: Ein gewisser Eichendorff bläst den Blues von der prästabilierten Harmonie. In: Im Schatten der Schrift hier. München: Weismann (Kunstmann) 1988. *70*

Pörksen, Bernd: Der Fall Lisa. Die große Gereiztheit. Wege aus der kollektiven Erregung. München: Carl Hanser Verlag 2018, S. 9–12, 12 f., 46 ff. *297, 299*

Pörksen, Bernhard: Clash der Codes – oder das Zeitalter der indiskreten Medien. In: Die große Gereiztheit. Wege aus der kollektiven Erregung. München: Carl Hanser Verlag 2018, S. 7. *308*

Reif, Adalbert: Interview mit Jenny Erpenbeck. In: STANDARD Verlagsgesellschaft m.b.H., Wien, 06.11.2009. URL: https://www.derstandard.at/story/1256744249081/album-interview-erinnerung-ist-nur-ein-blick-zurueck (letzter Abruf: 26.01.2024). *191, 226*

Reinhardt-Becker, Elke: Einladung zur Literaturwissenschaft: Komödie. Ein Vertiefungsprogamm zum Selbststudium. Universtität Duisburg 2009. URL: http://www.einladung-zur-literaturwissenschaft.de/index976f.html?option=com_content&view=article&id=363%3A7-2-komoedie&catid=42%3Akapitel-7&Itemid=55 (letzter Abruf: 19.03.2024). *98*

Reinhardt-Becker, Elke: Einladung zur Literaturwissenschaft: Tragödie. Ein Vertiefungsprogamm zum Selbststudium. Universtität Duisburg 2009. URL: http://www.einladung-zur-literaturwissenschaft.de/index659a.html?option=com_content&view=article&id=364%3A7-2-tragoedie&catid=42%3Akapitel-7&Itemid=55 (letzter Abruf: 19.03.2024). *98*

Reitz, Edgar (Zitat). Zit. nach: Gutzitiert, Kimberly Alojado Bueckart, Bacolod City (Philippinen). URL: https://www.gutzitiert.de/zitate_sprueche-heimat.html (letzter Abruf: 26.01.2024). *158*

Richter, Steffen: Fokalisierungstypen nach Gérard Genette. Universität Duisburg-Essen 2009. URL: https://www.einladung-zur-literaturwissenschaft.de/indexad0a.html?option=com_content&view=article&id=254%3A5-3-fokalisierungstypen&catid=40%3Akapitel-5&Itemid=53 (letzter Abruf: 26.01.2024). *186*

Rilke, Rainer Maria: Die Sonette an Orpheus XVIII. In: Rainer Maria Rilke: Gedichte. Berlin: Insel Verlag. *156*

Rinne, Yannick: Leserbrief. In: Der SPIEGEL NR. 11 vom 13.03.2021, S. 128. *284*

Ritzmann, Kai: Leserbrief. In: Der SPIEGEL NR. 11 vom 13.03.2021, S. 128. *284*

Römer, Felix: Wie ich einmal fast so wie die anderen geworden wäre oder: Alltag 2. Klasse. In: Verhinderter Held. Lyrische Alltagsbewältigung. Berlin: Satyr Verlag 2015, S. 15–17. *68*

Schede, Hans-Georg: Der Handlungsaufbau im „zerbrochnen Krug". Aus: Interpretation Deutsch – Heinrich von Kleist: Der zerbrochne Krug. München: Stark 2018, S. 48 f. *87*

Scheitler, Irmgard: Erzähltheorie der Gegenwartsprosa. Aus: Deutschsprachige Gegenwartsprosa seit 1970. Tübingen und Basel: A. Francke Verlag 2001, S. 9 f. *174*

Schiller, Friedrich: Ankündigung aus „Die Horen". In: Gerhard Fricke (Hrsg.): Friedrich Schiller. Gesamtausgabe. Band 20. München: Deutscher Taschenbuch Verlag 1966, S. 62 ff. *129*

Schiller, Friedrich: Was kann eine gute stehende Schaubühne eigentlich wirken? Zit. nach URL: https://www.projekt-gutenberg.org/schiller/anstalt/anstalt.html (letzter Abruf: 25.01.2024). *138*

Schirach, Baldur von: Rede zum Fest der Sonnenwende auf der Zugspitze. In: Revolution der Erziehung. München: 2. Auflage 1939. Zitiert nach: Hans-Jochen Gamm: Führung und Verführung. Pädagogik des Nationalsozialismus. 3. Auflage. München: Paul List Verlag 1990, S. 99–101. *267*

Schlaffer, Heinz: Geistersprache. Zweck und Mittel der Lyrik. München: © dtv Verlagsgesellschaft 2002. *24*

Schlaffer, Heinz: Kurze Geschichte der deutschen Literatur. München: © dtv Verlagsgesellschaft 2002. *35, 47*

Schmid, Wolf: Abstrakter Autor und abstrakter Leser. Universität Hamburg, Interdisciplinary Center for Narratology. URL: https://www.icn.uni-hamburg.de/sites/default/files/download/publications/ws_abstrautorleser030325.pdf. (letzter Abruf: 24.01.2024) *248*

Schmidt, Jochen: Das Symbol der verlorenen Ehre Eves. Aus: Heinrich von Kleist. Dramen und Erzählungen in ihrer Epoche. Darmstadt: wiss. Buchgesellschaft 2013, S. 73f. *113*

Schneider, Hans-Peter: Justizkritik im „Zerbrochnen Krug". In: Kleist-Jahrbuch 1988/89. Heinrich-von-Kleist-Gesellschaft, Berlin, S. 311–313. *115*

Schneider, Helmut J.: Frau Marthes Beschreibung des zerbrochenen Krugs. In: Ingo Breuer (Hrsg.): Kleist-Handbuch. Leben – Werk – Wirkung. Sonderausgabe. Stuttgart: Metzler 2013, S. 37f. *102*

Schreiner, Manfred: Leserbrief. In: Der SPIEGEL NR. 11 vom 13.03.2021, S. 128. *284*

Silbermond: Leichtes Gepäck (Liedtext von Kloss, Stefanie; Nowak, Andreas; Stolle, Johannes; Stolle, Thomas). © Verschwende deine Zeit GmbH. Mit freundlicher Genehmigung von BMG Rights Management GmbH. *65*

Sommerer, Barbara (Zitat). Zit. nach: VNR Verlag für die Deutsche Wirtschaft, Bonn. URL: https://www.zitate.de/kategorie/heimat (letzter Abruf: 26.01.2024). *158*

Sophokles: König Ödipus. In: Mario Leis (Hrsg.): Reclam XL Text und Kontext: Sophokles: König Ödipus. Übersetzt v. Kurt Steinmann. Stuttgart: Reclam 2023, S. 7–21. *93*

Sørensen, Bengt Algot: Deutsche Romantik. In: Geschichte der deutschen Literatur. 1. Vom Mittelalter bis zur Romantik. 2. Auflage. München: C.H. Beck 2003, S. 290–310. *131*

Spolders, Sascha: Modell des Erzählens nach Petersen. Originalbeitrag. *155*

Stadelmaier, Gerhardt: Der Teufel und der leere Gott. In: Frankfurter Allgemeine Zeitung, 15.09.2008. © Alle Rechte vorbehalten. Frankfurter Allgemeine Zeitung GmbH, Frankfurt. Zur Verfügung gestellt vom Frankfurter Allgemeine Archiv. URL: https://www.faz.net/aktuell/feuilleton/buehne-und-konzert/der-zerbrochene-krug-der-teufel-und-der-leere-gott-1699751.html (letzter Abruf: 19.03.2024). *135*

Stadler, Ernst: Heimkehr. Aus: Der Aufbruch und andere Gedichte. Stuttgart: Reclam 2014. *54*

Steinmeier, Frank-Walter: Festakt zum Tag der Deutschen Einheit 2017. URL: http://www.bundespraesident.de/SharedDocs/Reden/DE/Frank-Walter-Steinmeier/Reden/2017/10/171003-TdDE-Rede-Mainz.html (letzter Abruf: 24.01.2024) *62*

Stephan, Inge: Faschistische Kunst: monumental, ornamental und kultisch. In: Wolfgang Beutin u.a.: Deutsche Literaturgeschicht. Von den Anfängen bis zur Gegenwart. 5., überarbeitete Auflage. Stuttgart; Weimar: Verlag J.B. Metzler 1994, S. 391f. *269*

Stokowski, Margarete: Hate Speech. In: Der SPIEGEL NR. 2 vom 8.1.2022, S. 70f. *291*

Stramm, August: Patrouille. In: René Radrizzani (Hrsg.): August Stramm: Das Werk. Wiesbaden: Limes 1963, S. 86. *55*

Swift, Jonathan: Gullivers Reisen. München: Anaconda Verlag 2020, S. 235ff. Übersetzt von Franz Kottenkamp. *247*

Tausendundeine Nacht. Zit. nach URL: https://www.projekt-gutenberg.org/weil/band1/eingang.html (letzter Abruf: 25.01.2024). *152*

Tekinay, Alev: Dazwischen. Robert-Bosch-Stiftung, Stuttgart 2001. *64*

Therstappen, Rainer: Carpe diem. Aus: ders.: Bislang. Gedichte. Edition anthrazit. Aachen: Deutscher Lyrik Verlag 2017. *32*

Vahsen, Mechthilde: Wie alles begann – Frauen um 1800. In: Bundeszentrale für politische Bildung, Bonn, 08.09.2008. URL: https://www.bpb.de/themen/gender-diversitaet/frauenbewegung/35252/wie-alles-begann-frauen-um-1800/ (letzter Abruf: 19.03.2024). *121*

Vierhaus, Rudolf: Heinrich von Kleist und die Krise des Preußischen Staates um 1800. In: Kleist-Jahrbuch 1980, Heinrich-von-Kleist-Gesellschaft, Berlin, S. 14–21. *107*

Vischer, Friedrich Theodor: Auf der Eisenbahn. Aus: Lyrishe Gänge. Norderstedt: Hansebooks 2016. *40*

Vondran, Emmerich: Ostpreußen im Fegefeuer. Leer: Velag Gerhard Rautenberg o. J., S. 185–191. *219*

Wand, Gisela: Kleist zwischen Klassik und Romantik. Aus: Heinrich von Kleist – Die Marquise von O... . Interpretation. Hallbergmoos: Stark 2017, S. 69 f., 75. *133*

Weisband, Marina: Digitalisierung: Wie retten wir das Internet und machen jungen Menschen wieder Lust auf die Demokratie? In: ZEIT Online, 24.07.2021. URL: https://www.zeit.de/2021/30/digitalisierung-schule-demokratie-mitbestimmung-plattform (letzter Abruf: 25.01.2024). *305*

Wenz, Gunther: Der Fall des Dorfrichters. Aus: Die Sünde Adams. Zum Fall des Dorfrichters in Heinrich von Kleist Lustspiel „der zerbrochne Krug". München: Bayerische Akademie der Wissenschaft München 2016, S. 9–11. *111*

Wolf, Christa: Kein Ort. Nirgends. Darmstadt/Neuwied: Luchterhand 1979, S. 62–65. *81*

Wondratschek, Wolf: In den Autos. In: Chuck's Zimmer. Alle Gedichte und Lieder. München: Heyne 1982, S. 82. *71*

Wood, James: Die Kunst des Erzählens. Reinbek: Rowohlt 2013. Übersetzt von Imma Klemm. *154*

Zeh, Juli: Wir trauen uns nicht. In: ZEIT Online, 23.01.2021. URL: http://www.zeit.de/2004/11/L-Preisverleihung (letzter Abruf: 26.01.2024). *187*

Zeidler, Susanna Elisabeth: Beglaubigung der Jungfer Poeterey. In: Cornelia Niekus Moore: Jungferlicher Zeitvertreiber. Bern; Berlin u. a.: Peter Lang 2000, S. 48. *33*

Zeitung für die elegante Welt: Die Kritik der Uraufführung. In: Helmut Sembdner (Hrsg.): Heinrich von Kleists Lebensspuren. Dokumente und Berichte der Zeitgenossen. Erw. Neuausg. Frankfurt am Main: Insel Verlag 1977. *134*

Zuckmayer, Karl: Die Elegie von Abschied und Wiederkehr. In: Abschied und Wiederkehr. Frankfurt am Main: Fischer Taschenbuch 1997. *61*

Zweig, Stefan: Sonnenaufgang in Venedig. Aus: Die Fahrten. Plausch Verlag 2003. *50*

Zweig, Stefan (Zitat). Zit. nach: Gutzitiert, Kimberly Alojado Bueckart, Bacolod City (Philippinen). URL: https://www.gutzitiert.de/zitate_sprueche-heimat.html (letzter Abruf: 26.01.2024). *158*

Stichwortverzeichnis

Bildquellenverzeichnis

|akg-images GmbH, Berlin: 14.1, 16.1, 18.1, 22.1, 28.1, 29.2, 30.1, 38.1, 38.2, 41.2, 44.1, 56.2, 59.2, 80.1, 109.1, 110.1, 124.1, 124.4, 172.2, 174.2, 180.1, 219.1, 239.1, 247.1, 257.1; Archiv K. Wagenbach 204.1; Barbier, Bruno 49.2; Becker, Elizaveta 223.2; Jazz Archiv/Reimers, Michi 67.2; Lessing, Erich 32.1, 54.1, 111.1, 124.2; Lessing, Erich / Pablo Picasso: Guernica / © Succession Picasso / VG Bild-Kunst, Bonn 2024 69.1; Musée du Pétit Palais, Genf 57.1; Pictures From History 172.1; Pirozzi/Vatikanische Museen 124.3; Poklekowski, Doris 45.1; Schleyer, Susanne 253.1; Vatikanische Museen 93.1; Weise, Anna 176.1; © VG Bild-Kunst, Bonn 2001 147.1; © VG Bild-Kunst, Bonn 2024 / A. Paul Weber: Das Gerücht 299.2. |Alamy Stock Photo, Abingdon/Oxfordshire: access rights from The Picture Art Collection 124.5; allOver images 227.1; Ant Palmer, Ant 263.4; Artepics 180.2; Clark, Victoria 213.1; Heritage Image Partnership Ltd 202.2; imageBROKER.com GmbH & Co. KG 182.1; Serrat 209.1; Tantapakul, Oran 185.1; Universal Images Group North America LLC 163.1. |Alamy Stock Photo (RMB), Abingdon/Oxfordshire: ART Collection 202.1, Arterra Picture Library 11.8; Bercan, Radu 252.2; buteo 242.6; colaimages 89.1; eastland, adam 244.1; Granger Historical Picture Archive 14.2; Historic Images 174.1, History and Art Collection 42.3; imageBROKER/Weitzel, Holger 252.4; INSADCO Photography 242.4; Lanmas 97.1; Natural Visions/Angel, Heather 252.5; Niday Picture Library 31.1; Pascopix / © VG Bild-Kunst, Bonn 2024 / Christo: Walking on water 242.5; Penta Springs Limited 101.1; REDA &CO srl 242.3; robertharding/Treadway, Alex 252.1; Smith Collection/Gado Images 240.2; Tetra Images, LLC 252.3; The Artchives 242.1; The Granger Collection 246.1; The Print Collector/Ann Ronan Picture Library/Heritage-Images 248.1, tommybarba 252.6; Torres, Rachel 242.2. |Anhaltisches Theater Dessau, Dessau-Roßlau: © Claudia Heysel / Darsteller: Oliver Seidel, Andreas Hammer, Boris Malré 117.1; © Claudia Heysel / DarstellerInnen: Dirk S. Greis, Oliver Seidel, Illi Oehlmann 102.2; © Claudia Heysel / DarstellerInnen: Dirk S. Greis, Oliver Seidel, Mirjana Milosavljevic, Stephan Korves 118.1; © Claudia Heysel / DarstellerInnen: Mirjana Milosavljevic, Stephan Korves, Oliver Seidel, Andreas Hammer, Boris Malré 86.1. |APA-PictureDesk GmbH, Wien: Imagno/Setzer, Franz Xaver 50.1. |Bakker, Jan: 193.2. |Berghahn, Matthias, Bielefeld: 236.2. |Bildbühne - c/o Marcus Lieberenz, Berlin: 95.1. |Birkner, Nicola, Hannover: 317.1. |bpk-Bildagentur, Berlin: 19.1, 27.2, 108.1, 129.1, 264.1, 267.1, 276.1, 278.1; Deutsches Historisches Museum / Psille, Arne 28.3; Ludwig Meidner: Barrikadenkampf 1913/Nationalgalerie SMB / Jörg P. Anders / © Ludwig Meidner-Archiv, Jüdisches Museum der Stadt Frankfurt am Main 52.1; Staatsbibliothek zu Berlin 55.3; Staatsbibliothek zu Berlin / Schacht, Ruth 31.2. |Bridgeman Images, Berlin: 99.1, 122.1. |C.D., Hamburg: 101.2.

|Colourbox.com, Odense: 12.1, 321.1, 324.1. |ddp images GmbH, Hamburg: Gottschalk, Michael 113.1; Kaiser, Henning 73.1. |Declair, Arno, Berlin: 146.1; Deutsches Theater Berlin 79.2, 136.1. |DER SPIEGEL, Hamburg: Bernhard Riedmann 203.1; DER SPIEGEL 10/2021 281.1. |Dr. med. Ante, Dieter: Dieter Ante / Unbekannter Künstler, Sicherheits-Trachten für Eisenbahn-Reisende, 1847, Holzstich, Slg. D. Ante. 42.2. |EPA Images, Frankfurt am Main: Suleymanovic, Koca 62.1. |fotolia.com, New York: euthymia 11.7; Fotokon 152.1; Kara 11.1; M.Rosenwirth 11.3; mirpic 28.2; Syda Productions 326.1; Trueffelpix 322.1. |Getty Images, München: AFP / Saget, Joel 212.1; Nikishin, Oleg 197.1; Ulf Andersen / Gamma-Rapho 186.1. |Getty Images (RF), München: Blend Images 11.9; Cleliamichelini 170.1; gruizza 158.1. |Granzin, Katharina, Berlin: 231.1. |http://www.zeno.org - Contumax GmbH & Co.KG, Berlin: L. Cigoli 11.5. |Imago, Berlin: Rust 28.6. |Imago Editorial, Berlin: allOver-MEV 184.1; Brigani-Art 135.1; Itar-Tass 217.1; teutopress 226.1. |Interfoto, München: Friedrich 60.1; Sammlung Rauch 39.1; Science & Society 42.1. |iStockphoto.com, Calgary: alex57111 224.1; Grafissimo 125.1; Klemm, Alexander 11.11; mikolajn 21.3; ollo 27.1; PepeLaguarda 323.1; Stevenson, Don 11.4; thebroker 315.1. |Jüdisches Museum der Stadt Frankfurt am Main, Frankfurt/M.: © Ludwig Meidner-Archiv 51.1, 55.1. |Kassing, Reinhild, Kassel: 254.1. |Klee, Klaus, Maintal: Nachlass Michael Schmeelke 220.1. |Kleist, Sigurd von, Hildesheim: 80.2. |Ludwigsburg Museum, Ludwigsburg: Inv.-Nr. 1755 W 86 40.1. |mauritius images GmbH (RF), Mittenwald: age fotostock/Emilio Ereza 21.2. |Michelides, Christian, Wien: CC BY-SA 4.0 Deed 208.1. |Österreichische Galerie Belvedere, Wien: Sammlung online / Belvedere CC BY-SA 4.0 194.1. |Österreichische Nationalbibliothek, Wien: Foto: Georg Fayer, Wien (1892-1950) / 03.1927 236.1. |PantherMedia GmbH (panthermedia.net), München: leesr 320.1; pantusc11 318.1. |Peitsch, Peter - peitschphoto.com, Hamburg: 72.1. |Philipp Reclam jun. Verlag GmbH, Ditzingen: 262.1. |Picture Press Bild- und Textagentur GmbH, Hamburg: aus: Geo Epoche 101/2020. Das Goldene Zeitalter der Niederlande 1566-1715, S. 21. 102.1. |Picture-Alliance GmbH, Frankfurt a.M.: 178.1; akg-images 13.1, 15.1, 17.1, 17.2, 29.1, 41.1, 216.1, 277.1; AP Photo/Carconi, Angelo 191.1; Baumgarten, Ulrich 127.1, 291.1; dpa 11.2, 260.1; dpa / bifab 49.1; dpa / Gabbert, Klaus-Dietmar 298.1; dpa / Hiekel, Matthias 261.1; dpa / Hormann, Frank 303.1; dpa / Schreiner, Tobias 263.2; dpa/Kleefeld 67.1; dpa/Kolbe, Jörg 59.1; dpa/Persch, Stephan 297.1; dpa/Röhnert 58.1; dpa/Wöstmann, Hermann 208.2; dpa/Young, David 46.1, 46.2; Erwin Elsner 187.1; Everett Collection / Tavin, Jerry 240.1; Flashpic / Krick, Jens 289.1; Geisler-Fotopress / Gabsch, Sebastian 288.1; Geisler-Fotopress / Hardt, Christoph 263.1; Heinz, Volkmar / dpa-Zentralbild/ZB 229.1; Jazzarchiv 66.1; newscom/Unimedia Usa 28.4; NurPhoto / Raa, Jonathan 11.13; Photoshot 263.3; Scheriau, Erwin 11.12; Schöndorfer, Karl / picturedesk.com 183.1; SZ Photo / Schülke, Olaf 302.2; Westend61 / Jäger, Thomas 167.1; ZB /Kalaene, Jens 141.1; ZB/euroluftbild.de 162.1. |Pizka, Erich, Ebersberg: 46.3, 46.4, 46.5. |Reinhard, Josef, Sachseln: 61.2. |Reisebüro Feyhl GmbH, Ludwigsburg: 28.5. |Rowohlt Verlag GmbH, Hamburg: 293.1. |Ruppert, Marvin, Köln: 68.1. |S. Fischer Verlag GmbH, Frankfurt/Main: 299.1. |SAGA Egmont, Kopenhagen: 195.1. |Schede, Hans-Georg, Freiburg: 134.1; Illustration: Adolph Menzel 105.1, 106.1, 116.1; Radierung von Jean Jacques le Veau 79.1, 83.1. |Schmidt, Benno, Berlin: mit freundlicher Genehmigung von Irmgard Scheitler 175.1. |Schnabel, Clarissa, Elze: 206.1. |Schwarzstein, Yaroslav, Hannover: 340.1, 341.1, 342.1, 342.2, 343.1, 343.2, 344.1, 344.2, 345.1, 346.1, 346.2, 347.1, 347.2, 348.1, 348.2, 349.1, 349.2, 350.1, 350.2, 351.1. |Shutterstock.com, New York: Alice-D 43.1; andreiuc88 36.1; Pakhnyushchy 210.1; Peshkova 11.6; WilmaVdZ 32.3. |stock.adobe.com, Dublin: Aleksei 295.1; allvision 301.1; dihard 302.1; Elroi 235.3; engel.ac 286.1; Kollidas, Georgios 138.1; krissikunterbunt 280.1; Link, Nikolai 297.2; Medir 98.1; Mickis Fotowelt 235.1; Morgan Studio 21.1; New Africa 281.2; pit24 50.2; Sasint 11.10. |teachSam, Konstanz: By Gert Egle - www.teachsam.de - lizenziert unter CC-BY-SA 4.0 International license 92.1, 92.2. |Then, Sandra, Bonn: 87.1. |Therstappen, Rainer, Erkelenz: 32.2. |ullstein bild, Berlin: 55.2, 61.1, 223.1; Atelier Binder 193.1; brandstaetter images 56.1; Buhs/Remmler 65.1; Frederic 71.1; Friedrich, Brigitte 222.1; Hauke, Paul 235.2; Imagno 134.2; Keystone 139.1; Mai, Paul 265.1; P/F/H 24.1; Schiffer-Fuchs 81.1; snapshot-photography / Seeliger, Tobias 215.1. |VG BILD-KUNST, Bonn: 2024 / © Pollock-Krasner Foundation / Jackson Pollock: Herbstrhythmus: Nummer 30 70.1; © 2024 / Die ersten Kolchosniki im Strahl der / Sonne" von Konstantin Yuon (oder Juon) 166.1. |von Sarosdy, Anne-Marie, Düsseldorf: 159.1. |Zelinger, Thomas, Heppenheim: 84.1.